ENFANTS
DE TOUS LES
TEMPS
DE TOUS LES
MONDES

Pour Vincent

ENFANTS
DE TOUS LES
TEMPS
DE TOUS LES
MONDES

SOUS LA DIRECTION DE
JÉRÔME BASCHET

GALLIMARD JEUNESSE GIBOULÉES

Contributions

Joseph Adandé
Gabriella Airenti
Nicole Belmont
Daniela Berti
Stéphanie Binet
Gérard Colas
Monique Dagnaud
Julie Delalande
Catherine Dolto
Arlette Farge
Cristina Figueiredo
Philippe Godard
Marie-Joëlle Gros
Pierre Haski
Christiane Klapisch
Michel Kokoreff
Françoise Lauwaert
Jacques Le Goff
Sylvie Mansour
Elisabeth Munsch
Pierre Péju
Christine Pellicane
Michelle Perrot
David Revault d'Allonnes
Pauline Schmitt-Pantel
Anne Sibran
Myriam Szejer
Gilles Tarabout
François Trassard
Raoul Vaneigem

ENFANTS DE TOUS LES **TEMPS** DE TOUS LES **MONDES**

Ouvrage préparé
avec le concours
du Centre national du Livre

Directeur de l'ouvrage

Jérôme Baschet est historien, ancien élève de l'École normale supérieure de Saint-Cloud et ancien membre de l'École française de Rome. Depuis 1997, il partage son temps entre deux univers et deux cultures : le Mexique et la France. Il enseigne d'une part à l'École des hautes études en sciences sociales (EHESS), à Paris, et de l'autre, à l'université de San Cristóbal de Las Casas, au Chiapas. Ses recherches portent sur le Moyen Âge occidental, en particulier sur l'iconographie et sur les conceptions de la paternité et de la parenté à cette époque. Au Mexique, il a pu observer de près la lutte des communautés indiennes pour la reconnaissance de leurs droits et de leurs cultures. Il est notamment l'auteur du *Sein du père. Abraham et la paternité dans l'Occident médiéval* (Gallimard, « Le Temps des images », 2000, prix Augustin-Thierry), *La Civilisation féodale. De l'an mil à la colonisation de l'Amérique* (Flammarion, « Champs », 2006), *L'Iconographie médiévale* (Gallimard, « Folio histoire », 2008), ainsi que de *La Rébellion zapatiste. Insurrection indienne et résistance planétaire* (Flammarion, « Champs », 2005).

Contributeurs

Joseph Adandé est historien d'art, ainsi que critique d'art. Docteur de l'université Paris-I, il enseigne à l'université d'Abomey-Calavi, au Bénin. Ses travaux portent sur la créativité dans les sociétés africaines traditionnelles et contemporaines.

Gabriella Airenti est professeur de psychologie cognitive à l'université de Turin. Elle a publié plusieurs ouvrages consacrés à l'étude des capacités du tout petit enfant, et notamment de ses aptitudes à la communication avec autrui.

Nicole Belmont est anthropologue et directrice d'études à l'EHESS. Autour du thème de la naissance, elle a rassemblé et interprété un ensemble de croyances, de rituels et de récits, et esquissé ainsi une anthropologie de la naissance. Depuis plusieurs années, elle se consacre à l'étude des contes de tradition orale. Elle a publié notamment *Les Signes de la naissance* (G. Monfort, 1983), *Poétique du conte* (Gallimard, « Le Langage des contes », 1999), *Sous la cendre. Figures de Cendrillon*, avec Elisabeth Lemirre (Corti, 2007), et *Mythe, conte et enfance* (L'Harmattan, 2010).

Daniela Berti est ethnologue. Chargée de recherche au Centre national de la recherche scientifique (CNRS), elle a mené de nombreuses recherches en Inde du Nord. Elle a notamment travaillé sur les tournures linguistiques des dialogues lors de certains rites, sur leur efficacité et sur l'élaboration d'une iconographie divine.

Stéphanie Binet est journaliste à *Libération*. Sa spécialité est la musique, notamment le hip-hop, le slam et le rap, ainsi que les cultures urbaines et leurs diverses expressions (graffitis).

Gérard Colas est spécialiste de l'Inde ancienne et directeur de recherche au CNRS. Ses travaux portent sur les textes sanskrits et leur transmission, ainsi que sur les doctrines et traditions hindoues. Il a codirigé l'équipe de recherche « Enfances indiennes ».

Monique Dagnaud est sociologue. Directrice de recherche au CNRS, elle a été membre du Conseil supérieur de l'audiovisuel, de 1991 à 1999. Ses recherches portent sur les médias, la place que la violence y occupe, les rapports entre enfants et publicité, ainsi que sur la culture des adolescents dans l'univers des loisirs. Outre un rapport sur *Enfants, consommation et publicité télévisée* (La Documentation française, 2003), elle a notamment écrit *Les Artisans de l'imaginaire. Comment la télévision fabrique la culture de masse* (Armand Colin, 2006).

Julie Delalande est anthropologue. Maître de conférences à l'université Rennes-II, elle étudie la culture enfantine et la manière dont celle-ci se développe en partie indépendamment des adultes. Elle est l'auteur de *La Cour de récréation. Pour une anthropologie de l'enfance* (Presses universitaires de Rennes, 2001).

Catherine Dolto est médecin, haptopsychothérapeute. Elle écrit pour la jeunesse et dirige des collections qui s'adressent aux enfants et aux adolescents dans les domaines de la santé et de la psychologie. Elle est entre autres l'auteur, avec Françoise Dolto et Colette Percheminier, de *Paroles pour adolescents, ou le Complexe du homard* (Gallimard Jeunesse, « Folio junior », 2007). Elle a dirigé le *Dico Ado. Les Mots de la vie* (Gallimard Jeunesse, « Giboulées », 2007).

Arlette Farge est historienne, spécialiste du XVIIIᵉ siècle. Directrice de recherche au CNRS, elle s'efforce de redonner voix aux gens ordinaires du passé, de nous restituer de manière sensible ce qu'a été la vie du peuple, des pauvres et des marginaux, dans l'Europe d'hier. Elle a écrit de très nombreux livres, notamment *Vivre dans la rue à Paris au XVIIIᵉ siècle* (Gallimard, « Folio histoire », 1992), *Le Goût de l'archive* (Seuil, « Points histoire », 1997) et *Effusions et tourments, le récit des corps. Histoire du peuple au XVIIIᵉ siècle* (Odile Jacob, 2007).

Cristina Figueiredo est anthropologue. Dans sa thèse de doctorat (EHESS), elle a étudié les formes de l'initiation sentimentale et sexuelle chez les Touaregs. Elle analyse aussi la façon dont les conceptions du corps sont transmises dès la plus tendre enfance et dont elles sont transformées par de nouveaux savoirs médicaux, culturels et religieux.

Philippe Godard est écrivain et directeur de collections pour la jeunesse. Il a écrit de nombreux livres pour jeune public, notamment sur l'Inde. Il dénonce avec virulence le travail des enfants à travers le monde, dans plusieurs ouvrages tels que *Contre le travail des enfants* (Desmaret, 2001) et *Au travail, les enfants !* (Homnisphères, 2007).

Marie-Joëlle Gros est journaliste à *Libération*. Elle s'attache particulièrement aux parcours d'adolescents, à travers leurs modes de vie, leurs engagements politiques, ou les faits divers qui les mettent en scène.

Pierre Haski est journaliste. Il a été correspondant en Chine pour le journal *Libération*, avant d'en devenir directeur adjoint de la rédaction. Il est cofondateur et directeur du site d'information Rue89. Il a présenté *Le Journal de Ma Yan. La vie quotidienne d'une écolière chinoise* (J'ai Lu, 2004), et il est l'auteur du *Sang de la Chine. Quand le silence tue*, avec des photographies de Bertrand Meunier (Grasset, 2005).

Auteurs

Christiane Klapisch est historienne, spécialiste de l'Italie à la fin du Moyen Âge et à la Renaissance. Directrice d'études à l'EHESS, elle a consacré de nombreux travaux aux groupes sociaux et à la vie familiale à Florence. Elle a codirigé l'*Histoire de la famille* (3 volumes, Livre de Poche, 1994) et consacré un livre aux origines de l'arbre généalogique, *L'Arbre des familles* (La Martinière, 2003). Elle a contribué à l'essor de l'histoire des femmes et a dirigé le volume de l'*Histoire des femmes en Occident* consacré à la période médiévale (Perrin, « Tempus », 2002).

Michel Kokoreff est sociologue. Professeur à l'université de Nancy-II, il étudie les transformations des conditions de vie des jeunes dans les quartiers populaires, les problèmes liés au trafic de drogue, ainsi que les mutations d'ensemble de la société française. Il est notamment l'auteur de *Sociologie des émeutes* (Payot, 2008) et de *La Drogue est-elle un problème ? Usages, trafics et politiques publiques* (Payot, 2010).

Françoise Lauwaert est historienne. Spécialiste de la Chine ancienne, elle enseigne à l'Université libre de Bruxelles. Ses recherches portent notamment sur l'histoire de la famille, les pratiques de l'adoption, l'enfance et l'éducation dans le monde chinois. Elle a écrit *Le Meurtre en famille. Parricide et infanticide en Chine, XVIIIe-XIXe siècle* (Odile Jacob, 1999).

Jacques Le Goff est l'un des historiens les plus réputés des cinquante dernières années. Ancien président de l'EHESS, il est codirecteur de la revue *Annales* et anime l'émission « Les lundis de l'histoire » sur France Culture. Ses travaux ont profondément renouvelé notre vision du Moyen Âge et ont inspiré plusieurs générations de chercheurs. Il n'a cessé de se battre pour promouvoir la connaissance historique et l'enseignement de

cette discipline. Parmi ses nombreux livres, on peut mentionner *Pour un autre Moyen Âge. Temps, travail et culture en Occident* (Gallimard, « Tel », 1991), *La Naissance du Purgatoire* (Gallimard, « Folio histoire », 1991), *Saint Louis* (Gallimard, 1996), mais aussi *Le Moyen Âge expliqué aux enfants* (Seuil, 2006).

Sylvie Mansour est docteur en psychologie. Elle a enseigné à l'université de Birzeit (Palestine) et travaillé pour des organisations internationales comme l'Unicef et l'agence de l'ONU chargée des réfugiés. Elle a étudié la condition des enfants réfugiés dans le monde, et notamment celle des jeunes Palestiniens. Elle est l'auteur de *Des enfants et des pierres. Enquête en Palestine occupée* (Éditions de la Revue d'études palestiniennes, 1989), et elle a dirigé l'ouvrage *L'Enfant réfugié. Quelle protection ? Quelle existence ?* (Syros, 1995).

Elisabeth Munsch travaille en Afrique, où elle est chargée de projets de la Délégation du Bureau international catholique de l'enfance.

Pierre Péju, romancier, essayiste et professeur de philosophie, a écrit plusieurs essais, notamment *La Petite Fille dans la forêt des contes* (Robert Laffont, 1981) et *Le Monstrueux*, avec des illustrations de Stéphane Blanquet (Gallimard Jeunesse, « Giboulées », « Chouette ! Penser », 2007). Parmi les romans, contes et nouvelles dont il est l'auteur, on peut citer *Naissances* (Gallimard, « Folio », 2000), *La Petite Chartreuse*, prix du Livre Inter (Gallimard, « Folio », 2004), *Le Rire de l'ogre* (Gallimard, « Folio », 2007) et *La Diagonale du vide* (Gallimard, 2009).

Christine Pellicane est metteur en scène et directrice de la compagnie de théâtre Tamèrantong!. Celle-ci travaille avec des enfants de quartiers réputés difficiles, à Belleville (Paris) et Mantes-la-Jolie,

qui deviennent les acteurs de spectacles voués à un grand succès.

Michelle Perrot est historienne, spécialiste du XIXe siècle. Professeur émérite à l'université Paris-VII, elle a consacré ses premières recherches à l'histoire des grèves et des luttes ouvrières, puis au système pénitentiaire. Elle a joué un rôle considérable dans le développement de l'histoire des femmes et a codirigé, avec Georges Duby, les cinq volumes de l'*Histoire des femmes en Occident* (Perrin, « Tempus », 2002). Elle anime l'émission « Les lundis de l'histoire » sur France Culture. Parmi ses très nombreux ouvrages, on peut citer *Les Femmes, ou les Silences de l'histoire* (Flammarion, « Champs », 2001) et *Histoire de chambres* (Seuil, 2009).

David Revault d'Allonnes est journaliste à *Libération*.

Pauline Schmitt-Pantel est historienne, spécialiste de la Grèce ancienne. Professeur à l'université Paris-I, elle a consacré ses recherches à l'organisation politique des cités grecques, à la religion et aux pratiques du banquet, ainsi qu'à l'histoire des femmes et des jeunes filles. Elle a dirigé le premier volume de l'*Histoire des femmes en Occident*, consacré à la période antique (Perrin, « Tempus », 2002) et publié des ouvrages traduits dans une dizaine de langues. Parmi ses derniers livres : *Dieux et déesses de la Grèce expliqués aux enfants* (Seuil, 2008), ainsi que *Hommes illustres. Mœurs et politique à Athènes au Ve siècle* (Aubier, 2009).

Anne Sibran est titulaire d'un DEA de philosophie et d'une licence d'ethnologie. Après des activités théâtrales, elle devient écrivain pour la jeunesse et signe plusieurs ouvrages, notamment *Le Cloune et la belle cuillère* (Milan, 1995) et *Les Bêtes d'ombre. Un conte sauvage*, avec des illustrations de Stéphane Blanquet (Gallimard Jeuness, « Giboulées », 2010).

Elle écrit également des romans pour les adultes, comme *Je suis la bête* (Gallimard, « Haute enfance », 2007), et des scénarios de bandes dessinées, par exemple celui de *La Terre sans mal*, dessiné par Lepage (Dupuis, 1999).

Myriam Szejer est pédopsychiatre et psychanalyste. Elle reçoit en consultation privée et travaille dans la maternité de l'hôpital Antoine-Béclère, à Clamart, auprès des bébés et de leur famille. Fondatrice de l'association La Cause des bébés, elle a écrit *Des mots pour naître* (Gallimard, « Sur le champ », 1997) et *Si les bébés pouvaient parler...* (Bayard, 2009).

Gilles Tarabout est anthropologue, spécialiste de l'Inde. Directeur de recherches au CNRS, il étudie les relations entre société et religion, notamment dans la région du Kérala (Inde du Sud). Il s'intéresse tout particulièrement aux usages des images religieuses et aux conceptions du corps dans le monde hindou. Il a codirigé l'équipe de recherche « Enfances indiennes », ainsi que l'ouvrage *Images du corps dans le monde hindou*, avec Véronique Bouillier (CNRS Éditions, 2003).

François Trassard est historien et conseiller éditorial. Il a notamment dirigé la collection « L'Histoire au quotidien » (Larousse). Il est également coauteur du *Goût de l'Afghanistan* (Mercure de France, « Le Petit Mercure », 2007).

Raoul Vaneigem est écrivain. Il a été membre de l'Internationale situationniste, l'un des groupes les plus influents lors du mouvement de Mai 68. Son *Traité de savoir-vivre à l'usage des jeunes générations*, publié en 1967, a eu un grand retentissement (Gallimard, « Folio actuel », 1992). Parmi ses autres livres, on peut citer *Avertissement aux écoliers et lycéens* (Mille et Une Nuits, 1998) et *De l'amour* (Cherche Midi, 2010).

Remerciements

Colline Faure-Poirée a eu l'idée de ce projet et c'est à elle que je dois l'aventure d'un tel livre. Je lui suis infiniment reconnaissant de son soutien constant, de la générosité avec laquelle elle m'a incité à ouvrir le champ des questions posées à l'enfance et, surtout, d'avoir fait naître une si belle occasion de partager des connaissances trop souvent confinées dans le cercle des spécialistes.

Toute l'équipe éditoriale a accompagné mon travail de son savoir-faire chaleureux et de ses compétences attentives. J'en sais gré à toutes et à tous, particulièrement à Annie Trassaert, qui a entouré ce livre de ses soins constants et complices, à Hélène Quinquin, pour ses choix éclairés, à Marie-Laure Nolet, pour sa vigilance efficace, à François Trassard, pour sa patience. L'éblouissant talent de Cyril Cohen a su donner corps à ce projet, au-delà de tout ce que j'aurais pu rêver.

C'est un plaisir particulier de remercier tous les enfants et adolescents dont la parole est la sève de ce livre : les élèves du collège Albert-Camus de Ris-Orangis, qui ont exprimé leur vision de la difficile conquête de l'égalité des sexes, les jeunes acteurs de la compagnie Tamèrantong!, qui m'ont ouvert les portes d'un Conseil des Tongues spécialement réuni à Mantes-la-Jolie pour débattre de l'inégalité sociale, du racisme et d'autres thèmes encore, et tous les enfants dont les témoignages sont rapportés ici. Quant aux œuvres graphiques d'Artus, de Marjane et de Sima Cohen-Minoui, elles irriguent ce livre de vitalité et de joie, et je les remercie d'avoir accepté qu'elles soient reproduites.

Sans malheureusement pouvoir les citer ici, je tiens à exprimer ma gratitude à tous les auteurs qui ont bien voulu se laisser convaincre de participer à cet ouvrage. Éminents spécialistes, historiens, anthropologues, sociologues, psychologues, médecins, écrivains ou journalistes, ils l'ont enrichi de leur expérience et de leur immense savoir.

Habitués, pour la plupart, à des formes d'écriture qui sont celles du monde universitaire, ils ont eu la générosité de se livrer à un exercice difficile, voire déconcertant pour eux : écrire pour un jeune public. Ils en ont accepté les règles contraignantes, et je leur adresse mes vifs remerciements pour leur disponibilité et pour l'aide qu'ils nous ont apportée.

J'exprime également ma reconnaissance à Marie Rose Moro, Jacqueline Rabain-Jamin, Josiane Massard-Vincent, Véronique Arnaud et Thierry Baranger, qui m'ont autorisé à faire usage de leurs travaux et ont eu l'extrême amabilité de me faire bénéficier de leurs commentaires, nourris d'une profonde expérience.

Rocío Martinez, Claudine Baschet et Joëlle Leroy ont été mes premières lectrices et ont guidé, de leurs réactions et de leurs suggestions, la mise au point des textes initiaux.

Je n'aurais pu mener à bien ce livre sans l'inspiration que je m'efforce de retirer de cette vie entre deux mondes que j'expérimente avec Rocío. Je lui dois cette conscience de l'enfance, qui s'enracine dans son travail avec les enfants déplacés du Chiapas, et, plus largement, un double point de vue, depuis l'Europe et loin de celle-ci. J'ai conçu et écrit ce livre en pensant aux enfants qui le liront et à ceux qui n'ont aucune chance de le tenir entre leurs mains. À ceux qui vivent dans des conditions plutôt favorables, à ceux qui sont entièrement privés de leur enfance et à ceux qui, malgré la dureté des circonstances, s'ingénient à lui faire la place qui doit être la sienne. Je pensais, à chaque page, aux enfants de tous les mondes qui habitent notre monde ; mais je pensais aussi, pourquoi le nier, à toi, Vincent, à qui ce livre est dédié.

Jérôme Baschet

Conseils au lecteur

Ce livre est composé de textes courts susceptibles d'être lus indépendamment les uns des autres. Vous pouvez, soit le parcourir de la première à la dernière page comme n'importe quel autre ouvrage, soit l'ouvrir au hasard et vous laisser accrocher par un texte, un témoignage ou une image.

Des extraits d'œuvres ont été reproduits dans cet ouvrage. Lorsqu'il s'agit de textes écrits ou traduits en français, leurs références se trouvent dans la Bibliographie (p. 498). Dans ces citations, les crochets [...] signifient que le texte d'origine a été coupé.

Lorsqu'une image n'est pas accompagnée de sa légende, vous lirez celle-ci dans la Table des illustrations (p. 505), au numéro de la page concernée.

Les Index (p. 500 et p. 503) recensent les mots repères qui font l'objet d'un développement particulier. En les consultant, vous aurez peut-être l'idée d'une autre lecture. Par exemple, si vous souhaitez vous renseigner sur les Inuit, vous trouverez au mot « Inuit » toutes les pages qui traitent de ce sujet.

SOMMAIRE

Histoires de familles

Des enfants et des mondes

3 Les mondes des enfants

14 Aux quatre coins de notre planète, les enfants vivent et grandissent de manières fort diverses. À travers les siècles également, l'univers de l'enfance n'a cessé de se transformer. Dès la naissance et les gestes qui l'entourent, tant de différences peuvent être observées. Quant aux familles, croira-t-on qu'elles se ressemblent partout et à toutes les époques ? Et que les adultes recourent toujours aux mêmes règles pour éduquer les enfants ? Y a-t-il une école sur leur chemin, ou leur faut-il travailler dans les champs ou à l'usine ? De quoi sont faits leurs jeux, leurs craintes et leurs joies, leurs pleurs et leurs rires, leurs inquiétudes et leurs rêves ? Comment traversent-ils les guerres, et comment affrontent-ils le racisme et les injustices de toutes sortes ?

En ouvrant ce livre, posons-nous toutes ces questions et bien d'autres encore. Pour que notre curiosité ne cesse de grandir. Pour découvrir des manières de vivre différentes des nôtres. Car être un enfant ne signifie pas la même chose sur tous les continents et à toutes les époques.

Notre univers n'est pas le seul possible

Chacun de nous est habitué à une certaine forme de vie : notre maison est construite de telle façon, notre famille est organisée de telle manière ; nos semaines sont rythmées par telles et telles activités. Ça va de soi, pense-t-on, la vie est ainsi. Ce qui nous entoure paraît exister depuis toujours. Et on se dit que les autres enfants, aux quatre coins du monde, aujourd'hui comme hier, doivent vivre à peu près comme nous.

Mais, dès que notre curiosité nous entraîne vers le passé ou vers d'autres continents, nous nous apercevons qu'il n'en est rien. Tout ce que nous trouvons si familier n'existe en réalité que depuis fort peu de temps : les ordinateurs, la télévision, la musique enregistrée, bien sûr, mais aussi l'électricité, l'école obligatoire, les médicaments et les vaccins contre les maladies infantiles, les biberons ou le fait de naître à l'hôpital... Aujourd'hui même, à travers le monde, l'éducation des enfants, leur vie en famille, leurs activités et leurs jeux présentent d'énormes différences : aller à l'école ou travailler, vivre à la campagne ou en ville, dans la pauvreté ou l'abondance, dans une région en guerre ou un pays en paix, dans la violence ou le respect, l'égalité ou l'inégalité entre filles et garçons...

Tout ce que nous avons appris depuis notre naissance, d'autres enfants, à d'autres époques et dans d'autres parties du globe, l'ont appris d'une autre manière. Ce qui nous semble naturel ne l'est pas pour d'autres enfants. Rien ne va de soi...

On découvrira en lisant ce livre que notre propre univers n'est pas le seul possible. D'autres manières de vivre son enfance existent. D'autres ont existé. D'autres existeront demain. À quoi ressemblera le futur des enfants du monde ? Ce sont les enfants d'aujourd'hui qui en décideront.

Ce livre n'est pas une encyclopédie de l'enfance. Il n'a pas réponse à tout. Le sujet est trop riche pour que l'on puisse tout dire de l'enfance, à toutes les époques et dans tous les recoins du globe. Cependant, les trente thèmes retenus ici permettent d'aborder presque tous les aspects de la vie enfantine. Pour chacun d'eux, divers exemples, en nombre forcément limité, ont été choisis, à diverses époques et dans diverses parties du monde. En les confrontant, en repérant les différences qu'ils font surgir, on prendra conscience de la diversité des mondes humains. Et on mesurera, chaque fois que cela est possible, les évolutions historiques, c'est-à-dire la façon dont la vie des enfants s'est transformée au fil du temps.

Nos trente chapitres sont regroupés en trois parties. « Histoires de familles » voit l'enfant grandir, de la naissance à l'adolescence, au milieu des adultes chargés de son éducation. « Des enfants et des mondes » élargit l'horizon au-delà de la famille, car tout ce qui se passe dans l'univers des adultes affecte les enfants, pour le meilleur ou pour le pire. « Les mondes des enfants », enfin, plonge dans le cercle que les enfants eux-mêmes savent construire, celui du jeu et de l'amitié, du rire et de l'imaginaire. Bien entendu, ces trois aspects ne sont pas entièrement séparés les uns des autres ; il y a entre eux bien des passerelles.

Commençons donc le voyage, à la rencontre des enfants de tous les temps et de tous les mondes !

Histoires de familles

Comment l'enfant est-il accueilli dans le monde
des adultes ? De quels gestes sa naissance est-elle
entourée ? Des cérémonies sont-elles accomplies
pour lui donner un nom, une identité ?
Les nouveau-nés sont entourés de soins particuliers
pour les nourrir, les protéger des maladies,
les endormir ou calmer leurs pleurs, mais ces soins
changent selon les époques et les régions du monde.

Le père et la mère sont-ils seuls chargés
de l'éducation de l'enfant, ou d'autres adultes
s'en occupent-ils également ?

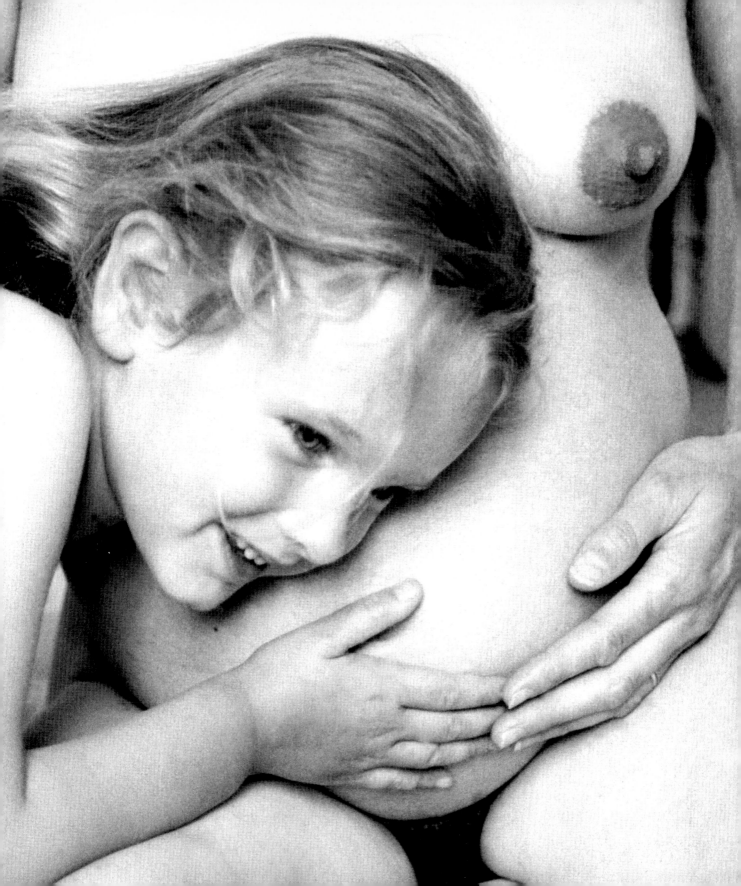

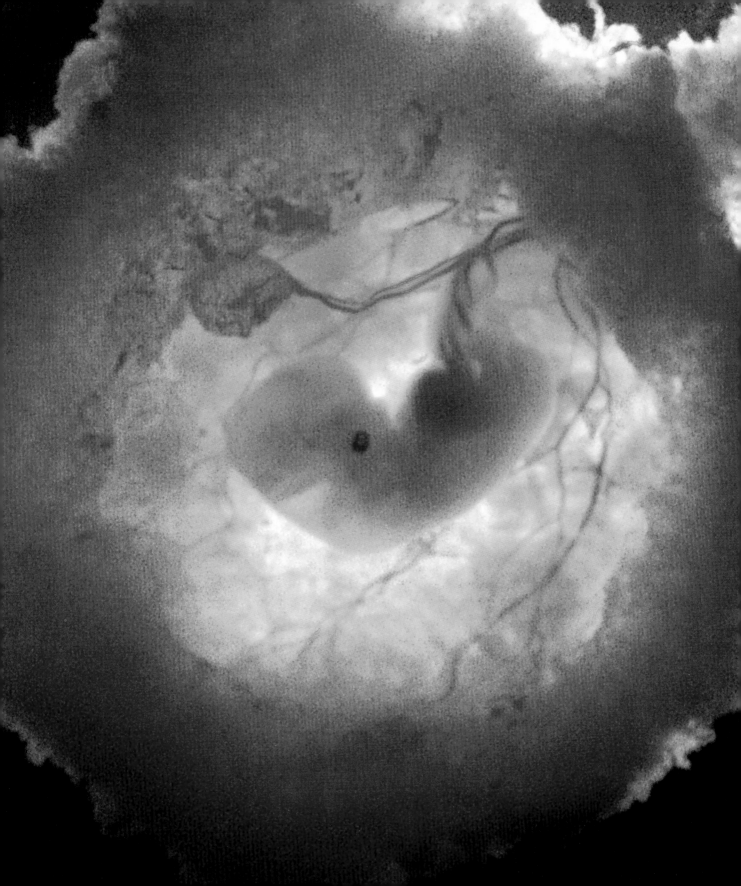

La vie de l'enfant en famille a une longue histoire. Elle peut prendre des formes bien différentes de celles que nous connaissons, et parfois très surprenantes. Aujourd'hui même, dans certaines parties du monde, il est courant d'avoir plusieurs pères ou plusieurs mères. Le rôle des oncles et des tantes ou celui des grands-parents peut aussi varier considérablement, de même que les relations entre frères et sœurs.

Parfois, les enfants sont éduqués de façon très autoritaire, parfois de manière beaucoup plus permissive. Et même l'affection et l'amour, dont la famille passe pour être le lieu naturel, n'existent sans doute pas de la même manière toujours et partout.

Mais commençons par le commencement. La vie de l'enfant débute-t-elle au moment de la naissance ? Demandons-nous alors quelles ont été les premières sensations, les premières expériences, avant même de naître.

Federica
imagine sa vie dans le ventre maternel

20ᵉ siècle

Italie

Dessin réalisé par un enfant de l'école élémentaire de Maioli, année scolaire 1992-1993. Goito, Italie.

« Avec mes oreilles, j'entendais ma maman qui bavardait avec une dame. Je sentais un parfum étrange parce que ma maman venait de laver par terre et je voyais toutes les choses à manger, parce que ma maman venait juste de finir de manger. Je touchais les choses à manger et je touchais son ventre, qui était dur ; il y avait des caramels à la menthe. Je me sentais bien ; j'avais le derrière attaché au ventre de ma maman ; et puis il y avait aussi du chocolat.

Et puis je mangeais ce qu'elle envoyait en bas et je me souviens que je faisais caca et pipi, et peut-être que ma maman se sentait un peu sale dans le ventre, et toute mouillée parce que je faisais de temps en temps caca et pipi.

Et je sentais le parfum de toutes les choses qu'elle envoyait en bas, de toutes les choses à manger. Et je voyais, si je regardais, un trou, c'était le cou et j'essayais d'aller dedans ; mais j'étais trop en bas et je n'y arrivais pas. Je voyais que ma maman avait la gorge très rouge, très rouge, rouge, rouge, rouge. Et puis il est arrivé que nous sommes allés à l'hôpital et je suis née. »

Federica, 6 ans
Récit écrit à l'école, en 1992. Goito, Italie.

Qisaruatsiaq
se souvient d'avant sa naissance

Arctique

« *Je me souviens quand j'étais encore dans l'utérus de ma mère. C'était le lieu le plus confortable que l'on puisse imaginer. [...] j'étais bien au chaud et en sécurité, sans le moindre souci. Je ressentais les mêmes sensations que ma mère. J'étais très triste quand elle était triste ou quand elle avait peur ; je me sentais néanmoins en sécurité. J'étais vraiment heureuse quand elle mangeait, car ainsi ma faim disparaissait. J'avais faim quand elle avait faim. [...]*

Une fois, elle se mit à tousser et voilà que quelque chose d'insupportable parvint jusqu'à moi et me fit suffoquer. [...] C'était en fait la fumée du feu de broussailles sur lequel elle faisait la cuisine. [...] Il y avait aussi des sons qui venaient de l'extérieur. Certains étaient très agréables à entendre. [...]

Puis je pris conscience que le lieu où j'habitais rapetissait et devenait trop étroit. Il y avait moins d'espace pour me mouvoir et pour m'allonger ; j'essayais de pousser la paroi, mais je ne pouvais plus m'étendre. [...]

En dépit de tous mes efforts pour rester à l'intérieur, quelque chose, ou quelqu'un, s'efforçait de m'en éloigner. Je luttais en vain. Je ne voulais pas sortir. »

Qisaruatsiaq, « jolie-panse »,
née en 1956 dans le nord du Canada, parmi le peuple inuit (appelé à tort esquimau).

Le fœtus à l'affût de la vie

De nombreuses cultures ont, depuis longtemps, eu conscience que le fœtus mène une vie sensorielle et émotionnelle très active. En Afrique noire, si une femme enceinte vomit un aliment, on dit que l'enfant ne l'a pas aimé (des études scientifiques récentes confirment que l'alimentation de la mère modifie presque immédiatement la composition du liquide amniotique). Les Indiens Mohaves du Colorado pensent que l'enfant rêve dans le ventre maternel. S'il se met en travers, c'est qu'il ne veut pas naître ; mais un sage peut le convaincre de reprendre la bonne position. Dans la Chine ancienne, l'éducation de l'empereur commençait deux mois avant sa naissance. On veillait à ce que la vie de sa mère garantisse son confort et que sa nourriture soit adaptée. On jouait de la musique pour lui. Au Japon, on pratique traditionnellement « l'éducation du fœtus » (*taikyô*) : comme il entend et perçoit ce qui se passe autour de sa mère, celle-ci se doit d'avoir des activités calmes et des pensées sereines ; il lui faut éviter tout ce qui pourrait inquiéter l'enfant qu'elle porte.

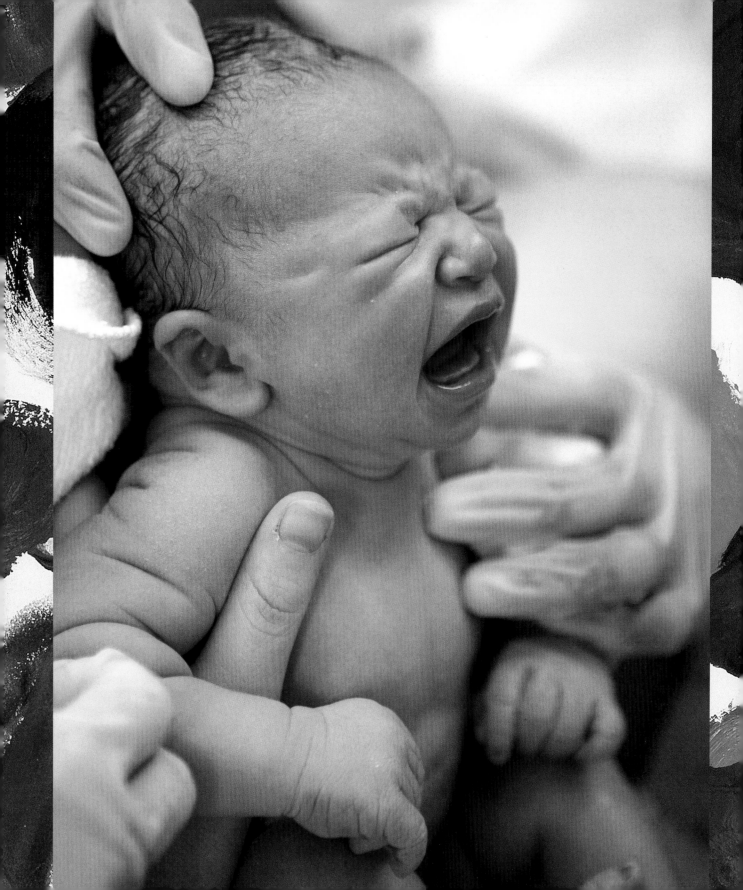

COMMENT NAÎT-ON ? D'OÙ VIENT-ON ?

Il y a mille et une manières de naître. On se rend compte que, dès ce premier instant, le monde dans lequel l'enfant est accueilli est très différent selon les continents et les périodes historiques.

Aujourd'hui, il est normal de naître à l'hôpital (du moins en Europe, en Amérique du Nord et, en partie, dans d'autres régions). Mais c'est là une situation très récente, devenue commune seulement à partir du milieu du XXe siècle. Auparavant, les mères accouchaient chez elles, dans leur lit, y compris dans les familles aisées. Naître à l'hôpital était signe de grande pauvreté.

Auparavant encore, et dans presque toutes les sociétés anciennes, ce n'était pas un médecin qui prenait en charge la naissance, mais une sage-femme, une femme qui avait beaucoup d'expérience dans ce domaine. Elle connaissait les gestes, les massages et les plantes qui pouvaient soulager la douleur de la mère et aider le bébé à sortir.

En Égypte...

Ce relief égyptien date de 2300 ans avant J.-C. ; c'est l'une des plus anciennes représentations d'un accouchement. La mère n'est pas allongée ; deux personnes lui tiennent le dos relevé.

... à Rome

Dans l'Empire romain, dans l'Antiquité, la mère, aidée par deux sages-femmes, accouchait assise sur un siège spécial, avec deux poignées auxquelles elle pouvait se tenir.

Au Moyen Âge...

Dans l'Europe du Moyen Âge, les femmes mettaient leur enfant au monde à moitié allongées, soutenues dans le dos.
Ici, la mère est sur le sol et met au monde des jumeaux.

... dans l'Islam, au XIIIᵉ siècle

Cette miniature ancienne montre que, dans le monde musulman, les femmes accouchaient dans une position presque semblable, assises et soutenues dans le dos.

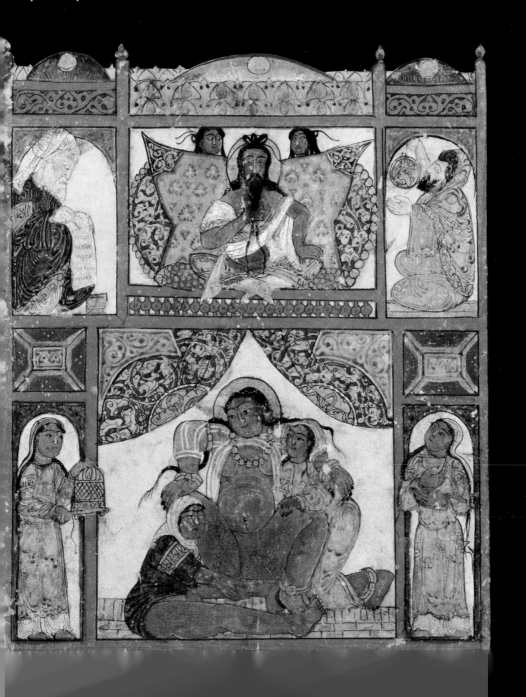

À la maison, au XIXᵉ siècle

Dans les familles aisées du XIXᵉ siècle, on naissait
à la maison. La mère était entourée de son mari et d'a
proches ; c'est un médecin qui dirigeait les opérations.

Dans le monde moderne, les enfants naissent à l'hôpital. Parce que les moyens médicaux qu'on y trouve réduisent énormément les risques liés à l'accouchement. Mais les contraintes de la technologie sont souvent rudes. On retire fréquemment l'enfant à peine né à sa mère, pour le laver, le peser et faire toutes sortes d'examens. Sans parler des bébés nés prématurément, qui restent plusieurs jours isolés dans une couveuse.

... à l'hôpital, aujourd'hui

En douceur...

Il est possible de faire naître un enfant avec toute la sécurité médicale de l'hôpital, mais de manière moins violente. Est-il bien nécessaire de taper sur les fesses du bébé pour le faire crier, comme on le faisait auparavant afin d'être sûr qu'il respire ? Au lieu de séparer le bébé de sa mère, n'est-il pas préférable qu'il reste près d'elle ? Pour éviter que le passage de la chaleur du ventre maternel à l'air froid du monde extérieur ne soit trop brutal, on peut aussi le maintenir dans une baignoire, à moins que la mère n'accouche elle-même dans l'eau...

... au milieu de la forêt

Dans la forêt tropicale du centre de l'Afrique, les femmes pygmées accouchent sur d'énormes feuilles, loin de tout hôpital. Les conditions sont rudes et les risques importants en cas de complication. Mais, tout de suite, alors même que le cordon ombilical n'est pas encore coupé, l'enfant s'éveille dans l'intimité apaisée et le regard serein de sa mère.

36

**Statuette
de la divinité Taouret,**
époque ptolémaïque,
332-30 avant J.-C.,
faïence, 110 cm.
Metropolitan
Museum of Art,
New York.

Taouret et Artémis, déesses des naissances

Égypte et Grèce

Antiquité

VOIR FICHE P. 153

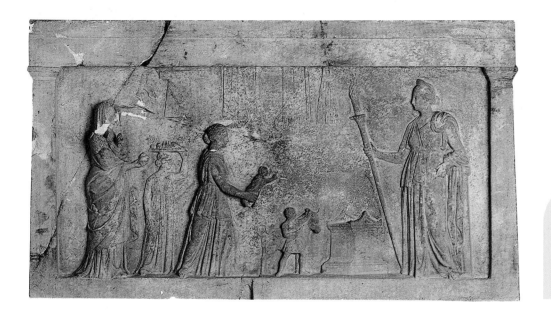

Une mère présente son enfant à Artémis, vers 300 avant J.-C., relief. Musée de Lamia, Grèce.

Dans les époques anciennes, la grossesse et la naissance étaient des étapes pleines de danger pour la mère et pour son enfant. Dès qu'une complication survenait, une infection par exemple, les moyens médicaux se révélaient insuffisants. Chaque peuple invoquait des divinités spécialisées dans la protection des femmes enceintes.

En Égypte, Taouret

Dans l'Égypte ancienne, Taouret, la déesse hippopotame au ventre proéminent, était honorée dans l'espoir que la mère puisse mener la grossesse à son terme. On a même conservé la prière qu'un homme, dénommé Penbui, lui adressa : *« Puisses-tu être ma donneuse de vie ! Donne-moi des enfants ! »* Le dieu nain Bès et les nains en général étaient aussi considérés comme des protecteurs des femmes enceintes et des enfants.

En Grèce, Artémis

Dans la Grèce antique, Artémis est la déesse de l'enfantement. L'arc et les flèches, qu'elle porte généralement, en symbolisent les douleurs. Elle sait secourir les femmes qui accouchent et les sauver de situations critiques. Sur le relief ci-dessus, une mère présente sa petite fille à Artémis sans doute pour la remercier de son aide. La déesse apparaît à droite, tenant une torche dans sa main. La nourrice porte l'enfant tandis que la mère, à gauche, ordonne que l'on sacrifie un taureau, comme on le faisait en Grèce pour honorer les divinités.

Comment Guibert est devenu moine

Moyen Âge

Europe

Guibert de Nogent était moine dans le nord de la France, au XIIe siècle. C'est l'une des rares personnes du Moyen Âge qui ait eu l'idée d'écrire le récit de sa vie. Sa naissance ayant été très difficile, ses parents ont voué l'enfant à la Vierge Marie. C'est pour respecter ce vœu qu'il décidera de passer toute sa vie dans un monastère.

« *Ma mère, proche de son terme, s'était trouvée en proie durant presque tout le carême à des douleurs intenses, inaccoutumées. Que de fois elle m'a reproché ces souffrances-là ! D'interminables tortures la bouleversaient et ces tourments ne faisaient que croître. On pensait que ce travail aboutirait normalement à l'accouchement ; or je me retournai, remontant profondément en son sein.*

Père, amis et parents se sentaient accablés, car ils estimaient que l'enfant allait hâter la mort de sa mère et tous s'apitoyaient sur la perte d'un enfant à qui serait refusée la porte de la vie. Alors, on se précipite vers l'autel de la Vierge : si l'enfant à naître est mâle, on le consacrera comme clerc, s'il est du sexe faible, on le destinera à l'état religieux.

À l'instant même, voici qu'est mis au monde un petit être faible, une sorte d'avorton. Certes, il était né, et à son terme, mais il était si comparable aux plus déshérités qu'on ne put se réjouir que d'une chose : la délivrance de la mère.

Ce tout petit homme qui venait de voir le jour était si lamentablement grêle qu'on lui trouva plutôt l'aspect d'un prématuré mort-né, au point que les très minces brins de jonc qui sortent de terre à la mi-avril apparaissent plus épais que ne l'étaient mes petits doigts. Une femme me fit rouler d'une main dans l'autre en disant : "Va-t-il vivre ? Qu'en pensez-vous ? Plus qu'un corps, la nature lui a donné une ébauche de corps." »

Dans la très longue période de l'histoire européenne que l'on appelle le Moyen Âge, les XIIe et XIIIe siècles apparaissent comme l'âge d'or de la société féodale, qui distingue de manière idéale ceux qui combattent, ceux qui prient et ceux qui travaillent. C'est le temps des seigneurs et des châteaux forts, le temps des cathares et des croisades, le temps de Saint Louis et de Richard Cœur de Lion. C'est aussi celui de l'amélioration de la condition paysanne et de la renaissance urbaine, de la construction des grandes cathédrales gothiques et de la création des universités, de l'essor des marchands et des banquiers, de l'organisation des grandes foires de Champagne, de l'invention des lunettes, du *Roman de Renart* et de Chrétien de Troyes... Les XIIe et XIIIe siècles ont été deux siècles d'expansion démographique, de dynamisme économique et d'essor culturel sans précédent.

L'ÂGE D'OR DU MOYEN ÂGE

La chance d'être né coiffé

Dire d'une personne qu'elle est « née coiffée » renvoie, même si on ne le sait plus guère, à une circonstance rare que l'on observe au moment de la naissance et que les médecins négligent maintenant. Dans l'utérus de la mère, l'enfant est enveloppé de membranes. Or il arrive qu'il en garde sur la tête un morceau plus ou moins grand quand il vient au monde. On a longtemps pensé qu'il aurait, de ce fait, de la chance toute sa vie.

Pline l'Ancien (23-79) : naturaliste et écrivain latin.

Une coiffe bénéfique

Dans certains pays d'Europe, cette membrane était perçue plutôt comme une peau ou une chemise. On lui prêtait également la vertu de protéger de la mort par noyade. La croyance était particulièrement répandue en Angleterre au XIXe siècle, au point de donner lieu à un commerce. Une petite annonce dans un numéro du *Times* en 1848 offre pour six guinées une coiffe « *ayant gardé la mer avec son propriétaire durant quarante ans* ». Elle était aussi censée protéger de la mort par le feu ou par blessures. « *Si un homme avait sur lui ou portait en bataille la petite peau qu'il apporte du ventre de sa mère, sachez qu'il ne pourra être blessé ni navré en son corps* », affirmait Laurent Joubert, un médecin du XVIe siècle.

Signe bénéfique le plus souvent, la coiffe était parfois considérée comme un indice plus inquiétant : ainsi pensait-on que la personne née coiffée pouvait voir les « fantômes de nuit » et être tourmentée par « songes et rêveries ». À moins qu'une fois sèche on ne la réduise en poudre et qu'on ne la fasse absorber par l'enfant.

Enfant-devin chez les Iroquois

Pour les Indiens Iroquois, un enfant né coiffé était porteur d'aptitudes à accéder au monde surnaturel, mais il fallait qu'il subisse jusqu'à la puberté une réclusion très sévère, isolé dans une cabane parsemée de duvet. Le duvet dénonçait l'intrusion malencontreuse d'un étranger. L'enfant acquérait ainsi la plénitude des dons annoncés par sa naissance : capacité de révéler l'avenir et les choses cachées, de connaître les causes des maladies et leurs traitements. Ce rituel iroquois permet de comprendre les vertus attachées à la coiffe. L'enfant naît de cette manière comme encore protégé par sa mère, caché dans son sein, à l'abri des attaques du monde extérieur, et nageant dans le liquide amniotique. Le rituel prolonge cette période anténatale de la vie.

Par la tête ou par le siège

Venir au monde « coiffé » suppose nécessairement que l'enfant apparaît par la tête à la naissance, ce qui constitue la présentation normale et favorable dans un accouchement, contrairement à la présentation par les pieds (« par le siège », en termes médicaux). Selon d'antiques croyances, cette naissance était un signe néfaste. Les anciens Romains nommaient les enfants nés de cette façon Agrippa.

« *Il est dans l'ordre de la nature qu'on entre dans le monde par la tête et qu'on en sorte par les pieds* », affirmait Pline l'Ancien. Venir au monde les pieds en avant est un signe de mort. Nous en gardons une trace dans le langage quand nous disons familièrement qu'une personne est « partie les pieds devant », qu'elle est morte donc.

Qu'est-ce que naître ?

Naître est le premier acte important de notre vie. Environ neuf mois auparavant, l'ovule offert par notre mère et le spermatozoïde offert par notre père ont fusionné pour ne plus faire qu'un individu absolument unique.
La grossesse est très intense pour l'enfant qui se prépare à naître. Il fabrique le placenta et le cordon ombilical pour se nourrir grâce à l'alimentation de sa mère. Et puis, un jour, son univers bascule : il a grossi, son placenta a vieilli et ne peut plus le nourrir. La bonne solution consiste donc à naître !

Un travail d'équipe

Commence alors un travail d'équipe entre l'enfant et la mère. Un déluge d'hormones, dans le corps de la mère et de l'enfant, déclenche et organise l'accouchement. En se contractant régulièrement, l'utérus de la mère facilite la descente et le placement de l'enfant dans la bonne position. Pour franchir le bassin de sa mère, qui a la forme d'un entonnoir, le bébé glisse doucement, courbe la tête et tourne sur lui-même dans un mouvement de spirale. Il ne craint rien car il est protégé dans sa bulle de liquide amniotique. Et sa mère, attentive, l'aide et l'accompagne de l'intérieur. Il est guidé à son insu par le savoir génétique que les humains ont acquis au cours des générations.

Près du but

Il arrive au col de l'utérus, qui s'ouvre petit à petit, naturellement, lorsqu'il vient y appuyer sa tête. Les os de son crâne, anesthésié par une substance fabriquée par son cerveau (un certain type d'endorphine), se chevauchent de quelques millimètres à l'instant du passage délicat. Le bébé est maintenant près du but. L'oxygène nécessaire à sa vie lui parvient toujours par le cordon ombilical, mais, tout à coup, voici l'air libre : il sort sa tête et il reçoit sa première bouffée sur le visage. Puis il sort son thorax et la danse des poumons commence... Jusqu'à son dernier souffle, il va respirer seul.

Le voilà sorti, ils ont réussi ! Elle a accouché et il est né, entré dans la ronde de ceux qui ont un nom et un prénom, qui doivent assumer leur toujours relative autonomie. Même si, dans certaines cultures, le prénom n'est pas donné tout de suite, à la naissance, ou s'il change au cours de la vie, tout humain est tout de même nommé.

La première des premières fois

Commence une autre ronde, celle des premières fois. Tout est nouveau, l'air sur la peau et dans les poumons, les odeurs puissantes. La lumière éblouit l'enfant, lui qui vient du noir profond. Les sons heurtent ses oreilles ultrasensibles à lui qui ne les entendait qu'assourdis. La pesanteur l'empêche d'aller vers ce qui l'attire et rend ses gestes brusques et maladroits. Il découvre la dépendance.
Et soudain une sensation nouvelle s'abat sur lui : la faim ! Phénomène incompréhensible, effrayant si les adultes n'interviennent pas rapidement. La nouvelle vie est là et il faut s'y habituer tout doucement, retrouver les voix et les sons d'avant la naissance. Le contact des parents, leur tendresse vont permettre au bébé de prendre place petit à petit dans le monde.

Ne bousculez pas ce grand voyageur, étonné et étonnant, qui arrive du mystère et qui vient de connaître un moment d'une force extraordinaire : la naissance.

Dieu, le diable et les bébés

Moyen Âge

France

Peinte vers 1490 dans un livre manuscrit, l'image ci-dessous nous montre comment les chrétiens du Moyen Âge se représentaient l'origine des enfants.

Nous voici à l'intérieur d'une bonne demeure de l'époque ; le mobilier est simple, mais on ne manque de rien. Le mari et la femme sont dans leur lit, orné d'une belle étoffe bleue. C'est là, dans leur nudité discrète, que les époux font des enfants...

Mais l'image montre aussi que les parents ne sont pas seuls à « fabriquer » l'enfant. Au Moyen Âge, du reste, l'homme ne peut pas faire grand-chose sans l'aide de Dieu. Ici, Dieu (le Père, le Fils et le Saint-Esprit) pénètre dans la chambre des parents et envoie un petit enfant nu, qui descend vers le couple.

Ce petit enfant, c'est en fait l'âme, que l'on représentait alors de cette manière. L'âme, pour les chrétiens, c'est la partie la plus précieuse de l'être humain. Le corps, sans l'âme n'est rien. C'est elle qui lui donne vie et intelligence.

Voilà donc ce que pensaient les chrétiens du Moyen Âge : les parents ne fabriquent qu'une partie de l'enfant, son corps. L'autre partie, l'âme, n'est pas leur œuvre. C'est Dieu qui la crée et l'envoie dans le ventre maternel pour animer l'embryon. L'enfant ne naît pas seulement de ses parents, mais aussi de Dieu.

Un échange de bébés

Ce tableau du XVe siècle montre le diable volant un bébé (celui-ci a une auréole dorée autour de la tête, car il s'agit de saint Étienne). À sa place, il a laissé dans le berceau un autre enfant, grisâtre et avec des cornes sur la tête : un vrai petit diable ! Dans l'Europe du Moyen Âge (et plus tard encore), lorsqu'un bébé pleurait sans arrêt, était toujours malade ou bien ne grandissait pas, on pensait souvent que c'était un « changelin », un enfant laissé par le diable en échange du vrai bébé. On invoquait alors l'aide d'un saint pour faire revenir le véritable enfant, ou bien on soumettait le changelin à de très rudes épreuves. Près de Lyon, on laissait l'enfant seul toute une nuit dans la forêt, en invoquant Guinefort, un drôle de saint qui était aussi un chien.

VOIR FICHE P. 38

Chez les Inuit, l'esprit d'un parent revient à la vie

20ᵉ siècle

Arctique

Tout comme Qisaruatsiaq, Iqallijuq, une femme inuit née en 1905, a raconté sa vie avant sa naissance. Mais ses souvenirs remontent plus loin encore, avant même sa présence dans l'utérus maternel !

Voir p.25

Avant, elle était son grand-père. Lorsque celui-ci est mort, son âme a voulu continuer à vivre. Elle est alors entrée dans le ventre d'une femme pour devenir un nouveau fœtus. Voici son récit (c'est donc un esprit qui parle) :

« J'ai su que j'allais devenir un fœtus alors que j'étais encore dans la tombe ; il y faisait très froid. Je déplaçai les blocs de neige formant la tombe et pratiquai un passage. Je l'empruntai et me mis à chercher du regard ma fille. Je l'aperçus qui sortait de son iglou pour aller uriner dans le petit iglou destiné à cet usage. J'étais un homme, j'avais belle apparence. J'avais froid et soif, je m'approchai d'elle et je lui demandai à boire, mais elle ne m'entendait pas, elle ne se rendait pas compte de ma présence.

Je savais qu'elle et son mari n'arrivaient pas à avoir d'enfants et j'avais pitié d'eux. Elle entra dans le petit iglou et se mit à y uriner en position accroupie. Je m'approchai alors du pan arrière de son manteau et me dis en moi-même que, si je parvenais à toucher l'extrémité de sa ceinture, je pourrais sans doute entrer en elle. Je touchai sa ceinture déliée et voilà que soudain je me trouvai devant un iglou de neige et j'y pénétrai sans savoir par quel chemin j'étais passé. J'étais maintenant à l'intérieur de son igliaq (ventre). J'étais devenu un fœtus. Je distinguais la forme d'un iglou ; je prenais son utérus pour un iglou. »

Lorsque Iqallijuq naît, ses parents lui donnent le nom de son grand-père, Savviurtalik. Elle en reçoit plusieurs, mais c'est celui-là que sa mère préfère. Et pour s'adresser à l'enfant, elle ne dit pas « ma fille », mais « mon petit frère »…

Masque représentant l'envol de l'esprit d'un chamane, sculpture en bois.

La réincarnation

Les Inuit ne sont pas les seuls à penser que l'âme d'un mort revient à la vie dans une autre personne (cela s'appelle la réincarnation). Ainsi, en Afrique de l'Ouest, l'enfant est considéré comme un ancêtre qui retourne parmi les vivants et lui transmet une partie de sa personnalité. À la naissance, on ignore généralement qui est l'ancêtre en question. On ne peut donc pas donner son nom à l'enfant. C'est plus tard, par exemple en cas de maladie, qu'on cherche à identifier cet ancêtre, afin de pouvoir guérir l'enfant. Au contraire, les Inuit identifient tout de suite le membre de la famille, décédé peu avant la naissance de l'enfant, qui revient en lui.

Enfant inuit porté par sa mère, 1940, Groenland. Photographe inconnu.

VOIR FICHE P. 441

Théories enfantines sur la procréation

Philipp Otto Runge,
Le Grand Matin, 1808-1809,
huile sur toile.
Kunsthalle, Hambourg.

***« D'où viennent les enfants ? C'est la question la plus vieille et la plus brûlante de la jeune humanité »*, disait Sigmund Freud. Chaque culture a sa réponse, on l'a vu : réincarnation d'un ancêtre, envoi de l'âme par Dieu... Certains peuples pensent que le sang de la mère forme la chair du fœtus, tandis que ses os viennent du père. Pour d'autres, la mère donne à l'enfant sa chair et ses os, et le père son sang.**

Sigmund Freud (1856-1939) : médecin et psychiatre autrichien, inventeur de la psychanalyse.

Les enfants eux-mêmes ont leur idée sur cette question particulièrement intrigante. Ceux du passé ne nous ont pas laissé de témoignage à ce sujet. Mais on trouve dans les contes des conceptions qui ressemblent sans doute aux leurs. Ainsi, un conte d'Auvergne raconte qu'une femme fit tomber une goutte de sang sur la pâte à pain qu'elle préparait ; un enfant apparut alors et elle l'appela Petit Pouce (ou Petit Poucet). En Lorraine, le récit est un peu différent : *« Une femme, un jour, cuisait son pain lorsque tout à coup elle péta un tout petit garçon. »* Or les jeunes enfants imaginent fréquemment que le bébé sort à la manière d'un excrément. Ou bien ils disent : *« On mange une chose et cela vous fait avoir un enfant. »*

Choux, cigognes et autres fantaisies

« Je croyais que les enfants naissaient sous les choux. Quand j'étais dans un potager, il m'arrivait de regarder ; je me promenais dans les légumes avec l'idée que moi aussi je pouvais être père... » Jules Vallès rapporte ainsi, vers 1840, ce qu'il pensait à l'âge de dix ans. Cette explication, très ancienne en Europe, était sans doute suggérée aux enfants par les adultes désireux de ne pas donner d'autres explications... On parlait aussi des cigognes, plutôt porteuses de filles.

Les Inuit racontent qu'il était possible, dans les temps reculés, de ramasser des enfants sur le sol. Et au Mexique, depuis que le pays a été envahi par les soldats de l'empereur Napoléon III, en 1862, on dit que les bébés viennent de Paris...

Jules Vallès (1832-1885) : écrivain et journaliste français.

« S'il naît deux enfants, ils ne sont pas dans une seule balle ; il en faut deux. »

Marco

« Ils vont sur le lit et se donnent un baiser sur la bouche et, quand le papa et la maman s'embrassent sur la bouche, la balle orange sort de la bouche de papa et entre dans celle de maman. »

Emiliano, 7 ans

46

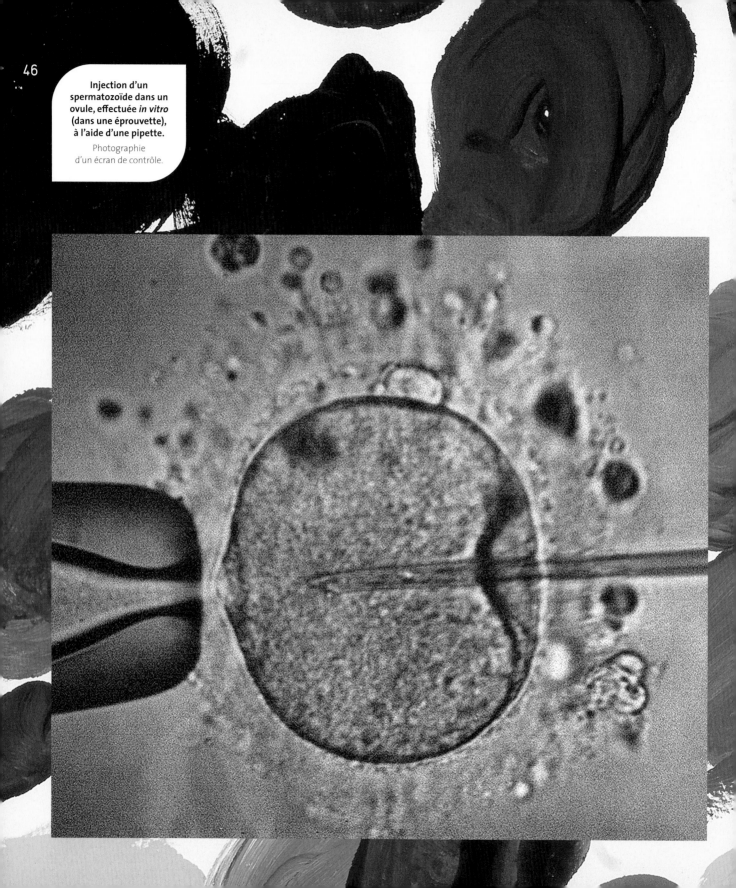

Injection d'un spermatozoïde dans un ovule, effectuée *in vitro* (dans une éprouvette), à l'aide d'une pipette.
Photographie d'un écran de contrôle.

Amandine, bébé-éprouvette

Europe

Aujourd'hui

À partir de 1978, on a découvert qu'il était possible de remédier à la stérilité dans un couple et d'aider à la fabrication d'un bébé, lorsque celle-ci ne peut se faire naturellement : c'est l'aide médicale à la procréation. Chaque jour, un nombre croissant d'enfants naissent ainsi avec l'aide de la médecine.

La médecine pour aider la nature

La fécondation peut se faire dans l'utérus de la future mère ou bien dans une éprouvette, comme ce fut le cas pour Amandine, le premier « bébé-éprouvette », née en France en 1982. On peut utiliser les spermatozoïdes du père, ou bien ceux d'un autre homme, appelé donneur, si cela est nécessaire; de même, c'est l'ovule de la mère qui peut être fécondé, ou bien celui qu'a donné une autre femme.

Un air de famille, ou pas

Le recours à l'aide médicale à la procréation n'est jamais anodin dans une famille. Le plus souvent, les parents doivent affronter une histoire difficile, celle de leur stérilité, et une longue attente avant la réussite de l'assistance médicale. La manière dont l'enfant va être accueilli par ses parents s'en ressentira : il sera volontiers choyé, couvé tel un enfant précieux, longtemps attendu.

Lorsqu'on fait appel à un ou deux donneurs, une partie au moins du patrimoine génétique de l'enfant ne vient pas de ses parents. Certains enfants peuvent souffrir de ne pas leur ressembler assez, et se demander de qui ils tiennent leurs yeux bleus ou leurs taches de rousseur. D'autres veulent connaître le donneur, ce qui est impossible en France, où le don de spermatozoïdes ou d'ovules est couvert par l'anonymat.

La vérité peut être bonne à dire

Le plus souvent, les enfants nés à la suite d'une aide médicale à la procréation s'accommodent bien de cette situation, surtout si elle ne crée pas de problème à leurs parents et si le dialogue à ce sujet est possible avec eux. Certains enfants ont toujours connu l'histoire de leur conception et peuvent en discuter librement avec leurs parents. Mais d'autres familles choisissent de taire qu'elles ont fait appel à la technique médicale pour concevoir, ou maintiennent le secret sur l'existence d'un donneur. On ne sait pas alors sous quelle forme la question interdite se manifestera : les secrets de famille, les non-dits, tentent souvent de sortir de leur cachette... L'enfant peut n'apprendre que bien tard cette vérité qui le concerne pourtant très intimement.

Chaque parent a le choix et fait de son mieux en fonction de son histoire personnelle, mais il est sans doute préférable de dire la vérité aux enfants, dès le début de leur vie. Ce n'est pas toujours facile, car le recours à des donneurs est encore trop souvent associé dans les esprits aux enfants adultérins, bâtards, à un défaut de féminité pour les femmes et à l'impuissance pour les hommes. Les mentalités doivent encore évoluer.

NAÎTRE AU MONDE, NAÎTRE À LA SOCIÉTÉ

Dans le monde moderne, naître, c'est sortir du ventre maternel. C'est ce que l'on appelle un fait biologique.

Mais, dans la plupart des sociétés du passé et dans beaucoup de celles qui existent aujourd'hui, les choses ne sont pas perçues ainsi. Lorsqu'un bébé sort du ventre de sa mère, on ne le considère pas comme un être tout à fait complet. Il n'est pas encore un membre à part entière du groupe humain auquel appartiennent ses parents.

Pour cela, il faut une cérémonie, un rituel, c'est-à-dire des gestes et des paroles que les adultes vont effectuer et prononcer selon des règles fixes, connues de tous. Dans chaque culture, dans chaque religion, ces gestes et ces paroles sont différents. Mais, toujours, ils signifient que l'enfant est accepté par ceux qui vont l'élever, qu'il est reconnu comme un nouvel être humain.

Entrer dans la vie ne concerne donc pas seulement l'enfant et ses parents. C'est ce que l'on appelle un fait *social*, parce qu'il engage la collectivité des humains *associés*, dont les parents font partie. Dans la plupart des sociétés, un enfant n'est vraiment né que lorsque le groupe le reçoit comme l'un des siens.

Un père romain soulève son enfant.
IIe siècle, détail d'un sarcophage gallo-romain, sculpture en marbre.
Musée du Louvre, Paris.

C'est le père qui donne la vie

Antiquité

Rome

Dans l'Empire romain, le père possède un immense pouvoir. C'est lui qui donne vraiment la vie à l'enfant, plus encore que la mère...

En effet, à peine né, le nourrisson est déposé sur le sol, aux pieds de son père. Moment de suspens : le destin de l'enfant dépend entièrement de la décision que celui-ci va prendre. L'enfant flotte entre la vie et la mort, entre l'univers mystérieux dont il vient et le monde des humains. Va-t-il être vraiment appelé à l'existence ?

Le père peut décider de soulever l'enfant de terre. S'il le prend dans ses bras, c'est qu'il accepte d'en être le père. Il le reconnaît comme sien et admet qu'il soit élevé dans sa maison.

Mais, parfois, le père ne soulève pas le nourrisson. Il le laisse sur le sol. Pour des raisons qui ne dépendent que de son libre choix, il ne veut pas en être le père. Alors, l'enfant ne fera pas partie de sa maison. Il sera abandonné, exposé dans un lieu retiré. S'il a de la chance, il sera recueilli par une autre famille.

Ainsi, dans l'ancienne Rome, un citoyen, même marié, n'est pas obligé de reconnaître les bébés qui naissent de son épouse. Il choisit ceux qu'il accepte comme siens et peut rejeter les autres ; il choisit d'être père. Un enfant accède vraiment à la vie, non parce qu'il sort du ventre de sa mère, mais parce que son père le soulève de terre. Pour les Romains de l'Antiquité, c'est le père qui donne la vie à l'enfant ou, du moins, qui lui donne le droit de vivre.

Fondée selon la légende par Romulus et Remus, Rome a donné naissance à l'une des plus grandes civilisations de l'Antiquité. Elle a duré environ mille ans, du Ve siècle avant notre ère au Ve siècle de notre ère. Grâce à la puissance de ses légions, la République romaine puis l'Empire conquièrent un immense espace, qui va de l'Angleterre à la Syrie. Remarquables bâtisseurs, les Romains y créent des villes ornées de grands monuments publics et reliées par un dense réseau de routes ; soumis à la *pax romana*, ses habitants adoptent les coutumes et la religion romaine, le latin, les jeux du cirque... À partir du IIIe siècle, pour faire face à la pression des peuples germaniques sur ses frontières, l'empire est divisé en deux. La partie occidentale disparaît en 476, et la civilisation romaine avec elle. Sous le nom d'Empire byzantin, la partie orientale survivra jusqu'en 1453 !

ROME DANS L'ANTIQUITÉ

Chez les Aztèques, on purifie l'enfant

15ᵉ -16ᵉ siècle

Mexique

Quand un garçon naît chez les Aztèques, la sage-femme enterre son cordon ombilical à l'extérieur de la maison. Quand une fille vient au monde, la sage-femme enterre le cordon à l'intérieur, parce que, une fois adulte, la fille devra rester dans la maison « comme le cœur dans le corps ».

Cinq jours plus tard, tout le monde se réunit dans le patio de la maison pour assister à une cérémonie. La sage-femme tient le bébé nu et s'approche du récipient contenant l'eau purificatrice. Elle dit : « *Mon enfant, les dieux Ometeuctli et Omecíhuatl t'ont fait en haut des cieux et t'ont envoyé dans ce monde plein de souffrances. Reçois cette eau qui va te donner la vie.* » Elle humidifie la bouche, la tête et la poitrine du bébé, puis le baigne tout entier, en disant : « *Où es-tu, mauvaise fortune ? Dans quelle partie du corps te caches-tu ? Éloigne-toi de cette créature.* » Puis, elle lève l'enfant vers le ciel : « *Soleil, père de tous les vivants, et vous, Terre, notre mère, je vous offre cette créature, afin que vous la protégiez.* »

Les enfants ont pour nom : 4 Fleur, 5 Serpent

Ensuite, trois jeunes garçons (en haut à droite de l'image) donnent son nom à l'enfant, en suivant les indications des parents. Ce nom est généralement celui du jour de la naissance et l'enfant s'appellera par exemple Nahuixóchitl (ce qui signifie « 4 Fleur ») ou Macuilcóatl (« 5 Serpent »). Puis un objet miniature est placé dans la main de l'enfant, comme pour le préparer à sa vie future : un arc et des flèches, s'il s'agit d'un futur guerrier ; un outil pour cultiver, s'il naît dans une famille paysanne ; un métier à tisser, si c'est une fille (on voit ces objets en haut à droite de l'image). Ensuite, l'objet est enterré.

Après la cérémonie, l'enfant est placé dans un berceau et la sage-femme invoque la protection de Yohualtícitl : « *Déesse des berceaux, à qui tous les nouveau-nés sont confiés, reçois celui que je t'offre pour que tu le réchauffes et le protèges dans ton sein.* »

Installés dans la vallée de Mexico, les Aztèques ont développé à partir du XIVᵉ siècle l'une des plus brillantes civilisations d'Amérique. Peuple guerrier, ils ont imposé leur autorité à tous les peuples environnants, créant un puissant empire. Ils cultivent le maïs, la tomate, le cacao, dont les fèves servent de monnaie d'échange. Ils ont aussi une écriture et un calendrier, fondé sur l'observation des astres. Leur capitale, Tenochtitlán, est une immense cité construite au milieu d'un lac et abritant une multitude de temples et de pyramides. Ils y vouent un culte à de nombreux dieux comme Quetzalcóatl, auxquels ils rendent hommage par des sacrifices humains. L'arrivée en 1519 des Espagnols conduits par Hernán Cortés, entraîne l'effondrement de l'Empire aztèque, puis la disparition de sa civilisation.

LES AZTÈQUES

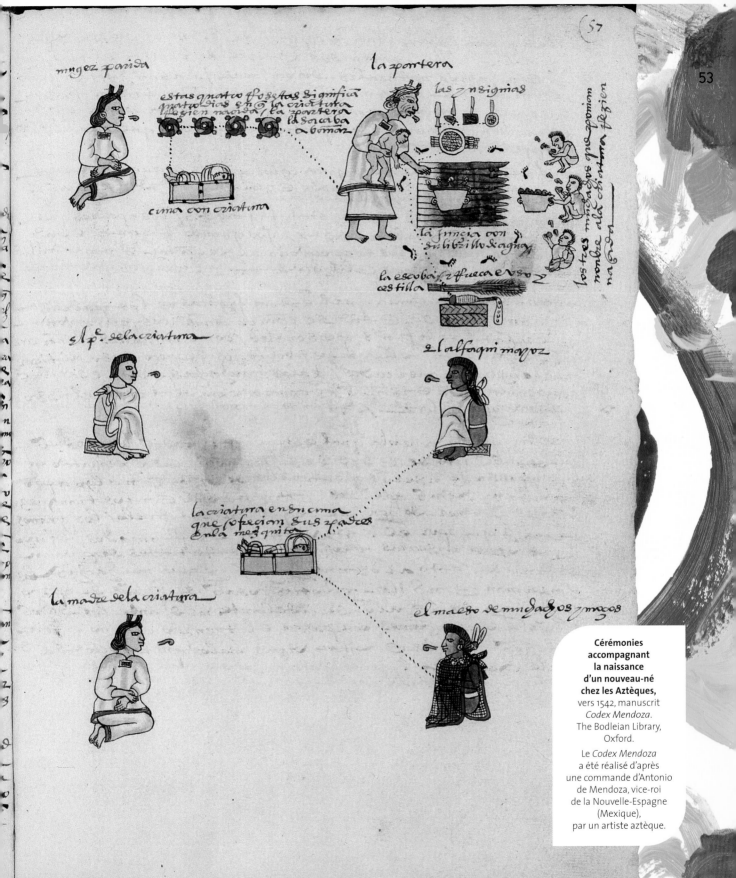

muger parida

la partera

las ynsignias

estas quatro rosetas significa matro dias en q̃ la criatura nascien nacida, y la partera la sacaba a bañar

cuna con criatura

la fuente con su librillo de agua

los tres muchachos que ponian nombre ala criatura llegen flegien na zien

la escoba q̃ se aplica e otro estillla

el p̃ de la criatura

el alfagui mayor

la criatura encima cuna que so facion sus padres en la mezquita

la madre dela criatura

el maestro de muchachos y mozos

**Cérémonies
accompagnant
la naissance
d'un nouveau-né
chez les Aztèques,**
vers 1542, manuscrit
Codex Mendoza.
The Bodleian Library,
Oxford.

Le *Codex Mendoza*
a été réalisé d'après
une commande d'Antonio
de Mendoza, vice-roi
de la Nouvelle-Espagne
(Mexique),
par un artiste aztèque.

De l'eau et un nom pour le nouveau-né yami

Jusqu'à nos jours

Mer de Chine

Juste après la naissance d'un enfant yami, son père met le placenta et le cordon ombilical dans un sac fabriqué en fibres végétales ; puis il l'enterre au fond de la maison. Le placenta est considéré comme une partie vivante de l'enfant, une sorte de double : il doit être caché, protégé, pour qu'il n'arrive aucun malheur au nouveau-né lui-même.

Le lendemain de la naissance, les parents se réunissent dans la pièce principale de la maison. Le père est allé chercher de l'eau à la source de ses ancêtres. Il en prend quelques gouttes avec la pointe d'un sabre et en asperge le sommet de la tête de l'enfant, en disant : « *Que cette eau versée sur ta tête te donne la vie, la vie très longue jusqu'à ce que tes cheveux blanchissent ! Que tu demeures dans la lumière du jour à jamais.* » Après lui, la mère, puis les grands-parents et l'accoucheuse aspergent aussi sa tête d'eau.

Le Paresseux ou Le Mollasson

Ensuite, le père et la mère donnent son nom à l'enfant : « *Voici ton nom. C'est nous, ton père et ta mère, qui te l'avons donné.* » Les grands-parents, puis la sage-femme, prononcent à leur tour son nom et disent : « *Que ton nom te garde en vie de longues années et qu'il garde en vie ta descendance ! Sache aider ton père et aider ta mère ! Sache écouter les paroles de ton père et de ta mère !* »

Les Yami évitent de donner à leurs enfants des noms trop prestigieux, de peur que cela n'attire sur eux l'attention des esprits des morts, qui pourraient leur nuire. Ils préfèrent des noms humbles et plus discrets, qui signifient par exemple « Le Paresseux », « Le Petit », « Le Mollasson » et aident le nouveau-né à se cacher des esprits.

Deux jours plus tard, le père fixe sur le toit de la maison une canne à pêche, si le bébé est un garçon, afin de l'encourager à sortir en mer lorsqu'il sera grand. Si c'est une fille, il fixe des pièces de métier à tisser.

Pour les Yami, le petit enfant apparaît très vulnérable, et toutes ces actions visent à lui assurer protection et longévité. Elles fixent aussi sa place et le rôle que le groupe attend de lui voir jouer.

Les Yami ont repris récemment leur nom d'origine *Tau*, qui signifie « les Hommes ». Ils occupent la petite île tropicale de Lan-yü, « l'île aux orchidées », située entre Taïwan et les Philippines. Leur peuple ne compte que quelques milliers de personnes, regroupées dans des villages aux maisons semi-enterrées pour résister aux typhons. Les femmes s'occupent des champs irrigués où pousse le taro, une plante dont on utilise le tubercule et les feuilles. Les hommes pratiquent la pêche en pirogue ou en plongée : ils peuvent rester plusieurs minutes sous l'eau sans respirer ! De nombreuses activités se font en groupe et les événements majeurs de la vie sont l'occasion de cérémonies rituelles.

LE PEUPLE YAMI

Des enfants yami attendent à la maison le retour de leurs parents. La grande sœur porte son petit frère sur le dos.
Juin 1971. Village de Diraralei, Lan-yü, « l'île aux orchidées », Taïwan.
Photographie de Véronique Arnaud.

Le baptême pour les chrétiens

Baptême chrétien et communion (détail), 1561, peinture sur bois. Nationalmuseet, Copenhague, Danemark.

Pour les chrétiens, une cérémonie marque l'entrée dans la vie : c'est le baptême.

Durant les premiers siècles de notre ère, le baptême concernait les adultes. Jésus avait trente ans lorsque saint Jean le baptisa en l'immergeant dans les eaux du Jourdain. Et les hommes et les femmes qui voulaient devenir ses disciples devaient se soumettre à cette pratique en entrant dans une cuve remplie d'eau.

Dans l'Europe du Moyen Âge, il n'était plus question de choisir sa religion : à l'exception des communautés juives, concentrées dans certaines villes, tous ceux qui naissaient en terre chrétienne étaient obligatoirement chrétiens. On prit alors l'habitude d'administrer le baptême aux enfants dès qu'ils étaient en âge de prononcer les paroles d'adhésion à la foi. À partir du IXe siècle, on préféra réunir chaque année, à Pâques ou à la Pentecôte, tous les enfants de moins d'un an : alors, l'évêque les baptisait ensemble, en aspergeant leur tête avec un peu d'eau. Puis, à partir du XIe ou du XIIe siècle, on jugea utile de baptiser chacun le plus tôt possible, quelques jours après sa naissance.

Une clé pour le paradis

L'eau du baptême purifie. Mais ce n'est pas le corps qu'il s'agit de laver. Selon le récit de la Bible, Adam et Ève, les premiers humains, se sont rendus coupables du péché originel : Dieu leur avait interdit de goûter le fruit de l'arbre de la connaissance du bien et du mal, mais ils lui ont désobéi et l'ont mangé. À cause de cette faute, ils ont été chassés du paradis terrestre et tous les êtres humains ont été condamnés à travailler et à souffrir. Mais, selon les chrétiens, le Christ est venu pour réconcilier les hommes avec Dieu. Pour eux, le baptême permet d'effacer la souillure du péché originel et d'accéder au paradis : « *nul n'entrera dans le Royaume des cieux, s'il n'a été baptisé* », avertit l'Évangile.

Selon ces croyances, l'enfant qui sort du ventre de sa mère est une créature souillée par le péché. Il doit renaître, grâce au baptême, comme chrétien, frère ou sœur des autres fidèles. Ce rite est une seconde naissance, plus importante que la première. Dans la société chrétienne du Moyen Âge, celui qui n'est pas baptisé n'a pas sa place.

La circoncision pour les juifs et les musulmans

La Bible, le livre sacré des chrétiens et des juifs, de même que le Coran, celui des musulmans, racontent l'histoire de leur ancêtre commun, appelé Abraham par les uns et Ibrahim par les autres.

La circoncision du Christ, Bréviaire de Martin d'Aragon, Catalogne, 1398-1403, manuscrit enluminé.

Bibliothèque nationale de France, Paris.

Comme tous les enfants juifs, Jésus est amené, huit jours après sa naissance, au Temple où le grand prêtre le circoncit. Cet événement est célébré par les chrétiens le 2 janvier, bien que leur religion ait remplacé la circoncision par le baptême.

Abraham (Ibrahim), ayant atteint quatre-vingt-dix-neuf ans, et sa femme, Sarah, presque aussi vieille, regrettaient de ne pas avoir d'enfant ensemble. Dieu leur apparut et promit que, malgré leur grand âge, ils auraient un fils (cela fit rire Sarah). Selon le Livre de la Genèse, Dieu conclut alors le pacte suivant avec Abraham : *« Ceci est mon alliance avec toi, tu seras père d'une grande multitude de peuples. J'établirai une alliance avec toi et avec ta descendance après toi, de génération en génération : une alliance éternelle pour être ton Dieu et celui de ta postérité... À l'âge de huit jours, tous vos garçons seront circoncis. Vous devrez circoncire la chair du prépuce, ce sera le signe de l'alliance entre moi et vous. Celui dont on n'aura pas circoncis le prépuce sera retiré d'entre les siens pour avoir violé mon alliance. »*

Une marque inscrite pour toujours

C'est pourquoi les juifs, qui se considèrent comme les descendants d'Abraham, pratiquent la circoncision. Huit jours après la naissance d'un garçon, on coupe son prépuce, la peau qui recouvre l'extrémité du pénis. Les musulmans, qui tiennent aussi Abraham pour leur ancêtre, suivent la même règle, mais la circoncision est pratiquée à un âge nettement plus avancé, lorsque les garçons atteignent sept ans, voire douze ou quatorze ans.

La circoncision est une marque, inscrite pour toujours sur le corps des garçons. Elle manifeste l'appartenance à un peuple ou à une religion spécifique. Elle témoigne de l'obéissance à Dieu, jugée nécessaire pour préserver l'alliance établie avec lui, afin d'éviter sa colère et de bénéficier de ses bienfaits.

Voir p.164

Dieu ordonne à Abraham de sacrifier son fils

Un autel sur la montagne

Comme Dieu l'avait annoncé à Abraham (Ibrahim), un fils, Isaac, naît de sa femme Sarah. Selon la Bible, Dieu met Abraham à l'épreuve : « *Prends ton fils, ton unique, que tu aimes tant et pars pour le pays de Moriah. Là, tu me l'offriras en sacrifice, sur une montagne que je t'indiquerai.* »

Abraham prépare alors le bois pour le sacrifice et s'en va avec Isaac (pour les musulmans, en revanche, c'est Ismaël, considéré comme le fils aîné d'Abraham, que Dieu lui demande de sacrifier). Parvenu sur la montagne, il construit un autel, dispose le bois et attache Isaac. Il saisit le couteau pour égorger son fils. Mais l'ange de Dieu apparaît et lui dit : « *Ne fais pas cela. Je sais maintenant que tu crains Dieu, car tu ne m'as pas refusé ton fils, ton unique.* » Abraham aperçoit alors un bélier, qu'il sacrifie à la place de l'enfant.

Isaac l'a échappé belle

Pourquoi Dieu a-t-il ordonné à Abraham de sacrifier son fils ? Pour rappeler que cet enfant est un don de Dieu, que celui-ci a le droit de reprendre. Pour vérifier qu'Abraham obéit entièrement à Dieu. C'est seulement parce qu'Abraham était vraiment prêt à sacrifier son fils tant aimé que Dieu lui a laissé la vie sauve.

Juifs et musulmans croient, de la même manière, en ce Dieu qui ordonne à Abraham de sacrifier son fils. Ses descendants ne sont pas soumis à une telle épreuve, mais la circoncision rappelle l'histoire d'Abraham et l'obéissance exigée par Dieu. Les musulmans célèbrent cet événement, lors de la fête du mouton, appelée aussi fête de l'Aïd.

Le Caravage,
Le Sacrifice d'Isaac,
1603, huile
sur toile, 104 cm x 135 cm.
Galleria degli Uffizi,
Florence.

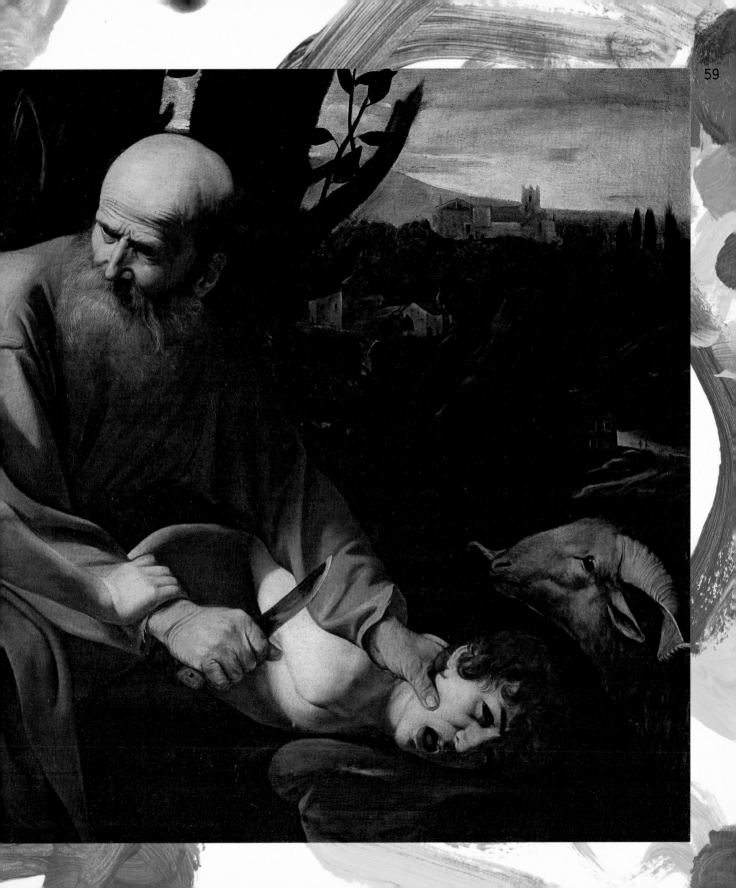

Donner un prénom

« Mon prénom, Marco, est important, sinon je ne me reconnais pas. Ma maman a choisi ce nom parce qu'elle le reconnaissait mieux. »

Aujourd'hui, le plus souvent, les parents choisissent librement les prénoms de leur enfant. Ils en discutent parfois beaucoup, car c'est un choix important, un choix pour toute la vie. Le prénom retenu est chargé de souvenirs et de souhaits. Il peut être celui d'un parent, d'un proche ou bien d'une célébrité. Une sorte de lien est établi entre l'enfant et la personne dont il porte le nom et dont on espère qu'il aura certaines qualités.

Un prénom pour la vie

Il y a aujourd'hui des modes, qui changent souvent. Certains parents recherchent les prénoms le plus rares possible. Ils peuvent même en inventer de nouveaux, comme les y autorise une loi récente. D'autres fouillent les archives à la recherche d'anciens prénoms, maintenant oubliés. Ceux des acteurs de cinéma ont le vent en poupe, alors que les saints chrétiens étaient les stars d'hier. En Europe, dans les siècles passés, plus de la moitié des gens s'appelaient comme les saints les plus vénérés : Jean, Pierre, Jacques, Jeanne ou Marie. De nos jours encore, en Amérique latine par exemple, l'enfant reçoit souvent le nom du saint fêté le jour de sa naissance. Dans les familles juives et musulmanes, les prénoms les plus usuels sont ceux des personnages des livres sacrés, comme Abraham (Ibrahim pour les musulmans), Isaac (Itzac), Ismaël, Jacob, Moïse, David, Muhammad (Mahomet). Il faut ajouter, pour les musulmans, Ali, le gendre du prophète Mahomet, Hassan et Husayn, ses fils, et Fatima, sa fille.

Un prénom plein de mémoire

Dans beaucoup de sociétés du passé, le prénom ne pouvait pas être choisi librement ; il fallait respecter des règles fixes. Très souvent, l'enfant recevait le prénom d'un grand-père ou d'une grand-mère, ou bien celui du père ou de la mère. C'était une marque de continuité familiale (c'est souvent encore le cas, en Europe, pour le deuxième ou le troisième prénom, même quand le prénom usuel est librement choisi). Parfois aussi, comme beaucoup d'enfants mouraient très jeunes, on donnait au nouveau-né le prénom d'un frère ou d'une sœur mort peu avant sa naissance. On disait que l'enfant disparu était ainsi « refait », en quelque sorte remplacé par celui qui venait de naître.

Être nommé pour exister

Donner son nom à l'enfant constitue toujours un acte essentiel. C'est lors du baptême que l'enfant chrétien reçoit son nom, lors de la circoncision dans le cas de l'enfant juif. En Afrique noire, le rituel que l'on accomplit après la naissance du nouveau-né consiste presque exclusivement à lui donner son nom. Cela peut avoir lieu le jour ou le lendemain de la naissance, sept jours plus tard, parfois aussi au bout d'un an seulement.

Tant qu'il n'a pas reçu son nom, on ne s'adresse pas à l'enfant comme à une personne bien individualisée. Sans nom, l'enfant n'est pas tout à fait un être humain. Il appartient encore au monde des esprits dont il provient. S'il meurt, il sera enterré sans attentions, dans un lieu isolé, contrairement aux enfants ayant reçu leur nom.

Le nom fait partie de la personne. C'est lorsque l'enfant le reçoit que son existence est reconnue par tous. Aujourd'hui, beaucoup de familles ne suivent plus les préceptes d'aucune religion et ne pratiquent aucune cérémonie lors de la naissance d'un enfant. Mais c'est lorsque ses parents inscrivent son nom à l'état civil que son existence est reconnue de manière légale.

« C'est ma maman qui a choisi
mon prénom, mais ce prénom
ne me plaît pas. Je voudrais
un autre nom, plus beau,
parce que Sara ne convient pas.
Je ne sais pas pourquoi. »

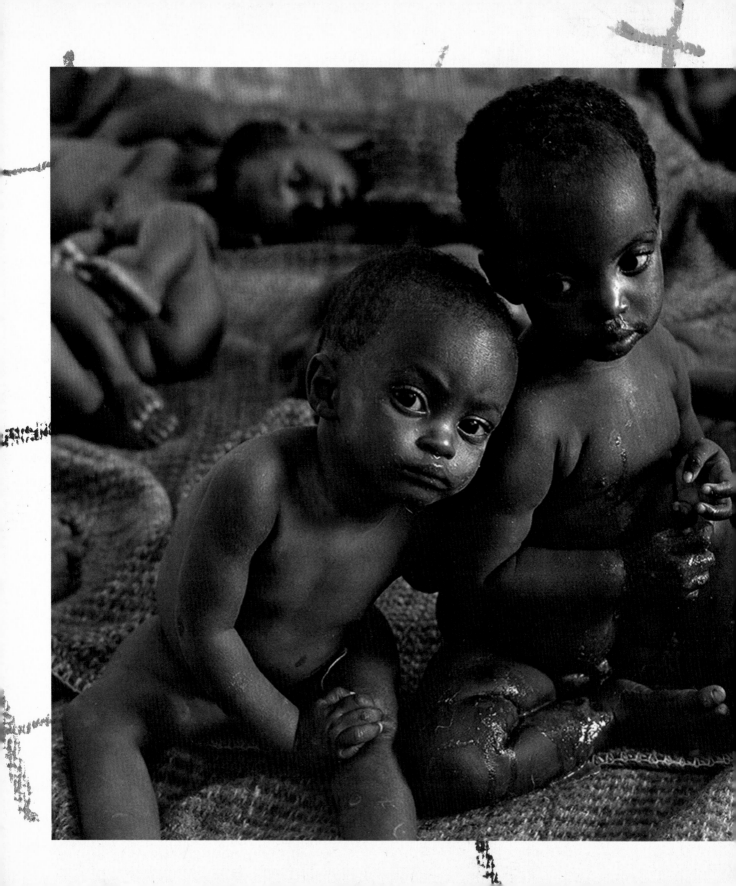

MORT, ABANDON, LA VIE RISQUÉE DES BÉBÉS

Aujourd'hui, les familles ont de moins en moins d'enfants, surtout dans les pays les plus « modernes ». Mais, s'ils naissent peu nombreux, peu d'entre eux sont victimes de maladies mortelles. Dans le passé, c'était tout le contraire. Un grand nombre d'enfants naissaient dans chaque famille, mais beaucoup mouraient tout petits.

Hier, beaucoup de naissances et beaucoup de décès. Aujourd'hui, peu de naissances et peu de décès. Cela fait une grande différence.

Dans le passé, la mort était une réalité fréquente, toujours proche, particulièrement pour les enfants. Aujourd'hui, la vie des enfants est bien mieux protégée contre les attaques des maladies, du moins dans les pays riches, car, ailleurs, la pauvreté empêche souvent de bénéficier d'une alimentation saine et de soins médicaux suffisants.

De plus, autrefois, il arrivait régulièrement que les parents abandonnent leurs jeunes enfants. Les motifs des abandons, voire de l'infanticide, étaient variables. En tout cas, abandonner un enfant était un geste assez courant, que l'on jugeait compréhensible.

Aujourd'hui, il paraît au contraire inacceptable, intolérable. Pourtant, il n'a pas disparu partout. Il perdure notamment dans les sociétés qui vivent à la manière de celles de l'Europe d'autrefois, où l'abandon d'enfants paraissait excusable et semblait un moindre mal.

Détail de la sculpture
d'Antoine Denis Chaudet
(voir page de droite).

Nouveau-nés exposés et abandonnés

Antiquité

Grèce et Rome

Un célèbre mythe grec raconte que Laïos et son épouse Jocaste, qui règnent sur la ville de Thèbes, consultent un devin. Celui-ci annonce que leur enfant tuera son père et couchera avec sa mère. Lorsque l'enfant naît, ils chargent un berger de l'abandonner, afin qu'il soit dévoré par les bêtes sauvages.

Dans la Grèce ancienne, il pouvait arriver qu'un enfant soit abandonné par ses parents, juste après la naissance. C'était plus souvent le cas des filles. Ainsi, en l'an 2 avant Jésus-Christ, un Grec en voyage à Alexandrie envoie à sa femme une lettre écrite sur un papyrus : « *Si tu as un fils, laisse-le vivre. Si c'est une fille, débarrasse-toi d'elle.* »

Cette pratique était devenue plus fréquente à l'époque romaine. Un bébé rejeté à la naissance était « exposé » : c'est-à-dire déposé, souvent entièrement nu, dans la rue, sur une décharge publique ou en un lieu isolé. Il avait très peu de chances de survivre.

Il incombait au père de prendre cette décision, soit parce que l'enfant était mal formé, soit parce qu'il soupçonnait sa femme de lui avoir été infidèle et craignait donc de ne pas être le géniteur du nouveau-né, ou encore parce qu'il estimait avoir déjà assez d'enfants. Les parents riches, qui abandonnaient un nouveau-né pour de telles raisons, espéraient généralement qu'il meure. En revanche, les parents pauvres, que seul le manque de moyens matériels obligeait à ce geste, souhaitaient moins souvent la mort de leur bébé. Ils s'efforçaient de faire en sorte que celui-ci, à peine exposé, soit recueilli par une famille qui voudrait bien l'élever.

VOIR FICHE P. 51

Antoine Denis Chaudet, *Œdipe enfant rappelé à la vie par le berger Phorbas,* 1800-1810, sculpture en marbre, 196 cm. Musée du Louvre, Paris.

Famine et pauvreté, dangers pour les enfants

Moyen Âge-Renaissance

Europe

Gustave Doré, *Le Petit Poucet*, illustration des *Contes* de Charles Perrault, édités par Jules Hetzel en 1867, estampe.
Bibliothèque nationale de France, Paris.

Sept enfants et pas d'argent

Ainsi commence l'histoire du Petit Poucet : « *Il était une fois un bûcheron et une bûcheronne qui avaient sept enfants, tous garçons. L'aîné n'avait que dix ans et le plus jeune n'en avait que sept. Ils étaient fort pauvres et leurs sept enfants les incommodaient beaucoup parce qu'aucun d'eux ne pouvait encore gagner sa vie... Il vint une année très fâcheuse et la famine fut si grande que le père décida de les mener perdre au bois. La mère d'abord s'y opposa. Elle était pauvre mais elle était leur mère. Cependant, ayant considéré quelle douleur ce serait de les voir mourir de faim, elle y consentit et alla se coucher en pleurant.* » (Charles Perrault)

En Europe, l'abandon d'enfants a longtemps été un fait courant, que l'on ne jugeait pas répréhensible. Au Moyen Âge, les enfants étaient souvent déposés à la porte d'un monastère, où ils passaient ensuite leur vie.

Maîtres et esclaves à Florence

À partir du XIVe siècle, dans les villes d'Italie, les autorités municipales et quelques généreux donateurs créent des hospices spécialisés pour enfants trouvés. C'est le cas à Florence, où les familles riches ont des esclaves qui les servent comme domestiques. Lorsqu'une esclave met au monde un enfant, ses maîtres l'obligent fréquemment à l'abandonner et à allaiter non pas son bébé mais celui de ses maîtres. Ainsi, dans la Florence des grands artistes de la Renaissance, un enfant abandonné sur trois (on le sait grâce aux registres des hospices) est né d'une esclave.

VOIR FICHE P. 38

Charles Perrault (1628-1703) : écrivain français.

Affluence à l'hôpital des Enfants-Trouvés

18e siècle

France

Au XVIIIe siècle, la misère est grande. Il arrive que, sans ressources, des parents abandonnent leurs enfants dès la naissance, faute de pouvoir les nourrir, en espérant que l'on prendra soin d'eux. À Paris, dans les années 1750, on compte 20 000 enfants abandonnés par an. Ce chiffre énorme inquiète le roi et la police, car l'enfant constitue un grand sujet de préoccupation : il est l'avenir de la nation. Un hôpital est spécialement chargé de recueillir ces nouveau-nés : l'hôpital des Enfants-Trouvés, où l'enfant est amené à grandir.

De précieux paquets portés chez le commissaire

Être un enfant trouvé oblige à un douloureux parcours : souvent, c'est la sage-femme qui a accouché la maman qui apporte l'enfant au commissaire de police du quartier. Celui-ci remplit un certificat permettant d'envoyer au plus tôt le petit à l'hôpital. Mais il arrive que le garçon ou la petite fille soient trouvés dans la rue, sous un porche ou, au mieux, dans une église. Celui qui le trouve se charge du précieux paquet jusqu'à la maison du commissaire.

Dans les langes, des messages...

Abandon ne signifie pas indifférence, comme on l'a trop souvent dit. On en a pour preuve émouvante les billets écrits par de nombreux parents et glissés dans les langes des enfants. Ces billets donnent quelques renseignements sur le nouveau-né.

On y précise en premier lieu si l'enfant a été ou non baptisé, renseignement très important pour ce siècle encore chrétien. En effet, si par malheur l'enfant meurt sans baptême, il ne peut, selon la religion, rejoindre le paradis. C'est une source d'effroi pour les parents. Parfois sur ces billets ils inscrivent le prénom du nouveau-né et, s'ils le veulent bien, leur nom, le plus souvent celui de la mère si le père est inconnu. Plus touchants encore sont les parents qui manifestent leur chagrin, dévoilent leur misère et recommandent de bons soins pour leur petit : « *On supplie très humblement les dames de l'hôpital d'avoir toutes les attentions, on le retirera et on donnera une bonne récompense.* » Parfois, sur les langes, ont été attachés de petits objets, médailles, rubans, roses de tissu qui montrent la tendresse des parents.

... ou un ruban bleu

L'hôpital des Enfants-Trouvés est pauvre et mal outillé : la mère supérieure et les médecins se plaignent du nombre d'enfants (8 000 en 1771). Comment les allaiter alors qu'il n'y a que 8 nourrices pour 180 enfants ? Les maladies se répandent et les emportent vers la mort.

Ce qui peut leur arriver de mieux, c'est qu'un jour leurs parents puissent les reprendre, parfois cinq ou six ans après leur naissance. En 1753, la mère de Guillaume veut reprendre son fils. Il a dix ans et son angoisse est grande, car « *elle ne peut le reconnaître puisqu'il n'avait que deux mois lorsqu'il fut porté à l'hôpital, mais elle avait mis un ruban bleu dans ses langes* ». Les formes de la tendresse en extrême pauvreté ont ce visage au XVIIIe siècle, et il est important de le savoir.

VOIR FICHE P. 117

Un tour à sens unique

Au XIXe siècle encore, l'abandon reste fréquent et tend même à augmenter. Comme le montre cette gravure, le « tour » demeure en usage : ce cylindre pivotant, encastré dans le mur, permet aux parents de déposer l'enfant, qui va être recueilli par des religieuses, sans être vus par elles et sans même avoir à leur parler. Ils peuvent ainsi demeurer anonymes. Si la pauvreté pousse bien des parents à recourir au « tour », beaucoup d'enfants sont abandonnés parce qu'ils sont illégitimes : un enfant né hors du mariage constitue un déshonneur que la mère, ou le père, ne peut supporter. Il – ou elle – juge alors préférable d'abandonner l'enfant. L'abandon des enfants ne reculera vraiment en Europe que dans la seconde moitié du XIXe siècle.

Tour d'hôpital
où étaient déposés
les enfants abandonnés.
MuCEM, Paris.

À gauche, des parents s'apprêtent à déposer leur enfant dans un tour ; à droite, des religieuses le recueillent.

Henry Pottin,
*Tour de l'hôpital
Saint-Vincent-de-Paul*,
milieu du XIXe siècle,
gravure.
Bibliothèque nationale
de France, Paris.

Trafic de bébés en Chine

Chine   **Aujourd'hui**

En 2003, un banal contrôle de police sur une autoroute du sud de la Chine permit de mettre au jour un terrible trafic : dans la camionnette, les policiers découvrirent 22 bébés cachés dans des paniers : tous des filles !

État-civil

Ces filles avaient été achetées à leurs parents dès la naissance pour une somme minime dans une commune rurale du sud du pays, puis emmenées dans une autre province. Parents, médecins, fonctionnaires locaux, la liste des complices était longue et l'enquête se révéla difficile. Mais la découverte de ce réseau de trafiquants permit d'éclaircir un mystère : d'après les registres de l'état civil, il naît, dans les campagnes chinoises, beaucoup plus de garçons que de filles (116 garçons pour 100 filles, et jusqu'à 125 contre 100 dans l'île de Hainan). Nous savons maintenant que c'est à cause de ce trafic : les petites filles qui sont vendues disparaissent sans même que leur naissance soit déclarée à l'état civil. Cette pratique posera problème à l'avenir car il manquera bientôt des millions de filles pour renouveler les générations.

Deuxième fille en danger

Cette disparition s'explique par le fait que les paysans chinois, n'ayant ni retraite ni sécurité sociale, dépendent d'un fils pour subvenir à leurs besoins durant leurs vieux jours. Et pourquoi pas d'une fille ?

Dans la tradition chinoise, lorsqu'une fille se marie, elle appartient à la famille de son époux et doit prioritairement s'occuper de celui-ci. C'est donc le fils qui a l'obligation de prendre soin de ses parents.

La situation est encore aggravée par la décision du gouvernement, qui, depuis plus de vingt ans, interdit aux Chinois d'avoir plus d'un enfant. Cette politique sévère est jugée nécessaire pour freiner la croissance de la population du pays le plus peuplé au monde (1,3 milliard d'habitants). Seule exception, dans les campagnes, on autorise les couples, qui ont une fille, à avoir un second enfant, qui pourrait cette fois être un garçon. Mais s'ils donnent naissance de nouveau à une fille, celle-ci est abandonnée, vendue à des trafiquants (qui la revendent à une famille sans enfant ou comme future épouse) ou même tuée, comme cela arrive encore. Seule note d'espoir : dans les villes, où les conditions de vie sont meilleures et où les mentalités changent, on constate un nombre égal de garçons et de filles. À Shanghai, une majorité de jeunes couples préfèrent même avoir... une fille !

Immense territoire aux dimensions d'un continent, la Chine est peuplée de 1,3 milliard d'habitants. Depuis la fin du XXe siècle, le pays s'est lancé dans un développement spectaculaire qui en fait aujourd'hui l'une des premières puissances économiques de la planète. Qualifiée d'« usine du monde », la Chine exporte massivement ses productions vers l'étranger. Si elle profite à une partie de la population, cette croissance accélérée bouleverse le mode de vie des Chinois et pose des problèmes considérables. Par centaines de millions, les paysans quittent les campagnes pour les grandes villes industrielles, où l'exploitation de la main-d'œuvre est féroce et où la pollution devient insupportable, tandis qu'un contrôle policier omniprésent interdit toute vie démocratique.

LA CHINE AUJOURD'HUI

Maladies mortelles d'hier, aujourd'hui presque oubliées

Peut-on imaginer que des maladies aujourd'hui inoffensives, comme la rougeole, ont provoqué hier la mort de millions d'enfants ?

Mourir d'une bronchite

« *Ne te vante pas d'avoir un fils s'il n'a pas eu rougeole ou variole* », disait un proverbe. On ne pouvait rien faire non plus contre la diphtérie ou la tuberculose. Des maladies plus banales encore pouvaient conduire à la mort, telles les infections respiratoires (bronchite, pneumonie) ou les troubles digestifs, qui provoquaient des diarrhées impossibles à arrêter. Même la poussée des dents était parfois mortelle. Aucun remède n'était vraiment efficace.

Du Moyen Âge jusqu'au XVIIIᵉ siècle, il n'y eut aucune amélioration. Un enfant sur quatre mourait avant un an. De tous les enfants qui naissaient, la moitié seulement atteignaient quatorze ans.

La santé par les vaccins

Puis, tout à la fin du XVIIIᵉ et surtout au XIXᵉ siècle, la médecine fait de spectaculaires progrès. En 1796, l'Anglais Jenner réussit le premier vaccin (contre la variole). C'est le moment où apparaît la pédiatrie, branche de la médecine qui s'occupe exclusivement des maladies et de la santé des enfants. Vers 1880,

Louis Pasteur découvre comment éviter la prolifération des microbes et parvient à guérir les infections. Diphtéries et diarrhées peuvent être enrayées. On comprend qu'il faut bouillir le lait et les autres aliments pour les stériliser (les pasteuriser, dit-on aussi). Ensuite, des vaccins ont été mis au point pour prévenir les maladies infantiles.

Au XXᵉ siècle, dans les pays où toute la population peut bénéficier de soins médicaux, la mort d'un enfant de moins de cinq ans devient très rare. On la considère comme un accident scandaleux, une détresse intolérable. Hier, quand un enfant naissait, personne ne pouvait être sûr qu'il allait survivre longtemps. Aujourd'hui, chacun imagine son avenir sans que plane sur lui tant de redoutables dangers. C'est la plus grande de toutes les révolutions de l'enfance.

Mais dans les pays les plus pauvres, surtout en Afrique noire, au XXIᵉ siècle encore, un enfant sur huit meurt avant un an, alors que des soins simples permettraient de l'éviter. C'est le plus grand de tous les scandales de l'enfance.

Sans baptême, pas de paradis

Dans l'Europe chrétienne, les enfants qui mouraient avant d'avoir été baptisés n'avaient pas le droit d'être ensevelis au cimetière. Et, comme ils n'avaient pas été lavés du péché originel, la porte du paradis leur était close pour toujours. Leurs âmes demeuraient dans le limbe des enfants, un lieu ténébreux et souterrain, éloigné du ciel et de Dieu. Beaucoup de parents, inquiets d'un tel sort, se rendaient dans des sanctuaires spécialisés : ayant déposé le corps de leur enfant sur un autel, ils guettaient le miracle qui lui rendrait un infime souffle de vie, juste le temps de le baptiser. Soulagés, ils pouvaient alors l'enterrer dans le cimetière et espérer pour lui le paradis.

Louis Pasteur (1822-1895) : chimiste et biologiste français.

Campagne pour la santé

La Première Guerre mondiale s'accompagne d'une forte recrudescence de la tuberculose, notamment en France. Diffusée en 1917, cette affiche en appelle à la mobilisation nationale pour vaincre la maladie, assimilée ici à une pieuvre, et sauver les vies enfantines qu'elle menace. Elle est conçue lors d'une vaste campagne de santé publique, qui recourt aux techniques alors nouvelles de la publicité : il s'agit d'encourager la population à rompre le silence qui pesait sur une maladie jugée honteuse.

Musée d'Histoire contemporaine, Paris.

ÉCRASEZ LA TUBERCULOSE ET SAUVEZ L'ENFANCE

COMMISSION AMÉRICAINE DE PRÉSERVATION CONTRE LA TUBERCULOSE EN FRANCE

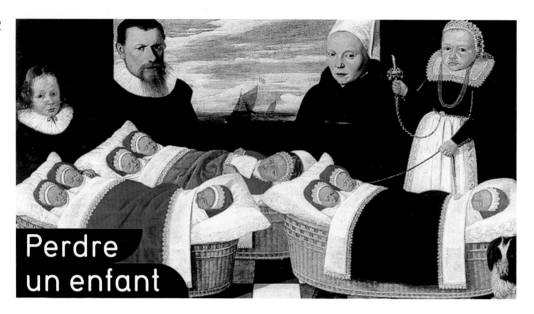

Perdre un enfant

Comment les parents d'autrefois réagissaient-ils au décès de plusieurs de leurs jeunes enfants ? Étaient-ils résignés, ou du moins préparés, face à un fait prévisible ?

Deuil superflu

Que pouvait éprouver Faustine, l'épouse de l'empereur romain Marc Aurèle (161-180), dont sept des treize enfants moururent avant l'adolescence ? Ce que l'on sait, c'est que, dans l'ancienne Rome, le roi Numa avait interdit aux parents de porter le deuil après la mort d'un enfant de moins de trois ans : comme si, pour ces très jeunes enfants, auxquels il n'était pas sûr encore que la vie daigne s'attacher, les rituels du deuil semblaient superflus. Toutefois, de nombreux sarcophages romains ont été ornés de portraits d'enfants et des inscriptions témoignent de l'affection de leurs parents.

Au Moyen Âge aussi, la résignation était difficile. Vers 1300, Alazaïs Munier, une villageoise des Pyrénées, gardait l'air triste : « *Comment ne serais-je pas affligée d'avoir perdu en un si bref intervalle quatre beaux enfants ?* »

Pleurs et tristesse

En 1406, un marchand florentin, Giovanni Morelli, pleure son fils aîné, Alberto, mort à neuf ans : « *Jamais je n'aurais pu croire que la séparation de ce fils, voulue par Dieu qui l'a fait passer de cette vie à l'autre, m'aurait été et me serait encore une douleur aussi forte. Bien que plusieurs mois se soient écoulés depuis l'heure de sa mort, ni moi ni sa mère ne pouvons l'oublier. Nous avons sans cesse son image à l'esprit, nous nous rappelons ses gestes, ses attitudes, ses paroles et ses actes, le jour, la nuit, au repas, au souper, à la maison, dehors, quand nous dormons, quand nous veillons, à la campagne, à Florence. Quoi que nous fassions, il nous transperce le cœur de ce poignard. Et en vérité, ce n'est pas que nous nous complaisions volontairement dans cette souffrance, bien au contraire. Car, du jour qu'il nous a quittés, nous avons fait tout notre possible pour l'écarter de nos pensées, sauf dans nos prières. Nous avons quitté la maison et n'y sommes pas revenus de tout un mois. Nous avons interdit sa chambre pendant tout l'été, et depuis le jour de sa mort moi, Giovanni, je n'y suis pas entré, avec pour seule raison l'extrême douleur (que cela provoquait). Dieu veuille que cette douleur ne hâte pas l'heure de notre propre mort !* »

**Passeport
pour l'au-delà**

Peint au IIIᵉ siècle, en
Égypte, dans la région du
Fayoum, ce portrait d'une
jeune enfant nous frappe
par son étonnante vitalité.
Pourtant, il a été réalisé sur
le tissu de lin qui entourait
son corps momifié. Cette
image n'a probablement
pas été faite pour être vue,
mais pour accompagner
la défunte dans son voyage
après la mort.

Musée du Louvre, Paris.

Les ravages du sida

« Je m'appelle Michael Wanyoike ; j'ai onze ans et je vais en 3ᵉ année de primaire, au Kenya.

Je suis arrivé au centre de réhabilitation de Ruiru il y a un an. Ma mère était toujours au lit et malade. Un jour je suis parti. J'avais un petit frère. Il avait cinq ans quand il est mort, il y a quelques mois. Les gens disent qu'il est mort du sida. C'est une tante qui s'occupait de nous à la maison, parce que ma mère était trop malade et faible. Une amie de ma mère nous aidait aussi de temps en temps et nous apportait à manger, mais il n'y en avait jamais assez pour nous trois. Alors, un jour, je suis parti pour de bon dans la rue.

Avant que ma mère tombe malade, elle avait un petit stand sur la rue où elle revendait des pommes de terre qu'elle avait achetées sur le grand marché. Notre maison, c'était une seule pièce. On vivait dans un ghetto de Ruiru. On partageait les toilettes avec beaucoup de voisins. L'eau, on allait la chercher dans un puits ; on n'avait pas d'électricité. Et puis, un jour, maman est tombée malade ; le docteur est venu et nous a dit qu'elle avait la tuberculose. »

Parti sans demander la permission

« J'ai quitté la maison, aussi parce que ma mère me battait très fort quand je faisais des fautes comme casser un verre, sans faire exprès. J'ai quitté la maison sans rien dire et sans demander la permission. J'ai quitté ma mère pour toujours, mais je crois que je l'aimais. Quand ma mère travaillait et gagnait assez d'argent pour nous tous, elle était beaucoup plus gentille avec moi. Dans les rues, des amis m'ont raconté qu'il y avait ce centre et comment y aller. Je suis heureux ici : il y a à manger et les gens sont gentils.

Je me rappelle mon père, mais il est mort il y a un bon moment. J'avais un frère aîné, mais il est mort aussi, du sida, je crois. Nous, les trois frères, on avait tous des pères différents. Mon beau-père nous donnait de l'argent et de quoi manger, mais il était ivrogne et un jour il a été tué dans un accident sur la route. J'ai une tante qui vient de temps en temps me rendre visite, mais elle ne veut pas que je vienne vivre chez elle. J'ai aussi une autre tante qui a un joli petit magasin où elle vend des cigarettes et des sucreries. L'année dernière,

j'ai passé les vacances de Noël avec elle. Pendant trois semaines, je l'ai aidée à aller chercher de l'eau et à faire la vaisselle. J'aimais vivre avec elle. J'aime la compagnie des adultes. Ils m'apprennent des choses, comme lire ! J'aime les livres et l'acrobatie. »

En Afrique, le sida ravage des familles entières, comme celle de Michael. Cette maladie affaiblit les défenses du corps (son système immunitaire), de sorte que des infections, comme la tuberculose, peuvent devenir mortelles. Souvent, on préfère dire qu'une personne est morte de la tuberculose, plutôt que du sida, parce que cela paraît moins honteux à la famille. Beaucoup de gens ignorent qu'ils ont le virus du sida et le transmettent, même au sein de leur famille. La mère de Michael avait le sida, mais il ne s'est pas transmis à son fils pendant la grossesse. Michael n'a donc pas le virus en lui.

Sida

Le sida est une maladie provoquée par le virus de l'immunodéficience humaine (VIH). Il détruit en partie les globules blancs qui protègent l'organisme contre les infections ; le corps perd alors ses défenses. Le virus peut se transmettre lors des rapports sexuels ; un seul peut suffire pour contracter la maladie si on n'utilise pas de préservatif. La contamination peut se faire par le sang en cas de transfusion ou d'usage de seringues infectées. Le virus passe aussi de la mère à l'enfant par le placenta et au moment de l'accouchement. Cependant, tous les enfants qui naissent de mères séropositives ne sont pas nécessairement contaminés. Si le sida est transmissible, il ne s'attrape pas en serrant la main d'un malade ni en l'embrassant. On ne sait pas guérir le sida et la protection la plus sûre, pour soi et pour les autres, est celle dont on est l'acteur.

Franck est séropositif. Sa grand-mère, Suzan, l'a recueilli après le décès de sa mère, morte du sida. Janvier 2010, Tanzanie.
Photographie de Dieter Telemans.

AUX PETITS SOINS POUR LES TOUT-PETITS

Un bébé est un tube digestif, qui mange, fait ses besoins et dort, disait-on volontiers autrefois. En réalité, il a aussi grand besoin de présences attentives autour de lui. Un bébé bien nourri mais élevé sans aucune affection risque fort d'avoir de graves difficultés, peut-être même de mourir.

Il est donc très important d'observer de quels soins les adultes entourent les bébés, comment ils les nourrissent et par quels moyens ils les protègent des maladies. Comment les tout-petits sont-ils vêtus, portés, et où dorment-ils ? Quels gestes accompagnent leur toilette ? De quelle manière réagit-on lorsqu'ils pleurent ? Les encourage-t-on à rire, à bouger, à marcher ?

Ces manières de faire changent selon les continents et les époques, selon les familles aussi. Elles influent beaucoup sur la personnalité des enfants, car un bébé comprend très vite les attitudes des adultes. Il aime provoquer leur intérêt, et reproduit volontiers ce que les grands apprécient le plus en lui. Il s'imprègne de l'ambiance qui l'environne. Un bébé chinois, bien entouré par ses parents, dans un foyer organisé de manière imperturbable, sera le plus souvent calme, très attentif, et peu enclin à pleurer. Aux États-Unis, beaucoup de jeunes enfants sont très instables, tantôt surexcités tantôt apathiques, sans doute parce que leurs parents, souvent absents à cause de leur travail, semblent toujours pressés, voire surmenés et inquiets.

Le début de l'enfance est un moment de découvertes inouïes et d'apprentissages essentiels. La manière dont chaque groupe humain prend soin des tout-petits contribue beaucoup à former leur caractère. Et à les préparer aux habitudes de leur culture. Voilà bien une étape décisive de la vie !

Née il y a plus de 3 500 ans sur les rives du fleuve Jaune, la civilisation chinoise est l'une des plus anciennes du monde. Unifiée pour la première fois en 221 avant notre ère par l'empereur Shi Huangdi – qui a fait élever la Grande Muraille –, la Chine a vu se succéder plusieurs brillantes dynasties. Appelé « fils du Ciel », l'empereur est tout-puissant. Il gouverne grâce à une administration de lettrés, les mandarins. La doctrine du penseur Confucius (né au VIe siècle avant J.-C.) imprègne alors toute la société. Les Chinois ont développé une culture très complexe et des arts raffinés ; ils sont aussi les inventeurs de l'imprimerie et de la poudre à canon. Mais, à partir du XIXe siècle, les puissances occidentales s'efforcent de soumettre la Chine à leurs intérêts. Commence une ère de division et de chaos qui aboutit en 1912 à l'abdication de Pu Yi, le dernier empereur de Chine.

L'EMPIRE DU MILIEU

Jeune enfant chinois sur la Grande Muraille, 1937, Chine.
Photographie de Denise Colomb.

Protéger les enfants dans la Chine ancienne

Dans la Chine ancienne, on s'est très tôt préoccupé d'assurer la santé des enfants en bas âge. Une pédiatrie spécialisée est apparue dès le XIIᵉ siècle et de grands progrès ont été accomplis, à partir de cette époque, dans les soins donnés aux jeunes enfants. Ainsi, on a su très tôt qu'il fallait prendre des précautions particulières pour couper le cordon ombilical.

Gare aux mauvais esprits

Mais il existait aussi des rituels à caractère religieux destinés à protéger les enfants des mauvais esprits qui pourraient leur nuire ou provoquer des maladies. Ces derniers étaient, disait-on, particulièrement attirés par les « beaux enfants » et par les garçons. Encore de nos jours, pour tromper les esprits malveillants, on donne aux garçons des noms de fille ou des surnoms un peu ridicules : Petit Chien, Noiraud, Pleurnichard... et leur mère coud sur leur bonnet des amulettes en argent pour les protéger.

Autrefois, on pensait que les femmes et les enfants étaient sous la garde de divinités féminines, comme la déesse de la Miséricorde ou la Dame-du-Bord-de-l'Eau qui, dans le sud-est de la Chine, veillait sur les accouchées et les jeunes enfants. Elle leur permettait de surmonter les moments dangereux de la vie, particulièrement les maladies comme la rougeole ou la varicelle.

Horoscope très consulté

Le moment de la naissance de chaque enfant était soigneusement noté. On appelait cela « les huit caractères » : deux pour l'année, deux pour le mois, deux pour le jour et deux pour l'heure de la naissance. On établissait ainsi son horoscope, consulté plus tard pour mener les pourparlers de mariage ou pour diagnostiquer les maladies.

L'enfant pouvait être en proie à des « frayeurs ». C'est le nom que l'on utilisait face à un comportement inquiétant et peu compréhensible : des pleurs continuels, le refus de s'alimenter, des convulsions ou un caractère vraiment difficile. Or, en fonction de son horoscope et de son âge, l'enfant est plus ou moins sensible à telle ou telle menace : il peut être surpris par le cri d'un animal de mauvais augure ; il peut éprouver un excès de douleur en croisant une procession de deuil ou un excès de joie à la vue d'une femme enceinte ; il peut aussi avoir du mal à être en accord avec sa propre mère. Tous les enfants connaissent ces crises, mais pour ceux qui ne guérissent pas spontanément, on aura recours à des prières et des procédés magiques, en invoquant les divinités protectrices ; parfois, on donnera à l'enfant un nouveau prénom, ce qui est comme un nouveau départ.

Un prénom en accord avec la saison

Comment est-il choisi ? L'année chinoise comporte cinq saisons ; chacune est associée à un « élément » différent : bois (printemps), feu (été), terre (centre de l'année), métal (automne) et eau (hiver). Selon la date de sa naissance, l'enfant peut souffrir d'un manque ou d'un excès de l'un de ces éléments. On choisira alors un prénom qui permette de rétablir l'équilibre. Par exemple, si l'enfant manque de l'élément « bois », on lui donnera comme prénom un nom d'arbre, ou même le mot « forêt ». Le prénom d'un enfant donne ainsi un indice sur un moment particulier de son existence, et il ne peut être employé que dans le cercle familial ou par les amis les plus proches.

**Une mère et son bébé,
Afrique du Sud.**
Photographie
de Patrick de Wilde.

Les bienfaits de l'allaitement traditionnel

Jusqu'à nos jours

Afrique de l'Ouest

Dans un village du Sénégal, un bébé pleure. Sa mère, aussitôt, le balance en rythme ou lui donne le sein ; l'enfant retrouve son calme. Si sa mère n'est pas là, les fillettes de la maison savent comment le bercer et, si le bébé continue à pleurer malgré tout, elles l'amènent auprès de la mère pour qu'elle l'allaite. En Afrique de l'Ouest, on ne doit pas laisser pleurer un bébé : il est trop fragile pour cela, dit-on.

Tendre corps à corps

Le sein maternel n'apporte donc pas seulement au nouveau-né la nourriture dont il a besoin ; il est aussi le grand consolateur.

L'allaitement répondant à la demande du bébé, celui-ci peut téter, surtout dans les premiers mois, plus de dix fois dans la journée, et jusqu'à cinq ou six fois la nuit. Même s'il recommence à pleurer moins d'une heure après la tétée, le sein s'offre de nouveau à lui. Ce sein, accordé généreusement, l'est aussi pendant longtemps. En Afrique, on allaite souvent les enfants jusqu'à deux ans (de même qu'en Océanie et parmi les peuples indiens d'Amérique).

Le moment où l'enfant cesse d'être nourri au sein, le sevrage, marque une étape importante. Auparavant, les parents habituent peu à peu l'enfant à une alimentation solide, qu'ils mâchent parfois eux-mêmes tant que le bébé n'a pas ses premières dents. Mais arrive le jour où le sein nourricier est définitivement

proscrit. L'événement a une telle importance que l'on organise une cérémonie pour le souligner. Au Sénégal, on se rend auprès d'un marabout, qui écrit un verset du Coran sur une galette de mil ; l'enfant la mange, en la partageant avec le groupe des petits déjà sevrés, dont il fait désormais partie. *« Aujourd'hui, c'est Moussa que l'on sèvre, aujourd'hui qu'il se sépare de sa mère ; qu'il suive celui qui mange le mil. »*

VOIR FICHE P. 320

Dans le dos, dans un filet, dans un panier...

Les sociétés traditionnelles n'ont pas attendu la fin du XXe siècle pour inventer le porte-bébé. C'est généralement dans le dos, serré dans un tissu noué par-devant, que le bébé était porté. Il accompagnait sa mère presque tout au long de la journée (ou une autre personne, souvent une sœur). Il restait ainsi endormi, au contact d'un corps familier, sans être dérangé par les mouvements et les bruits occasionnés par les activités de sa mère. Les Papous de Nouvelle-Guinée utilisent pour cela une sorte de filet à bébé, tandis qu'en Arabie c'est parfois le berceau lui-même qui est porté en bandoulière. En Afrique de l'Ouest, les bébés voyagent parfois dans des calebasses, que les femmes placent sur leur tête.

La longue histoire des biberons

Antiquité-Aujourd'hui

Europe

Ce biberon en étain date du XVIIᵉ siècle, époque à laquelle l'embout commence à ressembler, par sa forme, aux tétines d'aujourd'hui.

Les biberons ne datent pas d'aujourd'hui ! Mais ceux d'hier nous paraissent bien étonnants. Au bébé de l'ancienne Rome, on proposait le mince bec d'un pot en terre cuite. C'est la pointe percée d'une corne d'animal qui laissait goutter le lait dans la bouche du nourrisson médiéval. Celui du XVIIᵉ siècle devait sentir le dur et froid contact d'un biberon métallique...

Mais, dans ces époques anciennes, on avait recours au biberon de façon vraiment exceptionnelle. Les enfants étaient généralement nourris au sein par leur mère ou par une nourrice. En fait, l'allaitement artificiel ne s'est développé qu'au XXᵉ siècle. Il a fallu pour cela que Louis Pasteur découvre, vers 1880, qu'on pouvait éliminer les microbes d'un liquide en le faisant bouillir. Le lait de vache, ainsi stérilisé, devenait utilisable pour nourrir les bébés. Auparavant, il aurait été inenvisageable, ou du moins très meurtrier, de le donner aux enfants en bas âge.

Aujourd'hui, le lait en poudre et les biberons en plastique l'ont emporté sur le sein, même si certaines mères choisissent d'allaiter pendant trois ou quatre mois, ou en alternant sein et biberons quand elles reprennent le travail. Le biberon s'accorde bien au mode de vie actuel des parents : pendant la journée, l'enfant est gardé à la crèche, par un proche ou une assistante maternelle, qui peut ainsi le nourrir, tandis que le père ou la mère peut donner le biberon du soir.

Plus question, alors, de réclamer le sein au moindre souci ! Le nombre de biberons quotidiens a ses limites... Et comme il faut des compensations, les enfants d'Europe et d'Amérique du Nord sont devenus experts en « mâchonnage » de tétines et s'agrippent au drap ou à la peluche dont ils sont inséparables...

Voir p. 111

Ce biberon d'époque romaine (Iᵉʳ-IIᵉ siècle de notre ère), retrouvé en Suisse, était sans doute aussi un « tire-lait ». Il permettait aux femmes qui avaient du lait en excès de soulager leurs seins. Des analyses chimiques ont retrouvé des résidus de lait dans ces pots.

La puériculture, médecine des tout-petits

La puériculture expose la bonne manière de s'occuper des enfants de moins de trois ans. Vers 1900, c'est une science neuve et très exigeante. Les médecins sont convaincus d'en savoir beaucoup plus que les mères, jugées ignorantes, surtout dans les campagnes. Elles « *allaitent leurs petits à l'instar des femelles des animaux, en ne s'inspirant d'aucune règle et en suivant seulement leur instinct* », se lamente le docteur Marfan, en 1908. La principale de ces règles établies par les médecins oblige à nourrir le bébé à heures fixes (et, si nécessaire, à le réveiller !) Dans les années 1960 encore, à Paris, des parents expliquent : « *À heure fixe, pas à dix minutes près ! Mais oui ! Il faut que tout soit réglé.* » ; « *L'horaire du biberon, c'est une méthode d'éducation. Il faut qu'ils aient des horaires. On a un horaire qui vous tient toute la vie dans la société.* » De plus, il faut donner chaque fois des quantités égales. Les parents scrupuleux se doivent de peser le bébé avant et après chaque tétée, pour vérifier que le sein lui a délivré la bonne ration de lait, ni plus ni moins ! Tout le contraire de l'allaitement traditionnel...

Cette miniature du XIVe siècle montre comment on utilisait une corne pour faire boire un bébé.
Bible de Jean de Sy.
Bibliothèque nationale de France, Paris.

uellela ou teil edi
er li auoit dit deuant. et a

Kitagawa Utamaro,
Mère allaitant son enfant,
XVIIIᵉ siècle,
estampe, Japon.

Bibliothèque nationale
de France, Paris.

Comme en Afrique,
les mères japonaises
qui suivent les usages
traditionnels offrent
volontiers le sein à leur
bébé, de jour comme
de nuit, pour le nourrir
et calmer ses pleurs.
Au Japon, laisser pleurer
un bébé est jugé très cruel.
Selon un proverbe,
« on finit toujours par céder
aux enfants qui pleurent
et aux intendants
du shôgun ».

S'endormir sous d'autres cieux

Europe

Japon

Voir p.41

Où et comment faire dormir les bébés ? En Europe, l'usage du berceau remonte à une période très lointaine : l'époque romaine. La page précédente en montre un, datant du Moyen Âge. Celui dans lequel le diable dépose un « changelin » est lui aussi très ancien : particularité propre à l'Italie, il est conçu pour balancer l'enfant non pas sur le côté, mais d'avant en arrière.

Une coque protectrice

Le berceau est placé au pied du lit maternel : si le bébé se réveille la nuit, la mère n'a pas loin à aller pour le bercer. Et peut-être le glissera-t-elle sous les couvertures, dans le lit des parents, surtout si l'hiver est rude.

Plus tard, la puériculture du xixe et du xxe siècle, cette science pleine de règles, s'est opposée à cet usage, soulignant les risques d'étouffement du nourrisson ou de contagion microbienne, puis affirmant que l'enfant devait faire l'apprentissage de son indépendance et laisser ses parents en paix. Maintenant, dans le monde occidental, un bébé dort dans son berceau, et si possible dans sa propre chambre. La nuit, déjà redoutée en raison des craintes qu'inspire parfois l'obscurité, est devenue en outre le moment d'une longue séparation...

Shôgun :
le shôgun était, dans le Japon d'autrefois, le véritable maître du pays.

Tout contre ses parents

85

Il en va tout autrement au Japon. Selon les usages traditionnels, toute la famille couche dans la même pièce, sur les tatamis, presque à même le sol. Non par manque de place, mais parce qu'on pense que les enfants ont besoin d'être rassurés par la présence des parents. À l'heure du coucher, la mère allonge son bébé à côté d'elle, sur le tatami. Elle lui chante une berceuse, tout en lui tapotant légèrement le dos : *nen'ne korori-ya, nen'ne korori-ya* (fais dodo). Ils s'endorment souvent ensemble, l'un contre l'autre.

Il existe aussi des berceuses plus inquiétantes. Elles évoquent des personnages menaçants, au cas où l'enfant ne dormirait pas bien : « *Tu dors, tu es mon faisandeau sauvage. Si tu te réveilles, le fantôme prend possession de toi.* » Dans les régions pauvres du Japon, certaines berceuses mentionnent les famines ou les souffrances des enfants démunis.

Si le bébé pleure durant la nuit, la mère reprend, sans avoir besoin de se lever, ses caresses et ses chants. Elle peut aussi lui donner le sein, même s'il n'a pas vraiment faim, simplement pour l'apaiser et l'aider à retrouver le sommeil.

VOIR FICHE P.282

Bains, massages, berceuses... la belle vie

Dans un village de l'Inde du Sud, une fillette, Lakshmi, vient de naître. Elle est aussitôt placée dans les bras de sa mère. Durant dix jours, mère et enfant ne sortiront pas de la maison, à la fois pour se reposer et parce que cette période est dite « impure ».

Tout en douceur

Deux fois par semaine, sa mère lui donne un bain d'huile et lui fait un massage complet, qui nettoie et adoucit la peau, assouplit et tonifie les muscles et les articulations. Pour cela, la mère s'assied par terre, étend les jambes et y pose Lakshmi, allongée. À mains nues, elle l'oint d'une huile médicinale : d'abord le tour des yeux, puis les cheveux, enfin le reste du corps. Elle la masse doucement, mais complètement. Elle asperge ensuite Lakshmi d'eau, de la tête aux pieds, une aspersion qui achève de la laver, mais aussi, selon les conceptions hindoues, de la purifier. Puis, sa maman la « baigne » dans de la fumée d'encens, pour sécher et parfumer corps et cheveux. Enfin, comme on le fait à tout enfant en bas âge, fille ou garçon, elle la maquille en soulignant de noir le tour des yeux et en faisant un rond noir sur la joue droite, afin de détourner les « mauvais regards » qui, dit-on, peuvent provoquer maladies et malheurs.

Sieste confortable

Au moins jusqu'à sa première dent, Lakshmi tête le sein. Elle prend régulièrement des tisanes fortifiantes. La nuit, elle se serre contre sa mère et restera longtemps, plus tard, à dormir avec ses parents sur leur natte. La journée, elle est portée par sa mère ou une autre femme de la famille sur la hanche gauche, enserrant de ses jambes leur taille et se cramponnant à leur sari (le tissu coloré dans lequel les femmes indiennes se drapent). Parfois, pour une sieste, elle est mise dans une sorte de hamac formé d'un sari dont les extrémités sont attachées à un anneau fixé au plafond : son corps est entouré par le tissu comme par les bras maternels, et on l'endort en lui chantant une berceuse et en la balançant doucement.

Lakshmi recevra son prénom seulement au bout d'un mois ; plus tard, elle aura les oreilles percées, et ses cheveux seront rasés, afin qu'ils repoussent plus vigoureux. À six mois, elle prendra son premier repas de riz, donné cérémonieusement par son père ou un oncle, repas qu'on accompagnera de petites quantités d'épices afin de l'initier aux saveurs qu'elle connaîtra toute sa vie.

L'Inde est un pays immense dont l'histoire connue a commencé vers 3500 ans avant notre ère, avec la civilisation de l'Indus. Elle a vu se succéder de grands empires, dont celui des Moghols. Occupée peu à peu par les Britanniques à partir du XVIIIe siècle, elle a obtenu son indépendance en 1947. La société moderne a hérité d'un système traditionnel de castes hiérarchisées qui attribuait à chacun une place prédéterminée : les brahmanes en occupaient le sommet ; ce système est en profonde mutation depuis un siècle. L'Inde est aujourd'hui une démocratie où tous les citoyens sont politiquement égaux, malgré les disparités économiques. Son économie se développe rapidement et, tandis que les bidonvilles des mégalopoles comme Bombay ou Calcutta ne cessent de croître, la majorité de la population vit encore dans les campagnes, au rythme des coutumes ancestrales.

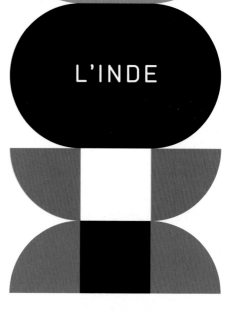

L'INDE

Une mère masse son bébé avec de l'huile.
Pokhara, Népal.

Photographie de Michel Gounot.

Bébés bien emballés

Jusqu'au 18ᵉ siècle

Europe

Voilà comment les bébés européens des siècles passés étaient vêtus. Pas question alors d'agiter les mains ou d'attraper ses pieds… De vraies petites momies, toutes rigides ! Quelle étrange manière de faire !

Comme dans un moule

Les médecins de la Rome ancienne recommandaient déjà cette pratique. On a gardé cette habitude durant tout le Moyen Âge et jusqu'au XVIIIᵉ siècle (parfois un peu plus longtemps). Pourquoi ? Parce qu'on pensait que le bébé était si fragile et si mou que ses os risquaient de glisser hors de leurs articulations. Le maillot était comme un moule, nécessaire pour donner une forme convenable au corps de l'enfant. On croyait aussi qu'il fallait l'étirer, le maintenir le plus droit possible, pour corriger la posture repliée du fœtus.

Selon le docteur Mauriceau, en 1675, l'enfant *« doit être emmailloté afin de donner à son petit corps la figure droite, qui est la plus décente et la plus convenable à l'homme, et pour l'accoutumer à se tenir sur ses deux pieds ; car, sans cela, il marcherait peut-être à quatre pattes, comme la plupart des autres animaux ».* Quelle idée décidément bizarre !

Mode d'emploi

Pour emmailloter un bébé : placer deux ou trois bonnets sur la tête (avec une compresse sur la fontanelle, cette partie du crâne faite de membrane qui se transforme en os au fil du temps et, pour cette raison, encore mouvante, qui inquiète beaucoup) ; des linges sur les oreilles (pour absorber la crasse) et d'autres sous les aisselles (pour la transpiration) ; une chemise ; des couches en tissu (à laver chaque fois : rappelez-vous que vos grands-parents ignoraient les couches jetables !) ; des langes ; sans oublier la « têtière » (linges qui maintiennent la tête droite). Tout autour, enrouler de nombreuses bandes ; serrer fort pour raidir les jambes et immobiliser les bras le long du corps. À partir de deux mois, libérer les bras (le droit d'abord, pour que l'enfant ne devienne pas gaucher). Vers sept ou huit mois, bébé peut s'asseoir ; le voilà débarrassé du maillot.

Les voyageurs européens du passé ont été très surpris de constater que les peuples des autres continents n'emmaillotaient pas leurs bébés. Ainsi, en 1585, l'un d'eux observe que les nouveau-nés japonais, vêtus d'un ample kimono, agitent librement leurs membres…

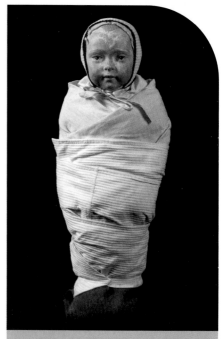

La fin du maillot

À partir de 1750, médecins et philosophes européens changent d'avis. Ils dénoncent les entraves absurdes du maillot et prônent la liberté de mouvement. En 1762, Jean-Jacques Rousseau écrit : *« Point de têtières, point de bandes, point de maillot ; des langes flottants et larges, qui laissent tous les membres en liberté. Placez-le dans un grand berceau bien rembourré, où il puisse se mouvoir à l'aise et sans danger. Quand il commence à se fortifier, laissez-le ramper dans la chambre ; laissez-le développer ses petits membres. »*

Jean-Jacques Rousseau (1712-1778) : écrivain et philosophe genevois.

Mannequin d'enfant emmailloté, flanelle, toile et textile, 62 cm. MuCEM, Paris.

Drôle de toilette au temps des rois

16ᵉ-17ᵉ siècle

Europe

Alors que de grandes civilisations comme celles de l'Inde, du Japon ou de l'Islam ont, de longue date, fait un usage abondant des bains, jugés profitables à la santé du jeune enfant, les pratiques des Européens, ont été plus fluctuantes.

Si on se lavait volontiers au Moyen Âge, la pratique du bain a eu tendance à diminuer à partir du XVIᵉ siècle, surtout dans les classes aisées. Il n'était pas de bon ton, alors, de plonger les bébés dans l'eau.

Ainsi, le futur roi de France, Louis XIII, dont on reparlera souvent, a pris son premier bain à l'âge de sept ans, le 2 août 1608 ! Auparavant, on lui lavait bien les mains après chaque repas ; quant aux pieds, ils connurent quelques immersions rapides à partir de cinq ans...

Puisqu'il s'agit d'un prince, cette hygiène sommaire n'était due ni à la pauvreté ni au manque d'attention. Non ! La médecine de l'époque jugeait le bain mauvais pour la santé, particulièrement celle des plus petits. On attribuait au corps enfantin un excès d'humidité, lié à sa mollesse, et il ne fallait surtout pas accentuer ce défaut par le contact de l'eau.

On se préoccupait pourtant de la propreté du jeune enfant. On le changeait souvent, en pensant que les linges propres absorbaient la sueur. On le frottait aussi avec du beurre frais ou de l'huile d'amande. Mais cela formait sur la peau une couche de crasse, qui passait, du reste, pour être une utile protection. Comme on l'a vu au sujet du maillot, c'est à la fin du XVIIIᵉ siècle que les manières de prendre soin des bébés changèrent en Europe, faisant place peu à peu, d'abord dans les familles aisées, à l'obligation du bain quotidien.

Premiers mouvements, premiers pas

Pourvu qu'on lui en laisse la possibilité, le bébé fait sans cesse des apprentissages nouveaux, avec son regard et par son attention aux bruits. En multipliant aussi des gestes simples : prendre un objet et le lâcher, le donner à quelqu'un, taper dans ses mains... Vers dix ou douze mois, il sait pointer un objet avec le doigt, un geste chargé de signification. Plus ou moins tôt, plus ou moins tard, vient le moment de se tenir debout et de faire ses premiers pas. La rigidité du maillot, laissant les muscles inactifs, ne préparait guère les bébés d'autrefois au mouvement ; le début de la marche n'était pas très précoce. Dans d'autres civilisations, la liberté de mouvement, le contact continu avec le corps maternel et les stimulations des massages favorisaient au contraire l'aisance corporelle des jeunes enfants. Aujourd'hui encore, les aptitudes physiques (motrices) des enfants africains se développent plus vite, au cours de la première année, que celles des enfants européens.

Marie, Joseph et l'Enfant Jésus dans son déambulateur à roulettes, livre d'heures de Catherine de Clèves, 1440, manuscrit enluminé. The Pierpont Morgan Library, New York.

Bien que la marche soit rarement précoce dans l'Antiquité romaine et durant le Moyen Âge, un déambulateur à roulettes pouvait aider aux premiers pas de l'enfant. Il l'obligeait à se tenir debout par la seule force de ses jambes, contrairement aux déambulateurs actuels, qui soutiennent les fesses mais n'aident pas à muscler les jambes.

Gargantua, une éducation à l'envers

16ᵉ siècle

France

Jean Ignace Gérard, dit Grandville, *Gargantua dans son berceau*, illustration pour le *Gargantua* de François Rabelais, première moitié du XIXᵉ siècle.

François Rabelais (vers 1494-1553) : écrivain français.

« *De trois à cinq ans, Gargantua fut élevé et instruit dans toutes les disciplines convenables selon les ordres de son père et il passa son temps comme les petits enfants du pays : c'est-à-dire à boire, manger, et dormir ; à manger, dormir et boire ; à dormir, boire et manger.*

Il se vautrait toujours dans la boue, se noircissait le nez, se barbouillait le visage, éculait ses souliers. Il bayait souvent aux mouches et courait volontiers après les papillons dont son père était l'empereur. Il pissait sur ses souliers, chiait dans sa chemise, se mouchait sur ses manches, morvait dans la soupe, pataugeait partout, buvait dans sa pantoufle et se frottait ordinairement le ventre d'un panier. Il s'aiguisait les dents sur un sabot, se lavait les mains dans le potage, se peignait avec un gobelet, s'asseyait entre deux chaises, le cul à terre, se couvrait d'un sac mouillé, buvait en mangeant sa soupe, mangeait sa fouace sans pain, mordait en riant, riait en mordant, crachait souvent au bassin, pétait de graisse, pissait contre le soleil, se cachait dans l'eau pour éviter la pluie […].

Les petits chiens de son père mangeaient dans son écuelle, de même lui mangeait avec eux. Il leur mordait les oreilles, ils lui égratignaient le nez ; il leur soufflait au cul, ils lui léchaient les babines. […] »

Voici comment François Rabelais, un des plus grands écrivains du XVIᵉ siècle, s'est amusé à décrire, pour notre plus grand plaisir, la vie de Gargantua, fils de Grandgousier. Tout ce que les enfants, normalement, doivent apprendre à ne pas faire !

QUI SONT LES PARENTS ? QUI SONT LES ENFANTS ?

Qui sont les parents ? Drôle de question ! Allons donc : chacun sait bien qui est son père et sa mère, ses grands-parents, ses oncles et tantes, frères, sœurs, cousins et cousines...

Et pourtant, les usages varient considérablement. Dans certaines cultures, celui ou celle qui est pour nous un père ou une mère, ou un grand-parent, n'est pas toujours considéré comme tel.

En Europe par exemple, les grands-parents paternels et maternels ont la même importance. Mais ailleurs le rôle des uns et des autres peut être très inégal : parfois, seuls les parents de la mère appartiennent à la famille à laquelle se rattache l'enfant ; ceux du père non. Parfois, c'est l'inverse.

En Europe encore, chaque enfant n'a qu'une mère et, généralement, un père. Il y a des exceptions, mais elles sont rares : certains enfants appellent « père » leur beau-père, tandis qu'en Amérique latine la grand-mère est parfois appelée elle aussi « mère ». Mais dans d'autres sociétés, il est normal qu'un enfant ait plusieurs mères. Et parfois, le mot « père » s'applique à plusieurs proches, parfois à une dizaine d'entre eux.

En Europe enfin, l'adoption se développe, mais ce sont surtout les couples ne pouvant procréer qui y ont recours. Dans d'autres sociétés, au contraire, elle est pratiquée massivement, comme une forme d'échange entre des couples ayant de nombreux enfants.

Finalement, est-on bien sûr de connaître le sens des mots « mère » ou « père » ? En vertu de quoi est-on parent ? D'un lien biologique ou d'un lien de vie ? Et que signifie être fils ou fille ? Cela veut-il dire la même chose, quand on est un garçon ou une fille, l'aîné ou le cadet ?

94

Femmes Na,
Lijiang,
province du Yunnan,
Chine.
Photographie
de Kevin O'Hara.

Chez les Na, il n'y a ni maris ni pères

Chine   **Jusqu'à nos jours**

Le peuple Na vit dans le sud de la Chine, près du Tibet. Chez lui, le mariage n'existe pas.

Tous frères et sœurs

Les familles ne ressemblent en rien à celles que nous observons ailleurs. Elles sont composées uniquement de frères et de sœurs, qui vivent dans une maison commune et élèvent ensemble tous les enfants nés de celles-ci.

Ces enfants viennent au monde parce que, la nuit, les hommes quittent leurs maisons et, en secret, s'unissent avec les femmes des maisons voisines. Mais ils ne se marient pas et ces rencontres ne font l'objet d'aucune reconnaissance publique.

Un enfant ne connaîtra donc jamais l'homme qui lui a donné la vie. Chez les Na, personne ne s'en préoccupe. Le petit garçon ou la petite fille bénéficie des soins et de l'attention de tous les frères et sœurs de la maison où il vit ; tous sont pour lui ses parents. La maisonnée vit sous l'autorité de l'aîné des frères, chargé des relations avec l'extérieur, et de l'aînée des sœurs, qui veille aux bons rapports au sein du groupe familial.

Voilà un cas bien exceptionnel dans lequel les femmes et les hommes ont inventé une façon de s'organiser sans qu'il y ait ni maris ni pères !

Les Na, ou Naxi, sont l'une des nombreuses minorités ethniques vivant dans les montagnes du Yunnan, dans le sud de la Chine. On estime leur nombre à 300 000. Ils cultivent le riz et le blé et élèvent des chevaux. Les Na possèdent leur propre langue et une écriture particulière grâce à laquelle ils ont conservé leur savoir ancestral. Leur religion est fondée sur le culte de la nature et animée par des chamanes qui prédisent l'avenir. Le costume traditionnel des femmes, noir et bleu, symbolise la nuit et le jour. Confronté à la modernité, le mode de vie traditionnel des Na est menacé de disparition.

LE PEUPLE NA

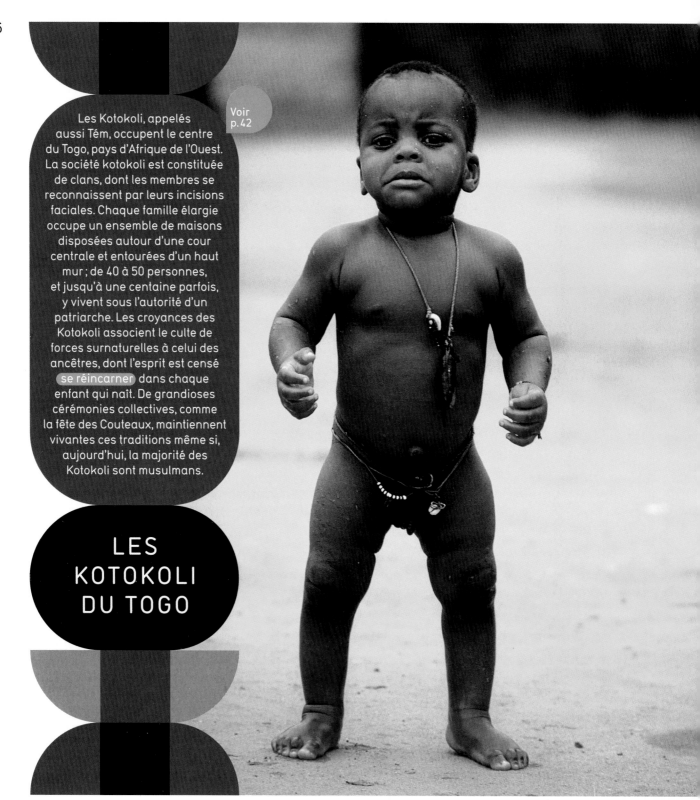

Les Kotokoli, appelés aussi Tém, occupent le centre du Togo, pays d'Afrique de l'Ouest. La société kotokoli est constituée de clans, dont les membres se reconnaissent par leurs incisions faciales. Chaque famille élargie occupe un ensemble de maisons disposées autour d'une cour centrale et entourées d'un haut mur ; de 40 à 50 personnes, et jusqu'à une centaine parfois, y vivent sous l'autorité d'un patriarche. Les croyances des Kotokoli associent le culte de forces surnaturelles à celui des ancêtres, dont l'esprit est censé se réincarner dans chaque enfant qui naît. De grandioses cérémonies collectives, comme la fête des Couteaux, maintiennent vivantes ces traditions même si, aujourd'hui, la majorité des Kotokoli sont musulmans.

Voir p. 42

LES KOTOKOLI DU TOGO

Pour les Kotokoli, chacun naît avec plusieurs pères

Jusqu'à nos jours

Afrique noire

Chez les Kotokoli du Togo, un enfant utilise le mot « père » pour désigner celui qui l'a engendré, mais aussi ses oncles paternels et leurs fils (ses cousins paternels). Cela peut faire une dizaine de personnes au total.

Seule la famille du père est celle de l'enfant

Le géniteur a la responsabilité principale de l'enfant : il a la charge de le nourrir, lui transmet son nom et, plus tard, ses biens. Mais ses autres pères ont aussi autorité sur l'enfant : ils peuvent intervenir dans son éducation, par exemple pour résoudre une situation délicate, ou simplement s'ils se pensent capables de transmettre à l'enfant des compétences utiles, artisanales ou religieuses, par exemple. Voilà une société où l'enfant a toujours une multitude de pères !

En revanche, ses oncles maternels (les frères de sa mère), eh bien, il ne les appelle nullement « pères ». Il doit les désigner d'un terme qui signifie « les hommes nés dans la famille de ma mère ». Cela exprime clairement qu'ils ne font pas partie de la même famille que lui.

Un arbre bien différent

En effet, chez les Kotokoli comme dans de nombreuses sociétés d'Afrique ou d'Asie, la famille de l'enfant est celle de son père, pas celle de sa mère. S'il faisait son arbre généalogique, il n'indiquerait que les personnes ayant un lien de parenté avec son père, et non celles qui ont un lien de parenté avec sa mère. Ce qu'il dessinerait ainsi s'appelle un lignage paternel, dans lequel les liens de parenté ne s'établissent qu'à travers les pères.

Bien sûr, l'enfant connaît les parents de sa mère. Quand il va chez eux, il est comme un visiteur que l'on traite avec beaucoup de gentillesse ; ils plaisantent volontiers ensemble. Alors que ses propres parents, du côté paternel, font preuve de sévérité, car ils ont la responsabilité de son éducation, les parents de sa mère sont enclins à l'indulgence et à la tendresse à son égard, justement parce qu'ils n'ont pas à exercer sur lui l'autorité parentale.

Pour les Trobriandais, le père n'est pas vraiment père

Nouvelle-Guinée

En Nouvelle-Guinée, aux îles Trobriand, c'est tout l'inverse de la situation décrite chez les Kotokoli ! Si un enfant voulait faire son arbre généalogique, il n'indiquerait que les parents de sa mère, et pas du tout ceux de son père.

Oncle, figure de l'autorité

Comme l'enfant appartient uniquement à la parenté de sa mère, c'est un frère de celle-ci, un oncle maternel, qui a autorité sur lui. Cet oncle a le devoir d'assurer sa subsistance, et c'est de lui que l'enfant héritera. L'oncle maternel inspire crainte et respect ; il tient la place du père.

Certes, la mère s'est mariée et l'enfant est né parce qu'elle s'est unie à son époux. Mais les Trobriandais ne considèrent pas vraiment le mari de la mère comme celui qui a engendré l'enfant. Ils savent pertinemment que son union avec la mère est nécessaire pour faire naître un enfant. Mais, pour eux, le père ne fait qu'« ouvrir la voie », afin que l'esprit d'un ancêtre de la mère, désireux de revivre, entre dans le corps de celle-ci et se transforme en fœtus. Dans ces conceptions, tout ce qui forme l'enfant à naître, ses os et sa chair, vient de la mère. L'enfant n'est pas du même sang que son père ; il ne naît pas de sa « graine ».

Père nourricier et tendre

Pourtant, loin d'être un étranger pour l'enfant, le père se montre présent dans son éducation. Il porte le bébé, le lave et lui donne à manger une nourriture qu'il a préalablement mâchée. Il lui témoigne une grande affection.

Dans ce système, que l'on rencontre aussi en Afrique, le rôle du père est partagé en deux. D'un côté l'enfant a un père nourricier et tendre (mais qui ne lui transmettra aucun bien). De l'autre, l'oncle maternel est la figure de l'autorité, le représentant de la famille de sa mère, à laquelle l'enfant doit la matière de son corps, ainsi que ses biens et son statut futur dans la société.

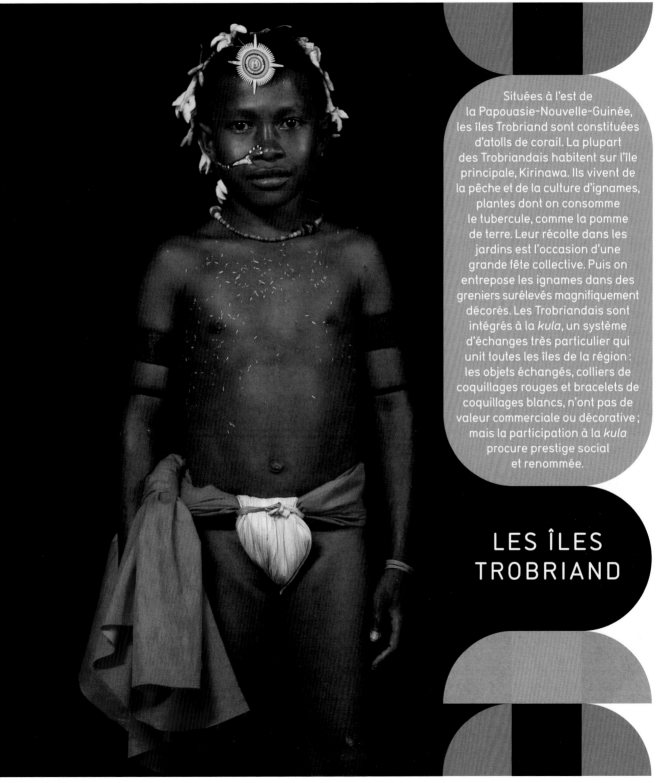

Situées à l'est de
la Papouasie-Nouvelle-Guinée,
les îles Trobriand sont constituées
d'atolls de corail. La plupart
des Trobriandais habitent sur l'île
principale, Kirinawa. Ils vivent de
la pêche et de la culture d'ignames,
plantes dont on consomme
le tubercule, comme la pomme
de terre. Leur récolte dans les
jardins est l'occasion d'une
grande fête collective. Puis on
entrepose les ignames dans des
greniers surélevés magnifiquement
décorés. Les Trobriandais sont
intégrés à la *kula*, un système
d'échanges très particulier qui
unit toutes les îles de la région :
les objets échangés, colliers de
coquillages rouges et bracelets de
coquillages blancs, n'ont pas de
valeur commerciale ou décorative ;
mais la participation à la *kula*
procure prestige social
et renommée.

LES ÎLES TROBRIAND

Premier groupe ethnique du Mali, les Bambara sont également présents dans de nombreux pays d'Afrique de l'Ouest comme le Sénégal : la langue bambara est parlée par plus de 10 millions de personnes. Chez les Bambara, les périodes importantes de la vie, comme la puberté, sont traditionnellement marquées par des rituels animés par des initiés. Ainsi, les membres de la société N'Tomo sont chargés de l'initiation des enfants avant la circoncision, qui marquera leur passage à l'âge adulte. Lors de ces cérémonies, ils portent de magnifiques masques en bois sculptés de têtes d'animaux et d'éléments symboliques. Ils dansent parfois jusqu'à la transe.

LES BAMBARA

Brahima Ba est entouré de ses trois épouses et de ses enfants.
Photographie de Frédérique Jouval.

Mes deux mères

Aujourd'hui

France-Mali

Afouceta a sept ans. Elle vit à Paris et va à l'école.
Ses parents sont venus du Mali ; ils sont bambara.

Pour la fête des Mères, la maîtresse invite les élèves à dessiner et à écrire un mot pour leur maman. Afouceta est un peu ennuyée, car elle a deux mères. L'une l'a mise au monde, l'autre est sa « petite mère ». Il s'agit de la seconde épouse de son père, qui s'occupe beaucoup d'Afouceta à la maison. Elle la peigne, la parfume, lui achète de jolies robes. Toutes deux s'entendent très bien.

Alors Afouceta fait deux dessins et rédige deux petits mots. Voyant cela, la maîtresse dit : « *Une mère, on n'en a qu'une !* » C'est vrai en Europe, où la polygamie est interdite ; et la maîtresse n'a pas imaginé que les choses pouvaient être différentes dans une autre culture que la sienne. Sans égard pour la réalité vécue par Afouceta, elle lui demande de choisir un seul dessin... Afouceta froisse un des dessins mais le cache dans sa poche, pour le donner à sa petite mère. « *Ça m'a fait mal,* explique-t-elle après coup, *j'ai eu l'impression que je n'avais pas le droit d'aimer ma petite mère... à l'africaine.* »

Quand un homme a plusieurs épouses

Certaines des plus grandes civilisations de l'histoire ont pratiqué la polygamie (le fait pour un homme d'avoir, légalement, plusieurs épouses). Il en allait ainsi en Chine. De même, le Coran autorise les musulmans à avoir jusqu'à quatre épouses en même temps. Aujourd'hui, la polygamie est devenue rare dans les pays arabes. Dans les pays musulmans d'Afrique noire, comme le Sénégal ou le Mali, elle est plus souvent en usage mais, sauf exception, les hommes n'ont pas plus de deux épouses car il faut être assez riche pour nourrir plusieurs femmes et tous les enfants qu'elles mettent au monde. En ville, l'espace manque. Les agriculteurs sont plus volontiers polygames : ils souhaitent avoir le plus d'enfants possible pour qu'ils les aident à travailler.

L'enfant a plusieurs mères

Dans les familles polygames, chaque enfant sait qui l'a mis au monde. Mais il appelle également « mère » les autres épouses de son père. Il leur doit le même respect. L'enfant a plusieurs mères, qui peuvent lui témoigner de l'affection et participer à son éducation sans paraître empiéter sur le rôle de la mère « principale ». Si une femme n'a pas d'enfant, l'une de ses coépouses lui donnera un bébé, qu'elle élèvera comme son propre enfant. À l'adolescence, il apprendra qui est sa mère de sang, sans rompre le lien privilégié avec la mère qui l'a élevé. Dans ce système, chaque enfant grandit en compagnie des frères et sœurs nés de sa propre mère, mais aussi des demi-frères et demi-sœurs nés des autres épouses de son père.

Voir p.140

Privilège à l'aîné des garçons

11ᵉ-19ᵉ siècle

Europe

Dans de nombreuses sociétés, seuls les garçons héritent des biens de leurs parents. Et parfois, seulement l'aîné d'entre eux, comme dans le Japon ancien ou en Europe, du XIᵉ au XVIIIᵉ siècle.

Aîné contre cadets

Parfois, on donne aux autres enfants une compensation, mais c'est l'aîné qui recevra les biens principaux de ses parents, terres, maisons ou châteaux. S'il s'agit d'une famille puissante, c'est lui seul qui héritera d'un titre comme celui de seigneur, de comte ou de roi.

Voilà ce que l'on appelle le droit d'aînesse. Il existe alors une énorme différence entre le fils aîné et les autres enfants, les cadets. Ils ont beau être frères et sœurs, nés du même père et de la même mère, leurs vies ne se ressembleront guère.

Il en allait ainsi en Europe, depuis le Moyen Âge. Au XVIIIᵉ siècle encore, les nobles plaçaient volontiers leurs fils cadets dans l'Église, pour faire d'eux des prêtres ou des moines : ils pouvaient ainsi subvenir à leurs besoins et, de plus, obtenir une position influente, utile à toute la famille. De même, plusieurs filles cadettes entraient au couvent et seule l'aînée pouvait se marier.

Tous égaux ?

Puis, la Révolution française proclama, en 1791, un principe tout à fait opposé au droit d'aînesse : l'égalité des droits entre tous les frères et sœurs, aînés et cadets. Pas d'avantage au fils chéri ; pas d'enfant rejeté, déshérité. Mirabeau lança : « *Il n'y a plus d'aînés, plus de privilèges dans la grande famille nationale.* »

Il y eut toutefois bien des résistances, surtout dans les campagnes. Ainsi, durant le XIXᵉ siècle, des familles se débrouillaient, malgré la loi, pour ne pas diviser leur exploitation agricole et la confier au seul fils aîné (ou au fils préféré). Mais le principe était acquis : en 1803, le Code civil déclara tous les fils et filles d'un même couple égaux devant la loi.

Mirabeau (1749-1791) : homme politique français.

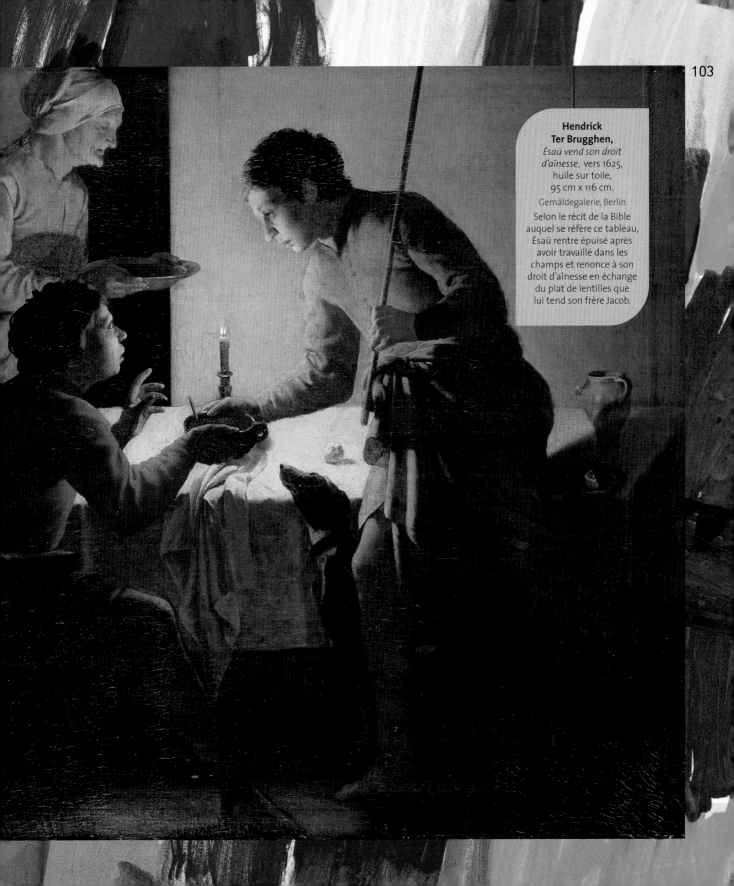

Hendrick Ter Brugghen,
Ésaü vend son droit d'aînesse, vers 1625, huile sur toile, 95 cm x 116 cm.
Gemäldegalerie, Berlin.

Selon le récit de la Bible auquel se réfère ce tableau, Ésaü rentre épuisé après avoir travaillé dans les champs et renonce à son droit d'aînesse en échange du plat de lentilles que lui tend son frère Jacob.

« Le père, c'est le mari de la mère », dit Napoléon

France

19ᵉ-21ᵉ siècle

Qui est la mère d'un enfant, on le sait avec certitude ; mais le père, non. D'où l'importance des lois ou des règles qui, dans chaque société, définissent ce qu'est la paternité.

La loi à la suite de l'Église

Le père, c'est le mari : voilà la règle que retient le Code Napoléon. Autrement dit, on est père parce qu'on est marié avec la femme qui met au monde l'enfant. Comme l'énonce Napoléon lui-même : « *La loi ne connaît pas de père hors du mariage.* » En fait, cette conception existait en Europe depuis le Moyen Âge : le mariage, régi par l'Église, était un lien sacré, indispensable pour procréer légitimement des enfants.

Les enfants illégitimes en pâtissent

Malgré tout, de nombreux enfants naissaient d'une femme et d'un homme non mariés : on les appelait des enfants « naturels » ou « illégitimes » et souvent, de façon méprisante, des « bâtards ». Autant les enfants légitimes étaient protégés par le Code Napoléon, autant les autres se voyaient privés de tout droit. Certes, le géniteur aidait parfois la mère à élever l'enfant, et pouvait le reconnaître mais, s'il ne le faisait pas de son plein gré, on ne pouvait rien exiger de lui. Les enfants illégitimes ne portaient pas le nom de leur géniteur et n'avaient aucun droit à hériter de lui, privilège des enfants du mariage. Légalement, un enfant naturel n'avait pas de père.

Des enfants sans père

Pourtant, en 1792, la Révolution française avait, par ses lois, établi une complète égalité de droits entre enfants légitimes et enfants naturels, comme elle l'avait fait entre aînés et cadets. Mais le Code Napoléon a balayé cette innovation, afin d'éviter que le nombre éventuel des héritiers ne se multiplie et n'oblige à trop diviser les biens d'une famille. Au XIXᵉ siècle, de nombreux enfants, nés hors du mariage, sont restés des enfants sans père.

Un enfant sur deux naît hors mariage

Aujourd'hui, les règles du Code Napoléon sont tombées en désuétude. De nombreux couples vivent ensemble sans se marier et, en France, presque la moitié des enfants naissent hors mariage. Depuis 1972, la loi garantit les mêmes droits aux enfants légitimes et aux enfants naturels. Qu'il soit marié ou non, le père est celui qui se déclare tel, en inscrivant son nom sur le registre d'état civil, à la naissance de l'enfant. Toutefois, en cas de conflit familial, la définition de la paternité n'est pas entièrement claire : à quoi accorder le plus d'importance ? À la paternité légale (celle de l'état civil) ? Au lien tissé au fil des années entre l'enfant et celui qui l'élève ? Ou à l'engendrement biologique, qu'une analyse génétique peut maintenant établir ? Car il peut arriver qu'un enfant ait un père légal, un géniteur et un « père » qui, vivant avec sa mère, suit son éducation et lui apporte quotidiennement affection et soutien... les trois étant des personnes différentes !

Code Napoléon : il s'agit du Code civil (un vaste ensemble de lois) promulgué en 1804, lorsque Napoléon Bonaparte était Premier consul. Il a été depuis modifié sur de nombreux points.

Napoléon Bonaparte (1769-1821) : empereur des Français de 1804 à 1815.

Quand adopter un enfant est la règle

Océanie   **Jusqu'à nos jours**

Dans certaines îles d'Océanie, plus de la moitié des enfants sont adoptés, sans pour autant avoir été abandonnés. Toutes les familles ou presque adoptent, même si elles ont déjà une descendance.

Un acte de générosité

Les femmes stériles sont justement les seules à ne pas pouvoir adopter ! Elles seraient incapables, dit-on, de s'occuper convenablement d'un enfant.

Il est fréquent que deux sœurs échangent leurs nouveau-nés. Chez les Baining de Nouvelle-Bretagne, lorsque deux enfants naissent en même temps dans des villages voisins, l'usage veut que leurs parents les échangent.

Il arrive qu'un couple reçoive la visite d'un membre de la famille lui demandant de lui céder un de ses enfants. Refuser un tel don est impossible. Il s'agit d'un acte de générosité auquel on ne peut se soustraire. Dans ces sociétés, on considère que l'enfant appartient moins à son père et à sa mère qu'à l'ensemble de ses parents, et ceux-ci peuvent donc le réclamer comme un dû.

Fiers de l'enfant adopté

L'enfant entretient des relations tant avec ses parents par le sang qu'avec ses « parents par la nourriture ». Mais les Baining sont encore plus fiers de leurs enfants adoptés que de ceux auxquels ils ont eux-mêmes donné naissance, parce que les premiers témoignent d'un acte de générosité et d'un échange avec les autres familles. Ils considèrent le lien adoptif comme plus fort que le lien par le sang, parce que ce qui est reçu après la naissance est plus important que ce que l'on a reçu avant de naître.

En France aussi

Dans les campagnes françaises aussi, jusqu'au milieu du XXᵉ siècle, il ne paraissait pas anormal de « donner » un enfant à un proche. Une femme pouvait dire à sa sœur, restée sans enfant : « *Si vous le voulez le petit, on vous le laissera prendre.* » Vers l'âge de six ou huit ans, l'enfant allait vivre auprès de sa tante et de son mari et devenait leur héritier. Parfois, le don était organisé avant la naissance et le couple qui recevait l'enfant l'inscrivait directement à l'état civil, comme s'il était né de lui.

Habitant les montagnes de la Nouvelle-Bretagne, l'une des principales îles de Papouasie-Nouvelle-Guinée, les Baining vivent en petits groupes semi-nomades ; ils cultivent des jardins où ils font pousser de nombreuses variétés d'ignames. L'une des manifestations les plus impressionnantes de leur culture est la danse rituelle du serpent, qui a lieu chaque année, la nuit, dans la forêt. Les participants revêtent des costumes de feuilles et des masques en écorce aux formes étranges. Décorés de lignes, de spirales, de triangles rouges, noirs et blancs, ces masques peuvent atteindre plusieurs mètres de haut. Ils sont détruits à l'issue de la cérémonie.

LE PEUPLE BAINING

Fillettes chinoises adoptées en Malaisie

20ᵉ siècle

Asie du Sud-Est

En Malaisie, à la fin du xxᵉ siècle, l'adoption était courante, bien que la religion musulmane, largement pratiquée dans ce pays, l'interdise en principe. En effet, les femmes malaises pensent n'avoir jamais assez d'enfants.

Une préférence pour les filles

Celles qui se plaignent de ne pas en avoir (parce qu'en fait elles en ont moins de trois) souhaitent donc vivement adopter un enfant supplémentaire. Alors, des femmes qui ont une nombreuse progéniture et se trouvent dans une situation matérielle difficile peuvent leur « donner » un enfant, souvent juste après la naissance. Parfois, elles acceptent une somme d'argent, perçue comme une aide et non comme un achat.

Les enfants cédés en adoption sont surtout des filles. Nul inconvénient à cela : alors que, dans de nombreuses cultures, les parents préfèrent avoir des garçons, en Malaisie la relation entre une mère et sa fille est considérée comme la plus forte, la plus chargée d'affection et de devoirs réciproques.

Adopter une autre culture

Adopter une petite Chinoise est particulièrement apprécié des Malais, car ils jugent la peau claire des Chinoises plus belle que la leur. De plus, par cette adoption, ils convertissent à l'islam un enfant qui, par sa naissance, aurait dû appartenir à une autre religion, à une autre culture.

La petite fille adoptée apprend à se comporter comme l'exige la culture malaise. Elle apprend aussi que renoncer à l'islam constitue l'une des fautes les plus graves que l'on puisse commettre. Une fois adolescente ou adulte, il arrive qu'elle renoue avec sa famille chinoise. Des liens d'affection se créent alors avec ses frères et sœurs, avec sa mère surtout. « Ils sont de même chair et de même sang », pourra dire la jeune fille.

Mais s'attacher à la « mère qui donne la vie » n'affaiblit nullement le lien avec « la mère qui élève ». La fille adoptée se sent du reste une jeune Malaise, convaincue que sa culture est supérieure à celle des Chinois. Et c'est en respectant les préceptes de l'islam qu'elle rendra visite à ses parents chinois : par exemple, elle prendra soin de ne pas manger de porc. Être adopté, c'est adopter une autre culture.

Située en Asie du Sud-Est et proche de l'équateur, la Malaisie est un État fédéral constitué de deux parties très distinctes : la péninsule malaise et le nord de l'île de Bornéo. Son climat se caractérise par une température élevée et une forte humidité tout au long de l'année. Couverte de forêts tropicales où pousse l'hévéa, la Malaisie est le premier producteur mondial de caoutchouc. Mais elle est aussi devenue l'un des premiers fabricants de composants électroniques du monde. Elle compte environ 27 millions d'habitants et bénéficie d'une population jeune et en forte croissance. Ce pays pluriethnique compte une forte minorité d'origine chinoise et indienne. Les Malais, qui constituent la majorité de la population, sont musulmans.

LA MALAISIE

Des écolières
musulmanes apprennent
par cœur le Coran.
1987, Malaisie.
Photographie d'Abbas.

IL Y A TOUTES SORTES DE FAMILLES

Dans l'Europe et l'Amérique du Nord d'aujourd'hui, le père et la mère semblent les seuls responsables de l'enfant. Les décisions importantes concernant son éducation relèvent exclusivement de « papa » et « maman ». C'est au XIXᵉ siècle que la cellule familiale s'est ainsi resserrée sur le père, la mère et leurs enfants. Eux seuls habitent désormais sous le même toit, alors que la maison des siècles antérieurs pouvait aussi héberger oncles, tantes ou grands-parents.

Dans le passé et dans d'autres cultures, l'éducation d'un enfant faisait intervenir un cercle de relations plus large. Beaucoup de mères confiaient leur nouveau-né à une nourrice, et il était courant qu'un enfant quitte tôt sa famille pour être élevé par un parent plus ou moins lointain.

En Afrique, selon un proverbe du peuple mossi, *« l'enfant est l'enfant de tous »*. Tous ses parents, proches ou plus éloignés, ont leur mot à dire. Et tous les adultes se sentent en partie responsables des enfants du groupe. L'éducation relève d'un cercle large, où interviennent de nombreux « parents en plus ».

Aujourd'hui, les familles ne sont plus celles du XIXᵉ siècle. Elles se « recomposent », lorsque les parents se séparent et que chacun d'eux forme un nouveau couple avec un partenaire qui, parfois, a déjà des enfants. Mais ces familles recomposées sont-elles aussi nouvelles qu'on le dit ? N'était-ce pas une réalité courante en Europe jusqu'au XVIIIᵉ siècle, et dans bien des sociétés d'autres continents ?

En tout cas, ces familles-là créent aussi des parents en plus : beau-père ou belle-mère, demi-frères et demi-sœurs, avec qui il faut apprendre à vivre. Mais, au même moment, les parents choisissent d'avoir moins d'enfants que par le passé : on a donc de moins en moins de frères et sœurs ; parfois, on est même enfant unique.

Une éducation pour devenir chevalier

Moyen Âge

Europe

Guillaume le Maréchal passait, au début du XIIIᵉ siècle, pour le meilleur et le plus vaillant des chevaliers. Né vers 1145, il n'était pourtant que le quatrième fils de Jean le Maréchal, un noble anglais proche du roi Henri II Plantagenêt.

Séparé de sa famille à sept ans

Comme tous les enfants nobles, il avait été élevé, durant ses premières années, quasi exclusivement au milieu des femmes : sa mère, ses sœurs et les servantes de sa mère.

Puis, soudain, à l'âge de sept ou huit ans, survient la grande rupture au moment de quitter le château et de se séparer de sa famille. Son père a décidé de le confier à Guillaume de Tancarville, son cousin germain, dont le château se trouve en Normandie. Ayant une forte position à la cour du roi d'Angleterre, ce seigneur est bien placé pour donner au jeune Guillaume la meilleure éducation et l'aider à nouer des amitiés qui l'aideront au cours de sa vie.

En compagnie de ses cousins

Guillaume n'est pas seul dans son cas. Des dizaines de jeunes cousins sont, comme lui, confiés au seigneur de Tancarville. Celui-ci les élève tous, bien qu'ils ne constituent pas sa propre descendance. Il est fier de disposer d'un entourage si nombreux, qui témoigne de sa générosité et surtout de sa haute position. Il les nourrit, leur enseigne les valeurs de la chevalerie et le maniement des armes. La compétition entre les jeunes gens est vive, mais Guillaume attire particulièrement l'attention et l'affection du seigneur. Le jeune garçon vit ainsi durant huit ans, jusqu'au moment où il peut devenir à son tour chevalier.

Un enfant noble du Moyen Âge passait fort peu de temps avec sa mère, moins encore avec son père. En Normandie, Guillaume se remémorait souvent le triste matin où il avait dû quitter mère et sœurs. À peine fait chevalier, il retourna au château familial pour les serrer dans ses bras. Son père, mort entre-temps, sera resté pour lui une figure lointaine, étrangère.

Claude Berthélémy,
La Nourrice, 1610,
terre vernissée, 23 cm.
Musée national
de céramique, Sèvres.

VOIR FICHE P. 38

Les nourrices à la Renaissance

Italie

Voir p.72

Dans l'Italie de la Renaissance, à l'époque du grand sculpteur Michel-Ange, on ne pensait pas que la mère était nécessaire au développement de son bébé. Bien souvent, elle se séparait de lui dès la naissance, et l'enfant, fille ou garçon, était mis en nourrice.

Nourrices sous surveillance

Celle-ci, en général une paysanne, était payée pour l'allaiter. Le bébé quittait la ville et sa famille pour la campagne, ce qui coûtait moins cher à ses parents que d'accueillir la nourrice chez eux. S'ils étaient assez riches pour la loger ou pour avoir une nourrice esclave, ils pouvaient alors mieux contrôler son travail et surveiller la santé du nourrisson. Aussi les enfants gardés à la maison avec leur nourrice mouraient-ils moins souvent que ceux qu'on envoyait dans une ferme.

Retrouvailles difficiles

Ceux qui partaient pour un village et qui n'y mouraient pas de maladie ou de mauvais traitements ne retrouvaient leurs parents qu'après deux, parfois trois ans. La mère ne connaissait donc pas son enfant avant son retour, elle ne savait pas jouer avec son bébé et ne pouvait ni guetter ses progrès ni s'attacher très profondément à lui. Quant à l'enfant, il ne revoyait ses parents, ses frères et ses sœurs qu'à l'âge où il commençait à parler. Or il n'est pas toujours facile aux parents et aux enfants de développer des sentiments de confiance et d'amour quand ils se retrouvent si tard.

Devenu sculpteur grâce à sa nourrice

Les souvenirs qu'un enfant gardait de sa nourrice étaient parfois très bons, et la nourrice pouvait entretenir des liens étroits avec son ancien nourrisson. Michel-Ange disait même qu'il était devenu sculpteur grâce à sa nourrice, mariée à un tailleur de pierre : c'était comme si, avec son lait, elle lui avait donné le marteau et les ciseaux de son art ! À son époque, on pensait en effet que la femme qui nourrissait un enfant lui transmettait ses qualités et ses défauts.

Mauvais souvenirs

D'autres enfants se souvenaient au contraire avec tristesse ou rancune de leur mise en nourrice. Le Florentin Paolo Morelli – le père de Giovanni –, qui vivait vers 1350, a raconté comment son propre père l'avait placé dès sa naissance chez une nourrice à la campagne ; il l'y avait laissé jusqu'à l'âge de dix ou douze ans sans plus s'intéresser à lui, parce qu'il avait d'autres garçons plus âgés qui lui suffisaient. Or, disait Paolo Morelli, cette nourrice était *« une vraie bête »*, qui le battait si fort et si souvent que, devenu adulte, il évoquait encore ce souvenir avec une énorme colère : il l'aurait bien tuée s'il l'avait tenue entre ses mains ! Le temps passé chez la nourrice était donc plein de dangers.

Une pratique répandue

La mise en nourrice était fréquente dans l'Empire romain, puis tout au long du Moyen Âge et jusqu'au xviiie siècle. C'est seulement à l'époque de Rousseau, vers 1760, que l'on commence à affirmer qu'une mère a le devoir d'allaiter son enfant. La nourrice existe aussi dans de nombreuses autres cultures ; on dit par exemple que le prophète Mahomet fut élevé par une nourrice.

Michel-Ange (1475-1564) : sculpteur, peintre, architecte et poète italien.

VOIR FICHE P. 227

L'éducation est déléguée à d'autres parents

Afrique de l'Ouest

Aujourd'hui

En Afrique de l'Ouest, il est fréquent de déléguer l'éducation d'un enfant à un parent, voire à une autre famille. À l'âge de cinq ou six ans, l'enfant quitte son père et sa mère, ses frères et sœurs, et va vivre loin d'eux, jusqu'à son mariage au moins.

Bamako, Mali.
Photographie
de Marie Babey.

Échange de services

Il ne s'agit ni d'un abandon ni d'une adoption, car le lien avec le père et la mère n'est pas modifié, mais plutôt d'un échange de services : l'enfant aide la famille qui l'accueille, travaille pour elle et reçoit en échange nourriture et éducation.

Le départ de l'enfant peut résulter d'une difficulté dans sa famille de naissance. Mais, plus souvent encore, on fait ce choix afin que l'enfant reçoive une meilleure éducation auprès d'un parent qui peut lui enseigner un savoir-faire, de musicien ou de devin par exemple, ou, hors de la famille, auprès d'un personnage important susceptible de le faire bénéficier de son influence.

Un code à respecter

Parfois, le père et la mère ont le devoir de confier des enfants à de proches parents. Les Gonja du Ghana suivent en la matière un code très précis : la première fille ira vivre avec sa tante paternelle, le deuxième fils avec son oncle maternel, la troisième fille avec sa grand-mère maternelle. Les parents doivent ainsi « céder » trois ou quatre enfants à des proches. Mais, en vertu de la même règle, ils recevront d'autres enfants de leurs frères et sœurs ou de leurs descendants.

Dans ces sociétés, on ne juge pas nécessaire qu'un enfant grandisse avec son père et sa mère. Le fait que de nombreux enfants soient élevés par d'autres apparaît comme un grand avantage.

Parrains et marraines, des parents en plus

Aujourd'hui, en Europe et en Amérique latine, les parents choisissent volontiers un parrain et une marraine pour leur enfant. Ce « père en plus », cette « mère en plus », ce sont d'abord des gens qui font des cadeaux !

À l'origine, le baptême

Ils n'interviennent guère dans l'éducation de leur filleul ou de leur filleule ; mais ils ont une sorte de responsabilité, qui, pense-t-on, pourrait se révéler utile en cas de difficulté grave. Le parrain et la marraine sont associés à la famille sans en faire vraiment partie.

Parrains et marraines ont une longue histoire. Leur invention remonte au vie siècle. Lorsqu'on a commencé à baptiser des enfants, et non plus des adultes, il a fallu quelqu'un pour les tenir sur les fonts baptismaux et prononcer à leur place les formules nécessaires au baptême. Le père et la mère ayant transmis le péché originel, ils étaient jugés indignes d'un tel rôle ; parrains et marraines les remplaçaient. Ils donnaient son prénom à l'enfant et l'introduisaient dans la communauté des fidèles.

On disait aussi qu'ils devaient veiller à l'éducation chrétienne de l'enfant et, comme aujourd'hui, se charger de lui s'il devenait orphelin. Pourtant, quand cette situation se produisait, ce n'était à peu près jamais le cas et l'enfant était en général confié à son plus proche parent.

Lien privilégié

Aujourd'hui, en Amérique latine, où les pratiques chrétiennes restent très vivantes, on choisit souvent un frère ou une sœur, un cousin ou une cousine comme parrain ou marraine de son enfant. En Europe, même lorsqu'ils ne font plus baptiser leur enfant, de nombreux parents continuent à désigner un parrain et une marraine. Ils expriment ainsi un lien privilégié avec des amis proches, qu'ils souhaitent associer à leur enfant.

C'est bien le seul cas où les parents de culture européenne aiment à partager un peu le lien très exclusif qu'ils établissent avec leur enfant. Parents et enfants semblent se plaire à imaginer des parents en plus, sans que ceux-ci doivent vraiment jouer ce rôle.

Voir p.56

Ahmed au milieu du labyrinthe familial

20e siècle

Arabie

« *Je suis Ahmed* ben *Saad ben Mohammed ben Mouid ben Zafir ben Sultan ben Oad ben Mohammed ben Massaed ben Matar ben Chain ben Khalaf ben Yaala ben Homaid ben Chaghb ben Bichr ben Harb ben Djanb ben Saad ben Kahtan ben Amir.* »

Elle devinait mes pensées

Ainsi se présente Ahmed Abodehman : en récitant sa généalogie en ligne paternelle. Dans *La Ceinture*, il raconte son enfance dans un village des hautes montagnes d'Arabie, et parle de sa mère et de sa famille. Son récit montre que dans les sociétés traditionnelles l'enfant apprend très tôt à se repérer au sein de relations de parenté très touffues : Ahmed Abodehman le fait manifestement avec beaucoup de plaisir, sans qu'il nous soit toujours possible de le suivre avec précision.

Ma mère, « *je ne peux pas dire que je l'aimais, je l'adorais. La première fois que je lui ai menti, elle m'a dit qu'elle avait des yeux, des oreilles, des nez, des mains partout, qu'elle était même en moi. Je ne lui ai plus jamais menti ! Un jour que j'étais furieux contre elle, je l'ai insultée dans ma tête, en lui tournant le dos. Elle m'a interpellé en me disant que je venais d'insulter son père… et c'était vrai ! Elle devinait mes pensées les plus intimes. "Seules les mères sont capables d'ouvrir toutes les portes", disait mon père.*»

Le Petit Prophète

« *Ma sœur m'assurait que j'étais un beau garçon. Et les filles d'un village voisin m'appelaient le Petit Prophète. J'ai déjà parlé d'une sœur, mais en réalité j'en avais six à l'époque, [dont] trois que mon père avait héritées de son frère et de la femme de celui-ci, qui était […] la sœur de la première femme de mon père. Quant à ma mère, elle s'était mariée une première fois avec un homme très riche de ce village voisin où les filles m'appelaient le Petit*

Prophète. Ma mère avait eu dix enfants de ce mariage ; six étaient morts, il me restait deux sœurs et deux frères. J'avais donc deux sœurs du côté de ma mère et trois de sa nièce, car la femme de mon oncle paternel était la fille de mon oncle maternel.»

Répudiée pour une poignée de café

« *Ma mère avait volé une poignée de café vert pour une famille pauvre qui n'en avait pas bu depuis des semaines. Son mari, pourtant riche, l'avait répudiée sur-le-champ. Le juge avait confié à ma mère la garde de sa plus jeune fille et elle était rentrée chez son frère avec l'enfant – en fait, chez l'un de ses frères, car elle aussi avait un demi-frère et trois demi-sœurs du côté de sa mère et deux demi-frères et une demi-sœur du côté de son père. Mon père, lui, avait perdu en même temps son frère, la femme de son frère et sa première femme, morte en couches, ainsi que le petit garçon nouveau-né. Il avait donc hérité des trois filles de mon oncle.*»

Un oncle modèle

« *Ma mère était donc rentrée chez son frère qui était […] le grand-père de mes trois cousines, mes trois sœurs. Mon oncle maternel était alors le seul refuge pour mon père, comme il l'était pour ma mère. Son visage était plus large que la terre et les cieux, sa maison ouverte à tous, car il était le chef de son village, mais un VRAI chef. Mon père m'a souvent dit combien il était fier et heureux que je sois le neveu d'un tel homme ! […] "Si le garçon devient un homme, dit le proverbe, c'est parce que son oncle maternel l'est déjà."*»

Il n'est pas question, dans ce récit, de polygamie ; mais les remariages sont fréquents, à la suite d'un décès ou d'une répudiation. Il est donc tout à fait courant d'avoir de nombreux demi-frères et demi-sœurs. On voit aussi que l'oncle maternel a une importance presque égale à celle du père : c'est lui, dit-on, qui donne sa force et sa vigueur à l'enfant mâle.

ben
signifie « fils de » en arabe.

Répudiation : renvoi, par le mari, de son épouse. À la différence du divorce, la répudiation est une décision prise par le mari seul.

Jeune berger de la tribu des « hommes-fleurs ». Ceux-ci tiennent leur nom des couronnes de fleurs qu'ils portent parfois sur la tête. Arabie saoudite.
Photographie de Dominique Berbain.

Aujourd'hui divisée entre l'Arabie saoudite, le Yémen, Oman et quatre autres petits États, la péninsule arabique est couverte pour l'essentiel par un immense désert de sable. À l'ouest, le long de la mer Rouge, elle est bordée par une chaîne de montagnes qui forment la région du Hedjaz au nord, celle de l'Assir au sud. C'est au Hedjaz que se trouvent les villes de Médine et de La Mecque, où a vécu Mahomet, le fondateur de l'islam. L'Assir fait partie de ce qu'on a appelé l'Arabie Heureuse. Les habitants de ses vallées escarpées cultivent des champs en terrasses et habitent dans des maisons de pierre volcanique noire, aux fenêtres encadrées de blanc. C'est là que vit la tribu des Kahtani, à laquelle appartient Ahmed Abodehman.

L'ARABIE

Familles recomposées, une histoire qui ne date pas d'aujourd'hui

18ᵉ siècle

France

Aujourd'hui, un homme et une femme qui s'aiment se marient ou s'installent ensemble. Ils ont un ou plusieurs enfants. La vie étant compliquée et difficile, il arrive à ces parents de ne plus s'entendre et de ne plus vouloir partager leur vie. Alors, ils se séparent, vont parfois vivre avec un autre homme ou une autre femme ayant déjà eu des enfants auparavant. Les enfants des uns et des autres vont alors habiter sous le même toit ou se rencontrer lors des week-ends et des vacances ; c'est ce qu'on appelle des familles recomposées.

Jean-Baptiste-Jacques Augustin,
Trois enfants en costume de patriotes jouent aux bulles de savon, après 1794, miniature sur ivoire, 7,8 cm.
Musée du Louvre, Paris.

Départ forcé pour la ville

Cette situation n'existait pas de la même manière au XVIIIᵉ siècle, dans les milieux populaires. Il s'agissait d'une autre vie, pas non plus facile, et très mouvementée. Pourquoi ? Pour plusieurs raisons : la ville de Paris par exemple, riche et luxueuse, attire de nombreuses personnes qui vivent difficilement à la campagne. Il arrive qu'un père ou une mère quitte sa famille pour trouver travail et argent à la ville, pour une saison ou pour plus longtemps. Peu riche, une fois en ville, il lui faut pourtant se loger. Payer une chambre à deux permet de faire des économies ; des couples peuvent se former dans ces circonstances. Du reste, les occasions de rencontres amoureuses ne manquent pas à Paris, sur les places, dans les rues et les cabarets. Un nouveau couple se constitue alors, sans se marier ; cela s'appelle le concubinage. Théoriquement, l'Église ne tolère pas cette situation, mais tout le monde ferme les yeux, si le couple veut bien se déclarer ainsi devant le commissaire de police. Des enfants peuvent naître de ces unions : ils ont donc demi-frères et demi-sœurs à la campagne ou ailleurs. Mais ils ne se rencontreront jamais, car la morale tout comme l'éloignement géographique (des journées de marche) ne leur en donnent guère l'occasion.

Les aléas des maladies et de la guerre

Autre cas : un couple marié a plusieurs enfants, et la mère attend un bébé. L'événement est toujours redouté, tant il est fréquent, faute de soins appropriés, que la mère « meure en couches » (lors de l'accouchement). L'homme se retrouve alors triste et sans moyens, incapable de subsister seul avec ses enfants, puisqu'il ne gagne pas suffisamment bien sa vie. Il est fréquent qu'il se remarie vite, ce qui ne veut pas dire que les nouveaux mariés n'ont pas de bonheur l'un avec l'autre ni de goût l'un pour l'autre. Pour l'homme aussi, les risques de mort sont nombreux. Les accidents du travail sont fréquents et graves, voire mortels ; les épidémies (il n'y a ni antibiotiques ni désinfectants) frappent régulièrement et, sans vaccin, la population est durement touchée. Au xviiie siècle, il y eut trois grandes guerres aux frontières de la France, la plus cruelle étant celle de Sept Ans (appelée ainsi à cause de sa durée). Beaucoup d'hommes du petit peuple furent envoyés à la bataille et ne revinrent jamais. Chargées d'enfants, les femmes elles aussi « reprirent » des hommes à la maison.

Toutes ces situations créaient des familles où les enfants n'avaient pas les mêmes père et mère. Mais la vie quotidienne n'était pas identique à celle d'aujourd'hui, car de nombreux enfants étaient envoyés loin des leurs : le petit apprenti de dix ans, par exemple, habitait chez son maître, la toute jeune domestique chez sa maîtresse. Il était rare, très rare d'être ensemble sous le même toit. De ces situations naissaient des liens affectifs très différents de ceux que nous connaissons aujourd'hui.

Familles décomposées malgré elles

Au xviiie siècle, on ne peut pas exactement parler de familles recomposées, mais plutôt de familles souvent éprouvées par la mort, la maladie, l'éloignement et les guerres. Une chose est sûre : pour toutes ces raisons, hommes et femmes ne pouvaient vivre ensemble longtemps, comme ce fut le cas à partir de la fin du xixe siècle. La population était donc habituée à l'idée d'avoir plusieurs partenaires amoureux au cours de sa vie, et personne ne pouvait envisager de très longues années avec son conjoint. Les comparaisons avec aujourd'hui restent difficiles : être séparé par la mort ne ressemble en rien à une séparation choisie. Devant ces situations distinctes, les enfants ne ressentent pas les mêmes émotions. Alors que les familles sont aujourd'hui recomposées librement par la volonté des parents, au xviiie siècle elles étaient décomposées malgré elles par la gravité de situations très angoissantes, comme la mort ou la guerre. Quant aux enfants d'autrefois, ils éprouvaient des chagrins souvent intenses, tant la vie était dure. Aujourd'hui, ils peuvent au moins être aidés par les différents parents qui les entourent, ce qui n'empêche aucunement – on le sait – des moments de trouble et d'instabilité.

Au cours du xviiie siècle, la France – comme de nombreux autres pays européens – a connu un mouvement d'idées majeur que l'on appelle « les Lumières » et qui est considéré comme le point de départ de la pensée moderne et laïque. Au travers d'ouvrages tels que l'*Encyclopédie* de Diderot et d'Alembert, les philosophes des Lumières s'attaquent au pouvoir du clergé et aux obstacles que la religion oppose alors à la connaissance rationnelle. Ils critiquent les privilèges, s'élèvent contre les injustices et imaginent l'avenir à construire en proposant une nouvelle vision de l'homme fondée sur la liberté et le droit au bonheur. Ils croient en la perfectibilité humaine et défendent la notion de progrès individuel et collectif. Leurs idées ont accompagné le mouvement général de remise en question de l'ordre ancien qui aboutit à la Révolution française en 1789.

LE SIÈCLE DES LUMIÈRES

Famille bourgeoise tirée à quatre épingles

19ᵉ siècle

Europe

« *Lorsque l'enfant paraît, le cercle de famille applaudit à grands cris* », écrit le poète Victor Hugo. Lorsque sa petite-fille Jeanne était punie « *au pain sec, dans un cabinet noir* », ce bon grand-père lui portait des confitures.

Chacun son rôle

Le pilier de la famille au XIXᵉ siècle, est le couple conjugal, mari et femme unis par le mariage, considéré comme indissoluble. Le divorce, reconnu tardivement (1884), est rare et mal vu dans les pays de tradition catholique, où l'Église refuse de l'admettre. Le père et la mère ont chacun leur rôle propre. Détenteur de l'autorité, le père est tourné vers l'extérieur et s'occupe davantage des garçons à partir de l'adolescence. La mère règne sur l'intérieur, les jeunes enfants, les filles et la domesticité. Celle-ci compte beaucoup pour les enfants, souvent confiés aux nourrices, aux bonnes ou aux précepteurs, parfois chargés de les instruire. Autour de ce noyau gravitent de nombreux personnages : grands-parents, oncles et tantes, cousins et cousines, qui se retrouvent durant les vacances d'été ou les fêtes familiales, dont les photographies des albums de famille gardent le souvenir.

Cercle resserré

Mais l'essentiel est le resserrement de la famille autour du père, de la mère et de leurs enfants, dans l'intimité du foyer. La maison et son jardin, l'appartement urbain sont le cadre de cette existence familiale. Les espaces propres à l'enfant y demeurent réduits, car, en France, la chambre d'enfant n'apparaît progressivement qu'après 1860. Mais l'enfant se faufile partout dans le logis.

Il arrive que l'atmosphère familiale soit rigide, étouffante. « *Familles, je vous hais* », disait l'écrivain André Gide, qui souffrait d'un certain enfermement. Mais elle peut aussi être chaleureuse et riche d'histoires qui vont nourrir les souvenirs d'enfance. La famille représente à la fois un nid et un nœud pour des enfants moins nombreux, mais plus désirés et aimés.

Voir p.258

L'invention de la chambre d'enfant

Les Européens du XXIᵉ siècle trouvent normal, s'ils en ont les moyens, que les enfants aient leur propre chambre. Mais, jusqu'au XIXᵉ siècle, les enfants des familles modestes dormaient dans la même pièce que leurs parents. Dans les familles aisées, ils dormaient avec les domestiques ou avec la gouvernante, qui s'occupait d'eux toute la journée. Ils ont un espace à eux lorsque la chambre d'enfant se généralise, dans les familles les plus riches, au début du XXᵉ siècle. Ils y dorment seuls et leurs jouets peuvent s'y accumuler. Un tel privilège reste, aujourd'hui encore, inconnu de la majorité des enfants pauvres du monde.

Victor Hugo (1802-1885) : écrivain français.

Portrait d'une famille bourgeoise, seconde moitié du XIXᵉ siècle, France. Photographe inconnu.

Familles recomposées, une nouveauté ?

En Europe, aujourd'hui, près d'un enfant sur six ne vit plus avec ses deux parents. Mais les familles recomposées, qui se multiplient autour de nous, sont-elles vraiment une nouveauté ? Jusqu'au XVIIIe siècle, on l'a vu, il arrivait fréquemment qu'un homme ou une femme se remarie (surtout à la suite de la mort du conjoint, et non par un libre choix, comme aujourd'hui) : avoir des demi-frères et des demi-sœurs, vivre en compagnie d'un beau-père ou d'une belle-mère était tout à fait courant. De même, dans bien des sociétés traditionnelles des autres continents (comme en Arabie), la plupart des adultes se marient plusieurs fois au cours de leur vie, du fait de la polygamie, ou bien parce que le mariage peut être rompu, par décision du mari ou par le décès d'un conjoint. Dans l'histoire de l'humanité, il a presque toujours été normal, pour un enfant, d'avoir des demi-frères, des demi-sœurs et des beaux-parents. Et pourtant, il n'est pas toujours facile d'adopter de nouveaux parents !

Familles nombreuses, enfant unique

Dans le passé, les couples avaient beaucoup d'enfants. Ces derniers grandissaient le plus souvent en compagnie de trois ou quatre frères et sœurs.

L'aîné est le chef

Voir p.147

Aujourd'hui, dans de nombreux pays d'Afrique, d'Amérique latine ou d'Asie, avoir six ou sept frères et sœurs, voire une dizaine, n'a rien d'exceptionnel. Dans ces familles, les parents délèguent volontiers à l'aîné une autorité sur les plus jeunes, le chargent de veiller sur eux, de les protéger si nécessaire, comme un second père. Quant aux filles, dès cinq ou six ans, elles s'occupent des derniers-nés, qu'elles portent sur leur dos une partie de la journée (comme chez les  Hopi). Ce sont déjà de petites mères.

Les familles rétrécissent

Au cours du XXe siècle, en Europe d'abord, en Amérique, en Chine et, petit à petit, dans les autres pays, les familles rétrécissent. Le nombre de frères et sœurs diminue. À tel point que ce qui était exceptionnel hier devient courant : être enfant unique. Beaucoup de parents décident de n'avoir qu'un seul enfant. Celui-ci grandit sans frère ni sœur.

Faut-il considérer comme un privilège d'avoir son père et sa mère pour soi seul, sans devoir les partager ? Ou comme une pesante solitude d'être privé de ces compagnons pour la vie que sont les frères et sœurs ? En tout cas, il s'agit d'une situation entièrement nouvelle dans l'histoire humaine.

Au lieu des familles larges, dans lesquelles de nombreux parents s'occupent de nombreux enfants, on aboutit à la cellule familiale la plus réduite possible : deux parents et un seul enfant.

Parfois même, un enfant est élevé par un seul parent (à la suite d'une séparation ou parce qu'il s'agit d'une mère célibataire, qui vit seule avec son enfant depuis sa naissance). Ces familles, qu'on appelle monoparentales, les plus petites de toutes, sont aussi de plus en plus nombreuses.

Le chef d'un camp de travailleurs syriens et sa famille, octobre 2006. Zahlé, plaine de la Bekaa, Liban. Photographie de Joan Bardeletti.

POUVOIR DES PARENTS, DROITS DES ENFANTS

De nombreuses sociétés attribuent aux parents une autorité absolue sur leurs enfants. Bien souvent, le père exerce seul ce pouvoir, car la femme est, elle aussi, soumise à son mari. Il est tout-puissant : si on ne lui obéit pas, les châtiments corporels peuvent être violents. Dans l'Empire romain, il possédait un droit de vie et de mort sur ses enfants.

Dans ces sociétés, on pense que les enfants ne peuvent être éduqués que par une discipline stricte, par la contrainte et la peur des coups. Apprendre, cela consiste d'abord à apprendre à se soumettre. Il s'agit de se préparer à devenir un adulte sachant obéir, sans résister, aux ordres qu'on lui donne.

Dans d'autres cultures, par exemple en Afrique noire ou en Inde, on pense au contraire qu'il convient de ne pas exercer une contrainte trop forte sur les jeunes enfants, qu'il faut d'abord satisfaire leurs besoins, avant de les amener peu à peu à comprendre les règles de la vie en commun.

L'éducation doit-elle être sévère ou douce ? Rigoureuse ou compréhensive ? Jamais en tout cas n'avait été proclamée dans le passé l'idée que les enfants ont des *droits*, dont ils peuvent exiger le respect. Cette idée est aujourd'hui admise. Mais les enfants ont-ils pour autant *tous* les droits, sans avoir *aucune* obligation à respecter ? Et les parents ne doivent-ils plus exercer d'autorité sur eux ?

Châtiments corporels dans une société guerrière, les Aztèques

15e-16e siècle

Mexique

Voir p. 53

Peint au XVIe siècle, le *Codex Mendoza* montre comment les Aztèques concevaient l'éducation des enfants, avant la conquête de leur empire par les Espagnols.

Les cactus, aïe, aïe, aïe, ouille !

À chaque année de vie, entre trois et quinze ans, correspond un dessin différent (l'âge est indiqué par le nombre de cercles dans la partie gauche de l'image). Chaque fois, le père s'occupe des garçons, et la mère des filles. De trois à sept ans, les enfants sont nourris et apprennent diverses activités : pêcher avec un filet pour les garçons, fabriquer du fil pour les filles. Ils ne reçoivent pas encore de punitions. Celles-ci commencent ensuite et se font chaque année plus rudes, surtout pour les garçons. Le père menace son fils de huit ans : « *S'il désobéit, il sera puni avec des épines de cactus* », ce qui le fait pleurer de peur. L'année suivante, le fils rebelle est attaché et son père lui enfonce des épines dans tout le corps. Aux filles négligentes et paresseuses, la mère enfonce des épines dans la main.

Après les cactus, les piments

À onze ans, on jette des piments dans le feu et les enfants désobéissants doivent en respirer la fumée, qui irrite terriblement les yeux et la gorge (ci-contre). À douze ans, les garçons sont attachés un jour entier sur la terre mouillée, tandis que les filles doivent balayer la maison et la rue durant toute la nuit. Après cela, les uns et les autres semblent avoir compris la leçon et les punitions ne sont plus nécessaires. Mais vient alors le moment de travailler dur, pour aider aux tâches de la maison. À treize ans, le garçon va chercher le bois et la fille prépare les *tortillas* (des galettes de maïs). Puis, le garçon pêche et la fille fabrique une toile sur son métier à tisser. À quinze ans, ils sont prêts à se marier.

L'Empire aztèque avait fait de la guerre l'une de ses valeurs les plus éminentes. Tandis que les filles se préparaient à être des épouses obéissantes, les garçons devaient s'exercer à supporter la souffrance physique avec courage, afin de devenir des guerriers valeureux.

VOIR FICHE P. 52

Un premier âge sans contraintes ?

Jusqu'à nos jours

Inde

En Inde, on ne refuse rien à un tout petit enfant. On lui achète volontiers diverses friandises, et tous les membres de sa famille sont en général très tendres et très patients avec lui.

Apprentissages en douceur

Jusqu'à l'âge de cinq ou six ans, ses parents exercent peu d'autorité et les punitions corporelles sont inconnues dans la plupart des milieux sociaux. Un tout jeune enfant qui fait de petites bêtises ne sera pas réprimandé. S'il se met à pleurer, on fera tout pour l'apaiser en le cajolant ou en détournant son attention ; jamais on ne le laissera continuer à sangloter.

Très souvent, sauf dans les grandes villes, plusieurs frères mariés vivent sous le même toit, avec leurs parents et les enfants de chacun d'eux. Ceux-ci grandissent alors au sein d'une famille large ; une sœur (ou une cousine) aînée partage le rôle de la mère, portant le bébé sur la hanche et le mêlant à tout un groupe d'enfants dans lequel il fait peu à peu son éducation, à son rythme. L'enfant reçoit peu d'ordres ; l'essentiel de son apprentissage de la vie courante se fait par imitation. Cela contraste avec l'acquisition de techniques précises sous la direction d'un maître, ou avec les journées d'école ; dans ces situations, autrefois du moins, les punitions corporelles étaient courantes.

Ensuite tout change

À partir de l'âge de cinq ou six ans, les enfants entretiennent avec leurs parents des rapports très différents. Tandis que la fille demeure attachée aux femmes de la famille, le garçon participe davantage au monde des hommes. Chacun, de son côté, apprend les règles de l'univers des adultes, les comportements précis qu'il faut avoir dans les diverses situations de la vie en société. Les plaisanteries entre membres de la famille, y compris entre frères, sont désormais mal tolérées. La relation avec le père se modifie profondément. À mesure que ses enfants grandissent, il devient une personne lointaine, isolée dans son autorité. Le fils en reçoit des ordres, mais n'ose guère s'adresser à lui. En cas de besoin, il aura recours à sa mère, à qui il reste sentimentalement lié ; ce sera elle qui jouera un rôle d'intermédiaire. Par contre, les relations entre grands-parents et petits-enfants restent libres et affectueuses.

VOIR FICHE P. 86

Une éducation tout en liberté et sans punitions

Jusqu'au 20ᵉ siècle

Amérique du Nord

En vertu de leur mode de vie traditionnel encore observable au milieu du XXᵉ siècle, les Indiens Mohaves traitent les enfants avec beaucoup d'affection et très peu d'autorité. Ils ont peu d'exigences à leur égard et ne recourent guère à des interdictions franches.

Libres comme l'air

Traditionnellement, les mères allaitent leurs bébés avec tendresse ; le plus souvent, chaque enfant se sèvre quand il le décide. Les parents ne s'acharnent pas à lui apprendre à être propre, et il cesse, de lui-même, de se souiller vers trois ou quatre ans.

Dès cet âge, les parents laissent les enfants évoluer librement, sans trop de surveillance. Ils vadrouillent en petits groupes, jouant, nageant, prenant volontiers des melons dans les champs sans qu'on les réprimande. Dans n'importe quelle maison mohave, ils seront toujours bienvenus et bien traités. On leur offrira un repas, s'ils ont faim. Ces enfants reçoivent affection et aide de tous les membres du groupe, pas seulement du père et de la mère. Les enfants mohaves apprennent ainsi à se lier aisément avec autrui.

Dans le plus grand respect

Quand ils grandissent, leur personnalité est volontiers ouverte, généreuse. Cette éducation permissive ne les empêche nullement de respecter les règles de conduite exigée d'un adulte mohave. Bien entendu, les difficultés ne sont pas inconnues et certains enfants peuvent présenter des troubles de la personnalité. En tout cas, la notion d'obéissance absolue n'existe pas chez les Mohaves. Et, dans leur langue, il n'y a même pas de mot pour dire « punition ».

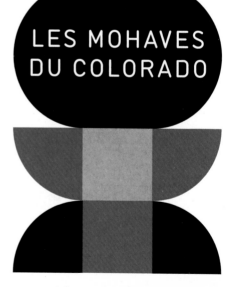

Peuple amérindien installé sur les rives du Colorado, les Mohaves étaient environ 4 000 avant la « Conquête de l'Ouest ». Sédentaires, ils vivaient de chasse et de pêche mais pratiquaient aussi la culture irriguée du maïs. Leurs voisins les considéraient comme de redoutables guerriers. Ils accordaient une grande importance aux rêves et à leur interprétation : elle permettait aux chamanes de diagnostiquer les maladies et de proposer un traitement adapté. Les relations entre les membres d'une tribu étaient avant tout fondées sur la loyauté, la générosité et le partage. Il n'y avait guère de différence de richesse entre eux : selon un proverbe mohave, « un homme ne peut être riche que s'il refuse d'aider ceux qui sont dans le besoin ».

LES MOHAVES DU COLORADO

Les dangers de l'autorité

Voir p. 96

Selon les Temiar de Malaisie, personne ne doit chercher à diriger la conduite d'autrui, pas même de ses propres enfants. Cela pourrait être ressenti par l'âme de l'enfant comme une invasion, et cela risquerait de la faire fuir, provoquant ainsi une grave maladie. Bien sûr, cela n'empêche pas les parents d'éduquer leurs enfants, par exemple de leur enseigner ce qu'il faut manger ou ne pas manger. Mais ils le font avec énormément de précautions. Chez les Kotokoli aussi, un père hésite à réprimander son enfant, car celui-ci est la réincarnation d'un ancêtre : « *Quand je gronde mon fils, je lui dis "Mon père a agi ainsi, tu dois aussi agir ainsi..." Je ne peux pas le disputer trop fort ou le battre, car il est mon père.* »

**Mosa,
garçon mohave,**
1900.
Photographie
d'Edward S. Curtis.

Pour ou contre une éducation sévère

Maffeo Vegio (1406/1407-1458) : humaniste et écrivain italien.

La première page de l'*Émile* est illustrée d'enfants de tous les âges qui jouent librement autour du buste de Rousseau, au pied duquel une mère allaite son bébé.

En Europe, partisans et adversaires d'une éducation sévère s'opposent depuis longtemps.

La peur est mauvaise éducatrice

En 1444, dans son livre *De l'éducation des enfants*, l'humaniste italien Maffeo Vegio explique : « *C'est une erreur fréquente chez les parents que de croire que les menaces et les coups apportent une grande contribution à l'éducation des enfants, alors que la peur qu'ils en éprouvent est si forte qu'ils auront du mal à la vaincre, même adultes. Que les parents prennent garde à ne corriger leurs enfants qu'avec les plus grandes précautions. Les réprimandes trop violentes et les coups rendent l'esprit servile. Les enfants se sentent humiliés, ils sont abattus, désespérés, ils souffrent et leur caractère s'en affaiblit.* » Au contraire, « *il faut louer de temps en temps l'enfant de ses mérites, ignorer le plus souvent ses erreurs, et ne les corriger qu'avec douceur, en mêlant les louanges aux reproches* ». Un siècle plus tard, un autre grand humaniste, Érasme de Rotterdam, en dira autant dans son livre célèbre, *De la civilité des mœurs enfantines*.

Érasme (1469-1536) : humaniste, théologien et écrivain hollandais.

Voir p. 88

Fouet nécessaire

Pourtant, l'opinion inverse l'emporte longtemps. Au XVIIᵉ siècle encore, la duchesse de Liancourt conçoit ainsi l'éducation de sa fille : « *Le fouet est nécessaire aux enfants depuis l'âge de trois ans, jusqu'à ce qu'ils aient la raison assez forte pour craindre autre chose. En ce temps-là, ils agissent par instinct, presque comme des bêtes. Si l'on ne réprime pas alors les petites passions qu'ils laissent paraître et par la douleur du fouet, et par la privation de ce qu'ils désirent, on les laisse fortifier. Alors, ils ne peuvent plus les dompter ; leur raison n'agit plus en eux et toutes leurs passions les emportent.* »

Laisser faire dame Nature

En 1762, Jean-Jacques Rousseau publie *Émile ou De l'éducation* ; le livre remporte un énorme succès dans toute l'Europe. Loin de croire que l'enfant est une créature sauvage qu'il faut dompter par la force, Rousseau fait confiance à la nature, qui s'exprime en lui. Il suffit donc de guider l'enfant avec douceur et amour, afin qu'il développe pleinement ses propres capacités et grandisse en harmonie avec son entourage. Mais le débat entre les deux conceptions de l'éducation est loin d'être terminé.

**Pantin donnant
la fessée à un enfant,**
planche illustrée
à découper,
par Jean Frédéric Wentzel,
graveur et éditeur
à Wissembourg, troisième
quart du xixe siècle.

130

Le Père cruel,
école autrichienne,
1897, lithographie.
Bibliothèque nationale
de France, Paris.

Cette lithographie dénonce
l'excessive violence de
la « correction paternelle »,
en montrant l'enfant
martyr presque inanimé
sous les coups.

Le père tout-puissant

France

Voir p.104

Le père est le personnage central de la famille au XIXe siècle. Le code civil de 1804, c'est-à-dire l'ensemble des articles du droit qui organisent la famille, lui donne tous les pouvoirs. Ainsi l'a voulu Napoléon, qui voyait dans l'ordre familial le fondement de l'ordre public.

Tout-puissant

Le mari et père doit protection à sa femme et à ses enfants, qu'il nourrit par son travail. Il gouverne seul la famille. Il décide du domicile, gère les biens de la communauté, fait régner l'ordre et respecter l'honneur. Il décide des études des enfants, de leur métier, du moins pour les garçons, de leur mariage, surtout pour les filles (dont l'éducation dépend plus de la mère).

La loi reconnaît au père le « droit de correction », qu'il peut exercer par des châtiments corporels et, dans les cas d'indiscipline grave, en faisant enfermer l'enfant en maison de correction. Mais les familles bourgeoises y ont de moins en moins recours, car l'enfant fait l'objet d'une attention grandissante : il est l'héritier, non seulement des biens, mais du nom, du sang, de l'avenir de la famille. On limite d'ailleurs le nombre des descendants en restreignant les naissances.

Travailleur et citoyen

Aux filles, on préfère les garçons, auxquels le père accorde plus d'attention dès qu'ils ont sept ou huit ans. Il ne s'occupe pas des bébés : c'est l'affaire des mères, dont il ne faut pas sous-estimer le pouvoir au cœur de la maison, où elles sont bien plus présentes que les hommes. Le père passe le plus clair de son temps à l'extérieur, travaille pour gagner l'argent de la famille, s'occupe des affaires publiques. C'est lui le citoyen : considéré comme le représentant de toute la famille, il est le seul à voter aux élections (en France, les femmes ne votent que depuis 1944).

Du changement dans l'air

Toutefois, au cours du XIXe siècle, le pouvoir du père décline. Au nom de l'intérêt de l'enfant, des lois limitent son autorité. La loi de 1889, dite de « déchéance paternelle », permet de retirer les enfants de la famille en cas d'absentéisme scolaire prolongé ou de mauvais traitements (coups, abus sexuels, mauvaise nourriture) ; ils sont alors confiés à l'Assistance publique, qui les place dans des familles de substitution. Pour le meilleur et pour le pire, la République remplace le père défaillant. Moins autoritaire, le père se fait plus présent dans la maison, plus tendre, plus attentif à ses filles et aux tout-petits. Ce n'est pas encore le « nouveau père » d'aujourd'hui. Mais il prend cette direction.

Les enfants ont des droits

19ᵉ-21ᵉ siècle

« Ai-je été nourri par ma mère ? Est-ce une paysanne qui m'a donné son lait ? Je n'en sais rien. Quel que soit le sein que j'ai mordu, je ne me rappelle pas une caresse du temps où j'étais tout petit ; je n'ai pas été dorloté, tapoté, baisotté ; j'ai été beaucoup fouetté. Ma mère dit qu'il ne faut pas gâter les enfants, et elle me fouette tous les matins ; quand elle n'a pas le temps le matin, c'est pour midi, rarement plus tard que quatre heures. »

Principes d'éducation

Ainsi s'ouvre *L'Enfant*, le livre où Jules Vallès, né en 1832 au Puy, évoque ses premières années. Si sa mère le fouette ainsi, c'est moins parce qu'elle est colérique ou violente que par fidélité à ses principes éducatifs : *« Il ne faut pas que les enfants aient de volonté ; ils doivent s'habituer à tout »*, explique-t-elle. C'est pourquoi aussi elle prive son fils des aliments qu'il aime : *« Tu mangeras de l'oignon, parce qu'il te fait mal, tu ne mangeras pas de poireaux, parce que tu les adores. »*

Voir p. 44

Après la publication de son livre, en 1877, Jules Vallès, devenu un journaliste enflammé et combatif, prendra la tête d'une campagne pour dénoncer *« les fureurs des parents indignes »* et pour porter secours aux *« enfants martyrs »*.

« Je défendrai les DROITS DE L'ENFANT, comme d'autres les DROITS DE L'HOMME », proclame-t-il. Jules Vallès fut en effet l'un des premiers à réclamer qu'on respecte les « droits de l'enfant ».

La Convention internationale des droits de l'enfant

La Convention internationale des droits de l'enfant, adoptée par l'Organisation des Nations unies en 1989, est aujourd'hui en vigueur dans tous les pays du monde (sauf aux États-Unis et en Somalie, qui ne l'ont pas ratifiée). Elle reconnaît des droits spécifiques à chaque être humain de moins de dix-huit ans. Il s'agit notamment du droit à la vie, à être nourri et soigné, à être protégé de la violence des adultes, à être traité avec respect, affection et sans discrimination. Tout enfant a droit au repos, au jeu et à une éducation qui *« favorise l'épanouissement de sa personnalité et le développement de ses dons et de ses aptitudes mentales et physiques, dans toute la mesure de ses potentialités ».*

L'égalité entre parents et enfants est-elle possible ?

Aujourd'hui

Europe

Qu'en est-il aujourd'hui de l'autorité des parents ? A-t-elle disparu, comme on l'entend dire souvent ? Comment la concilier avec les droits et les exigences des enfants ? La discussion est ouverte. Imaginons deux enfants qui débattent de cette délicate question.

C'est les parents les chefs

« Avant, les parents décidaient de tout ; les enfants n'avaient qu'à obéir. Sinon, gare à tes fesses... Ce n'est plus comme ça maintenant. Heureusement !

– Oui, nous les enfants, on a des droits à nous ; il y a plein de textes très compliqués qui le disent. Les adultes n'ont pas le droit de nous frapper ; ils doivent nous respecter. Mais, les parents, c'est les parents. Quand on fait trop de bêtises, il faut bien qu'ils se fâchent. Et puis, c'est quand même eux les chefs ; ils organisent la vie à la maison et prennent beaucoup de décisions qui concernent notre vie.

– Mais pourquoi on ne pourrait pas décider, nous aussi, si ça nous concerne ? Regarde, les femmes sont égales aux hommes, alors qu'avant elles n'avaient qu'à bien se tenir. Pourquoi ce ne serait pas pareil pour les enfants ?

– Heu... c'est vrai, on est tous égaux, mais... mais, au fait, on n'est pas majeurs, on ne peut pas voter par exemple. Si un mineur fait un délit, c'est lui qui va en prison ?

Parents menés à la baguette

– D'accord, on n'est pas majeurs. Mais pour les choses qui nous concernent, comme notre chambre ou aller chez un ami, c'est à nous de décider, autant que les parents.

– J'ai un copain, justement, il mène ses parents par le bout du nez. Ils ont beau lui dire de faire ceci ou cela, il n'écoute rien. Le soir, il bloque la télé jusqu'à 10 h pour voir ses dessins animés, et les parents ne peuvent rien regarder. C'est lui le roi, et les parents n'ont qu'à obéir ! On devrait quand même respecter les autres, même les parents...

– On n'est pas des tyrannosaures ! Le problème, c'est que les parents n'arrêtent pas de dire qu'on est trop petits, qu'on ne peut pas faire telle ou telle chose par nous-mêmes. Ils nous sous-estiment. On dirait qu'ils ont oublié comment ils étaient, enfants. S'ils se souvenaient un peu plus de leur enfance, ils nous comprendraient mieux.

L'égalité entre parents et enfants est-elle possible ?

Besoin des parents

– *Bien dit. Il faut qu'ils nous comprennent, mais nous aussi on devrait se mettre à leur place. D'ailleurs, on a besoin des parents pour avoir une maison et de quoi manger. C'est eux qui travaillent et, pendant ce temps-là, on peut aller à l'école ou s'amuser avec nos amis. On est bien contents qu'ils nous aident. Et aussi qu'ils nous aiment !*

– À condition qu'ils n'en fassent pas trop... Et aussi qu'ils voient ce qu'on est capables de faire, de décider par nous-mêmes. Après tout, on est des êtres humains ; on a la même dignité que les adultes. D'ailleurs, les adultes, en matière de dignité, ils ne sont pas toujours très au point...

Trouver l'équilibre

– Mais les parents ne peuvent pas nous laisser entièrement libres. On ne pourrait pas grandir comme ça, livrés à nous-mêmes du jour au lendemain. Leur rôle, c'est de nous accompagner, pour qu'on apprenne à être autonomes. Ni trop lentement, ni trop vite. D'accord, c'est eux qui fixent le rythme ; mais on a aussi notre idée sur la question. C'est pour ça qu'on se dispute souvent ; on essaie de trouver le bon équilibre...

– On n'est pas des sauvages. Si les parents veulent fixer les règles, qu'ils respectent certaines règles, eux aussi. Et qu'ils nous écoutent au moins. Puisqu'ils disent en savoir plus long que nous, ils devraient aussi savoir apprendre des enfants.

– On est égaux, parce qu'on se respecte également. Parents et enfants, on a tous des droits et des devoirs. Mais ce ne sont pas exactement les mêmes.

– Allez, on y va, y'a les parents qui attendent depuis un bon bout de temps... »

De l'autorité paternelle à l'autorité parentale

Depuis 1970, en France, la « puissance paternelle », qui donnait au père seul l'autorité sur les enfants, a été remplacée par « l'autorité parentale ». Il n'y a plus alors un seul chef de famille, mais deux, le père et la mère, également responsables de l'éducation de l'enfant. L'un comme l'autre peuvent signer les papiers qui le concernent, alors qu'avant, seul le père pouvait le faire. L'un comme l'autre ont l'autorité nécessaire « *pour protéger l'enfant dans sa sécurité, sa santé, sa moralité* ». C'est un changement énorme, qui témoigne de l'égalité nouvelle entre hommes et femmes.

1966, Palerme, Italie.
Photographie
de Bruno Barbey.

AMOURS ET DÉSAMOURS

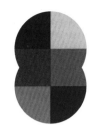

Que de sentiments intenses entre les membres d'une même famille ! La famille n'est-elle pas le lieu naturel de l'amour partagé ? Pourtant, l'affection n'exclut pas les colères, les disputes, l'incompréhension, la violence parfois. L'amour et la haine peuvent être les deux faces d'une même monnaie...

Mais comment s'aime-t-on ? Chacun à sa façon ? Sans doute. En même temps, chaque culture propose une certaine image de la juste relation entre parents et enfants, entre frères et sœurs, ou avec les grands-parents.

Récemment, des historiens ont expliqué que dans les sociétés du passé, en Europe notamment, les parents s'attachaient peu à leurs enfants, ne serait-ce que parce que beaucoup d'entre eux mouraient en bas âge. Mais rien n'est moins sûr.

En tout cas, on ne s'aime sans doute pas de la même manière à toutes les époques et dans toutes les régions du monde. Dans certaines cultures, les sentiments s'expriment assez ouvertement ; ailleurs, en Chine et au Japon par exemple, cela ne se fait pas de manifester des sentiments trop vifs. Parfois, on valorise plutôt le lien entre père et fils ; ailleurs, celui qui unit la mère au fils. Ailleurs encore, c'est entre la mère et ses filles que se crée la plus grande proximité.

La répartition des rôles entre le père et la mère varie aussi. En Europe, au XIXe siècle, l'amour est un sentiment plus fortement associé à la mère. L'amour maternel semble alors le plus naturel et le plus intense des sentiments humains. Quant au père, il peut certes aimer ses enfants, mais il doit surtout faire preuve de sévérité.

Depuis peu, en Europe et en Amérique du Nord, on parle des « nouveaux pères », qui s'occupent de leurs bébés, les portent et leur donnent à manger. Autant de tâches qui semblaient réservées aux femmes. Mais est-ce vraiment « nouveau » ? Qu'en est-il sur d'autres continents ?

Chez les Pygmées, des pères affectueux et attentifs

Jusqu'à nos jours

Afrique centrale

Un matin, Kakao, le père, tient sa fillette de deux mois, Bambiti, dans ses bras. Il prend de l'eau dans une gourde et lui donne à boire. Il fait de drôles de sons qui font sourire Bambiti. Il l'embrasse dans le cou. C'est l'heure de partir pour la chasse.

Sur le ventre pendant la chasse

Kakao place le bébé dans un tissu pour le porter sur son ventre. Sa femme, Tengbe, la maman de Bambiti, s'en va avec lui, mais c'est Kakao qui porte l'enfant. Ils se mettent en marche dans la forêt, pour rejoindre la hutte qui sert de refuge pendant qu'on pratique la chasse au filet.

Chez les Pygmées Aka, les pères s'occupent longuement de leurs enfants. Au réveil, ils restent parfois allongés pendant près d'une heure pour jouer avec leur bébé. Ils les nourrissent, les lavent et nettoient leurs excréments, tout autant que la mère. Voilà des pères très présents et extrêmement affectueux. À l'inverse de ce que l'on observe en Europe, c'est la mère, plus que le père, qui fait respecter la discipline. Même lorsque ses enfants sont devenus des adolescents, c'est elle qui se met en colère et les réprimande s'ils font une bêtise.

En toute égalité

Les Pygmées Aka du Congo vivent de la chasse et de la cueillette. Ils ne pratiquent aucune activité guerrière. Le partage des tâches entre mari et femme est peu marqué. Ils restent ensemble, même pendant le temps passé dans la hutte de chasse. Sans doute est-ce une des raisons pour lesquelles ils coopèrent tout au long de la journée, y compris pour prendre soin des enfants. Rien dans leur mode de vie ne semble justifier qu'il y ait une grande différence entre le rôle du père et celui de la mère.

Comme à l'âge de pierre

L'exemple des Aka peut nous aider à imaginer la vie des chasseurs-cueilleurs de la préhistoire (du moins, après les grandes glaciations, il y a 12 000 ans environ). À cette époque reculée, hommes et femmes contribuaient équitablement à l'alimentation du groupe. Les hommes n'avaient pas encore pris l'habitude de faire la guerre et de se croire très supérieurs aux femmes. Comme chez les Aka, pères et mères s'occupaient sans doute assez également des enfants. La chasse, la cueillette et les autres activités nécessaires pour satisfaire les besoins matériels du groupe ne demandaient que quelques heures par jour. Il restait beaucoup de temps libre, pour se reposer ou danser, pour jouer et prendre soin des enfants. L'âge de pierre ne fut pas une époque de peurs et de pénuries, mais un âge d'abondance et de loisir. Peut-être aussi l'époque où les parents furent le plus disponibles pour leurs enfants !

Les Pygmées doivent leur nom à leur petite taille (1,44 mètre en moyenne pour les hommes). Ils vivent dans la forêt équatoriale africaine, notamment au Congo et au Gabon, où ils pratiquent la cueillette et la chasse, armés de filets, de lances et de flèches empoisonnées. Ils habitent de petites huttes de branchages recouvertes de larges feuilles d'arbres qui les abritent de la pluie. Ils se considèrent comme les fils de la forêt et lui adressent leurs plus beaux chants pour s'assurer de sa bienveillance. Un tronc d'arbre creux tendu d'une peau d'oreille d'éléphant leur sert de tambour... Le mode de vie traditionnel des Pygmées est menacé de disparition, du fait de la destruction de leur environnement.

LES PYGMÉES

140 Dans la maison traditionnelle chinoise, face à la porte principale, à la place d'honneur, se trouve un autel sur lequel sont disposées les tablettes ancestrales. Sur ces planchettes de bois dressées verticalement sont calligraphiés le nom et les dates des ancêtres que les enfants doivent respecter et dont ils devront perpétuer le culte.

Chacun à sa place

La lignée ne peut s'interrompre et les fils devront à leur tour avoir des fils pour que leurs ancêtres ne tombent pas dans l'oubli. De nos jours, les tablettes sont souvent remplacées par des photos, mais ces obligations demeurent.

Seuls les garçons occupent une place stable dans la famille et la demeure, termes identiques en chinois (*jia*). Les filles quittent leur famille peu après la puberté pour s'établir chez leur mari et servir leurs beaux-parents. Par conséquent, des attentes différentes sont exprimées à l'égard des garçons et des filles, et les rôles du père et de la mère sont fortement distingués. Dans la famille, l'autorité est exercée par le père, qui se montre souvent distant à l'égard de ses enfants. Les attentes d'un père envers ses fils sont élevées, car ces derniers devront assurer l'avenir de la famille et acquérir des connaissances transmises par des apprentissages souvent fort longs.

Épouses et concubines

Dans les familles aisées, l'espoir d'une abondante progéniture ou tout simplement la recherche du plaisir incitent les hommes à prendre plusieurs épouses. L'épouse principale est la mère légale de tous les enfants et elle exerce son autorité sur les épouses secondaires de leur mari, les « concubines ». Les soins prodigués dans la petite enfance peuvent l'être par toutes les femmes de la maison, mais c'est l'épouse principale qui s'occupe de l'éducation morale et intellectuelle des enfants, et en particulier des garçons. Un lien très fort unit les fils à leur mère, mais aussi à la nourrice, un personnage important dans la maisonnée, où elle continue de vivre bien après le sevrage des nourrissons dont elle a la charge.

Les familles paysannes, c'est-à-dire l'immense majorité, sont plus réduites : elles se composent du couple des parents, des grands-parents paternels lorsqu'ils sont encore en vie, et parfois d'un oncle ou d'une tante non mariés. Tous les adultes exercent une certaine autorité sur les enfants, sans toutefois se substituer aux parents ; on attend des enfants qu'ils se montrent obéissants et respectueux envers tous leurs aînés.

Culte des ancêtres et respect des traditions dans la Chine ancienne

12ᵉ-19ᵉ siècle

Chine

VOIR FICHE P.78

Qu'est-ce qu'aimer un enfant au siècle des Lumières ?

18e siècle

Europe

VOIR FICHE P. 117

Voir p.212

Que signifie aimer au jour le jour un enfant au xviiie siècle ? Pour répondre à cela, il faut savoir que les sentiments comme la joie, la honte, l'amour, l'indignation, la peur sont de toutes les époques mais ne se vivent pas de la même façon selon les temps, les pays et les cultures. Lorsqu'on interroge les grands-parents sur leur vie, tout ce qu'ils racontent semble souvent extraordinaire.

Les liens du cœur

Au xviiie siècle, les parents, surtout les moins riches, avaient beaucoup d'enfants. Plus, sans doute, qu'ils ne l'auraient voulu. Personne, en effet, ne savait que faire pour en avoir moins, comme cela est possible de nos jours. En même temps, les enfants mouraient souvent, soit à la naissance, soit au cours des premières années. Le savoir médical, bien fragile à l'époque, ne parvenait guère à soigner de nombreuses maladies infantiles, maintenant évitées par les vaccins.

On a souvent affirmé que, en raison de cette effrayante mortalité, les parents s'étaient habitués à ces deuils et étaient finalement peu sensibles à la mort de leurs enfants. La vie était si dure que la mort en aurait naturellement fait partie, sans chagrin. Étrange raisonnement ! Aujourd'hui, grâce à de nombreux documents retrouvés dans les bibliothèques, on comprend mieux ce qui, en ce siècle, relia si fort les parents à leurs enfants. Et en effet, cela ne ressemble pas à ce qui est vécu de nos jours.

Mort fréquente, chagrin toujours

La mort d'un enfant fut toujours un drame partagé avec la famille et les voisins, dans la douleur et les larmes. Ce n'est pas parce que les pères et les mères perdaient souvent un bébé qu'ils ne s'en trouvaient pas consternés. D'ailleurs, en quoi être « habitué » à voir mourir, parce que cela arrive, hélas, souvent, implique-t-il de rester indifférent à cette perte ? Les souffrances de père ou de mère ont laissé bien des traces dans les écrits, les correspondances, les témoignages, la littérature et la peinture.

Voir p.70

Un être précieux

Au xviiie siècle, dans les milieux les plus modestes (marchands, artisans ou personnes de petits métiers), l'enfant est un bien précieux. Les parents sont très attachés à ce petit d'homme, qui est très actif et vite indépendant, aide au métier de ses parents et traverse la ville en tous sens pour faire des commissions.

Des garçons comme des filles, les parents prennent grand soin. Ils cherchent à leur donner de l'instruction, pour que leur avenir soit meilleur que le leur, car le siècle fut très dur pour les pauvres. La vie est violente à cette époque, et l'enfant vit exposé à bien des risques, mais ses parents veillent à ce qu'il jouisse d'une bonne réputation dans le quartier, de l'affection des voisins, et qu'il ne soit pas ce qu'on appelait à l'époque un « mauvais drôle ». Attentifs, les parents le mettent parfois en apprentissage et vérifient qu'on ne le maltraite pas à l'atelier.

Tous ces sentiments de sollicitude s'expriment dans un environnement fort différent de celui d'aujourd'hui. La brutalité des conditions de vie ne signifie ni absence d'amour de la part des parents, ni indifférence enfantine à leur égard.

18e-19e siècle

L'amour maternel est-il une invention récente ?

Europe

Voir p.88

Le passage du XVIIIe au XIXe siècle marque, en Europe, un changement important. À cette époque charnière, le livre de Jean-Jacques Rousseau *Émile, ou De l'éducation* inspire aux parents de nouvelles attitudes.

Idées nouvelles

Pour Rousseau, la mère doit avoir le premier rôle dans l'éducation des enfants. L'allaitement est pour elle un devoir sacré, et il serait indigne d'avoir recours à une nourrice. C'est elle aussi qui, accompagnant l'enfant de sa constante tendresse, lui apprendra à marcher, à lire et à bien se comporter. Le père a, certes, un rôle à jouer, mais, s'agissant du soin quotidien des enfants, il garde ses distances. Le monde des enfants devient le domaine quasi exclusif de la mère.

Et avant ?

Cela signifie-t-il que les mères des siècles précédents n'aimaient pas leurs enfants ? On peut en douter car, dans des sociétés très différentes, on observe les soins attentifs et affectueux dont les femmes, et souvent aussi les hommes, entourent les enfants.

Mais ce n'est pas toujours la mère qui élève l'enfant. En Europe, depuis le Moyen Âge, il est souvent confié à une nourrice, puis séparé de ses parents dès sept ou huit ans. Sur d'autres continents aussi, de nombreux membres de la famille partagent la responsabilité de l'éducation de l'enfant, qui apprend à grandir en s'appuyant sur des liens multiples.

Un lien exclusif

La nouveauté, au XVIIIe et au XIXe siècle, ne réside pas dans l'amour porté aux enfants mais dans le fait que tout repose désormais sur la mère : on se met à considérer qu'il y a pour l'enfant une relation essentielle, vitale, l'amour maternel. La mère semble devenue l'unique source d'attention, de protection et d'émotion à laquelle l'enfant peut puiser. Cela veut dire aussi qu'une femme n'aurait qu'une seule tâche vraiment importante à accomplir dans la vie : être mère. Le XIXe siècle a voulu enfermer les femmes dans le rôle de mères.

Voir p.112

Voici l'un des rares portraits d'une mère avec son enfant vus par le regard d'une femme et non celui d'un homme.

Autoportrait de Mme Vigée-Lebrun avec sa fille, 1789, huile sur toile, 130 cm x 94 cm.

Musée du Louvre, Paris.

Domenico Ghirlandaio,
*Portrait d'un vieillard
et d'un jeune garçon*, vers
1490, tempera sur panneau
de bois, 62 cm x 46 cm.
Musée du Louvre, Paris.

Un petit-fils très aimé

Dans l'île grecque de Karpathos, les grands-pères ressentent généralement une affection passionnée pour l'un de leurs petits-fils : l'aîné. En effet, l'usage veut que celui-ci reçoive le prénom de son grand-père paternel dont il devient comme un double. Il prolongera ainsi son existence dans la chaîne des générations. Pour le grand-père, ce petit-fils est la continuation de lui-même, raison pour laquelle il éprouve à son égard des sentiments aussi forts. Ce faisant, il délaisse un peu ses autres petits-enfants, qui ne portent pas son prénom et n'ont pas la même importance à ses yeux.

Dans de nombreuses sociétés, enfants, parents et grands-parents vivent sous le même toit. Les grands-parents participent alors quotidiennement à l'éducation de leurs petits-enfants. Ils exercent sur eux une partie de l'autorité, qui, ailleurs, est détenue seulement par le père et la mère. Souvent, les enfants doivent aux grands-parents un respect plus marqué qu'aux parents.

Complicité affectueuse

Dans certaines sociétés, la relation des enfants avec leurs grands-parents est plus libre, plus affectueuse, qu'avec leurs parents. Il en va ainsi chez les Ngaatjatjarra, un des peuples aborigènes du désert de l'Ouest de l'Australie. Là, la relation entre parents et enfants est très hiérarchique, dure et froide. En revanche, petits-enfants et grands-parents entretiennent des rapports chargés d'émotion : ils se font des cadeaux, sont pleins d'attention les uns pour les autres et se témoignent sans retenue une grande affection. Du reste, grands-parents et petits-enfants s'appellent mutuellement « frère » ou « sœur » ! Malgré la grande différence d'âge, ils se traitent d'égal à égal.

À table avec grand-père

On observe une relation similaire en Afrique, chez les Mossi du Burkina. Chez eux, le grand-père ne peut manger à la même table que ses fils, car ceux-ci éprouvent trop de respect à l'égard de leur père pour s'approcher de lui pendant le repas, considéré comme un moment très important. Au contraire, ses petits-enfants sont invités à manger avec lui. Ils peuvent même jouer et chahuter autour de lui, sans que personne ne se fâche.

Décidément, les enfants ont beaucoup plus de liberté avec les grands-parents qu'avec les parents.

Peintres réputés, inventeurs du boomerang et du *didgeridoo*, un instrument à vent en eucalyptus, les Aborigènes sont les premiers occupants de l'Australie. Ces chasseurs-cueilleurs nomades parcouraient le pays à la recherche de kangourous, d'émeus, de lézards et de larves d'insectes. Ils fondaient leur relation au monde sur un « Temps du Rêve », qui a précédé celui des Hommes. Les mythes associés au « Temps du Rêve » définissaient les règles de la vie en société. En raison de la colonisation britannique, les Aborigènes ont subi 200 ans de violences et de persécutions. À l'heure actuelle, ils ne possèdent plus que 10 % de leurs terres et la majorité d'entre eux vit dans la misère.

LES ABORIGÈNES D'AUSTRALIE

Avec les grands-parents, une relation plus libre

Amours et jalousies entre frères et sœurs

20e siècle

Mali

Amérique du Nord

Amadou Hampâté Bâ, né au Mali en 1900, raconte la venue au monde de son petit frère, lorsqu'il avait cinq ans.

> **La toute première histoire de jalousie**
> On parle volontiers de « fraternité », en évoquant par ce mot une relation de partage, de solidarité, d'amour. Mais, si l'on en croit la Bible, l'histoire des frères a bien mal commencé : dès qu'Adam et Ève eurent des fils, l'un, Caïn, tua l'autre, Abel. Par jalousie.

VOIR FICHE P. 383

Bienvenu !

« *"Amkoullel, viens ! Tu as un petit frère !" Je courus vers ma mère. Elle ne souffrait plus. Son visage était souriant. Son gros ventre avait mystérieusement disparu.*

Le bébé, apparemment furieux, crispait son petit visage et n'arrêtait pas de pleurer. Koudi [une cousine] le calmait d'une voix douce, l'appelant du joli nom traditionnel que l'on donne à tous les nouveau-nés avant qu'ils n'aient reçu leur nom véritable : "Ô bienheureux Woussou-Woussou ! Sois le bienvenu parmi nous ! Apporte-nous longévité, santé et fortune. Ne pleure pas, ne pleure pas Woussou-Woussou ! Tu es chez toi, au milieu des tiens, rien que des tiens !" »

Le petit dernier

« *Elle se tourna vers moi :*
– Amkoullel, voici ton petit frère que ta mère a fait pour toi. Il est à toi.
– Pourquoi pleure-t-il ? Il n'est pas content ? Il a peur ?

Avant d'obtenir une réponse, je m'aperçus que mon petit frère était encore relié à son placenta.

– Koudi ! m'écriais-je, pourquoi mon petit frère a-t-il un sac avec lui ? Que va-t-il mettre dedans ?...

C'est ce jour-là, à partir de la naissance de mon petit frère, que je pris clairement conscience de mon existence et du monde qui m'entourait.

J'étais très heureux d'avoir enfin un petit frère. Jusque-là c'était moi qui étais le "petit frère" de mon aîné Hammadoun, lequel, en vertu de la tradition, avait tous les droits sur moi, et j'étais fort contrarié de ne pas en avoir un pour moi-même. Je cessai donc de me sentir frustré. »

Voici maintenant le récit d'une Indienne Hopi, née également au début du XXe siècle.

Petit chose toute ridée

« *Ma plus jeune sœur est née quand j'avais quatre ou cinq ans. Je voyais les parents de ma mère et de mon père qui en faisaient tout un plat. Je trouvais qu'elle n'avait rien d'extraordinaire. Je ne comprenais pas qu'on se donne tant de mal pour une petite chose ridée comme ce bébé. Je pense que je n'aimais pas les bébés autant que la plupart des filles...*

Mais j'ai dû m'en occuper bientôt quand même. Elle est devenue grasse et c'était dur de la porter sur mon dos, car j'étais très petite moi-même. D'abord il fallait la garder et balancer le berceau quand elle pleurait. Elle est devenue trop grande et elle bougeait tant que ma mère m'a dit : "Elle est ta sœur. Emporte-la sur la place dans ton châle". »

Amadou Hampâté Bâ (1900-1991) : écrivain malien.

Vengeance

« *Elle me donnait mal dans le dos. Une fois, je l'ai laissée et suis partie jouer un peu avec les autres. Je comptais revenir tout de suite, mais je suis restée plus longtemps que je ne pensais. Quelqu'un l'a trouvée. J'ai été punie. Le frère de ma mère m'a dit : "Tu ne mérites pas d'avoir une sœur pour t'aider quand tu seras grande. Que peut faire une femme sans ses sœurs ? Tu n'es pas une de nous, si tu laisses ta sœur mourir seule. S'il lui était arrivé malheur, tu n'aurais plus eu de clan, plus du tout de parents. Personne ne t'aurait jamais aidée ni eu soin de toi. Maintenant on va te donner une autre chance. Tu vas manger seule, jusqu'à ce que tu sois de nouveau digne d'être parmi nous." Quand le moment de manger est venu, ils ont mis un plat à côté de moi, en disant : "Voici ta nourriture, mange." Il ont agi ainsi pendant très longtemps. J'aurais préféré être battue ou qu'on me souille. J'avais si honte tout le temps. Le temps a semblé long avant qu'ils me regardent de nouveau.* »

Installés dans l'ouest des États-Unis, sur les plateaux désertiques, ou « mesas », de l'Arizona, les Hopi vivent de l'agriculture, malgré l'aridité de leurs terres. Ils habitent dans des villages où les maisons présentent des toits en terrasse qui servent de porte d'entrée : on descend dans les pièces par une échelle. Ce sont des artisans habiles qui pratiquent le travail de l'argent. Ce peuple pacifique et très religieux est réputé pour ses danses sacrées. Lors de la danse du serpent, symbole de l'éclair et de la pluie, les hommes tiennent entre leurs dents des serpents à sonnette vivants... Les Hopi sont aujourd'hui environ 10 000 à vivre sur la terre de leurs ancêtres, transformée en réserve par le gouvernement américain à la fin du XIXe siècle.

LES INDIENS HOPI

« *C'est ce jour-là, à partir de la naissance de mon petit frère, que je pris clairement conscience de mon existence et du monde qui m'entourait.* »

Amadou Hampâté Bâ

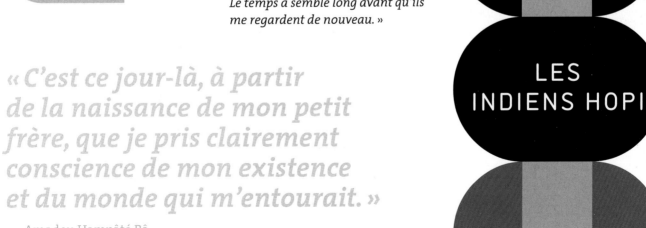

Colères et fâcheries d'un petit roi

VOIR FICHE P. 395

17e siècle

France

Le roi Henri IV s'occupe beaucoup de son fils Louis, né en 1601. Il faut dire qu'il est l'héritier du trône de France et qu'Henri a longtemps espéré ce fils...

Jean Auguste Dominique Ingres, *Henri IV jouant avec ses enfants* (détail), 1817, huile sur toile, 39 cm x 49 cm. Musée du Petit Palais, Paris.

Une attention toute royale

Il a même assisté à sa naissance, chose rare à l'époque. Presque quotidiennement, il joue avec Louis et surveille, plus que Marie de Médicis, sa mère, la manière dont la nourrice, la gouvernante et le médecin prennent soin de lui. Tous deux rient ensemble quand le roi couvre son fils de caresses.

Louis admire son père au-delà de tout : « *On lui demande de quel métier il veut être : "Du métier de Papa."* » Mais l'enfant est jugé capricieux et obstiné, « opiniâtre », dit son médecin, Jean Héroard, qui note dans son *Journal* les moindres faits et gestes du prince. Le roi exige donc de la gouvernante, Mme de Montglat : « *Je veux et vous commande de le fouetter toutes les fois qu'il fera l'opiniâtre ou quelque chose de mal, sachant bien par moi-même qu'il n'y a rien au monde qui lui fasse plus de profit que cela.* » Dès l'âge de deux ans, Louis est fouetté fréquemment.

Une grosse colère

Voici ce qu'écrit Jean Héroard, le 23 octobre 1604 (Louis a trois ans) : « *il entre en mauvaise humeur... le Roi lui dit : "ôtez votre chapeau" ; il se trouve embarrassé pour l'ôter ; le Roi le lui ôte. Il s'en fâche. Puis le Roi lui ôte son tambour et ses baguettes, ce fut encore pire : "Mon chapeau, mon tambour, mes baguettes !" Le Roi, pour lui faire dépit, se met le chapeau sur la tête : "Je veux mon chapeau." Le Roi l'en frappe sur la tête ; le voilà en colère et le Roi contre lui. Le Roi le prend par les poignets et le soulève en l'air comme étendant ses petits bras en croix : "Hé ! Vous me faites mal ! Hé, mon tambour ! Hé, mon chapeau !" La Reine lui rend son chapeau, puis ses baguettes. Ce fut une petite tragédie.*

Il est emporté par Mme de Montglat. Il crève de colère. Porté à la chambre de madame la nourrice, il crie encore longtemps sans se pouvoir apaiser. Fouetté par Mme de Montglat, il crie : "Fouettez-moi là-haut !" Il égratigne au visage, frappe des pieds et des mains Mme de Montglat. Un peu plus tard, après avoir goûté et bu, il se calme et dit en soupirant à sa nourrice, qu'il appelle Mama Doundoun : "Tuer Mamanga [Mme de Montglat], elle est méchante ; je tuerai tout le monde, je tuerai Dieu." »

Journal d'un malheureux garçon

18e siècle

VOIR FICHE P. 117

France

« *Dans ses fougues, la nuit, mon père me mettait à la porte. J'étais obligé de coucher dans les bateaux ou sur une pierre que j'avais adoptée passé le pont Royal, du côté des Tuileries.* »

Jacques Ménétra

« *Je suis né le 13 juillet 1738 à Paris*, écrit Jacques Ménétra, *dans son* Journal de ma vie. *Mon père était de la classe de ceux qu'on nomme artisans. Il professait l'état de vitrier. Il devint veuf quand j'avais deux ans. L'on m'avait mis en nourrice. Ma grand-mère qui m'a toujours beaucoup aimé, sachant que la nourrice était* gâtée, *me vint chercher.* »

Colère de mon père

« *Jusqu'à l'âge de onze ans, je demeurai chez ma bonne grand-mère. Mon père voulut me ravoir. Il commença à me faire travailler. Je tombai malade d'ennui de ne plus voir ma bonne grand-mère. Lorsque je fus un peu rétabli, je recommençai comme à mon ordinaire, c'est-à-dire que mon père se courrouçait toujours contre moi. Un soir que je l'éclairais dans un escalier où il portait une croisée et ne la montant point à sa volonté, d'un coup de pied, dans sa colère, il m'emporta toute la mâchoire. Ma mère [il s'agit de sa belle-mère] m'emmena chez un dentiste qui me remit une partie des dents qui n'étaient point cassées et je fus plus de trois semaines à ne prendre que du bouillon et du consommé.* »

Dormir sur une pierre

« *Je cherchais malgré mes polissonneries à me rendre utile à mon père. Je me mettais à travailler avec courage mais tout cela m'était compté pour rien. Dans ses fougues, la nuit, mon père me mettait à la porte. J'étais obligé de coucher dans les bateaux ou sur une pierre que j'avais adoptée passé le pont Royal, du côté des Tuileries.* »

Seule solution, partir

« *Un dimanche soir, il arrive plein de vin et en colère, se jette sur ma sœur et se met à la maltraiter. Moi, je veux la secourir mais il m'en est arrivé pire. Tout en courroux, il se jette sur moi. Je fus obligé de casser un morceau de carreau. Mon père de crier que je voulais le poignarder. J'avais la main pleine de sang et comme il criait avec force et colère j'eus l'imprudence de tirer mon couteau pour le cacher, et il a eu l'impudeur de dire à tout un chacun que j'avais voulu l'assassiner ; et ma chère sœur, pour lui complaire, elle qui savait la vérité, a laissé en douter.* »

À dix-huit ans, Jacques Ménétra quitte son père et part sur les routes de France.

Jacques-Louis Ménétra (1738-1812) : compagnon-verrier.

Gâtée veut dire ici que la nourrice n'avait que du mauvais lait, ou en quantité insuffisante.

FILLES-GARÇONS, L'APPRENTISSAGE DES DIFFÉRENCES

Naît-on garçon ou fille ? Ou le devient-on en grandissant ? Filles et garçons sont-ils élevés, habillés, aimés de la même manière ?

Presque toujours, l'éducation des enfants souligne combien garçons et filles sont différents, comme s'il fallait les rendre plus distincts encore qu'ils ne le sont déjà. Presque partout, l'éducation s'efforce de « masculiniser » les garçons et de « féminiser » les filles pour les préparer à tenir leur rôle d'adulte, comme hommes ou comme femmes.

Presque toutes les sociétés – sauf sans doute les premiers groupes de chasseurs-cueilleurs – ont attribué des tâches différentes aux hommes et aux femmes. Presque toutes ont affirmé que les hommes étaient supérieurs aux femmes et que celles-ci devaient leur obéir. Entre les deux sexes, le déséquilibre est parfois extrêmement brutal, parfois un peu moins. La manière d'élever garçons et filles peut donc varier, selon les habitudes à inculquer et l'intensité de la domination masculine.

Puis, le XXe siècle marque une extraordinaire révolution dans l'histoire de l'humanité. La lutte des femmes, la lutte des filles, a fait admettre l'égalité entre les deux sexes. Aucun ne peut prétendre dominer l'autre. Cela est loin d'être acquis dans les faits, mais le principe est là et gagne peu à peu du terrain.

On est égaux en droit et en dignité (personne n'est supérieur) ; mais on n'est pas pour autant « pareils » (identiques). Comment vivre les différences qui « restent » ? Quels sont désormais les rôles des garçons et des filles ? Est-on obligé d'être garçon-garçon ou fille-fille ? Est-on libre d'être garçon-un-peu-fille (sans être traité de fille) ou fille-un-peu-garçon (sans être qualifiée de garçon manqué) ?

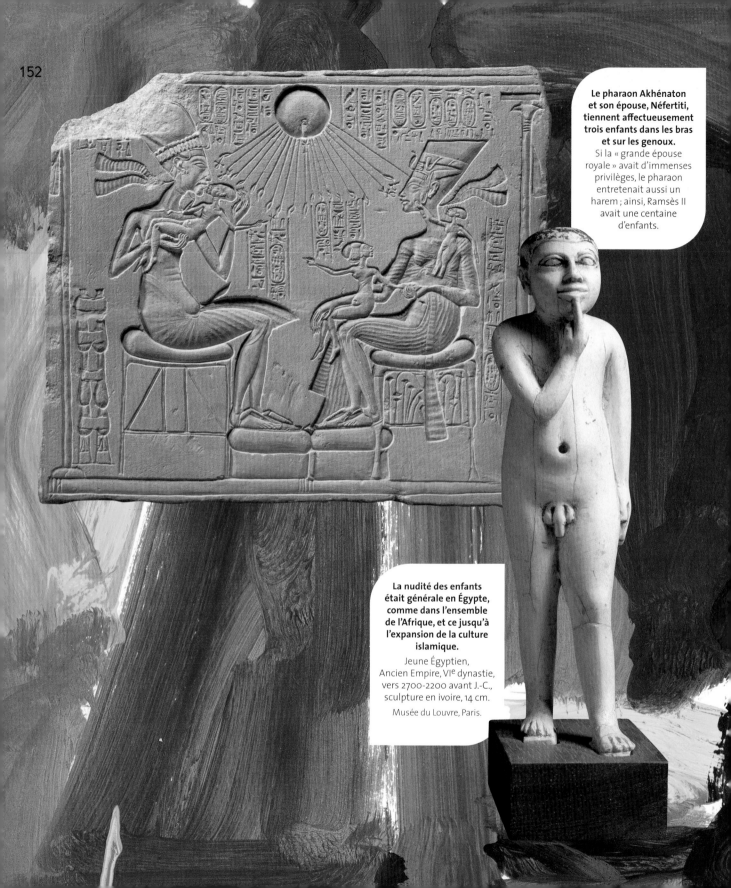

Le pharaon Akhénaton et son épouse, Néfertiti, tiennent affectueusement trois enfants dans les bras et sur les genoux.
Si la « grande épouse royale » avait d'immenses privilèges, le pharaon entretenait aussi un harem ; ainsi, Ramsès II avait une centaine d'enfants.

La nudité des enfants était générale en Égypte, comme dans l'ensemble de l'Afrique, et ce jusqu'à l'expansion de la culture islamique.
Jeune Égyptien, Ancien Empire, VIe dynastie, vers 2700-2200 avant J.-C., sculpture en ivoire, 14 cm.
Musée du Louvre, Paris.

Étonnante égalité des sexes au temps des pharaons

Antiquité

Égypte

Dans l'Égypte des pharaons, garçons et filles vivent nus, jusqu'à l'âge de la puberté. La chaleur du climat le permet et personne ne s'en offusque. Autant qu'on puisse le savoir, les parents, fiers de leurs nombreux enfants, traitent filles et garçons avec une égale affection.

Le même apprentissage

Peut-être y a-t-il un léger avantage pour le garçon, car il sera chargé, plus tard, de rendre honneur à son père défunt. Mais les filles reçoivent, autant que les garçons, une solide éducation. Elles sont nombreuses dans les « maisons d'instruction » où les enfants, dès cinq ou six ans, apprennent à compter, et surtout à lire et écrire les hiéroglyphes. Ces apprentissages sont nécessaires pour bien des fonctions que les femmes assument, soit au service du souverain ou d'un temple, soit pour la bonne marche de leur maison.

À l'égal des hommes

Car les femmes ont, en Égypte, une position que l'on observe rarement dans l'histoire. Par exemple, elles possèdent leurs propres biens, qu'elles administrent elles-mêmes, vendant ou achetant librement, y compris lorsqu'elles sont mariées (ailleurs, c'est presque toujours le mari qui gère les biens que l'épouse reçoit de sa famille). Un hymne à la déesse Isis confirme cette étonnante égalité des sexes : « *Tu as fait du pouvoir des femmes l'égal de celui des hommes !* »

Amour idéal

Autre particularité : frères et sœurs se vouent souvent une grande affection, d'autant que, une fois adultes, ils ne devront pas nécessairement se séparer. En effet, les Égyptiens ont admis le mariage entre frères et sœurs. À la haute époque, épouser sa sœur, à l'instar des divinités Isis et Osiris, était le privilège des pharaons. Mais plus tard, dans l'Égypte hellénistique (332-30 avant J.-C.), presque un mariage sur cinq unissait un frère et sa sœur (ou un demi-frère et sa demi-sœur). Non seulement cette forme d'union était autorisée, mais l'amour entre frère et sœur, enraciné dans la vie partagée de l'enfance, représentait même l'amour idéal.

La civilisation égyptienne est née sur les rives du Nil et s'est épanouie vers 2600 avant notre ère ; elle a duré près de 3 000 ans. Véritables dieux vivants, les pharaons étaient les maîtres absolus du pays. L'administration était confiée à des scribes qui maîtrisaient l'écriture des hiéroglyphes. Les anciens Égyptiens rendaient un culte à toutes sortes de dieux ; leurs temples étaient ornés de statues gigantesques et d'obélisques. Ils croyaient à une vie après la mort et momifiaient les corps des défunts pour les préserver. Mobilisant des armées d'ouvriers, les pharaons se sont fait construire d'immenses tombeaux, les pyramides de Gizeh, avant de se faire enterrer dans la vallée des Rois, comme Toutankhamon. À partir de l'invasion d'Alexandre le Grand, l'Égypte est gouvernée par des pharaons grecs, les Ptolémées.

L'ÉGYPTE DES PHARAONS

Chez les Inuit, étranges mélanges du masculin et du féminin

20ᵉ siècle

Arctique

Les Inuit pensent que chaque nouveau-né est l'esprit d'un parent, récemment décédé, qui revient à la vie. Mais que se passe-t-il si un ancêtre masculin se réincarne dans un bébé de sexe féminin ? Ou l'inverse ?

L'esprit d'un garçon dans un corps de fille

Voir p. 42

Iqallijuq, une femme inuit, a raconté qu'elle s'était formée dans le ventre de sa mère quand l'esprit de son grand-père y était entré. Après sa naissance, on lui donna le nom de ce grand-père, Savviurtalik, et on commença à l'éduquer comme un garçon : « *Je portai des vêtements masculins et j'accompagnai très souvent mon beau-père à la chasse. Je pensai même être un garçon plutôt qu'une fille.* » Iqallijuq raconte qu'en fait, dans le ventre de sa mère, elle était un garçon, puis que son sexe s'est transformé lors de sa naissance.

Les Inuit sont très conséquents avec leurs conceptions : puisque l'enfant *est* vraiment l'ancêtre qui revient, il faut l'élever conformément au sexe de ce dernier. C'est une situation fréquente, qui concerne aussi des garçons. Certains d'entre eux, considérés comme la réincarnation d'une parente, sont élevés, habillés et coiffés comme des filles, avec des tresses.

Puis, à la puberté, tout change soudain. « *Quand je devins adolescente*, explique Iqallijuq, *et que je fus réglée pour la première fois, ma mère commença à me confectionner un manteau de jeune fille, ainsi que des pantalons féminins* [avec des décorations féminines]. *Elle se mit à pleurer ; elle pensait que j'étais son père et refusait de faire un vêtement féminin pour son père. C'est ainsi que je réalisai que j'étais une femme.* » Furieuse, Iqallijuq commença par mettre en pièces ces nouveaux vêtements. Autant dire que de tels passages, d'un sexe à l'autre, ne se font pas sans difficultés, sans une grave crise d'identité parfois.

Maman coud, papa chasse

Chez les Inuit, l'éducation des garçons et celle des filles sont nettement différenciées. Les garçons apprennent à devenir des chasseurs ; les filles se préparent à leur rôle de mère, s'occupant du foyer, de la cuisine et de la couture. Mais, comme les croyances obligent certains Inuit à changer de rôle, ils expérimentent, à des âges différents, la vie d'un garçon puis d'une femme, ou celle d'une fille puis d'un homme. Une fois passé d'un côté à l'autre de la frontière des sexes, les apprentissages de l'enfance laissent une trace : devenue mère de famille, Iqallijuq est restée, sa vie durant, un bon compagnon de chasse.

VOIR FICHE P. 441

Garçons et filles en Chine ancienne

12e-19e siècle

Chine

VOIR FICHE P.78

Dans leur petite enfance, garçons et filles sont élevés sensiblement de la même manière. C'est au moment où tombent les dents de lait que les différences vont se marquer : les apprentissages commencent.

Pieds bandés pour les filles

Avec leur mère, les filles apprennent à filer, à coudre et à broder. À partir du XIIe siècle – et cette pratique se répand jusqu'à la fin du XIXe siècle –, elles auront les pieds bandés. Cette opération consiste à serrer étroitement les pieds dans des bandelettes de tissu pour empêcher leur croissance et réduire leur taille ; c'est très douloureux et cela rend la marche difficile. Pourquoi agissait-on de la sorte ? Selon les Chinois, les petits pieds donnaient aux femmes une apparence fragile et délicate, les rendaient plus séduisantes aux yeux de leur futur époux.

Un grand tournant

L'âge de six ou sept ans marque un grand changement dans la vie des enfants : les fillettes ne jouent plus avec leurs frères, pour des raisons de convenances, mais aussi parce qu'elles portent désormais de minuscules chaussons brodés qui font leur fierté et celle de leur mère mais les empêchent de courir et de sauter. Les garçons aussi jouent moins : ils sont de plus en plus absorbés par les activités scolaires et par la maîtrise de plusieurs milliers de caractères d'écriture ;

ils sont soumis à une stricte discipline. Leurs sœurs peuvent aussi apprendre à lire et à écrire, mais on est moins exigeant avec elles, car elles devront bientôt quitter la famille pour se marier.

Tu as fait ma conquête

La naissance d'un fils provoquait la fierté de la famille ; mais les pères manifestaient souvent une grande tendresse pour leurs filles. Profondément touché par la mort de sa fillette de trois ans, Shen Cheng, un lettré pauvre du XVe siècle, lui adresse une longue lettre d'adieu : *« Quand tu es née, je n'étais pas content. Un homme de plus de trente ans veut un fils et non une fille. Mais tu as fait ma conquête avant d'avoir atteint l'âge d'un an. Même alors, tu me répondais par des petits rires quand je te faisais des grimaces. »* Et il poursuit : *« Les usages du monde veulent que l'on ne pleure pas à la mort d'une fille, mais un homme comme moi devrait être heureux d'avoir une fille aussi intelligente que toi. Pourquoi les dieux m'ont-ils traité aussi cruellement ! »*

Mariage arrangé

La sortie de l'enfance, vers quinze ou seize ans, donne lieu à un rituel consistant à coiffer garçons et filles de manière particulière. Les garçons porteront désormais un bonnet sur leurs cheveux longs noués en chignon ; les filles glisseront dans leurs cheveux relevés une épingle en or, en argent ou en jade, ornée d'un phénix ou d'une hirondelle. Ce changement dans leur apparence marque leur aptitude à se marier. Le mariage a cependant été décidé bien avant par les parents, parfois même peu après leur naissance, sans qu'ils aient été consultés.

Comment «fabrique-t-on» des garçons et des filles ?

Encore une drôle de question ! Allons donc, garçons ou filles, on naît comme ça. Eh bien, justement non, cela ne suffit pas. Chaque société s'emploie à « fabriquer » des garçons et des filles en leur inculquant, à chaque instant, les façons d'être attendues de chaque sexe.

Voir p.54

Poupées ou tambours

Cela commence dès la naissance. Ce jour-là, par exemple, le père yami place un objet sur le toit de sa maison : une canne à pêche pour un garçon, un métier à tisser pour une fille. Dans le Japon traditionnel, lors du premier anniversaire d'un enfant, on place trois objets devant lui afin qu'il en choisisse un : ce peut être un pinceau, un livre et un boulier pour un garçon ; une bobine de fil, une pièce de tissu et un mètre pour une fille.

Même en jouant, les enfants apprennent, sans s'en rendre compte, combien filles et garçons sont différents : les premières prennent soin de leurs poupées, tandis que les seconds font du bruit avec tambours et trompettes...

Les attitudes qui conviennent

Peu à peu, l'enfant commence aussi à accomplir les tâches de l'adulte qu'il deviendra. Dès trois ou quatre ans, les fillettes africaines vont chercher l'eau et le bois pour la maison ; les garçons aident à garder les troupeaux. Le garçon aztèque pêche, pendant que la fille tisse.

Certaines attitudes, dit-on, conviennent à un sexe et non à l'autre : on encourage les filles à se montrer réservées et discrètes, les garçons à être valeureux et fiers. Gare au garçon qui pleure ou à la fille trop active...

Vêtement, coiffure et parure affichent aussi, en permanence, cette différence. Certes, pas tout de suite. En Europe, au XIXᵉ siècle encore, elle se marque seulement à partir de trois ou quatre ans : auparavant, robe et cheveux longs sont le lot des filles comme des garçons...

Vers l'égalité des sexes ? Des collégiens de Ris-Orangis débattent

Aujourd'hui

France

Les luttes que les femmes ont menées, surtout depuis le XXᵉ siècle, pour faire reconnaître aussi bien leurs droits que leur dignité, commencent à porter leurs fruits.

Alors que, dans le passé, il était très courant de penser qu'elles étaient inférieures aux hommes, on convient aujourd'hui volontiers qu'il est injuste de sous-estimer les filles et de les priver des mêmes opportunités que les garçons. Cette reconnaissance de l'égalité entre les deux sexes constitue un changement historique considérable. Mais, dans les faits, les injustices et les violences subies par les femmes, partout dans le monde, sont bien loin d'avoir disparu. Et qu'en est-il en France ? Garçons et filles ont-il le sentiment d'être traités d'égal à égal ?

Écoutons ce qu'en pensent les élèves du collège Albert Camus, à Ris-Orangis, dans la région parisienne, et ce qu'ils nous racontent de leur vie quotidienne.

Autrefois, c'était comment ?

« *Parfois, ma mère me demande si je préférerais vivre maintenant ou avant. C'était pas aussi facile qu'aujourd'hui.* »
Chelsy, 11 ans

« *Avant, les filles ne pouvaient pas faire les choses qu'elles font maintenant.* »
Médélys, 11 ans

« *Les garçons pouvaient faire tout ce qu'ils voulaient, mais les filles, elles, ne pouvaient pas.* »
Salima, 11 ans

Peut-on parler d'égalité aujourd'hui ?

« *Depuis longtemps, les hommes croient qu'ils sont supérieurs aux femmes. Ça s'est amélioré, mais pas complètement.* »
Kevin, 14 ans

« *Mon père m'a dit que dans mon pays, au Sénégal, s'il parle et dit quelque chose d'injuste, ma mère n'a pas le droit de répondre.* »
Fienda, 15 ans

« *Ce n'est pas comme ça partout. Chez moi, au Cap-Vert, si mes grands-parents se disputent, ma grand-mère va parler, parler, jusqu'à avoir le dernier mot, carrément.* »
Cindy, 15 ans

Pas facile de s'entendre

« *J'ai un grand frère, il a dix-huit ans. Parfois, je lui demande de jouer avec lui à la console, mais il ne veut pas. Il pense que, si je suis une fille, je suis nulle en tout.* »
Médélys

« *Les garçons nous disent toujours qu'on est bonnes à rien. Quand on essaie de jouer au foot, ils disent qu'on ne sait pas jouer, qu'on risque de les faire perdre ou de les déconcentrer.* »
Samila

C'est sûr, on n'est pas pareils

« *Les garçons, ils s'habillent un peu comme ils veulent. Nous, les filles, si on s'habille mal, tout le monde va nous dire : "Oui, tu aurais pu faire attention."* »
Flora, 13 ans

« *Une fille qui est toute seule la nuit, elle court plus de risques qu'un garçon.* »
Kevin

« *Je pense que les filles sont plus diplomates, elles essaient de régler par la parole, alors que les garçons, ils frappent.* »
Blanka, 14 ans

« *Il y a un garçon qui m'a fait : "Ah, j'ai plus que toi ; toi, t'es nulle. Moi, je suis le plus fort, je gère." Une fille, elle aurait été contente, mais elle ne se serait pas exprimée comme ça. Elles sont moins crâneuses que les garçons.* »
Médélys

Les garçons toujours privilégiés

« *Il y en a partout des injustices, dans la vie de tous les jours, à la maison, pour le ménage aussi.* »
Audrenne, 13 ans

« *Quand j'étais petite, ma mère ne me faisait pas confiance. Elle faisait confiance à mon frère. Pourtant, il faisait plus de bêtises que moi, et moi, je ne comprenais pas. Ça n'a pas changé.* »
Fienda

« On a dit que ce sont souvent les hommes qui ont le dernier mot, mais ça peut être les deux. Il faut que ce soit le père et la mère qui décident. »

Axel, 14 ans

« Moi je pense qu'il faut éduquer les parents pour qu'ils transmettent à leur enfant que ça peut changer. Je pense que ça va changer avec le temps. »

Jennifer, 13 ans

« Mon frère, il ne sait pas passer la serpillière. Un jour, je lui ai expliqué qu'il faut le faire avec envie. Après, il me fait : "J'ai pas envie, alors je ne le fais pas. J'suis le Prince de Bel-Air." »
Chelsy

« Quand mes frères laissent leurs affaires, c'est toujours moi qui dois ramasser. Je leur dis de ramasser, mais ils ne veulent pas. Quand je vais chez mon père, c'est moi qui fais tout. Pour lui, c'est normal. Même mon petit frère me donne des ordres. »
Delhia, 15 ans

Les préjugés ont la vie dure...

« Aujourd'hui, c'est quand même les garçons qui prennent le dessus dans le couple. Il y a toujours le côté, tu es la femme, tu dois t'occuper des enfants, tu dois faire à manger. Le garçon, en général, il se la coule douce. Enfin, ça dépend des couples. »
Laurie, 13 ans

« Parfois, on dit que mécanique ou électricité, c'est des métiers de garçon. La cosmétique et le reste, c'est des métiers de fille. »
Fienda

« Moi, quand j'ai été voir le conseiller d'orientation, il m'a parlé directement des métiers de fille. Il n'a pas dit mécanique. »
Zoulikha, 15 ans

Et si on essayait de changer ?

« Moi, je ne comprends pas pourquoi on dit toujours que c'est l'homme le chef de famille. Pourquoi ce n'est pas la mère ? »
Océane, 13 ans

« Que les hommes aident à faire les tâches ménagères, que ce ne soit pas toujours à nous de tout faire. »
Mallaury, 15 ans

« On a vu une pub où l'homme nettoie à fond sa voiture et, à la fin, le slogan dit : "Si vous le faites pour votre voiture, pourquoi pas chez vous ?" On peut faire des pubs comme ça. »
Cindy

Hommes, femmes : qui fait quoi ?

Pourquoi autant de différences dans l'éducation des garçons et des filles ? Pour les préparer aux rôles distincts et hiérarchisés des hommes et des femmes, une fois adultes. Certes, dans les toutes premières sociétés humaines, vivant de la chasse et de la cueillette, hommes et femmes participaient ensemble et également aux tâches du groupe, comme cela se passe aussi chez les Aka. Mais, ensuite, la séparation des rôles l'a emporté : les hommes faisaient la guerre et les femmes s'occupaient des enfants et des plantes du jardin ; ou bien les hommes cultivaient la terre et les femmes se chargeaient des animaux et de la maison. Aux hommes, les activités tournées vers l'extérieur et la guerre ; aux femmes, l'intérieur, le foyer. Et, bien sûr, les hommes ont toujours expliqué que leurs tâches avaient plus d'importance et qu'ils étaient supérieurs aux femmes.

Voir p.138

Vers l'égalité des sexes ?
Des collégiens
de Ris-Orangis débattent

Deux adolescents dans la cour du lycée Montaigne, avril 2009. Mulhouse.
Photographie de Myr Muratet.

EN ROUTE VERS L'ÂGE ADULTE

À quel âge cesse-t-on d'être un enfant ? À quel âge devient-on adulte ? Pas facile de répondre. Sans doute quand on se sent soi-même adulte et quand les autres ne vous regardent plus comme un enfant. Mais chacun le vit à sa manière et le passage se fait peu à peu, par étapes.

La majorité constitue un cap important. En Europe, elle est fixée à dix-huit ans, mais, il y a peu, il fallait attendre vingt et un ans. La loi reconnaît alors à chacun la capacité de prendre ses propres décisions, sans dépendre de ses parents. Toute personne majeure peut se marier (dès seize ans, en fait, avec l'autorisation parentale), voter et aussi être condamnée par un tribunal, en cas de délit.

Et pourtant, on ne passe pas d'un coup, le jour de ses dix-huit ans, de l'enfance à l'âge adulte. Une étape intermédiaire, qui n'avait guère été reconnue par les civilisations du passé, apparaît aujourd'hui très importante : l'adolescence. Vers douze ou treize ans, on n'est plus tout à fait un enfant, sans être encore un adulte. On devient un adolescent et on le reste jusqu'au moment où l'on se sent vraiment un jeune homme ou une jeune femme. L'adolescence est une « invention » récente. Dans les sociétés du passé, l'enfance prenait fin plus tôt et plus brutalement. Un âge fixe et reconnu par tous (quatorze ans le plus souvent) marquait le passage direct de l'enfance à l'âge adulte. Un rite, aussi important que celui qui avait été célébré au début de la vie, sanctionnait souvent ce passage, équivalant du reste à une seconde naissance : l'enfant que l'on avait été disparaissait, pour laisser place à un adulte, pleinement intégré à la vie collective.

À Rome, la cérémonie des *Liberalia*

Dans l'ancienne Rome, le 17 mars, on célèbre la fête des *Liberalia*. Elle concerne tous les garçons qui atteignent dans l'année l'âge de seize ans.

Pourpre, signe de l'enfance

Le matin, chez lui, chaque garçon abandonne le vêtement des enfants, la toge ornée d'une bande pourpre (toge dite « prétexte »). Pour la première fois, il revêt la toge virile des adultes, dépourvue de bande pourpre. Il ôte aussi de son cou, pour toujours, la « bulle », petit bijou rond contenant des amulettes, qui le protégeait depuis sa naissance.

Puis, toute la famille se rend en cortège au Forum et au Capitole, au centre de Rome, où les garçons font une offrande à la déesse Juventas, protectrice des jeunes gens, et à Jupiter. La cérémonie est simple. Mais le changement de vêtement, rendu public ce jour-là, suffit à faire reconnaître, aux yeux de tous, ceux qui passent de l'enfance à l'âge adulte.

Fini la poupée, vive la mariée !

Quant aux filles, que la fête des *Liberalia* ne concerne pas, elles n'abandonneront leur vêtement d'enfant, la robe bordée de pourpre, que la veille de leur mariage. Elles offriront alors leurs poupées à la déesse Junon. Comme dans beaucoup d'autres sociétés du passé, c'est en se mariant qu'une jeune fille quitte l'enfance. Pour elle, devenir adulte signifie surtout devenir épouse et concevoir des enfants. En revanche, on célèbre le passage à l'état adulte des garçons lors d'une cérémonie spécifique, antérieure au mariage, destinée à montrer qu'ils sont devenus aptes à faire la guerre ou à remplir les diverses fonctions que le groupe attend d'eux.

Quand finissait l'enfance?

Dans l'Antiquité romaine, les garçons devenaient majeurs à quatorze ans et pouvaient alors se marier (les filles dès douze ans) ; mais il leur fallait attendre dix-sept ans avant d'être convoqués à l'armée. Au Moyen Âge, l'enfance prenait fin également à quatorze ans, âge auquel les garçons étaient autorisés à se marier ou à prononcer des vœux pour devenir moine. Dans beaucoup d'autres sociétés, en Afrique et en Asie, garçons et filles cessaient d'être traités comme des enfants à douze ans (parfois entre douze et quatorze). Dès que la puberté transformait le corps, l'enfance prenait fin et les adultes considéraient le jeune pubère comme l'un des leurs. De même qu'un âge précis séparait deux étapes de l'enfance – avant et après sept ans, considéré comme « l'âge de raison » –, un autre âge, fixe et reconnu par tous – quatorze ans le plus souvent –, marquait le passage de l'enfance à l'âge adulte.

VOIR FICHE P. 51

Adoubement d'un chevalier qui reçoit ses éperons et son épée des mains du roi, XIVᵉ siècle, manuscrit enluminé. British Library, Londres.

taille et fixe ses éperons. Recevoir ses armes d'un personnage important est de bon augure pour l'avenir.

Prêt à combattre

Le seigneur procède souvent à la « colée » : du plat de son épée, il frappe violemment l'épaule du jeune homme. Celui-ci doit recevoir le coup sans sourciller. Avec cela, il ne risque pas d'oublier ce jour, le plus important de sa vie.

Une fois armé chevalier, il montre son adresse en renversant, à cheval, des mannequins de sa lance, comme s'il participait à un tournoi. Puis le festin et les réjouissances commencent.

Ce jour-là, le jeune noble devient un homme : il est désormais un guerrier parmi les guerriers, capable de combattre comme ses aînés, qu'il admirait et cherchait à imiter au cours des années précédentes. La vie de prouesses et de périls d'un chevalier s'ouvre enfin à lui.

Au Moyen Âge, lorsque le jeune noble a parfait son éducation dans l'art de combattre, généralement entre seize et vingt ans, il est temps qu'il devienne chevalier. Il doit pour cela être adoubé, c'est-à-dire recevoir ses armes des mains d'un seigneur valeureux.

Moyen Âge

D'un coup d'épée, je te fais chevalier

Europe

Préparatifs de fête

C'est généralement le seigneur auprès duquel il s'est formé qui organise la cérémonie d'adoubement, le jour de la Pentecôte. Plusieurs jeunes gens vont être faits chevaliers ensemble, en présence d'une foule d'invités prestigieux.

La veille, les jeunes gens se dénudent et prennent un bain purificateur, qui évoque presque un autre baptême. Ils revêtent ensuite une tunique de lin et passent la nuit dans l'église, en prière. Les épées qui leur seront remises sont placées sur l'autel et bénites.

Le jour de la cérémonie, tout le monde se rassemble. Le seigneur est comme un second parrain. Il remet au jeune homme sa cotte de mailles et son heaume, lui ceint l'épée à la

VOIR FICHE P. 38

Circoncision des garçons, excision des filles

Jusqu'à nos jours

Afrique noire

Voir p.58

La Genèse prescrit, afin de rappeler l'alliance d'Abraham avec Dieu, de circoncire les garçons huit jours après leur naissance. C'est ce que font les juifs, tandis que les musulmans attendent qu'ils soient plus grands.

Circoncision d'un jeune garçon par un prêtre, vers 2347-2216 avant J.-C., relief, Ancien Empire, VIe dynastie. Tombe d'Anchmahor à Saqqarah, Égypte.

La circoncision était déjà pratiquée dans l'Égypte des premiers pharaons, avant que les religions juives et musulmanes ne l'adoptent. Elle s'est aussi diffusée en Afrique, avant qu'une partie du continent ne se convertisse à l'islam.

Cérémonie d'initiation

En Afrique noire, on circoncit les garçons lorsqu'ils atteignent la puberté. Ainsi, chez les Dogon du Mali, une grande cérémonie d'initiation a lieu tous les deux ans et rassemble les garçons ayant entre douze et quatorze ans. Juste après la circoncision, ils se retirent pendant trente-cinq jours à l'écart du village et restent sans contact avec leurs parents, vivant sous la surveillance des jeunes qui avaient été initiés deux ans plus tôt et qui leur enseignent à se conduire comme des hommes. Pendant cette période, les nouveaux circoncis doivent une obéissance absolue à leurs jeunes aînés. Une fois l'épreuve terminée, ceux qui étaient entrés enfants dans l'abri des circoncis en ressortent comme des hommes. Pour les Wolof du Sénégal, ils sont prêts à se marier.

Dans de nombreuses cultures africaines, deux rituels se répondent : la circoncision des garçons et l'excision des filles.

Passages encore obligés

Parfois réalisée sur des fillettes de quatre à six ans, comme chez les Dogon, ou peu après la naissance, l'excision se pratique plus souvent au moment de la puberté. Chez les Gusii du Kenya, l'initiation des garçons et des filles qui ont atteint douze ans a lieu en même temps, entre octobre et décembre, et se termine lors des premières semailles. C'est au début de cette période que les garçons sont circoncis et les filles excisées.

Dans ces cultures, on considère que l'on ne peut pas être vraiment un homme si l'on n'a pas été circoncis : « *Tu vas être un homme, à toi*

Voir p.320

de prouver que tu en es digne », dit le « circonciseur », lorsqu'il prend son couteau. De même, on n'est pas vraiment une femme tant que l'on n'a pas été excisée. Le passage de l'enfance à l'âge adulte paraît si considérable qu'il doit être inscrit dans le corps, pour toute la vie ; la douleur et le choc d'une telle épreuve restent aussi gravés à jamais dans la mémoire. C'est comme si la société, pour permettre à chacun d'utiliser son corps d'adulte, devait y laisser son empreinte, une mutilation.

Laissons ici la parole à une jeune fille africaine

« Je m'appelle Assan, j'ai dix-sept ans et je suis née en Côte d'Ivoire. Quand j'avais quatorze ans, je suis retournée avec mes parents dans leur village d'origine, au Mali.

Je n'avais pas été excisée, car en Côte d'Ivoire cette pratique est presque inexistante. Au village, mes copines d'âge se moquaient de moi et me traitaient de gamine. C'était une véritable injure. J'étais traumatisée, je passais des nuits blanches à pleurer en pensant aux moqueries de mes copines.

N'en pouvant plus, j'ai décidé de me faire exciser. Je suis partie à l'insu de mes parents chez l'exciseuse. J'avais quinze ans et demi. Tôt le matin, j'étais chez l'exciseuse qui avait fait venir cinq femmes d'âge mûr. Elle me fit coucher sur le dos et les cinq femmes m'immobilisèrent à terre. Trois d'entre elles s'occupaient de la partie supérieure de mon corps et les deux autres de mes jambes... écartées. La vieille s'approcha avec une lame tranchante à la main, je fermai les yeux et puis... je me rappelle que j'ai senti une douleur atroce entre les jambes

et j'ai poussé un long cri une seule fois.

Dans ma tête, je me disais que ça y était, que j'étais une femme, ce qui me fit oublier la douleur, momentanément. J'ai traité la plaie seule avec des herbes traditionnelles et de la suie que je plaçai sur la partie mutilée, pour la cicatrisation. Dès lors, mes copines ont cessé de se moquer de moi, car ma sœur cadette leur avait dit ce que j'avais fait.

Plus tard, j'ai compris les risques de l'excision. Je pouvais en mourir et lorsque je pense aux conditions dans lesquelles j'ai été immobilisée, j'ai des frissons. Je jure de ne jamais faire subir cela à ma fille. »

La circoncision consiste en l'ablation du prépuce, la petite peau qui recouvre l'extrémité du pénis.

L'excision consiste en l'ablation d'une partie des organes génitaux externes (principalement le clitoris). C'est une mutilation grave qui porte atteinte à l'épanouissement de la sexualité féminine.

Les rites de passage de l'enfance en Europe

Moyen Âge–19e siècle

En Europe, du Moyen Âge au XIXe siècle, les deux cérémonies chrétiennes de l'enfance, le baptême et la première communion, servaient de jalons pour définir deux périodes : la première allait de la naissance à l'adolescence, c'était l'enfance proprement dite ; la seconde allait de l'adolescence au mariage, on appelait cela la « jeunesse ». Outre ces cérémonies religieuses, d'autres pratiques rituelles, parfois échelonnées au fil des ans, accompagnaient le passage d'une période à l'autre. La plupart étaient organisées, en dehors des adultes, par la société enfantine elle-même, avec sa solidarité et ses règles propres.

Savoir siffler

Dans la communauté des garçons, l'accession au temps de la jeunesse se faisait grâce à des coutumes, entre jeu et rituel, dont la plus importante était le dénichage des oiseaux. « Grimper les nids » comporte des dangers qu'il est nécessaire d'affronter pour affirmer sa masculinité. Il s'agit aussi d'un langage : les garçons doivent savoir siffler, alors que le sifflement est choquant chez les filles – cette pratique les exclurait de leur nature féminine. Les garçons ne se contentaient pas de prélever les œufs dans les nids, ils emportaient des oisillons qu'ils tentaient ensuite d'élever en cage afin de leur apprendre à siffler. Véritable pratique initiatique, elle exposait les garçons à la peur et aux dangers, tout en les faisant accéder à une signification symbolique universelle, puisque l'oiseau, c'est le sexe masculin : « bribri », « zizi », « guilleri » désignent aussi bien un oiseau (le bruant) que le membre viril. Ces pratiques « font » le garçon.

Broderie et point de croix

Aux filles, astreintes comme les garçons à garder les troupeaux l'été, on interdisait de courir les bois et les champs. Elles étaient immobilisées par le travail de couture ou de tricot, qu'elles devaient exécuter en permanence. À l'école, elles apprenaient les rudiments de la couture, tandis que leur connaissance de la lecture et de l'écriture se traduisait dans leur « chef-d'œuvre », la *marquette*, morceau de toile sur lequel elles brodaient les lettres de l'alphabet au point de croix. Ces marquettes étaient gardées toute la vie et transmises de mère en fille.

Qualités traditionnelles

« Faire un garçon », consistait à lui permettre implicitement de vagabonder dans le territoire villageois, courir des risques, siffler et babiller le langage des oiseaux, prélude au langage de la cour qu'il lui faudrait bientôt faire aux filles. « Faire une fille », c'était lui apprendre à rester tranquille, les mains et l'esprit toujours occupés par un ouvrage. À l'un l'apprentissage de l'activité, de l'initiative ; à l'autre celui de la stabilité et de la patience, qualités traditionnellement attribuées à l'un et à l'autre sexe.

Jeune garçon maya,
Uaxactun, Guatemala.

Photographie
de Sandra Rocha.

Le plus beau jour avant le mariage

Europe

19ᵉ siècle

Au XIXᵉ siècle en Europe, garçons et filles font leur première communion vers douze ans. La cérémonie est précédée de trois jours de retraite consacrés à la prière et à la confession des péchés. Les jeunes doivent mener avec soin cette préparation spirituelle afin de pouvoir communier pour la première fois, c'est-à-dire recevoir l'hostie durant la messe.

Première communion

Pour les filles surtout, c'est une fête grandiose. Entièrement vêtues de blanc et coiffées de longs voiles, elles ressemblent à de petites mariées. Elles reçoivent aussi de nombreux cadeaux, dignes de jeunes femmes : des livres de messe, mais aussi des bijoux ou de petits objets précieux. Ce doit être le « jour le plus beau de leur vie », que seul le mariage pourra surpasser.

Pour les garçons, la fête est plus sobre, mais elle donne lieu à un changement important. Dans les familles ouvrières, elle marque le commencement de la vie de jeune homme. Dans les milieux aisés, c'est le jour où l'on décide, en famille, l'avenir de l'enfant.

Cadeaux mal vus

À partir de la fin du XIXᵉ siècle (puis par un décret de 1910), l'Église catholique a exigé que la première communion ait lieu à un âge plus précoce, autour de sept ans, l'âge dit « de raison ». Dès que l'enfant était en mesure de connaître les aspects essentiels de la religion, il ne devait plus rester à l'écart de la participation à la messe. De plus, le clergé voyait d'un mauvais œil l'éclat des festivités et l'abondance des cadeaux reçus par les jeunes filles : il fallait que la première communion cesse de se confondre avec un rite de passage à l'âge adulte.

Jules Octave Triquet,
La Communion solennelle,
huile sur toile.
Musée des Beaux-Arts,
Rouen.

Quinze ans, prête à marier

Mexique

Au Mexique aujourd'hui, avoir quinze ans est, pour une fille, un événement marquant, longuement attendu. Pendant des mois, on prépare une grande fête, à laquelle toute la famille et tous les amis sont conviés. Le jour venu, la jeune fille revêt une robe somptueuse et se fait coiffer et maquiller comme jamais auparavant. La famille et tous les invités se rendent à l'église, où une messe est dite spécialement pour elle. On dirait qu'elle va se marier, mais il manque encore le mari...

Carnet de bal

Puis c'est la fête. La jeune fille ouvre le bal avec ses « chambellans », après quoi elle danse avec son père, son grand-père et ses frères. On mange et on danse toute la nuit.

La fête des quinze ans a pour but de délivrer un message : la petite Luisa, la petite Irma, que vous étiez habitués à considérer comme une enfant, n'en est plus une. Considérez désormais celle qui se présente à vos yeux sous un jour nouveau, comme une jeune fille, presque une jeune femme. Elle pourra bientôt se marier. Un peu à la manière de la première communion du XIXe siècle, pratiquée à un âge avancé, la fête des quinze ans a tout d'une « répétition générale » du mariage.

Berceau des grandes civilisations olmèque, maya et aztèque, le Mexique a été conquis au début du XVIe siècle par les Espagnols, qui ont détruit les sociétés amérindiennes, imposé leur religion, leur langue, leur culture. Le pays a été soumis pendant 300 ans à l'autorité du roi d'Espagne, puis a mené une longue guerre pour accéder à l'indépendance (1810-1821). Malgré la perte de plusieurs États, notamment le Texas, puis la Californie, enlevés au Mexique par les États-Unis en 1848, c'est encore l'un des plus grands pays du continent. Il compte 110 millions d'habitants, dont plus de 22 millions vivent à Mexico, la capitale. La forte inégalité des revenus entre les riches et les pauvres, ainsi que la violence des cartels de la drogue constituent les principaux problèmes auxquels doit faire face le Mexique.

LE MEXIQUE

Mariages arrangés

La plupart des sociétés n'ont pas conçu de cérémonie destinée à préfigurer le mariage, comme la communion solennelle ou la fête des quinze ans. C'est lorsqu'elle se marie vraiment qu'une jeune fille passe de l'enfance à la vie adulte.

Pas son mot à dire

Dans le passé, cela se produisait souvent très tôt. En Europe, dans les familles royales ou nobles, les parents décidaient parfois avec qui marier leur fille alors que celle-ci n'avait que trois ou quatre ans. Ils nouaient ainsi une alliance avec la famille du futur mari, en fonction de leurs intérêts. Bien sûr, il fallait attendre que la fille atteigne l'âge de douze ans pour célébrer le mariage. Mais, de toute manière, l'accord était scellé et la principale intéressée n'avait pas son mot à dire.

Malédiction du mariage

Il en allait de même dans beaucoup d'autres civilisations. En Chine, par exemple, le mariage était décidé par les parents, et très tôt. Dans les milieux pauvres, la jeune fille quittait souvent sa famille vers dix ans, pour aller vivre chez son futur mari et ses beaux-parents, où elle jouait le rôle de servante pendant plusieurs années, jusqu'au moment de se marier, vers dix-sept ou dix-neuf ans.

Aujourd'hui, dans certaines régions d'Asie, d'Afrique et d'Amérique latine, on marie encore beaucoup de jeunes filles de treize ou quatorze ans, sans leur demander leur avis.

Roshengüll, vingt ans, octobre 2003, Tourfan, Chine. Photographie de Claudine Doury.

Regards d'adolescents sur la sortie de l'enfance

France

On dit couramment que l'adolescence est une période de crise, notamment dans la relation avec les parents. Mais que disent les jeunes adolescents, lorsqu'ils sentent leur enfance s'éloigner ? Est-ce une joie ? Est-ce inquiétant ?

Liberté gagnée

Alice, qui vit dans le Bordelais, et quelques autres, en Basse-Normandie, tous âgés de treize ans, témoignent sur cette étrange période de la vie. Alice se voit dans un entre-deux, ni enfant ni adulte ; elle exprime sa difficulté à se positionner : « *Des fois on est adulte et, en même temps, on est très petit ; et c'est assez dur, en fait.* » C'est un peu comme s'il fallait inventer « *une autre personne. Il faut être soi-même, mais comment ? C'est assez compliqué* ».

Entre deux âges, ils repensent à la manière dont ils imaginaient la vie d'adulte, quand ils étaient enfants. Xavier et Céline se souviennent qu'ils avaient une image merveilleuse du monde adulte. Être adulte, dans le souvenir de Maud, d'Emmanuelle et d'Alice, c'était « *pouvoir faire tout ce qu'on voulait* ». Même si Alice voyait aussi que ses parents avaient beaucoup de responsabilités : « *Par exemple, je voyais maman faire ses comptes, et je trouvais cela très compliqué.* » Aujourd'hui, eux-mêmes commencent à avoir des responsabilités, notamment celle de s'occuper de leurs devoirs scolaires à la maison. En même temps, ils profitent parfois d'une liberté gagnée depuis l'entrée au collège, d'une plus grande autonomie, qui découle entre autres de l'organisation de leur emploi du temps.

Changer le monde

Mais grandir, c'est aussi, pour eux, prendre conscience de certaines souffrances de la vie des adultes, le chômage, la faim dans le monde : « *On voudrait changer le monde. Parfois, on voudrait redevenir un enfant.* »
Céline

Et entre amis ? Alice raconte : « *Les ados parlent beaucoup, parce qu'ils n'ont que ça à faire ; ils ne peuvent pas jouer et ils ne peuvent pas non plus faire comme les adultes.* » Quand on devient adolescent, « *on a besoin d'avoir sa liberté, de prendre ses distances par rapport à ses parents et d'être pris au sérieux* ».
Xavier

« *On a besoin de voir des copains ; on apprend l'amour, l'amitié, et surtout la fidélité.* »
François

Et les parents, est-ce qu'ils acceptent ces changements ? « *Les enfants essaient de grandir, mais les parents les retiennent.* »
Alice

Elle raconte que la mère de Guillaume voudrait qu'il reste encore petit. « *Mais Guillaume aussi a besoin de grandir comme ses copains, comme nous, comme les ados.* » Philosophes, les adolescents ? Il semble bien. En les écoutant, on découvre leur lucidité et leur humanisme.

Passage en grande longueur

Dans la société occidentale d'aujourd'hui, il n'existe plus guère de rites de passage vers l'âge adulte. En revanche, depuis le XIXe siècle l'adolescence est conçue comme un âge intermédiaire entre le monde de l'enfance et celui des adultes. La transition de l'un à l'autre s'étire ainsi sur plusieurs années, au lieu de se jouer dans l'épreuve d'un jour ou de quelques semaines. Temps de ruptures et de bouleversements (transformations du corps, quête de soi, volonté d'indépendance et rébellion contre les formes d'autorité...), l'adolescence prend une importance croissante et paraît essentielle dans la construction personnelle de chacun. Elle a aussi tendance à se prolonger de plus en plus. Sans doute parce qu'il est sans cesse plus difficile de trouver sa place dans le monde des adultes.

« On voudrait changer le monde. Parfois, on voudrait redevenir un enfant. »

Céline

Dans les chapitres précédents, nous avons découvert que les premières années de la vie d'un enfant se déroulent très différemment selon les époques et les continents.
Que la famille dans laquelle il vit a des formes diverses, parfois très surprenantes pour nous.
Entre toutes ces variantes, peut-on tracer un chemin, esquisser une histoire ?

Dans les siècles anciens – jusqu'au XIXᵉ siècle –, et sur tous les continents, l'enfance était l'âge d'une terrible mortalité, la mort pouvant survenir dès la naissance et durant les cinq premières années. C'est sans doute pourquoi il ne suffisait pas de naître pour faire pleinement partie de la communauté des humains. Il fallait aussi un ensemble de cérémonies, qui aidaient à accepter que tant d'enfants repartent pour un autre monde avant d'avoir vraiment occupé une place dans celui-ci.

Dans ces époques anciennes, l'enfant recevait souvent son éducation dans un cercle familial assez vaste : oncles, tantes et grands-parents pouvaient s'occuper de lui tout autant que son père et sa mère. La communauté villageoise considérait un peu chaque enfant comme l'enfant de tous. Les parents confiaient volontiers le tout-petit à une nourrice. Dès sept ou huit ans, il fallait partir au loin, pour se former auprès d'un parent ou d'une connaissance bien placée. Les adultes responsables de l'éducation de l'enfant formaient un groupe large et diversifié.

Ces traits, communs à la plupart des sociétés traditionnelles, se rencontrent en Europe, du Moyen Âge jusqu'au milieu du XVIIIᵉ siècle. Durant cette longue période, et malgré quelques opinions contraires, on a considéré que les adultes devaient exercer une autorité vigoureuse sur les enfants, pour corriger leurs défauts et leurs mauvais penchants, leur apprendre à se comporter en société et à être de bons chrétiens, soumis à la volonté de Dieu.

Le christianisme développe, en effet, une vision très sombre de l'enfance : au IVᵉ siècle, saint Augustin se demande « qui n'aurait horreur de recommencer son enfance et ne préférerait pas mourir ? », et Bossuet, au XVIIᵉ siècle encore, considère

Histoires de familles

que « l'enfance est la vie d'une bête ». Mais les conceptions chrétiennes ont aussi un versant positif. On affirme que les enfants sont purs comme des anges et que les élus du paradis redeviennent comme de petits enfants. Sans oublier que Jésus, dans sa crèche ou dans les bras de sa mère, est un enfant, offert à l'amour des fidèles.

En Europe, c'est au XVIIIe siècle que l'histoire bascule. Rousseau fait l'apologie de l'allaitement maternel. L'amour maternel devient un lien très exclusif, jugé indispensable au développement de l'enfant. Sa bonne nature inspirant confiance, l'éducation ne consiste plus à contraindre l'enfance. L'abandon du maillot libère le nourrisson de ses entraves millénaires.

Au XIXe siècle, de grands progrès médicaux font reculer la mortalité infantile. La pédiatrie, médecine des enfants, fait ses premiers pas. L'attention portée à l'enfance grandit. La vie familiale se resserre sur la mère, aimante, et sur le père, figure d'autorité. Mais, à la maison comme à l'école, l'éducation reste encore très stricte, fondée sur une obéissance absolue aux adultes et n'écartant pas le recours aux châtiments corporels.

Au XIXe siècle et plus encore au XXe siècle, la valeur de l'enfance est reconnue avec beaucoup plus de force qu'auparavant. L'affirmation des droits de l'enfant gagne du terrain, tout en demeurant un combat à mener. Dans la seconde moitié du XXe siècle, la famille se fait moins autoritaire ; les enfants ne cessent de conquérir des espaces nouveaux d'activités et de libertés. Le XXe siècle semble le siècle des enfants.

La condition des enfants s'est-elle donc améliorée, au fil du temps ? Rien n'est moins sûr. Rappelons-nous que, parmi les populations de chasseurs-cueilleurs, les parents s'occupent avec une grande tendresse de leurs enfants, disposant pour cela d'un temps de loisir considérable. Les hommes et les femmes préhistoriques auraient-ils été plus disponibles pour leurs enfants que les parents actuels, toujours plus submergés par le travail et stressés par les contraintes de la vie moderne ? Rappelons-nous que, dans bien des sociétés traditionnelles, sur tous les continents, les femmes savent entourer les tout-petits de soins affectueux, les conduire sans drame vers le sommeil et apaiser leurs larmes. Ne font-elles pas aussi bien, ou mieux parfois, que les parents soumis au mode de vie moderne ? Dans notre monde, toutes les sciences de l'enfance n'épargnent pas à bon nombre de nourrissons d'être séparés de leur mère à l'hôpital, pour des raisons médicales, d'être contraints à des rythmes d'alimentation ou de sommeil qui perturbent leur équilibre, et de ressentir dès les premiers mois les angoisses de leurs parents.

Et qu'en est-il de la vie des enfants au-delà de la famille ? Observons-la maintenant, pour comprendre comment la condition enfantine a évolué au fil des siècles.

Des enfants et des mondes

Nous avons vu l'enfant grandir parmi
les proches chargés de son éducation.
Mais la famille n'est pas une bulle, isolée du monde.
Les enfants vivent aussi, à leur manière, au sein
de la société que les adultes ont construite.
Ils en partagent les drames et les espérances,
pour le meilleur et pour le pire. Dans la plupart
des pays, on pense aujourd'hui que
la principale activité d'un enfant consiste à aller
à l'école. Mais celle-ci a-t-elle toujours existé ?
Comment est-elle devenue obligatoire ? Quelle place
a-t-elle occupé dans d'autres civilisations ?
Actuellement, bien des enfants ne vont pas
à l'école, parce qu'ils doivent travailler et gagner
de l'argent. En quoi consiste au juste le travail
des enfants ? Comment ressentent-ils les effets
de l'injustice sociale, du racisme ? Comment ont-ils
traversé des épreuves aussi terribles que les guerres,
les conflits ou la violence sous ses formes diverses ?
Comment s'approprient-ils les croyances religieuses
ou les valeurs qui régissent chaque civilisation ?
Les enfants vivent et ont vécu dans des univers
très différents les uns des autres.

Avant l'essor de l'industrie au XIXe siècle, presque toute la population habitait dans les campagnes et se consacrait aux travaux agricoles, tandis que les villes étaient peu nombreuses et très petites. À l'heure actuelle, la majorité de la population mondiale réside dans des villes souvent gigantesques, même si, dans certains pays, les campagnes restent fort peuplées. Nous avons du mal à imaginer combien l'existence d'un enfant peut varier selon l'époque et le lieu où elle se déroule : sociétés urbaines modernes, où pullulent voitures, télévisions et ordinateurs, ou bien campagnes du passé, où rien de tout cela n'existait, où l'argent tenait peu de place et où les valeurs étaient tout autres. Et que dire des différences entre les pays riches et les pays pauvres de nos jours ? En voici une : dans les premiers, il y a de moins en moins d'enfants, et de plus en plus de personnes âgées. Tout le contraire des seconds. Au Niger ou en Ouganda, en Afrique noire, une personne sur deux a moins de quinze ans. En Europe occidentale, une personne sur dix seulement. Et n'oublions pas que quatre enfants sur cinq vivent dans les pays pauvres d'Afrique, d'Asie et d'Amérique latine...

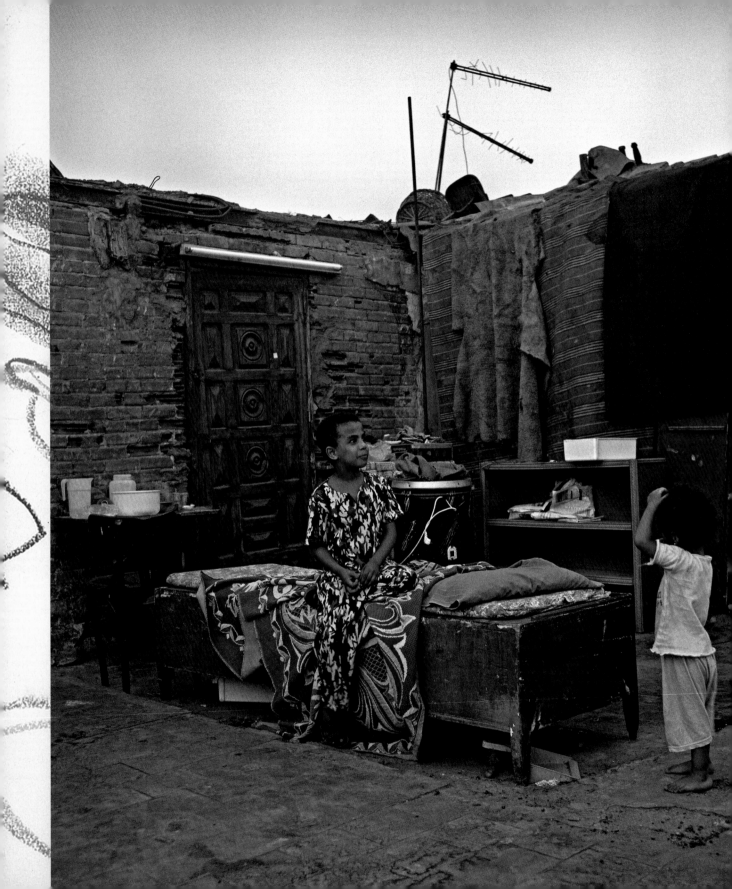

ENFANTS PAUVRES, ENFANTS RICHES

L'inégalité sociale règne dans le monde d'aujourd'hui, comme elle a régné hier. Mais en quoi ça consiste, l'inégalité sociale ? C'est le fait qu'un petit nombre de gens possèdent beaucoup de biens et de richesses, tandis que la grande majorité n'a que très peu, ou rien du tout.

À l'heure actuelle, la moitié des enfants de la planète connaissent la pauvreté, ou la misère. Cela veut dire qu'ils n'ont pas le minimum leur permettant de vivre de manière décente. Ils n'habitent pas une maison au toit solide, dotée d'un robinet d'eau pour se laver et faire la cuisine. Leurs parents ne gagnant pas assez d'argent, ils ne peuvent ni leur donner une bonne nourriture, ni leur acheter des vêtements en bon état, et moins encore leur offrir des jouets.

Qu'en pensent ceux qui vivent confortablement ? Parfois, ils donnent un peu d'argent pour aider les pauvres, ou bien ils perçoivent l'injustice mais estiment que l'on n'y peut pas grand-chose. Le plus souvent, ils préfèrent oublier cette réalité, l'ignorer. Certains jugent ces inégalités normales, et leur trouvent une raison d'être ; ils disent : « Dieu l'a voulu ainsi », ou « il faut bien qu'il y ait des pauvres et des riches ». Ou encore : « les pauvres sont paresseux », « ils sont moins capables ou moins intelligents que ceux qui sont devenus riches ».

Et ceux qui subissent la pauvreté, qu'en pensent-ils ? Pour certains, le monde est ainsi fait et on ne peut pas le changer. Mais d'autres nomment « injustice » cette situation et, cessant de se résigner, ils demandent : un monde juste est-il possible ?

Les inégalités ne datent pas d'aujourd'hui

19e-20e siècle

Une vie de château

Europe

Nicolaus Sombart évoque son enfance à Berlin, vers 1930, dans une famille tout aussi aisée que celle qui apparaît sur cette photographie :

« J'eus une jeunesse extraordinairement privilégiée : une jeunesse bourgeoise, dans le meilleur sens du terme. Mes parents n'étaient pas riches ; mais nous jouissions d'un certain confort qui paraissait aller de soi.

Ce qui me semble fantastique, c'est l'espace surabondant dont disposaient quatre personnes, mon père, ma mère et deux enfants. Il existait certaines pièces où l'on n'entrait pas de toute la journée. Pour tenir une telle maison, il fallait naturellement des domestiques : une cuisinière, la femme de chambre, un couple de concierges et une gouvernante française. Dans les grandes occasions, on faisait appel à un maître d'hôtel. Cinq employés, c'était bien peu, comparé au personnel que l'on trouvait dans d'autres maisons, mais cela me fait l'effet d'un rêve. On devient un autre homme quand on a, dès sa jeunesse, la chance de trouver naturel d'être servi ; cela apporte un détachement envers les tâches quotidiennes, une aide qu'on ne se remet jamais vraiment d'avoir perdue. »

Nicolaus Sombart
(1923-2008) :
écrivain allemand.

**Bien alignés,
bien habillés**

Cette photo, prise
vers 1870 à Paris, montre
une famille bourgeoise, le
père et la mère de chaque
côté. Les petites filles sont
toutes de blanc vêtues ;
tout le monde est bien
habillé. On devine, au fond,
la belle maison de pierre et
son grand escalier menant
au jardin.

Les inégalités ne datent pas d'aujourd'hui
Une vie de chien

Ni eau ni chauffage
Autour de Paris, à la fin du XIXe siècle, des familles très pauvres habitent des maisons construites en partie en bois et appuyées sur les anciennes fortifications de la ville. En l'absence d'eau, on se lave difficilement. La famille est mal équipée pour résister au froid et aux maladies.

Dans son roman *David Copperfield*, Charles Dickens raconte l'histoire d'un jeune garçon qui, devenu orphelin, traverse de nombreuses épreuves. À l'âge de dix ans, il travaille chez un négociant en vins, et voici ce qui lui arrive lorsque M. Micawber, l'homme chez qui il loge, est emprisonné pour dettes (comme l'a été le propre père de Dickens).

Tout fut vendu

« Je ne sais comment on en vint à vendre les meubles au profit de la famille [...]. En tout cas, tout fut vendu et emporté dans une voiture de déménagement, à l'exception du lit, de quelques chaises et de la table de cuisine. Nous campions avec ces meubles dans les deux salons de Windsor Terrace, au milieu de cette maison dépouillée, madame Micawber, les enfants, l'orpheline et moi ; et nous y vivions nuit et jour. Je ne sais combien de temps cette vie dura, mais il me semble que ce fut long. »

Une vie triste et solitaire

« [...] Durant tout ce temps, je travaillais chez Murdstone et Grinby [...], éprouvant toujours, comme au début, le même sentiment d'une dégradation imméritée. Mais je n'y fis jamais, heureusement pour moi, sans nul doute, aucune connaissance, et n'adressai la parole à aucun des nombreux enfants que je voyais tous les jours en allant au magasin, en revenant ou en errant dans les rues à l'heure des repas. Je menai toujours la même vie triste et solitaire, et ne comptai que sur moi. Les seuls changements dont j'aie conscience, c'est d'abord que mes habits étaient devenus plus râpés tous les jours [...]. »

Lente agonie de ma jeunesse

« [...] Quand mes pensées retournent à cette lente agonie de ma jeunesse, je me demande jusqu'à quel point les histoires que j'inventais alors pour ces gens-là baignent comme d'un brouillard fantastique les faits réels bien attestés par ma mémoire ! Quand je foule de nouveau ces mêmes lieux, je ne m'étonne pas de voir marcher devant moi un enfant innocent que je suis d'un regard apitoyé, un enfant romanesque qui, de ces étranges aventures et de ces choses sordides, se crée un monde imaginaire. »

Charles Dickens (1812-1870) : écrivain anglais.

Au XIXe siècle, la Grande-Bretagne est le pays le plus puissant du monde. Elle s'est engagée la première dans la révolution industrielle, assurant une production massive de charbon, d'acier et de tissus de coton. Elle doit sa prospérité à l'exploitation sans mesure des ouvriers, qui travaillent dans les mines et les usines et vivent misérablement dans des villes qui se développent à vive allure. Sa puissance est aussi le fruit de la domination des océans qu'assure sa flotte militaire, la Royal Navy, et de la conquête de nombreuses colonies (sans parler de l'Irlande, qui est annexée au Royaume-Uni). De la reine Victoria, qui occupe le trône de 1837 à 1901, on dit qu'elle règne sur « un empire où le soleil ne se couche jamais », car il va de Hong Kong à l'Inde, de l'Égypte au Canada et de l'Australie à l'Afrique du Sud.

LA GRANDE-BRETAGNE VICTORIENNE

**Octobre 1979,
Jaipur, Inde.**
Photographie
de Ric Ergenbright.

Une enfance heureuse malgré les différences de castes

20ᵉ siècle

Inde

Dans un hameau du sud de l'Inde, entouré de rizières, une grand-mère raconte son enfance.

Dur mépris

Elle est née dans une caste de parias, ouvriers agricoles pauvres et méprisés comme étant impurs par les gens de « haute caste ». Autrefois, ces derniers, craignant d'être touchés et « pollués » par les parias, exigeaient d'eux qu'ils s'écartent de leur chemin. Malgré cette existence difficile, la grand-mère se souvient de son enfance comme d'une période de liberté heureuse.

Des heures à inventer des jeux

« Mon enfance s'est écoulée comme si je vivais au royaume des dieux sur terre. On passait des heures entières à inventer des jeux, des chansons, des histoires, à ramasser tout ce qu'on pouvait pour fabriquer des jouets. Un bâton à la main, en traînant nos chars de noix de coco, on allait de maison en maison chercher des camarades qui nous rejoignaient, chacun avec ses richesses : dînettes, billes, cordes, galets, petits coquillages blancs. Et en route ! On s'arrêtait ici et là, on grimpait aux arbres, on dérobait des fruits, on grappillait des graines, des plantes, on collectionnait des cailloux, tout en chantant et piaillant. »

Jeux à heure fixe

Lorsqu'elle parle de son hameau, habité seulement par des familles parias, c'est pour évoquer les bruits, les chants, les cris des enfants. Situé un peu plus loin, le village des gens de haute caste (qui ne laissent pas les parias y habiter) manque à ses yeux de vie : chacun est chez soi, les enfants ne peuvent jouer qu'à heures fixes. Les filles, notamment, restent cloîtrées dans leur maison. *« L'amitié, la découverte de la nature, les jeux en commun... tout ça leur était interdit. C'est le sort des enfants de ceux qui sont en haut ! »*

Pour quelques roupies

Très tôt, cependant, les enfants parias doivent travailler aux champs. Ils regardent d'abord faire les adultes, puis essaient de les imiter. *« C'est seulement plus tard*, se souvient la grand-mère, *qu'on commençait à être payées, presque rien : un quart de roupie, pour cueillir les aubergines, les haricots, les lentilles vertes, les lentilles noires, arracher le manioc, cueillir des piments. On aimerait bien rester enfant toute sa vie, et l'on se dit que, s'il n'y avait pas cet estomac qu'il faut toujours remplir, on vivrait innocent et heureux. »*

VOIR FICHE P. 86

**Vitalité
à toute épreuve**

Malgré le scandale de la pauvreté, les enfants évoluant dans de telles conditions se montrent le plus souvent pleins de vitalité. Malgré la menace des maladies et l'insuffisance alimentaire, ils mettent dans leurs jeux, dans leurs éclats de rire, le même entrain que les autres. Pour peu qu'on leur en donne la possibilité, ils font preuve d'une grande créativité.

« Non,
je ne suis pas
pauvre ! »

Aujourd'hui

Mexique

VOIR FICHE P. 169

Je demande à Marcos, un enfant mexicain : « *Et toi, tu manges quoi d'habitude ?* » Marcos répond : « *Moi, je mange de la viande. – Et quand il n'y a pas de viande ? – Alors, du poulet ou des œufs, et des légumes, des fruits, plein de bonnes choses.* »

Pauvreté = honte

Marcos veut faire croire que son alimentation est excellente. Mais, en réalité, il ne mange jamais de viande, sauf peut-être lors de certaines fêtes, une ou deux fois par an. Il ne veut pas avouer que, chaque jour, son assiette ne contient que des haricots rouges ou du riz, avec des galettes de maïs, l'invariable menu de la pauvreté au Mexique. Marcos ne veut pas reconnaître qu'il est pauvre.

Et pourquoi donc ? Par honte. Sans doute a-t-il observé que les pauvres sont généralement traités avec mépris, ou bien avec pitié. Marcos ne supporte ni le mépris ni la pitié. Il ne veut pas se sentir plus bas que les autres. Marcos a sa dignité : il veut qu'on le regarde d'égal à égal.

Un enfant sur deux vit dans la pauvreté

Quelle situation étrange ! La pauvreté est ressentie comme une honte, que l'on veut cacher. Mais ce qui est honteux, ce n'est pas d'être pauvre, *c'est qu'il y ait des pauvres*, c'est qu'il y ait tant d'injustices. Comme Marcos, la moitié des enfants du monde vivent dans la pauvreté. Oui, la moitié ! Tous ne meurent pas de faim, mais leur alimentation, insuffisante et déséquilibrée, ne leur permet pas de grandir comme ils le devraient et fait qu'ils tombent plus souvent malades que les autres enfants. De plus, l'argent manque pour se faire soigner. En Afrique, en Amérique latine, en Asie, des enfants meurent de maladies parfois très banales, comme une bronchite, parce qu'on n'a pas pu leur acheter le médicament qui les aurait guéris. Mourir d'une maladie facile à soigner, voilà l'un des visages insupportables de l'injustice.

Milliards des uns, misère des autres

Aujourd'hui

Une femme a eu trois enfants avec un milliardaire canadien. Lorsqu'ils se séparent, elle lui réclame une pension de 35 000 dollars par mois, pour assurer l'éducation des enfants. Avec ça, c'est sûr, ils ne manqueront de rien, du moins matériellement.

Luxe et jet privé

Ils pourront continuer à fréquenter l'une des écoles privées les plus huppées du pays, où l'on ne côtoie que des gens de la bonne société. Et, pour les vacances, ils prendront le jet de leur père pour le rejoindre sur son île privée des Caraïbes.

Quant aux enfants de l'un des principaux milliardaires russes, enrichi dans la fabrication d'aluminium, on leur prédit à chacun un héritage de 10 milliards de dollars. Comme aux autres enfants de milliardaires, en Inde, en Chine, au Mexique, dans les pays arabes, en Europe et surtout aux États-Unis, où ils sont encore les plus nombreux.

45 euros par mois

Dans le même temps, la moitié des enfants du monde vivent dans la plus complète pauvreté. Leurs parents disposent de moins de 60 dollars – soit environ 45 euros – par mois pour subsister. Ils sont 300 millions d'enfants qui ne mangent pas à leur faim et garderont les séquelles de la malnutrition ; ils sont 400 millions à ne pas disposer de l'eau courante et presque autant, à ne pas recevoir de soins médicaux appropriés. La balance des inégalités semble vraiment folle : d'un côté, un milliard d'enfants pauvres dont les familles comptent les dollars par dizaines ; de l'autre, quelques dizaines de familles richissimes les accumulent par milliards !

Grand écart chez les développés

De tels écarts entre les abîmes de la misère et les sommets de l'abondance donnent le vertige. Et ils ne font que s'accentuer. Mais la pauvreté n'existe pas seulement en Afrique, en Asie ou en Amérique latine ; elle est aussi très présente dans les pays qui se targuent d'être « développés ». En Italie et en Grande-Bretagne, au moins un enfant sur six souffre de ses conséquences ; et un sur cinq aux États-Unis, pourtant considérés comme le pays le plus puissant du monde.

La vie en rose ?

Et puis, entre les uns et les autres, beaucoup d'enfants ne manquent de rien, sans pour autant connaître le luxe effréné des milliardaires. Ils constituent sans doute la majorité dans les pays d'Europe et d'Amérique du Nord. Leur maison ou leur appartement offre tout le confort. Jouets et jeux s'étalent dans leur chambre. Leurs assiettes sont bien garnies et leurs desserts favoris rarement oubliés. Ils multiplient les activités sportives ou artistiques. Quand viennent les vacances, ils profitent des joies de la mer ou de la montagne et découvrent souvent des pays étrangers.

La vie n'est pas toujours rose, bien sûr ; mais ne faudrait-il pas prendre conscience que ces habitudes représentent, à l'échelle de la planète, un privilège incroyable ? Un luxe inimaginable pour les enfants pauvres, dont la réalité est si différente. Au Mexique, les enfants des villages les plus déshérités demandent souvent : « *Est-il vrai qu'aux États-Unis ils habitent dans des maisons de quatre ou cinq pièces ?* » Une telle idée leur paraît à peine concevable, à eux qui ne connaissent que des maisons où l'on cuisine, où l'on mange et où l'on dort dans l'unique pièce de la maison.

Milliards des uns, misère des autres

Séance d'essayage pour une jeune Parisienne, 1985.
Photographie de Richard Kalvar.

**Jeune Indienne
sans domicile dans
les rues de Bombay,
1983, Inde.**
Photographie
de Steve McCurry.

Des enfants de Mantes-la-Jolie parlent de l'inégalité sociale

Aujourd'hui

France

Les enfants qui prennent la parole ici vivent dans les quartiers du Val-Fourré et de Gassicourt, à Mantes-la-Jolie. Ils font partie de la troupe de théâtre Tamèrantong!, dont on raconte l'aventure en page 487.

Une question d'apparence ?

« Un enfant riche, il est bien habillé et un enfant pauvre, il n'est pas bien habillé, il a des trous dans son pantalon. »
Redouane, 9 ans

« C'est pas vrai, des fois il y a des enfants riches qui s'achètent des pantalons craqués, parce que c'est à la mode. »
Younès, 8 ans

« Chez nous, il y a des problèmes pour acheter des vêtements. Il faut pas salir mes vêtements, parce que j'en ai pas d'autres. »
Romain, 9 ans

« Les riches, ils sont bien couverts, ils dorment pas dehors. Les pauvres, il y en a qui dorment dans des foyers. Moi, j'en vois des SDF au marché du Val-Fourré, il y en a plein. »
Amadou, 8 ans

« On en voit dans la rue avec des petits cartons, qui demandent de l'argent. »
Lila, 9 ans

« Les pauvres, ils mangent pas de bonnes choses, comme des légumes, des fruits ou de la viande. Ils achètent des boissons, du Coca et de la bière. »
Yasmine, 10 ans, et Arnold, 10 ans

Les jouets, c'est sacré

« Nous, on a un peu de jouets, on en a des vieux. Quand j'étais petit, mon père promettait d'acheter quelque chose et il achetait pas, et ensuite il achetait et ma mère disait il faut pas acheter. »
Younès

« Mon père, il s'inquiète pour l'argent, parce que le patron de son travail peut le renvoyer, alors il n'achète pas de jouets. C'est ma mère qui achète. »
Moussa, 7 ans

Travail dangereux

« C'est pas normal, les métiers où on est le moins payé, c'est les plus difficiles à faire, comme quand on travaille dans les usines. Et souvent c'est des métiers qu'on n'aime pas beaucoup faire. »
Marine, 12 ans

« Aussi quand on travaille dans les mines. C'est très dangereux. »
Younès

« Les riches, c'est mieux qu'ils ne travaillent pas dans les mines, parce que ça paye un tout petit peu, et eux ils sont déjà riches. »
Amadou

« Les pauvres, ils font des petits métiers, où on fait pas d'études. Ils font pas d'études, parce qu'ils doivent travailler tout de suite. »
Marine

C'est pas juste !

« C'est injuste qu'il y ait des riches et des pauvres. Les riches, ils doivent avoir honte de pas donner un peu aux pauvres. »
Olga, 10 ans

« Il faut faire des maisons pour les pauvres, et pas les faire payer. »
Olga

« C'est pas juste, parce qu'il y en a qui profitent de la vie et il y en a qui profitent pas. Il faudrait partager. »
Redouane

« Au lieu de donner une petite pièce par-ci par-là, parce que ça suffit pas, il faut organiser des manifestations. »
Lila

« Il faut qu'il n'y ait plus de pauvres. »
Sarah

« Il faut tout partager. »
Amadou

Tournoi de football interquartiers,
cité du Londeau, mars 1996,
Noisy-le-Sec.
Photographie de Meyer.

RACISMES, MIGRATIONS, MÉTISSAGES

Des peuples différents, des cultures différentes entrent constamment en contact. On aimerait que de telles rencontres soient enrichissantes, créatives. C'est par exemple le cas lorsqu'un enfant métis naît de parents venant de continents différents.

Malheureusement, ces contacts découlent le plus souvent de guerres ou de situations d'oppression. L'histoire en fournit de nombreux exemples : des millions d'Africains noirs ont été emmenés loin de leur terre et vendus comme esclaves ; les pays européens ont conquis le continent américain, puis l'Afrique et une partie de l'Asie ; l'Inde et le Pakistan devenant deux nations indépendantes, il y eut de terribles massacres entre musulmans et hindous ; aujourd'hui, les gens tentent d'échapper à la pauvreté de leurs pays et migrent en quête de travail vers l'Europe ou les États-Unis.

De telles situations font croître le racisme, qui consiste à mépriser ou à maltraiter certaines personnes, sous prétexte qu'elles ont une couleur de peau différente, qu'elles n'ont pas la même religion ou la même culture. Le racisme prend des formes multiples, mais, toujours, cela revient à manifester méfiance ou haine envers ceux qui sont différents.

Le plus souvent, la haine raciste vise des populations qui sont victimes d'une forme d'oppression ou d'exploitation : les Juifs chassés d'Europe au fil des siècles ; les Indiens d'Amérique dépossédés de leurs terres ; les Africains et les Arabes colonisés par les Européens ; les Arméniens massacrés par les Turcs...

Pris dans ces réalités, les enfants sont victimes – et parfois acteurs – des haines et des violences racistes. Pourquoi ? Comment est-ce possible ? Qu'en pensent-ils ?

Allan Ramsay,
Portrait d'un Africain,
dont on pense qu'il pourrait
s'agir d'Olaudah Equiano,
1757-1760, huile sur toile,
61,8 cm x 51,5 cm.
Royal Albert Memorial
Museum, Exeter, Devon,
Grande-Bretagne.

Parce qu'ils avaient la peau noire

À partir du XVIe siècle, plus
de 10 millions d'Africains ont été,
comme Olaudah, arrachés à leur
terre pour être vendus comme
esclaves en Amérique (et plus
de 15 millions d'autres l'ont été
dans les pays musulmans).
Les populations noires qui vivent
actuellement, nombreuses, dans
les îles des Antilles, aux États-Unis
et au Brésil, sont les descendants
des esclaves amenés d'Afrique pour
travailler dans les plantations de
canne à sucre, de tabac ou de coton.
Mais, à partir de l'époque d'Olaudah,
l'esclavage et surtout la « traite »
(c'est-à-dire le commerce des esclaves)
ont suscité des protestations de plus
en plus vives. En France, l'esclavage
fut aboli une première fois lors
de la Révolution, en 1794, puis rétabli
par Bonaparte en 1802, et enfin
supprimé définitivement en 1848.
En Grande-Bretagne, l'abolition eut
lieu en 1833, aux États-Unis en 1863,
après la guerre de Sécession, et au
Brésil en 1883. Mais ensuite, aux
États-Unis notamment, les Noirs
durent lutter longtemps pour
obtenir des droits égaux à ceux des
Blancs. Ils n'en ont pas encore fini
avec le racisme et ont très
souvent des conditions de vie
nettement moins favorables
que la population blanche.

Olaudah Equiano, embarqué comme esclave à onze ans

18e siècle

Afrique-Amérique

Olaudah Equiano naît vers 1745 en Afrique, dans le village d'Essaka (actuel Nigeria). Sa famille l'élève comme un futur grand guerrier. Mais, à onze ans, il est kidnappé, vendu comme esclave et transporté jusqu'au rivage de l'Atlantique.

Un bateau digne de l'enfer

« La première chose que virent mes yeux lorsque j'arrivai sur la côte fut la mer et un bateau à esclaves. Mon étonnement se transforma bientôt en terreur, lorsqu'on me transporta à bord. Quelques membres de l'équipage me malmenèrent aussitôt et me jetèrent en l'air pour voir si j'étais bien portant. J'étais à présent persuadé qu'on m'avait emmené dans un monde d'esprits mauvais, et qu'ils allaient me tuer. J'observai autour de moi une multitude de Noirs de tous âges enchaînés les uns aux autres, avec des expressions de découragement et de souffrance. Accablé d'horreur et d'angoisse, je tombai sur le pont et m'évanouis. Quand je repris un peu connaissance, je vis quelques Noirs près de moi qui, je crois, faisaient partie de ceux qui m'avaient amené à bord et avaient pour cela reçu leur argent. Ils me parlèrent pour tenter de me rassurer, mais en vain. Je leur demandai si nous étions destinés à être mangés par ces hommes blancs aux regards horribles, aux visages rouges et aux longs cheveux. »

Si nombreux, si entassés

« Lorsque le bateau eut reçu toute sa cargaison, on nous fit tous descendre sous le pont. Jusque-là certains d'entre nous étaient autorisés à rester sur le pont, pour respirer de l'air frais. Mais maintenant que tous les esclaves étaient confinés à l'intérieur, l'odeur devint pestilentielle. Dans ce lieu si étroit, et avec un climat si chaud, nous étouffions presque ; les esclaves étaient si nombreux et si entassés, qu'une fois allongé, chacun avait à peine la place de se retourner. L'air devint bientôt irrespirable à cause d'une variété d'odeurs répugnantes ; cela provoqua une maladie parmi les esclaves et plusieurs en moururent. Cette situation misérable était encore aggravée par le bruit irritant des chaînes, devenues maintenant insupportables, et par la puanteur des latrines, dans lesquelles les enfants tombaient souvent et s'étouffaient presque. Les cris des femmes et les gémissements des mourants faisaient de l'ensemble une scène d'horreur à peine imaginable. Heureusement pour moi, peut-être, je devins si faible qu'on jugea nécessaire de me laisser sur le pont presque tout le temps ; et parce que j'étais très jeune, on ne me mit pas aux fers. »

Cruauté des Blancs

« Un jour, les hommes de l'équipage pêchèrent une grande quantité de poissons et, après en avoir mangé autant qu'ils purent, au grand étonnement des esclaves présents sur le pont, ils rejetèrent tous les poissons restants à la mer, plutôt que de nous les donner à manger, bien que nous les priions pour en avoir un peu. Chaque épreuve que je rencontrai ne faisait que rendre mon état plus douloureux et accroître mes craintes et mon opinion sur la cruauté des Blancs. »

Après cette épouvantable traversée de l'Atlantique, le bateau arrive dans les îles des Antilles. Tous les esclaves y sont vendus et mis au travail dans les plantations de canne à sucre. Plus chanceux, Olaudah est acheté par un officier de marine anglais, qui l'emmène avec lui dans ses expéditions et lui donne une bonne instruction. Plus tard, il parviendra à acheter sa liberté, écrira le récit de sa vie, tout en luttant pour l'abolition de l'esclavage.

Le racisme enseigné aux enfants

19ᵉ-20ᵉ siècle

Europe

Afrique

La Côte-de-l'Or est devenue un pays indépendant en 1957 et s'appelle depuis lors le Ghana.

À l'époque des colonies, les enfants d'Europe apprenaient dans leurs manuels scolaires ou dans les livres qu'ils lisaient pendant leurs loisirs que la race blanche est « *la plus parfaite des races humaines* » (*Le Tour de la France par deux enfants*, 1877). Et, dans les écoles d'Afrique, maîtres et missionnaires s'employaient à convaincre les enfants noirs de leur infériorité.

Grâce aux Blancs

Les manuels scolaires, utilisés entre 1920 et 1937 au Congo, alors colonisé par la Belgique, en témoignent. L'un de ces livres met en scène un jeune Noir qui demande : « *Pourquoi ne sommes-nous pas aussi intelligents que vous autres Blancs ?* » La réponse souligne que les Blancs cherchent avec persévérance de nouvelles connaissances, « *raison pour laquelle leur intelligence ne fait que s'accroître* », alors que les Africains se livrent à une sorcellerie meurtrière : « *Voilà une raison pour laquelle l'intelligence ne s'accroît pas dans vos pays* », conclut le livre. Et d'ajouter : « *une autre raison, c'est l'indolence* »,

Des Noirs montrés dans un zoo

En Europe, il y a à peine plus d'un siècle, les parents emmenaient leurs enfants voir des Noirs comme s'il s'agissait d'animaux dans un zoo. Jules Lemaître, critique de spectacle, écrit en 1887 : « *De spectacle nouveau, il n'y en a guère cette semaine. Je ne vois que les Ashanti, au Jardin d'Acclimatation. Il est charmant, ce jardin. Les petits enfants ont la joie d'y retrouver les bêtes mystérieuses dont il est question dans les histoires de voyages. Et pour que rien ne manque à la fête, on leur montre des sauvages. Vous me demanderez qu'est-ce que ces gens-là sont venus faire au monde ? Eh bien, disons-le, les Ashanti de la Côte-de-l'Or et autres sauvages existent pour nous servir un jour.* »

cette paresse que les clichés racistes attribuent aux peuples d'Afrique.

Heureusement, le manuel laisse entrevoir un espoir... grâce aux Blancs : « *Les Noirs vivent au Congo. Jadis ils étaient des sauvages, mais actuellement leur intelligence s'est développée... car les prêtres soignent l'âme des Noirs et les médecins soignent le corps des malades. Nous rendons grâce à Dieu pour avoir envoyé des Belges dans notre pays.* »

Voici l'intelligence qui arrive... dans les écoles des Blancs : « *Les écoles sont devenues nombreuses. Les enfants qui veulent acquérir l'intelligence peuvent aller y étudier.* » Ainsi, « *les Noirs commencent à devenir des gens intelligents* ». Et tant pis pour ceux qui n'en profitent pas :

« *Au lieu d'aller en classe chez les Blancs, vous avez préféré vous amuser au village et aujourd'hui vous n'êtes que des sauvages.* »

Soyez obéissants, vous serez heureux

Dans un autre manuel encore, un officier belge s'adresse au chef d'un village : « *Chef, tu as connu le temps des guerres entre villages, de la terreur des sorciers, des épreuves du poison et des maladies. Tu as connu le temps où tes gens n'avaient d'autre nourriture que le manioc et les bananes de leurs maigres plantations, où ils se disputaient les fourmis, les sauterelles et les rats. Tu as connu le temps de la peur, de la misère et de la mort. Chef, ce temps existerait encore si le Roi des Belges, le Grand Roi Léopold II, n'avait envoyé au Congo des officiers pour dresser des soldats et faire régner la paix dans le pays [...]. Tant que toi et tes gens, vous obéirez aux ordres et suivrez les conseils des Belges que les Rois de la Belgique envoient, vous vivrez heureux.* »

Ainsi, pour justifier la domination coloniale, il faut expliquer que le chaos régnait en Afrique jusqu'à la venue des Blancs et que ceux-ci ont apporté de grands bienfaits. Surtout, il faut inculquer des idées profondément racistes, d'après lesquelles les peuples noirs sont voués à une sauvagerie presque animale et ne peuvent devenir des êtres humains intelligents qu'en acceptant l'enseignement des Blancs et en se soumettant docilement à leur pouvoir.

Au XIXe siècle, les pays européens, principalement l'Angleterre, la France, mais aussi l'Italie, l'Allemagne et la Belgique, ont envahi et conquis presque toute l'Afrique et une bonne partie de l'Asie. Ces régions sont devenues des colonies, c'est-à-dire des territoires appartenant aux différents pays européens, qui en exploitaient les richesses et en contrôlaient les populations. Pour justifier de telles conquêtes, on disait couramment que ces peuples lointains étaient inférieurs, voire sauvages, et que les Blancs devaient leur apporter le progrès et la civilisation.

LE TEMPS DES COLONIES

Racisme et apartheid en Afrique du Sud

20e siècle

J. M. Coetzee évoque ses années d'enfance dans une petite ville où la population blanche est principalement d'origine hollandaise et de religion **protestante.** Il existe aussi une minorité catholique, méprisée par les protestants.

Bien que les catholiques et les protestants soient les uns comme les autres des chrétiens, ils se sont souvent affrontés. Ici, les protestants désignent leurs rivaux du nom de « catholiques romains », parce que ceux-ci reconnaissent l'autorité du pape, qui réside à Rome. Eux-mêmes nient son pouvoir et se considèrent comme les véritables disciples du Christ ; ils se nomment simplement chrétiens.

Quelle est ta religion ?

Coetzee, lui, est d'origine anglaise et a été élevé sans religion. Il a dix ans lorsque, le premier jour d'école, la maîtresse lui demande quelle est sa religion :

« *Il jette un coup d'œil à droite, un coup d'œil à gauche. Qu'est-ce qu'il faut répondre ? En matière de religion, quel choix on a ?* [...] *Il transpire à grosses gouttes, il ne sait pas quoi répondre. "Est-ce que tu es chrétien, catholique romain ou juif ?" Elle s'impatiente. "Catholique romain", dit-il.* »

Tous les enfants chrétiens vont alors à l'assemblée religieuse ; les catholiques et les juifs restent dans la cour, sans que personne ne s'occupe d'eux.

« *Il espère que le lendemain on le retiendra encore avec les autres nouveaux à l'école et qu'on leur demandera de réviser leur choix. Alors lui, qui de toute évidence a fait une erreur, pourra se corriger et être chrétien. Mais on ne lui redonne pas sa chance.* »

Sale juif !

« *Deux fois par semaine il est procédé à la séparation des brebis et des boucs. Tandis qu'on laisse les juifs et les catholiques faire ce qui leur chante, les chrétiens vont à l'assemblée pour entonner des hymnes et se faire sermonner. Pour se venger de ce pensum, et pour venger ce que les juifs ont fait au Christ, les élèves afrikaners, des costauds boutonneux, brutaux, parfois se jettent sur un juif ou un catholique et lui bourrent les biceps de petits coups de poing, rapides, mauvais, ou lui flanquent des coups de genou dans les couilles, ou lui tordent les bras en les maintenant dans son dos jusqu'à ce qu'il demande grâce. "Asseblief !" gémit le garçon : je vous en supplie ! Ils répondent en sifflant : "Jood ! Jood ! Vuilgoed !" Juif ! Sale juif !* »

John Maxwell Coetzee (né en 1940) : romancier sud-africain.

Nelson Mandela est né en 1918. Pour avoir lutté contre l'apartheid, il a passé plus de vingt ans en prison. Il est ainsi devenu le symbole du combat pour l'égalité des Noirs. Quand l'apartheid a pris fin, il est devenu le premier président noir d'Afrique du Sud.

L'extrémité sud du continent africain a été colonisée à partir du XVIIᵉ siècle par les Hollandais, puis au début du XIXᵉ siècle par les Britanniques. Les conflits entre Anglais et colons d'origine hollandaise (appelés aussi Afrikaners) aboutissent à un violent conflit, la guerre des Boers. Les peuples autochtones, malgré une résistance acharnée des Zoulous et leur victoire à Isandlwana en 1876, sont dépossédés de leurs terres, tandis que se met en place au cours du XXᵉ siècle une politique de ségrégation raciale, nommée « apartheid ». Les mouvements de libération des Noirs puis la condamnation internationale de l'Afrique du Sud entraînent l'abolition des lois raciales en 1991. Trois ans plus tard, le leader Nelson Mandela – libéré après vingt-sept années de prison –, devient le premier président noir du pays.

Élections présidentielles de 1994 en Afrique du Sud : des partisans de Nelson Mandela se sont postés dans l'attente du passage de leur héros. Banlieue de la province du Kwazulu-Natal.
Photographie de Ian Berry.

L'AFRIQUE DU SUD

Racisme et apartheid en Afrique du Sud

Humiliation

« *Un jour, à la récréation, deux élèves afrikaners le coincent et le traînent jusqu'au bout du terrain de rugby. L'un d'eux est un gros gars, énorme. Il les supplie. "Ek is nie 'n Jood nie", dit-il, je ne suis pas juif. Il leur propose de les laisser monter sur son vélo, de leur prêter son vélo pour l'après-midi. Plus il bafouille, plus le gros sourit. C'est ça qui lui plaît, c'est clair, les supplications, l'humiliation.*

De la poche de sa chemise, le gros sort quelque chose [...] : une chenille verte qui se tortille. Le copain lui immobilise les bras dans le dos, le gros lui pince l'articulation de la mâchoire jusqu'à ce qu'il ouvre la bouche, et lui enfonce la chenille dans la gorge. Il la recrache, déjà esquintée, perdant déjà ses sucs. Le gros l'écrase et lui en barbouille les lèvres. "Jood !" dit-il en s'essuyant les mains dans l'herbe. »

Mépris autorisé

L'enfant est ici victime d'un racisme qui prend appui sur des différences de religion. Ce sont les adultes qui classent les enfants dans des groupes, certains étant moins bien traités que d'autres. Les enfants du groupe considéré comme supérieur perçoivent alors qu'ils peuvent mépriser ceux des autres groupes. Jusqu'à cette situation absurde où un enfant qui se dit (par erreur) catholique est agressé comme s'il était juif !

Ségrégation des Noirs

Mais tout cela n'est encore qu'une petite partie des problèmes qu'a connus l'Afrique du Sud. Dans l'histoire de ce pays, le racisme le plus fort est celui que la minorité de Blancs, venus d'Europe, a fait subir à la population noire, largement majoritaire. Une ségrégation très dure leur était imposée. Les Noirs n'avaient pas le droit de fréquenter les mêmes lieux que les Blancs, de monter dans les mêmes autobus qu'eux. Ils n'avaient pas le droit de vote, et seuls les Blancs choisissaient ceux qui gouvernaient le pays. Aucune loi ne protégeait les Noirs de l'exploitation et du racisme des Blancs. Cela s'appelait l'*apartheid* (un mot qui signifie ségrégation, séparation).

L'imprévisible destin d'un enfant noir

La Fondation Nelson Mandela et Umlando Wezithombe sont les auteurs d'une bande dessinée, dont le premier volume a été publié en Afrique du Sud en 2005. Le début de l'album retrace l'enfance et l'adolescence du premier président noir du pays. Rolihlahla – tel est son prénom d'origine – est né le 18 juillet 1918, à Mvezo (province du Cap-Est), un village dont son père était le chef. Celui-ci s'étant opposé au représentant du gouvernement sud-africain, il dut quitter le village avec toute sa famille. Mais c'était un personnage respecté, membre du conseil de l'un des royaumes de l'ethnie xhosa, et il devint un proche du régent, Jongintaba. Alors que très peu d'enfants allaient à l'école, il décide d'y envoyer son fils. Le premier jour, l'institutrice attribue à Rolihlahla un prénom anglais : il s'appellera désormais Nelson. Lorsqu'il a neuf ans, son père meurt ; Jongintaba devient alors son tuteur et veille à son éducation. À l'âge de seize ans, Nelson est initié selon la tradition xhosa et, ainsi que le raconte la planche ci-contre, Jongintaba propose de l'envoyer à l'école de la mission méthodiste de Clarkebury, pour qu'il y poursuive ses études.

Planche extraite
de *Nelson Mandela.*
La bande dessinée officielle,
publié en France
par Music and
Entertainment Books,
2009, p. 14.

Mamadou, fils de migrants

Aujourd'hui

Mali-France

Mamadou a huit ans. Il est né en France, peu après l'arrivée de ses parents. Ils sont bambara ; ils sont venus du Mali.

Ne pose pas de questions

À l'école, il ne participe pas et ne parle presque jamais ; il refuse de lire et dit ne rien comprendre. La maîtresse s'inquiète. Elle en parle au père de Mamadou, qui explique : « *Chez nous, un enfant qui pose des questions, c'est un enfant idiot qui ne sait pas trouver les réponses autrement.* » Et il ajoute : « *Le moment n'est pas encore venu pour lui d'apprendre ; il n'est pas encore prêt, le moment viendra !* » La maîtresse croit que le père de Mamadou ne veut pas voir les difficultés de son fils.

N'oublie pas d'où tu viens

Mais peut-être pense-t-il que c'est à lui, son père, d'initier Mamadou au savoir traditionnel, quand il aura l'âge requis, comme on le fait en Afrique. Et puis, il se dit qu'il va bientôt repartir au pays : son fils devra alors se comporter comme un Bambara, savoir parler et saluer comme un Bambara, apprendre d'une autre manière, sans poser de questions trop directes... Bref, le père de Mamadou redoute qu'en apprenant ce qu'on lui enseigne à l'école, Mamadou n'oublie d'où il vient et ne puisse plus être un vrai Bambara comme lui.

S'ouvrir à deux cultures

Pourtant, un peu plus tard, aidé par un docteur qui lui permet de parler de sa situation, le père de Mamadou évolue. Il comprend que son fils peut apprendre à l'école sans pour autant oublier sa culture bambara : « *Je sais maintenant,* dit-il, *comment un enfant peut être plus fort que son père : en s'appuyant sur son père !* » Alors, Mamadou s'est mis à étudier, à lire et à écrire sans difficulté, car son père ne ressentait plus cet apprentissage comme un éloignement, une trahison.

La honte, deux fois

Les enfants de migrants ont souvent des problèmes semblables à ceux de Mamadou, sans parvenir à les surmonter. Leurs parents ne sont pas dans de bonnes conditions matérielles pour les aider. C'est très difficile d'être migrant : « *C'est la honte deux fois,* explique un immigré algérien. *C'est la honte ici, car il y a toujours quelqu'un pour te dire : tu es de trop ici, ce n'est pas ta place. Et c'est la honte là-bas, la honte d'être parti de là-bas, d'avoir émigré.* » Parfois aussi, les enfants connaissent mieux la langue et les habitudes du pays où ils vivent que leurs parents, plus ancrés dans la culture de leur pays d'origine. Dans certaines familles, les parents ne parlent que l'arabe ou le kabyle, tandis que les enfants parlent seulement le français. Cela peut provoquer une grande incompréhension entre parents et enfants, qui se sentent comme des étrangers les uns pour les autres.

VOIR FICHE P. 100

« *Moi, mon père,
je l'aide à parler français.* »

Amadou

« *Moi, je lui apprends
les maths et le français.* »

Arnold

**École primaire
des Amandiers,
juin 2007, Paris.**
Photographie
de Jean-Marc Armani.

Le racisme vu par des enfants de Mantes-la-Jolie

Aujourd'hui

France

Voir p.487

Retrouvons les enfants de la troupe de théâtre Tamèrantong!.
Ils habitent Mantes-la-Jolie, une ville de la région parisienne.
Écoutons ce qu'ils disent du racisme.

Une histoire de peau

« Moi, un jour, j'étais à l'école,
il y a un garçon qui nous a "traités" ;
il a dit "les Arabes, c'est des racailles". »
Sarah

« À l'école, il y en a qui disent
"vous êtes que des Français",
ou "vous êtes que des Arabes",
et ils ne se parlent pas entre eux. »
Redouane, 9 ans

« À l'école, il y en a un qui est raciste.
Il me dit des gros mots. Des fois,
il traite mon nom. Il dit Youbez. »
Younès, 8 ans

« Moi, des fois, il y a quelqu'un qui
voulait me taper, et après j'étais par
terre, et quelqu'un m'a mis un coup
de pied sur le nez. Ils étaient noirs. »
Romain, 9 ans

« Les racistes, ils n'aiment pas
les gens qui sont pas de la même
peau, ou qui n'ont pas le même âge
qu'eux. »
Amadou, 8 ans

« Les Français, ils aiment pas
les Africains, parce qu'ils n'ont pas
la même couleur de peau qu'eux. »
Julie, 9 ans

« Les racistes, ils n'aiment pas
les gens différents d'eux. Ils veulent
que tout le monde soit pareil qu'eux. »
Marine, 12 ans

D'où ça vient ?

« Ils sont racistes parce qu'ils
l'entendent des grands,
ou des hommes politiques. »
Marine

« Il y a des choses qu'ils n'ont pas ;
ils ne savent pas pourquoi et alors
ils se mettent à croire que
c'est à cause des gens de couleur. »
Amèle, 8 ans

« Ce genre de choses, c'est comme
si quelqu'un a une jolie veste. Si un
autre veut la même, pour se consoler,
il dit que la veste n'est pas jolie. »
Lila, 9 ans

Une affaire de papiers

« Les racistes, ils sont malheureux. »
Tous

« En France, les immigrés sont
mal reçus, parce qu'ils n'ont pas
les papiers. Une fois qu'ils ont
les papiers, ils sont bien reçus. »
Yasmine

« Même s'ils ont des papiers,
on les reçoit mal, parce qu'ils
disent "ici c'est la France, il y a que
des Français qui doivent être ici". »
Marine

« Les Français, on les reconnaît
parce qu'ils sont blancs. »
Amadou

« Mais non, c'est parce
qu'ils sont nés ici. »
Laura

« Parce que leurs parents
sont ici depuis longtemps. »
Younès

« On les reconnaît à leur langue.
Quand on parle bien, c'est qu'on
est là depuis longtemps. »
Thibaut, 8 ans

« En fait, ceux qui sont nés ici,
ils sont tous français, mais leur
origine, c'est l'origine marocaine. »
Younès

Tous nés pareils

« On est tous nés pareils ; c'est pas
grave si on n'a pas la même couleur
de peau. »
Laura

« On a tous un nez, une bouche,
des yeux ; seule la couleur n'est
pas pareille, et la religion aussi.
On peut mettre des panneaux
contre le racisme. »
Redouane

« C'est pas parce qu'on est né dans
un pays qu'on n'a pas le droit d'aller
dans un autre, parce que la Terre,
elle appartient à tout le monde.
C'est pas parce qu'on est né à
un endroit que cet endroit nous
appartient à nous et pas aux autres. »
Lila

« Il faudrait faire la paix
entre Français et immigrés. »
Amadou

Pourquoi sont-ils venus ?

« Dans leur pays, il n'y a pas beaucoup de travail, parce que c'est un pays pauvre. Comme en Afrique, en Asie. » (Yasmine, 10 ans)
« Peut-être parce qu'il y a la guerre dans leur pays. » (Redouane)
« Mon père a dit "on va mieux vivre en France". Là-bas, ils étaient pauvres. » (Amadou)

Aujourd'hui, les pays riches estiment qu'il y a trop d'immigrés et voudraient bien les voir retourner chez eux. Ils proclament qu'il faut fermer les frontières, ou même construire des murs pour les empêcher d'entrer. Pourtant, il y a quelques décennies, avant l'époque du chômage, c'était tout le contraire : les usines et les mines manquaient de main-d'œuvre. On encourageait les Algériens, les Marocains, les Tunisiens et d'autres à venir travailler en France. Par exemple, juste après 1956 (l'année où le Maroc a cessé d'être une colonie pour devenir un pays indépendant), un ancien militaire, Félix Mora, avait recruté, à lui seul, près de 80 000 Marocains, sélectionnés pour leur jeunesse et leur santé, et les avait conduits jusqu'aux mines de charbon du Nord de la France.

1 école, 32 nationalités

À Rome, l'école maternelle Cielo Azzurro accueille des enfants provenant de 32 pays. Certains ont des parents de nationalités différentes : Guled est un peu somalien, par son père, et un peu russe, par sa mère ; un autre est à la fois polonais et égyptien ; un autre encore bulgare et argentin... Toutes les langues ont leur place dans l'école, pas seulement l'italien. Un jour, Mohammed lance une plaisanterie en arabe. Tous les autres rient : *« Comment il parle, celui-là ? »*, demande Damiano. *« Pourquoi tu dis cela ? Toi aussi, tu parles bizarrement pour lui ! »*, répond Daniele. Les jours suivants, Damiano et Mohammed sont devenus amis, et ont beaucoup joué ensemble.

ENFANTS DANS LA RUE, ENFANTS DE LA RUE

13

Des dizaines de milliers d'enfants, les plus pauvres du monde, passent leurs journées dans la rue. Ils y exercent un petit métier ou mendient, en espérant rapporter quelques sous, le soir, à leurs parents. D'autres y dorment aussi ; ils ont la rue pour seule demeure. Abandonnés, orphelins ou fugueurs, ils vivent sans famille, seuls ou avec un groupe d'enfants de leur âge. C'est le visage de la misère, de la destruction extrême parfois, même si certains s'accoutument à ce mode de vie et se mettent à l'aimer.

Dans les plus grandes villes du monde, où les inégalités sont particulièrement criantes, la rue est le révélateur de l'injustice sociale. Elle est le cadre de vie des enfants les plus pauvres, tandis que les familles riches, ou celles qui ne sont ni riches ni pauvres, n'osent plus y faire trois pas avec leurs enfants. La peur règne : dans la rue, on peut se faire voler, recevoir un mauvais coup et, dans certains pays d'Amérique latine, les enlèvements d'enfants se multiplient. La rue est perçue comme le lieu de tous les dangers, de tous les trafics. S'y croisent la misère des uns et la peur des autres, les deux faces de l'injustice sociale.

Pourtant, dans le passé, la rue était un lieu de vie normal pour un enfant. Il s'y sentait à l'aise, tout à la fois reconnu comme enfant et participant aux activités et aux préoccupations des adultes.

Vivre dans la rue au siècle des Lumières

18e siècle

Europe

Pourquoi dans la rue ? C'est rarement la place d'un petit enfant, en Europe aujourd'hui. Mais, au xviiie siècle, dans les milieux pauvres, la plupart des individus vivent et travaillent dans la rue.

Toutes portes ouvertes

Les logements ne sont que des abris aux portes ouvertes ; les boutiques et les ateliers sont ouverts sur la rue et la plupart des marchands sont ambulants. Ceux qui cherchent du travail se déplacent à pied constamment en ville, de même que ceux dont le travail est lointain. Pas étonnant, dès lors, que l'enfant déambule dans la rue. Il y joue, il rencontre les autres, s'occupe à de nombreuses commissions et à de petits travaux pour ses parents ou les maîtres d'ateliers. Parfois, il aime prendre au passage quelques heures de cours : un peu d'orthographe, un peu de lecture ou de catéchisme.

La rue est un lieu de vie et aussi un spectacle, si bien que, tout jeune, l'enfant se trouve en contact étroit avec le monde adulte et la société. Tous les principaux événements ont lieu sous ses yeux. Il connaît donc la ville comme sa poche, attend les passages des rois et des princes, assiste aux défilés, mais aussi aux scènes de rue les plus tumultueuses (bagarres, arrestations, fêtes, etc.).

Au courant de tout

Toujours présent, le voici chaque jour au courant du prix du pain et des marchandises affiché sur les maisons des commissaires, renseigné aussi sur la politique du temps, les avis de guerre ou d'épidémie, les révoltes de province. Il sait où rencontrer les messagers à cheval venus des différentes régions de France pour transmettre au roi et aux autorités ce qui survient ailleurs. Mobile et rapide, il prévient dans la journée ses parents de toutes les nouvelles entendues çà et là : une guerre future, peut-être, ou quelque incident. Porteur d'informations, il est connu de son quartier, complice des autres enfants du voisinage. S'il se montre serviable et honnête, il sera très aimé, donc protégé.

Observateur de la société

Vivre dans la rue, c'est s'exposer à bien des risques et des dangers, être témoin de la misère et des malheurs publics. L'enfant va des spectacles de rue merveilleux (montreurs d'ours, danseurs de figures) aux plus sombres et cruels. Les exécutions à mort et les supplices ont lieu dehors, au moins trois fois par mois, sur la place de Grève, et l'enfant est présent, face à cette cérémonie funèbre et terrifiante : comment ne pourrait-il y être puisque sa vie se déroule dehors ? Il est l'observateur malin et vigoureux de l'ensemble de la société. De même participe-t-il aux émeutes. On le voit, cet enfant du siècle des Lumières a une vraie fonction et, s'il a les couleurs de l'enfance, il assume aussi la tâche et le souci des plus grands.

VOIR FICHE P.117

Petits cireurs de chaussures, vers 1940. Mexique.

19ᵉ siècle

Petits métiers et chapardages pour survivre

France

VOIR FICHE P. 232

Au XIXᵉ siècle, les villes d'Europe grandissent démesurément, à cause de l'essor des industries. Les populations affluent des campagnes environnantes. La ville change, la rue aussi. Elle cesse peu à peu d'être un milieu de vie familier pour les enfants. Seuls y demeurent ceux qui vagabondent, sans attaches familiales, ou qui cherchent à y travailler.

Fouiller les ruisseaux

Norbert Truquin naît en 1833. Il mène une existence heureuse jusqu'à l'âge de six ans. Mais son père fait alors faillite et le confie à un peigneur de laine, qui l'oblige à travailler de 4 h du matin jusqu'à 10 h du soir, et le frappe durement.
Il s'enfuit et vit dans la rue, à Reims : « Je fis alors connaissance d'un gamin de mon âge, dont la mère était morte depuis trois mois. Il était à peu près aussi misérable que moi. Nous allions dans les marchés ramasser les carottes et autres légumes qui étaient tombés par terre ; c'était là notre nourriture. Lorsque le dégel survint, nous nous mîmes à fouiller les ruisseaux pour y ramasser des épingles, des vieux clous que nous revendions un sou la livre ; avec cet argent nous achetions du pain. »

Repentir d'un petit voleur

« Je liai connaissance avec une demi-douzaine de gamins de mon âge, qui se livraient à la maraude. Ils dévalisaient les devantures des épiciers, emportant tout ce qui était à portée de leurs mains, figues, raisins... et ils partageaient avec moi, m'engageant à les imiter. J'éprouvais une invincible répugnance à faire ce métier ; mais ils me donnèrent tant de leçons, m'encouragèrent avec tant de zèle que je me décidai à plonger la main dans un baril de raisins secs d'où je retirai une poignée. Mais à peine eus-je commis ce larcin, que je me pris à réfléchir sur ses conséquences, et je quittai sur-le-champ la place pour ne plus être tenté de céder à la tentation. »

Les doigts noirs de cirage

Dans les villes européennes du XIXᵉ siècle, beaucoup d'enfants qui, à la différence de Norbert, dorment sous le toit familial, passent cependant leur journée dans la rue, exerçant de petits métiers. Ils sont cireurs de chaussures, laveurs de carreaux, vendeurs d'allumettes, de fruits ou d'objets divers. À Londres, ils sont plus de quatre mille à vivre ainsi, en 1851.
Aujourd'hui, dans les rues des villes d'Afrique ou d'Amérique latine, ils sont toujours là, les doigts noirs de cirage. Ou penchés sur un pare-brise qu'ils lavent à toute allure le temps d'un feu rouge. Ou, tout petits déjà, déambulant avec l'espoir de vendre quelques chewing-gums ou autres sucreries.

Comment Amadou Bâ est devenu *faxxman* à Dakar

20ᵉ siècle

Afrique de l'Ouest

Amadou Bâ, un enfant sénégalais, a écrit son histoire en 1996, après quatre ans passés dans la rue. Il raconte comment il est devenu un enfant de la rue, un *faxxman*.

J'ai cent trente ans

« Je m'appelle Amadou. Amadou Bâ. Je suis un Peul. Je reste dans les rues de Dakar depuis 1992... Jour et nuit...[...] Je dois avoir entre treize et quatorze ans, peut-être un peu plus, mais je préfère dire dix-huit ans. Je gagne quelques années sur le destin, ça ne coûte rien : je n'ai aucun papier d'identité et puis, à part moi, tout le monde s'en fout pas mal de mon âge. Quand je vois d'autres gosses de treize ans, des vrais gosses, pas l'un d'entre nous, je peux pas croire à quel point je leur ressemble pas. C'est pas seulement les loques, la crasse, les dents qui se tirent où elles veulent, les pieds pourris, c'est les yeux. Je vois leurs yeux tout neufs et je regarde les miens, dans le reflet des vitrines. J'ai le derrière des yeux abîmé, foutu. Comment je pourrais être un enfant, avec toute cette merde que j'ai vue et qui reste collée au fond des yeux, derrière ? J'ai cent trente ans, mes amis. Voilà mon histoire. »

La souffrance, ça n'aide pas

« Je ne suis jamais allé à l'école. Ma vie a commencé à Thiaroye [dans la banlieue de Dakar]. Mon père était gardien, un gardien de chantier de construction. J'étais encore très petit quand mes parents se sont tourné le dos et je ne me souviens de presque rien... des cris, des pleurs dans la cour, pas plus. Mes petits frères et moi, on est restés avec ma tante dans la maison de mon père, où elle habitait elle aussi. Ma mère s'est remariée rapidement et son nouveau mari ne voulait pas de nous [...]. Mon père bougeait tout le temps... pour son travail. Il restait toujours loin de la maison. [Il] n'était pas méchant. Je sais que, chaque mois, il envoyait de l'argent à sa sœur, notre tante, pour payer les besoins de ses fils. La plaie, c'était elle... la tante... elle nous avait mis dans un coin et gardait le blé de son frère pour ses gosses à elle. [...] Mes frères et moi, on souffrait beaucoup et la souffrance, ça n'aide pas pour penser bien. Je détestais cette femme, je détestais être avec elle... pour mes petits frères encore plus que pour moi. Je la détestais surtout parce qu'elle faisait croire que mon père n'envoyait plus d'argent.

Moi, je savais que c'était des conneries, mais j'avais peur que les petits pensent qu'ils n'avaient pas un bon père. »

Le meilleur père de la terre

« Le matin, on regardait les aînés de ma tante partir pour l'école, sans savoir ce que ça voulait dire, "école". Pour nous, ça voulait dire surtout : "avoir des chaussures". Le jour où j'ai compris que c'était un endroit pour préparer sa vie, la mienne était foutue depuis longtemps.

Un gosse qui s'emmerde ne peut pas rester une journée entière comme ça, sans faire un ou deux trucs idiots ou interdits. Mes frères et moi, on en faisait beaucoup et chacun apportait son paquet de coups et de punitions... un gros paquet, pour chaque bêtise. On se couchait tous les soirs avec le corps qui faisait mal et en colère d'avoir été insultés. On partageait la même natte... la nuit, dans le noir, je parlais de leur père aux plus petits, qui ne le connaissaient pas bien. J'inventais des histoires [...] pour qu'ils croient que leur père était le meilleur père de la terre, et cette idée chassait les pensées tristes. »

Faxxman :
vient du mot *faxx* qui, en wolof (une des langues parlées au Sénégal), signifie « arracher une branche ». Ce terme désigne un enfant qui a fui sa famille.

Le Grand Sommeil I,
1999-2000.
Dakar, Sénégal.
Photographie
de Sada Tangara.

Comment Amadou Bâ est devenu *faxxman* à Dakar

Babacar Sy devant l'une des œuvres qu'il a réalisées à l'âge de 13 ou 14 ans, après une année d'errance.
1998-1999, peinture pour carrosserie d'automobile sur papier kraft, 118 cm x 65 cm. Dakar, Sénégal.

Ville de tous les possibles

« Et puis, un jour, je suis parti. Je ne me souviens plus pourquoi, s'il y a avait eu une menace, une correction de trop, mais je les ai laissés, tous, et j'ai pensé à moi. Sûrement que je pouvais plus être là, à me dire que j'y serais toujours. Sans respect, sans affection et surtout sans chaussures... sans habits, toujours pauvre. Je les ai tous abandonnés, c'est tout. Je suis parti à Dakar, pour la première fois. La ville, la vraie ville, je l'avais vue seulement à la télévision, [...] et j'en avais rêvé longtemps. Quand je suis arrivé, c'était mieux que les rêves... c'était plus dingue, plus fort. Et j'étais libre. Plus personne pour donner des ordres, je pouvais décider comme je voulais. Je voulais être riche, avoir une vraie vie... je regardais autour de moi et je pensais : "Tant de blé, c'est trop ! Il y en a pour moi ! Je vais prendre ma part et j'irai rapidement chercher mes petits frères." J'ai rencontré d'autres gosses, un peu plus vieux et qui traînaient dans la rue comme moi, mais depuis très longtemps. Ils m'ont dit que j'étais un faxxman. J'étais fier d'être déjà quelque chose, d'avoir une place, d'avoir un "nom de ville" – faxxman. Ils m'ont montré le "système-rue". On mendiait, on volait, on se débrouillait bien... c'était facile. Pour dormir, on se serrait les uns contre les autres, sur les trottoirs, près de la cathédrale. »

Le ballon plutôt que l'atelier

Retrouvé par son père, Amadou est envoyé dans une ferme, en Casamance, pour travailler. Il s'enfuit vers Dakar, où il est repris par la police et ramené chez lui. Sa tante le place alors comme apprenti chez un menuisier.

« J'apprenais rien du tout, je servais seulement. De toute façon, j'avais que dix ans et pas d'envie pour devenir menuisier à Thiaroye. Je n'étais pas sérieux et les coups que j'ai reçus là-bas étaient souvent mérités. Un jour, le patron m'a dit de garder son commerce parce qu'il sortait. Je suis resté longtemps sous le soleil, à attendre son retour. [...] Des amis sont passés par là, ils jouaient au ballon... j'ai laissé la boutique et je les ai suivis. Je voulais jouer moi aussi... j'avais envie. Le lendemain dans l'atelier, le menuisier m'a battu comme jamais personne m'avait battu. Il frappait avec tout ce qui lui tombait sous la main : des pieds de chaise, des pieds de table, des outils... je rampais entre les établis et, lui, il cognait. Il cognait sans arrêter et je voyais mon sang dans les copeaux. Je suppliais, je pleurais, mais il cognait. La sciure collait sur mon visage, elle est entrée dans mes yeux et j'ai plus vu venir les coups [...]... j'ai eu mal tellement, j'ai foncé sur lui en hurlant, comme si j'allais le mordre. Il a reculé un peu et j'ai profité de ça pour me barrer en courant. [...] Je suis plus jamais retourné à la menuiserie... ni dans ma famille. »

Mon copain, mon associé

« J'ai filé directement sur Rufisque où je suis resté deux jours, à traîner, sans manger. J'étais dégoûté de la vie. Et puis j'ai rencontré Ahmed, un jeune mendiant. On a un peu parlé et je l'ai regardé faire le mendier. J'ai pris un pot de tomates et je m'y suis mis moi aussi. Pour le mendier, les blessures, ça aide beaucoup... les gens donnaient facilement et, le soir, on a bien mangé. On est devenus des copains avec Ahmed, et même des associés, avec un seul budget pour deux. [...] La nuit, on dormait n'importe où, là où le sommeil nous venait. C'était pas une bonne idée, mais on manquait de savoir. Une nuit, on a été réveillés à coups de bâtons par une bande de grands qui n'aimaient pas les mendiants. On aurait pu mourir, cette fois, mais des adultes ont gueulé et les gars se sont tirés. Un vieux nous a emmenés à X, dans un refuge pour les enfants des rues [...]. J'y suis resté trois mois. J'aimais bien être là. Mais il y avait un problème... [...] les faxxman devaient apprendre à cultiver un terrain pour se nourrir.

Pour moi, planter, récolter, c'était comme retourner en Casamance et je pouvais pas le supporter. »

Dieu va-t-il faire quelque chose ?

« Un jour, E., un éducateur m'a donné 5 000 F pour aller payer sa dette dans une boutique. Un très gros billet. Le type m'aimait bien, il avait confiance. Je me suis tiré à Dakar avec le blé... transport, chemise, pompes, pantalons neufs et j'ai foutu la monnaie dans un flipper. Mais C., le directeur du refuge, m'a retrouvé et il m'a ramené à X. En arrivant, on m'a battu... [...] Je pensais : "C'est trop. Je ne peux pas vivre tout ça. Dieu va faire quelque chose, il peut pas laisser un gosse vivre tant de trucs sans rien faire. Il va faire quelque chose maintenant, il va se passer quelque chose." Mais Dieu foutait rien et il ne se passait rien [...] Mais le mal, il était surtout dans le crâne et je m'en souviens bien, parce qu'il est revenu souvent. Je voudrais bien expliquer, mais j'y arrive pas, je sais pas dire quel mal. Dès que je raconte, il revient, comme ça, comme si j'appuyais sur un bouton... je sens que ça monte dans mon ventre, jusque dans mon crâne. Alors, je peux pas... [...] »

Si le monde pouvait changer...

« Qui va lire ça ? Tu crois que quelqu'un va lire ça ? Non, personne lira ça, le monde s'en fout de notre vie à la con... ça changera rien. Tu crois que, si le monde pouvait changer, il se serait laissé aller jusque-là ? »

Poème au jour à l'envers
(extrait)

Je ne dors pas la nuit.
Je m'endors au matin.
Je me sens mieux la nuit
c'est comme ça. [...]
Le jour je suis un enfant des rues
la nuit je suis un enfant dans la nuit. [...]
le jour on nous engueule,
on nous insulte,
ou ce qui est pire encore
on nous fait la morale.
Les regards se posent sur nous
comme sur des rats. [...]
Nos fringues nulles,
notre crasse, nos plaies
tout ça
nous fait mal
par les yeux. [...]
La nuit
c'est la revanche gaie
c'est le jour à l'envers.
Comme ma vie.

Ibrahima Konaté,
faxxman
à Dakar.

Vendue contre un buffle et obligée de se prostituer

Voici les mots d'une jeune fille thaïe du village de Ban-Payang.

Pour de l'argent

« Mon nom est Tong. Et j'ai quatorze ans. Beaucoup me demandent pourquoi mes parents m'ont vendue, pourquoi ils m'ont laissée partir à Bangkok. Était-ce à cause de la famine ? De la pauvreté ? Par appât du gain ? Je ne sais pas. À l'époque, j'étais trop jeune pour répondre à ces questions. Mais je sais une chose. Mes parents ont reçu pas mal d'argent quand ils m'ont vendue. Ils en ont même eu assez pour acheter un buffle... »

Sur les trottoirs de Bangkok

Beaucoup de jeunes filles se trouvent dans la même situation que Tong. La majorité des habitants de Thaïlande sont des paysans. Or, la culture du riz ne rapporte plus assez, alors beaucoup d'entre eux vendent leur fille pour pouvoir survivre, et parfois pour permettre à ses jeunes frères d'aller à l'école. Les filles sont emmenées à Bangkok, la capitale du pays. Là, leurs « acheteurs » les obligent à se prostituer. Ils gagnent ainsi de fortes sommes d'argent, dont les filles et leurs familles ne reçoivent qu'une toute petite part.

Tourisme sexuel

Tout cela est possible parce que de nombreux touristes, européens ou nord-américains, vont en Thaïlande et dans les pays voisins pour avoir des rapports sexuels avec ces jeunes filles mineures. Les gouvernements ne font pas grand-chose pour mettre fin à cette situation, qui bénéficie à de nombreux adultes, mais bien sûr pas aux jeunes filles elles-mêmes.

Certains pays ont commencé à lutter contre ce phénomène, et pourtant deux millions d'enfants dans le monde, notamment en Thaïlande et au Brésil, sont victimes de l'exploitation sexuelle.

Royaume indépendant depuis 700 ans – autrefois appelé le Siam –, la Thaïlande est l'un des rares pays au monde, et le seul de la région, à ne pas avoir été colonisés par les Européens. Constituée en majorité de Thaïs, sa population compte aujourd'hui environ 65 millions d'habitants. La culture thaïlandaise est profondément imprégnée de bouddhisme, comme en témoignent les bonzes aux robes safran et les pagodes que l'on voit dans chaque village. Bien qu'elle connaisse une grande instabilité politique (18 coups d'État depuis 1932 !), la Thaïlande est l'un des pays les plus prospères d'Asie du Sud-Est. Elle tire une bonne partie de ses ressources du tourisme, malgré le terrible raz-de-marée qui a frappé ses côtes en 2004.

LA THAÏLANDE

Trafic dans la cité : trois adolescents en galère

Cité des Marguerites, quelque part dans un quartier populaire de la proche banlieue parisienne. Karim, Silou et Bernard comptent et recomptent les barrettes de cannabis qui leur restent et l'argent qu'ils ont gagné en les revendant à leurs copains.

Barrette :
morceau de cannabis
d'un poids moyen
de deux à trois grammes.

Wesh :
littéralement :
« Eh ! ça va ? »

Blem' :
problème en verlan.

Gratter :
demander quelque chose
en service, ou prendre.

Shit : cannabis.

Chaud :
se dit de quelqu'un
qui s'énerve facilement
mais aussi qui n'a pas
peur, qui se livre à des
comportements jugés
déviants ou illicites,
comme la bagarre
ou le vol.

Faire un billet :
gagner un peu d'argent.

Barrettes et gros sous

C'est vite calculé. Ils en avaient vingt en début d'après-midi, ils en ont vendu quinze. À 10 euros pièce, cela fait 150 euros dont la moitié pour eux.

« *Wesh,* on va s'éclater avec ça, lance, euphorique, Bernard.
– *Attends, man,* l'interrompt son pote Silou, *faut qu'on rembourse qui tu sais avant.*
– *Justement, y'a un blem'* », souffle le troisième.

Il manque de l'argent, et surtout trois barrettes ! Impossible que l'un des adolescents ait gratté quelque chose. Ils sont restés ensemble tout le samedi après-midi, à proximité d'un hall, là où les usagers ont leurs habitudes, mettant leur argent dans une vieille trousse d'école et gardant le *shit* sur eux. Ils se regardent sans un mot, un peu méfiants, sachant bien qu'il va falloir expliquer l'inexplicable au « grand » qui leur a donné la drogue.

Nommé « l'Ordinateur » dans la cité, à cause de sa vivacité d'esprit et de sa mémoire infaillible, celui-ci est aussi réputé être un chaud. C'est le frère aîné de Silou. Il y a quelques semaines, il a proposé de faire un billet « vite fait » aux trois adolescents qui sont dans la même classe, en 3e, au collège Abdelmalek-Sayad, situé juste à côté.

Trafic dans la cité : trois adolescents en galère

Petit trafic et lourdes conséquences

Après réflexion, ils ont accepté de dealer. C'est la première fois. Les temps sont durs, les parents donnent rarement de l'argent de poche. Il faut dire que les familles sont nombreuses, les fins de mois difficiles – dès le 15 de chaque mois – et les besoins des ados presque sans limites. Les baskets auraient bien besoin d'être renouvelées. Et puis devant les autres, et surtout les filles, il faut « avoir de la marque ». Sinon on est ridicule, on passe pour un « bouffon », comme on dit dans les quartiers. Alors ils ont décidé de « faire » leur argent eux-mêmes, comme les autres dans la cité. Mais ça ne marche pas.

C'est sûr, l'Ordinateur va flairer l'embrouille. Cela risque de mal se passer. L'argent, passe encore, c'est autant de bénéfices en moins pour le petit groupe. Mais les barrettes qui manquent ! À plusieurs reprises, des « petits », mais aussi des plus « grands » se sont fait frapper pour des histoires de bizness qui ont fait le tour de la cité. Ils savent bien qu'au-dessus d'eux il y a des gens qui tiennent le marché et qui ne rigolent pas.

Grand frère médiateur

Finalement, ils décident d'aller parler au frère de Silou et de lui demander un délai. À cette heure-là, il est au café avec ses potes à boire des bières. Pour s'y rendre, Karim, Silou et Bernard prennent des chemins de traverse, histoire de ne pas rencontrer la police, qui fait de fréquentes rondes dans les environs. La dernière fois, ils sont venus pour une perquisition. Ça s'est mal passé. Les policiers se sont fait caillasser et ont dû repartir à toute vitesse sans pouvoir appeler de renforts.

C'est alors qu'ils croisent Akim, un grand frère qui a été embauché récemment par la mairie comme médiateur pour intervenir dans le quartier et prévenir les rixes, bagarres et autres violences. Celui-ci comprend vite pourquoi ils font cette tête. Après les avoir sermonnés fermement (« C'est la dernière fois que je vous prends à faire ça, compris ! »), il leur promet d'aller voir leur grand frère pour essayer d'arranger les choses.

Engrenage

Mais les choses peuvent-elles vraiment s'arranger quand on en est là ? Sans le savoir, les trois garçons sont déjà entrés dans un engrenage dont il est difficile de sortir. Leurs « besoins » d'argent pour consommer d'un côté, la pression exercée par la cité de l'autre leur laissent peu de solutions. La vie dans ces cités n'est pas un fleuve tranquille...

Dealer : revendre de la drogue.

Embrouille : conflit entre deux personnes.

Bizness : commerce illicite.

**Rue Renoir,
Cité des 4 000,**
1998, La Courneuve.

Photographie
d'André Lejarre.

ENFANTS AU TRAVAIL

Avons-nous songé que les vêtements ou les chaussures de tennis que nous sommes fiers de porter ont sans doute été confectionnés, de l'autre côté de la planète, par des mains d'enfants travaillant du matin au soir ? Que les jouets de plastique ou les feux d'artifice qui nous divertissent causent peut-être de graves maladies aux enfants payés pour les fabriquer ? Qu'éprouvons-nous à l'idée que 250 ou 300 millions d'enfants de cinq à quatorze ans travaillent dans les pays les plus pauvres du monde, en Asie, en Afrique, en Amérique latine ?

En Europe même, le travail des enfants était une réalité courante jusqu'au début du XXᵉ siècle. On jugeait normal, autrefois, que les enfants participent aux efforts de leurs parents, en les aidant aux champs ou à la maison, d'autant qu'ils n'allaient guère à l'école. Puis, lorsque l'industrie a pris son essor, au XIXᵉ siècle, les enfants ont été exploités très rudement dans les usines et les mines.

Aujourd'hui, le travail des enfants prend des formes diverses. Certains passent toute la journée au labeur ; d'autres peuvent quand même aller quelques heures à l'école. Et, surtout, ce n'est pas du tout la même chose d'aider ses parents que d'être employé par un patron, dans un atelier ou une usine, dans des conditions très difficiles et parfois inhumaines.

ENFANTS AU TRAVAIL

Pourquoi des enfants doivent-ils travailler ?
Parce que les parents les plus pauvres ont
besoin qu'ils contribuent à la subsistance
de la famille. Parce que les patrons
et les entreprises réalisent de meilleurs
profits avec les enfants, qui sont payés
moins que les adultes et exécutent les
ordres sans pouvoir défendre leurs droits.

Que des enfants s'épuisent à un labeur
pénible, sans pouvoir s'épanouir ni
s'instruire est l'une des formes les plus
cruelles de l'injustice sociale. Il y a là un
cercle vicieux : les adultes doivent envoyer
leurs enfants à l'usine ou à la mine parce
qu'eux-mêmes reçoivent un salaire trop
faible ; mais plus il y a d'enfants employés
à bon marché, plus les employeurs payent
mal les adultes... Cela augmente aussi le
chômage des adultes, qui ont donc encore
plus besoin de faire travailler leurs fils et
leurs filles. Et comme ceux-ci ne peuvent
pas recevoir d'instruction, ils n'occuperont
jamais que des emplois mal payés ou pas
d'emploi du tout... C'est ainsi que l'inégalité
sociale maintient les pauvres dans
la pauvreté, tout en permettant à de
grandes entreprises de faire des bénéfices
à leurs dépens.

**Novembre 2006,
Ouagadougou,
Burkina Faso.**

Les enfants dans
les carrières de granit
de Pissy gagnent environ
30 centimes d'euro
pour dix à douze heures
de travail par jour.

Photographie
de Rocco Rorandelli.

Les riches Romains de l'Antiquité possédaient beaucoup d'esclaves, qui travaillaient leurs terres, fabriquaient toutes sortes d'objets et les servaient dans leurs demeures.

Au bon vouloir du maître

Parmi les esclaves, il y avait aussi des enfants. Il s'agissait tantôt d'enfants abandonnés recueillis par des marchands d'esclaves, tantôt d'enfants que leurs parents, trop pauvres, avaient vendus le jour même de leur naissance. Lorsqu'une esclave mettait un enfant au monde, celui-ci devenait automatiquement esclave à son tour. Il appartenait lui aussi au maître, qui pouvait le garder ou décider, plus tard, de le vendre. Sa mère n'avait pas le droit de lui choisir un nom. On le désignait seulement d'un terme comme *Marcipor* ou *Caipor*, c'est-à-dire « l'enfant de Marc » ou « l'enfant de Caius », en fonction du prénom du maître.

Ni toge ni cérémonie

Bien sûr, les enfants esclaves ne portaient pas la toge bordée de pourpre, symbole de la pureté des enfants libres, et on n'organisait pas pour eux de cérémonie marquant la fin de l'enfance et le passage à l'âge adulte. En fait, les esclaves restaient toujours comme des enfants, entièrement soumis à la volonté du maître. Ils vivaient certes dans la même maison que les enfants libres, mais ils devaient accomplir les tâches que le maître exigeait et qui s'alourdissaient avec l'âge.

Pouvoir sans limites

Certains maîtres traitaient leurs esclaves avec modération et parvenaient à se faire aimer d'eux. Des esclaves dévoués étaient même parfois affranchis et retrouvaient ainsi leur liberté. Mais aucune loi ne mettait de limite au pouvoir d'un maître sur ses esclaves. Il avait toujours le droit de les punir, de les frapper, voire de les faire mourir, même s'il n'avait guère intérêt à trop les maltraiter. Il pouvait aussi les utiliser sexuellement, y compris les enfants.

Fillette endormie, figurine en terre cuite réalisée à Alexandrie, Égypte, art hellénistique (fin du IVe siècle avant J.-C.), 8 cm. Musée du Louvre, Paris.

Antiquité

Esclaves dès la naissance

Rome

VOIR FICHE P. 51

Fiesca, huit ans, servante à Florence

14ᵉ-15ᵉ siècle

Italie

Les petites filles, autrefois, n'apprenaient que rarement un vrai métier comme leurs frères.

Dix ans pour une dot

Dans l'Italie de la fin du Moyen Âge, leurs familles espéraient surtout les marier bien vite, vers seize ou dix-sept ans. Mais, pour se marier, il fallait, comme aujourd'hui en Inde, qu'elles aient une dot, c'est-à-dire de l'argent, des meubles ou du linge qu'elles apporteraient chez leur mari. Quand leur famille était pauvre, les filles devaient gagner elles-mêmes cette dot. Le plus souvent, elles le faisaient en travaillant comme servantes dans des familles plus riches.

Parfois, *happy end*

L'entrée en service commençait tôt. Fiesca, par exemple, était une orpheline de la campagne ; son oncle la confia comme petite servante à une famille de Florence quand elle avait huit ans. Fiesca devait rester servante le temps qu'il fallait pour que le salaire gagné pendant une dizaine d'années fasse une dot convenable. Son patron ne devait la payer, en effet, qu'au moment où elle serait en âge d'être mariée et où il lui aurait trouvé un mari. Dans l'intervalle, il devait l'habiller et la nourrir ; autrement dit, il devait jouer le rôle d'un père qui élève sa fille à la maison, lui apprend à tenir un ménage et choisit le moment de son mariage ! Fiesca se sentit si bien dans cette famille que, à l'âge de onze ou douze ans, elle refusa d'en partir lorsque son oncle voulut la reprendre chez lui. Dans son testament, son patron ordonna à ses héritiers de ne pas oublier de lui donner sa dot.

Pieds et poings liés

Tout ne se passait pas toujours aussi bien, pendant les huit ou dix années de service. La petite servante devait se comporter sagement, ne pas désobéir à ses patrons, ni sortir quand elle en avait envie, ni les quitter sans leur accord pour aller travailler chez un autre maître. Dans le cas contraire, elle perdait toute chance de recevoir sa dot ou son salaire ! Il lui fallait tout recommencer de zéro dans une nouvelle famille. Et avec une dot plus petite, elle avait moins de chances de trouver un bon mari !

Morcelée en plusieurs États ayant pour centre politique des villes comme Florence, Milan ou Venise, l'Italie du Nord et du centre connaît, à la fin du Moyen Âge, un développement économique considérable. Au XVᵉ siècle, les familles de marchands et de banquiers des cités italiennes, devenues très riches, commandent de nombreux édifices et œuvres d'art aux artistes : Fra Angelico, Botticelli, Michel-Ange, Léonard de Vinci... Les villes se couvrent de monuments, les palais et les églises s'ornent de peintures et de sculptures. Ce renouveau artistique s'accompagne d'un essor de la pensée fondé sur la redécouverte de l'Antiquité grecque et romaine et sur une nouvelle vision du monde et de l'homme. La Renaissance italienne se diffusera dans toute l'Europe au siècle suivant.

LA RENAISSANCE EN ITALIE

Au charbon et à l'usine

19e siècle

Europe

VOIR FICHE P. 232

Dans toute l'Europe, les mines, les verreries, mais surtout les usines textiles mécanisées de la révolution industrielle, ont largement utilisé la main-d'œuvre enfantine.

Doigts coupés, bras arrachés

Dès l'âge de six ou huit ans, petits garçons et petites filles aidaient leur mère ou leur grande sœur lorsque celle-ci travaillait à l'usine : par exemple, ils rattachaient les fils des broches de filature. Un peu plus grands, ils effectuaient d'autres tâches, simples et répétitives, durant d'interminables journées de douze ou quatorze heures. Ils descendaient aussi dans les mines avec leur père, comme ramasseurs de charbon ou pour pousser les bennes. Leur petite taille et leur agilité les rendaient aptes à se glisser dans les galeries de charbon, ou sous les machines. Celles-ci étant dépourvues de protection, des accidents – doigts ou mains coupés, bras arrachés – se produisaient souvent.

Pour ce travail, ils gagnaient quelques sous, remis à leurs familles qui, fort pauvres, comptaient sur ce mince supplément pour vivre. Non scolarisés, ces enfants étaient analphabètes. On organisa des écoles dans les fabriques, mais la fatigue les rendit inefficaces.

Petits corps meurtris

Les enquêteurs, comme le Dr Villermé, vers 1840, ont décrit la mauvaise condition physique de ces enfants, enfermés dans des fabriques mal aérées, mal (ou trop) chauffées, où ils mangeaient n'importe comment, dans un coin de l'atelier. Le rachitisme freinait leur croissance. De petite taille, ils avaient des scrofules et des ganglions, marque de tuberculose osseuse. La mortalité était forte.

Des lois au secours des enfants

Romanciers, comme Charles Dickens (*Oliver Twist*) ou Victor Hugo (*Les Misérables*), médecins, industriels dénoncèrent ce malheur qui était aussi un gâchis humain. Des lois, comme celle de 1841 en France, interdirent de faire travailler des enfants de moins de huit ans et limitèrent la durée du travail (huit heures par jour, de huit à douze ans, douze heures de douze à seize ans). Cela restait considérable et ces durées furent réduites par la suite. Les lois de Jules Ferry, qui ont rendu l'école obligatoire pour les filles et les garçons, contribuèrent efficacement à retirer les enfants des usines. Ils y entrèrent alors vers treize ans, après le certificat d'études, limite de l'enfance et rite de passage à l'adolescence.

Les Serviteurs

Devoirs des Serviteurs et des Ouvriers à l'égard des Maîtres et des Patrons

LEÇONS

1. Si à la sortie de l'école nous sommes placés comme domestiques ou comme apprentis, nous aurons de nouveaux devoirs à remplir ; nous devrons être polis envers nos maîtres ou nos patrons, leur obéir pour tout ce qui regarde le service, prendre soin de leurs intérêts comme s'il s'agissait des nôtres et surtout avoir la plus grande probité.

Les apprentis attentifs

« Devoirs des serviteurs et des ouvriers à l'égard des maîtres et des patrons », extrait de Poignet et Bernard, *Livre unique de morale et d'instruction civique*, 1898.

Jules Ferry (1832-1893) : avocat et homme politique français.

Jeune mineur
de onze ans
dans une mine d'or,
1985, Mindanao,
Philippines.
Photographie
de Steve McCurry.

Le travail,
c'est la santé

Beaucoup d'industriels ont tenté
de s'opposer aux lois limitant le
travail des enfants. Ainsi, en 1841,
Laurent Biétry, un filateur de laine,
explique sans honte que
l'exploitation à outrance des enfants
est une chance pour eux : « *Le travail
de douze heures pour les enfants
de neuf à douze ans n'est pas
au-dessus de leurs forces lorsqu'ils
sont d'une constitution ordinaire.
Il leur est au contraire très utile,
et ce n'est qu'en commençant
à cet âge qu'on apprend à bien
travailler et que l'on parvient
à faire un bon ouvrier...* »

Petits bergers d'Europe

Du Moyen Âge jusqu'au milieu du XXe siècle, les enfants des campagnes européennes ont souvent fait office de bergers. Ce n'était pas toujours de tout repos : Thomas Platter raconte comment, en 1507, gardant les chèvres dans les Alpes à l'âge de huit ans, il manque de se tuer dans un précipice en rattrapant l'une de ses bêtes. En 1944 encore, Gavino Ledda a six ans lorsque son père vient le retirer de l'école pour lui faire garder ses brebis. Il l'a raconté dans un livre qui est devenu un film : *Padre Padrone*.

Enfant Toradja sur un buffle, Indonésie. Photographie de Bryn Campbell.

Travailler dans les rizières et surveiller les buffles

20ᵉ siècle

Indonésie

Vers 1950, de jeunes Toradja, un peuple vivant dans l'une des îles de l'Indonésie, ont raconté leur enfance au village, avant qu'ils ne partent étudier en ville. Ils évoquent les tâches qui leur étaient confiées et qu'ils accomplissaient sans trop les différencier des jeux.

Gardien de troupeau

« *Quand nous étions très jeunes, nous accomplissions de petits travaux dans la maison, ceux qui nous plaisaient le plus, dit Tondok. Mais, à cinq ans, nous faisions ce que nos parents nous disaient de faire : aller chercher de l'eau dans de longs récipients en bambou, allumer le feu dans l'âtre. J'aimais aller dans les rizières où les buffles étaient baignés. Les garder devint mon passe-temps favori. Quand je rentrais à la maison, je ne pouvais plus m'endormir. Mes pensées étaient avec mes amis, les garçons, et avec les gardiens de troupeaux. Je m'éveillais de très bonne heure, effrayé à l'idée qu'ils puissent être déjà partis.* »

Thomas Platter
(1499-1582) :
humaniste suisse.

VOIR FICHE P. 427

Divertissements garantis

« *Les garçons âgés d'environ quatre ans gardaient déjà les buffles, dit Sollu. Pour cela, ils recevaient une récompense : de nombreuses gerbes de riz leur étaient données après la récolte. J'aimais beaucoup regarder comment les bufflesses étaient traitées. J'avais l'habitude de rejoindre les adultes qui gardaient les troupeaux. Nous, les garçons du même âge, avions une multitude de divertissements, gardant les buffles et jouant ensemble sous la surveillance des gardiens adultes. Quand une bufflesse qui avait été gardée vêlait pour la cinquième fois, un de ses bufflons était offert au garçon ayant d'ordinaire la charge de la surveiller. Le travail dans les rizières m'occupa aussi très tôt, vers cinq ans. Surveiller les rizières et donner un coup de main pour la récolte étaient les seules tâches que je devais exécuter, en plus de la garde des troupeaux.* »

Manger sur le dos des buffles

« *Tous les jours, je sortais avec les garçons qui gardaient les buffles, dit Johannes. Nous nous éloignions de plusieurs kilomètres de la maison. Si nous rencontrions un autre troupeau, nous prenions la liberté de lui donner la chasse avec certains de nos gros buffles. De temps en temps survenait un combat entre nos bêtes et celles des autres. Le combat pouvait durer des heures. Dans l'après-midi, nous prenions nos repas assis sur le dos des buffles, à l'ombre des arbres. Après quoi nous allions pêcher à la ligne, puis venait le moment de rentrer. Mais nous devions d'abord baigner les buffles. Chaque jour, je trayais les bufflesses, en revenant dans la soirée.* »

Ces jeunes filles qui vivaient à l'usine

19ᵉ siècle

France

Dans les campagnes du Lyonnais et du Dauphiné, on disait des paysans qui avaient des filles qu'ils avaient de la chance : ils pouvaient les placer dans les fabriques de soie de la région et, avec leurs salaires, payer leurs dettes et acheter de l'engrais pour leurs terres.

Boulot, prière, dodo

À partir des années 1840, on vit se développer dans ces régions des usines-internats qui accueillaient des milliers de jeunes filles de douze à dix-huit ans et plus. Elles arrivaient avec leurs malles et leurs provisions, et vivaient sur place, entre l'atelier, le dortoir et la chapelle, leur principal lieu de distraction. Des contremaîtresses laïques surveillaient leur travail ; des religieuses les encadraient dans le quotidien. La discipline était celle d'un couvent : prières, silence, amendes pour les négligences ; et de rares sorties, toujours sous le contrôle des sœurs.

Cadences infernales

Écoutez Lucie Baud, l'une d'entre elles : « *Je suis entrée comme apprentie chez MM. Durand frères, à Vizille, au commencement de 1883. J'avais alors douze ans. Il y avait, à cette époque, dans l'usine, environ 800 tisseuses. On y travaillait douze heures, et quelquefois treize et quatorze heures par jour ; les métiers battaient 80 coups à la minute. [...] Les dortoirs étaient infects. On ne changeait les draps et les couvertures que deux fois par an. [...] Il y avait des monceaux d'insectes qui grouillaient là, ces* dortoirs étant sous les toits, avec de petites lucarnes pour la lumière. » Les filles rentraient dans leur famille tous les trois mois ; les orphelines, nourries, logées, mais non payées, ne sortaient jamais et restaient là jusqu'à leur majorité.

Grèves et protestations

Les ouvrières supportaient de plus en plus mal cet enfermement. Il y eut des grèves, des manifestations, occasion de s'exprimer et de sortir. On vit se dresser des meneuses, comme Lucie Baud qui a laissé à cette occasion le témoignage qu'on vient de lire.

Ces usines-internats ont disparu en France entre 1920 et 1940. Mais elles sont toujours très répandues aujourd'hui en Asie, par exemple en Corée et en Chine.

De la machine à vapeur à la mécanisation du travail, du chemin de fer à l'électricité, le XIXᵉ est le siècle de la « révolution industrielle ». Fondée sur l'innovation technique et la production de masse, celle-ci bouleverse les sociétés européennes. Entrepreneurs et hommes d'affaires forment le cœur de la classe sociale désormais dominante, la bourgeoisie. Mais l'industrialisation multiplie aussi le nombre de ceux qui peinent dans les usines et les mines, les ouvriers. Vivant dans des conditions misérables, ces prolétaires s'organisent peu à peu pour défendre leurs droits. Marquée par le développement accéléré de l'économie et par de fortes inégalités, la société voit triompher de nouvelles valeurs : le travail et l'effort individuel, l'argent et la réussite matérielle, le progrès scientifique et technique, considéré comme la source du bonheur collectif.

LA RÉVOLUTION INDUSTRIELLE AU XIXᴱ SIÈCLE

Un âge minimal pour travailler

Peu à peu, tous les pays d'Europe ont adopté des lois destinées à limiter le travail des enfants. En France, une loi de 1892 fixe l'âge minimal pour travailler à treize ans. En Allemagne, la même décision est prise en 1903, en Angleterre en 1901 (mais à partir de douze ans). En Italie, l'âge minimal est resté fixé, pendant plus longtemps, à neuf ans.

Une fillette travaille sur une machine à filer dans une filature de coton. 1908, Caroline du Nord, États-Unis.

Photographie de Lewis Wickes Hine.

Aujourd'hui encore, des enfants à l'usine

20e-21e siècle

Asie

L'usine n'est vraiment pas un endroit pour les enfants ! Car les usines où ils travaillent sont toujours des lieux insalubres, aux conditions d'hygiène repoussantes.

Derrière les pétards

En Bolivie et au Pérou, 200 000 enfants travaillent dans les mines ; ils manipulent souvent des produits chimiques hautement toxiques, comme le mercure. Au Guatemala, ce sont des enfants, âgés parfois de sept ans seulement, qui sortent la poudre des sacs et la versent sur les cartouches servant à fabriquer les pétards. À cause de ce travail, leurs corps gardent la teinte grise de la poudre, et les maladies sont très fréquentes.

Chaleur insoutenable

Les enfants y sont soumis à des rythmes infernaux, jusqu'à douze ou treize heures de travail par jour. Ils subissent l'autorité sans limite des adultes, qui peut aller jusqu'à des coups et des violences physiques graves.

En Inde, dans la ville de Firozabad, des dizaines de milliers d'enfants sont employés dans les verreries, certains dès l'âge de cinq ou six ans. On y fabrique des bracelets en verre. Les fours atteignent une température de 700 degrés, une chaleur terrible qui provoque de fréquentes maladies des bronches ou des poumons. Les enfants disposent les pièces de verre sur des plateaux qu'enfournent des adultes, ou alors ils apportent aux ouvriers le verre en fusion afin qu'ils le façonnent. Ce travail, un adulte pourrait le faire.

En Chine, les enfants sont employés dans la fabrication de jouets ou de gadgets, et même dans des secteurs très dangereux comme la production de pétards et de feux d'artifice. Dans beaucoup de pays d'Asie, d'Afrique, d'Amérique latine, ou en Turquie, les enfants fabriquent des briques, des bougies, des tapis, des ballons, des vêtements, des gadgets...

Main-d'œuvre docile

Ces enfants sont toujours mis au travail sous de mauvais prétextes. Leurs petites mains seraient nécessaires pour certaines tâches : seuls les enfants pourraient se faufiler sous les machines pour les graisser ou les réparer. Mais il existe des machines tout à fait adaptées aux adultes. Beaucoup de ces enfants sont victimes de maladies professionnelles, dues aux poussières, à la chaleur, à la saleté. Ceux qui arrivent à l'âge adulte se retrouvent sans instruction puisqu'ils n'ont pas pu aller à l'école. La seule chose qu'ils ont apprise est qu'ils doivent supporter le travail s'ils veulent survivre.

Si des parents mettent leurs enfants au travail, c'est qu'ils n'ont pas d'autre solution pour les nourrir. Pour les patrons, c'est une chance : ils veulent gagner le maximum d'argent et les salaires des enfants sont minuscules.

Cercle vicieux

Comment en finir avec le travail des enfants ? Il faudrait d'abord que l'école soit vraiment gratuite, y compris les fournitures scolaires, les repas et les soins médicaux. Mais cela ne suffirait pas : l'État devrait verser une allocation aux parents pour remplacer le revenu de leurs enfants qui ne travaillent plus. Les enfants enfin scolarisés sortiraient du cercle vicieux : misère, absence d'instruction, travail sous-payé. Sinon, sans instruction, une fois adultes, ils ne gagneront que des salaires de misère et n'auront pas d'autre possibilité pour survivre que de mettre leurs propres enfants au travail.

Une fillette, employée
dans un atelier, remplit
des boîtes d'allumettes.
1991, Sivakasi, Inde.

Photographie
de Philippe Lissac.

Double journée
pour Ayesha

Ayesha est une jeune fille de
quatorze ans, qui habite à Jaipur,
dans le nord de l'Inde. Elle travaille
dans l'industrie des pierres
précieuses depuis l'âge de six ans.
Son père était, lui aussi, employé
dans cette industrie, mais il ne peut
plus travailler depuis longtemps,
car il est atteint d'une maladie
respiratoire. Il l'a contractée à
l'usine : les poussières qui s'échappent
des machines à tailler et à polir
en sont la cause. Dans cette région,
la coutume du purdah empêche
les femmes de sortir librement dans
la rue. Aussi Ayesha, sa mère et l'une
de ses sœurs travaillent dans leur
atelier, qui est situé juste à côté
de sa maison. Les trois femmes
subviennent seules aux besoins de
toute la famille : les grands-parents,
qui ne peuvent plus travailler,
le père, le frère d'Ayesha, qui est
retardé mental, et son autre sœur,
qui va à l'école. Chaque matin,
Ayesha se lève à 7 h, prend un solide
petit déjeuner que lui prépare sa
mère, puis se lance dans le travail,
sur sa machine à tailler les pierres.
À 13 h, elle s'arrête une heure, pour
manger, puis reprend jusqu'à 19 h.
Ensuite, sa journée n'est pas finie,
car elle doit aider sa mère
à préparer le dîner, s'occuper de son
père et de son frère, enfin réparer ou
recoudre les vêtements de la famille.
Comme sa famille a une télévision,
elle la regarde parfois le soir
avant de s'endormir.

Iqbal Masih, un enfant, se rebelle contre le travail forcé

20e siècle

Pakistan

Iqbal Masih était un garçon pakistanais employé comme tisserand dans l'industrie du tapis. Dans les années 1990, il devint le symbole de la révolte des enfants contre l'existence que le monde adulte leur imposait : une survie marquée par le travail et la misère.

Esclavage pour dettes

Iqbal Masih est sans doute né avant 1980, dans un petit village du Pakistan, Haddoquey. Son nom, « Masih », est le nom attribué aux chrétiens : il s'agit d'une déformation du mot « Messie ». Car au Pakistan, pays musulman, les chrétiens ne sont qu'une infime minorité, très mal considérée.

Iqbal, comme tous les enfants pauvres, fut mis au travail afin de rapporter un peu d'argent à sa famille. Pire encore : il fut « vendu » par sa mère en 1987 pour payer les frais de mariage de son demi-frère aîné, âgé alors de vingt-deux ans.

Comment et pourquoi vend-on un enfant au Pakistan ? L'employeur prend en charge l'enfant et le fait travailler en échange d'un *paishgee*, un prêt, qu'il octroie à sa famille. L'enfant doit travailler pour rembourser le prêt. C'est ce qu'on appelle l'esclavage pour dettes. Plusieurs millions d'enfants sont dans ce cas, rien qu'au Pakistan.

Travailler pour rien

Ils ne sortent de l'esclavage qu'une fois le remboursement terminé. Mais celui-ci s'étale sur des années, car la somme gagnée chaque jour est très faible. De plus, les dépenses occasionnées par l'enfant, par exemple l'achat d'un médicament, sont déduites de ses gains et, s'il commet une faute dans son travail, une amende s'ajoutera à ses dettes. L'enfant travaille dix ou vingt ans, sans jamais toucher quoi que ce soit pour lui-même. Au moment où il voudrait devenir enfin libre, se marier et fonder une famille, il se retrouve face à une situation désespérée : sans instruction, donc sans possibilité de gagner sa vie de façon correcte, il ne peut qu'espérer avoir à son tour des enfants et les mettre au travail.

Devenu porte-parole

En 1992, Iqbal eut l'occasion de se rendre à une réunion organisée par le Front de libération du travail forcé et par son président, Ehsan Ullah Khan. Lors de la réunion, Khan lui passa le micro pour qu'il livre son témoignage. Iqbal parla quelques minutes. Le lendemain, sans doute très impressionné par l'ambiance de lutte et de fraternité qu'il avait ressentie, Iqbal décida de ne pas retourner au travail. Dès lors, tout s'enchaîna très vite. Il semble que le Front de libération du travail forcé remboursa l'emprunt au tisserand, pour libérer Iqbal du travail et lui permettre de s'instruire en allant à l'école. Le garçon participa à la plupart des réunions du Front. Il fut interviewé dans un film dénonçant le travail des enfants (*Kaleen*, ce qui signifie « tapis » en ourdou, la langue du Pakistan). Il fut invité aux États-Unis où il reçut l'oscar Reebok des droits de l'homme, décerné par cette firme américaine à des enfants contraints de travailler. À son retour au Pakistan, Iqbal était devenu une sorte de vedette, et quelques journaux lui consacrèrent des articles.

Chaîne difficile à briser

Son expérience personnelle était un exemple de cette chaîne du travail forcé, qui impose à des générations d'enfants de travailler pour le remboursement de prêts incessants. Cette pratique n'existe pas seulement dans l'industrie du tapis : elle est courante dans d'autres secteurs, comme la fabrication de briques. Chaque fois, il s'agit d'activités dans lesquelles les profits ne sont pas très importants. Dans la fabrication de tapis, c'est l'exportation qui rapporte beaucoup. Les exportateurs font travailler des intermédiaires qui passent des contrats avec des patrons de petits ateliers. Ces patrons n'emploient que quelques enfants, le plus souvent sur des métiers à tisser qu'ils louent car ils n'ont pas les moyens d'en acheter. Les patrons des ateliers sont donc totalement dépendants des intermédiaires. Ce sont les intermédiaires et les exportateurs qui bénéficient vraiment de ce système.

Assassiné pour avoir parlé

Le 16 avril 1995, alors qu'il avait entre douze et dix-huit ans – nous ne le saurons jamais –, Iqbal a été assassiné, peut-être parce qu'il dénonçait ces pratiques à chaque réunion politique, peut-être par vengeance familiale. Peu importe : le nom d'Iqbal Masih est devenu le symbole des enfants réduits à l'esclavage pour de simples dettes, pour de l'argent qu'ils ne peuvent rembourser qu'au bout de longues années. Leur vie est mutilée par le travail, gâchée par l'absence d'instruction, par la misère et par la violence qui règne dans l'ensemble de la société. Car une société qui ne sait pas prendre soin de ses enfants leur donne l'image d'un monde violent, contre lequel la seule solution semble d'être toujours plus violent pour se défendre. Un cercle vicieux qu'Iqbal avait cherché à briser.

237

Ancienne partie de l'Empire britannique des Indes, le Pakistan, ou « pays des purs », a été créé en 1947 au moment de l'indépendance de l'Inde, dans le but de regrouper la population musulmane du sous-continent indien. Aujourd'hui, avec 165 millions d'habitants, c'est le sixième pays du monde par l'importance de sa population. Le Pakistan est peu développé et vit surtout de l'agriculture et de l'industrie textile. C'est une démocratie instable, sous le contrôle de l'armée, qui occupe une place essentielle dans la vie politique, car, depuis l'indépendance, un conflit oppose le Pakistan à l'Inde pour le contrôle du Cachemire, une région de l'Himalaya. La présence dans le nord-ouest du pays d'intégristes religieux liés aux talibans d'Afghanistan est actuellement la source de graves tensions internes.

LE PAKISTAN

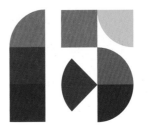

ENFANTS-ROIS, ENFANTS-DIEUX

Certains enfants sont investis d'un pouvoir extraordinaire. Les futurs rois et reines sont élevés conformément à leur rang. Parfois, dès leur plus jeune âge, ils ont reçu la couronne royale. Dans le passé, le roi ou l'empereur était en principe le personnage le plus puissant de la société. L'enfant-roi en Europe, comme l'enfant-empereur au Japon ou en Chine, par exemple, vivait dans un grand palais, entouré d'une foule de serviteurs pour s'occuper de lui. On voyait en lui un être hors du commun, parfois presque divin. Mais il n'est pas toujours facile d'être roi, quand on est si jeune.

On connaît aussi l'enfance de certaines figures, dont les croyances religieuses ont fait de véritables dieux. Krishna, Jésus et quelques autres ont été des enfants-dieux.

Du reste, les religions ne sont pas seulement une affaire d'adultes. Elles accordent un rôle important aux enfants, qui parfois accomplissent leurs propres rites, leurs propres sacrifices. On les considère volontiers comme des messagers des dieux, capables de transmettre la parole divine, d'annoncer l'avenir et, le cas échéant, de guider le destin des adultes.

Plus communément, l'existence des religions signifie d'abord que les enfants doivent en apprendre les pratiques, les règles, la doctrine. Dans certaines cultures, c'est surtout en participant aux rituels des adultes qu'ils se familiarisent peu à peu avec la manière d'honorer les dieux. Ailleurs, le savoir religieux s'acquiert auprès d'un maître, dans une école ou pendant des cours spécifiques. Cet enseignement peut être transmis de manière autoritaire ou plus respectueuse de l'évolution de l'enfant.

Histoires de Jésus enfant

1er-15e siècle

Proche-Orient

Europe

Les quatre Évangiles parlent de Jésus pendant sa vie humaine mais en disent très peu sur son enfance.

Au commencement...

L'Évangile de Luc raconte seulement sa naissance à Bethléem, puis sa circoncision et sa présentation au Temple, selon les usages de la religion juive. Luc parle aussi de bergers à qui un ange annonça la naissance de Jésus et qui vinrent l'adorer. Quant à l'Évangile de Matthieu, il raconte l'histoire des Rois mages, venus d'Orient pour offrir leurs présents à Jésus, puis la Fuite en Égypte pour échapper au massacre des nouveau-nés ordonné par le roi Hérode. Puis, plus rien jusqu'au moment où Jésus a douze ans. Joseph et Marie avaient l'habitude d'aller à Jérusalem pour la fête de Pâques et emmenaient Jésus avec eux ; mais cette année-là, quand ils voulurent rentrer, Jésus avait disparu. Ils le retrouvèrent dans le Temple, assis parmi les docteurs – les plus savants des religieux juifs – et débattant avec eux, qui étaient stupéfaits de son intelligence et de ses réponses.

Voir p.288

Anecdotes populaires

Mais, très vite, la curiosité des chrétiens s'est trouvée insatisfaite de récits aussi limités. Aussi de nombreuses histoires de l'enfance de Jésus, plus détaillées et pleines d'anecdotes souvent merveilleuses, ont-elle été rédigées en latin, en grec, en arménien et même en arabe. L'Église n'en a pas reconnu la véracité, mais elles sont quand même devenues très populaires, dans les récits et dans les images. À partir du XIIe siècle, lorsque la dévotion à Jésus se diversifia, distinguant un Jésus prédicateur et faiseur de miracles, un Jésus mourant sur la croix et un Jésus ressuscité, il y eut aussi une dévotion spéciale à Jésus enfant. Ainsi, l'abbé Aelred de Rievaulx composa, vers 1150, un traité, *Quand Jésus eut douze ans*, entièrement consacré à expliquer les trois jours passés par Jésus parmi les docteurs du Temple.

Un enfant pas comme les autres

Au fil des siècles, on ne cessait d'ajouter des détails nouveaux. Par exemple, de nouveaux récits faisaient partager aux lecteurs les inquiétudes et toutes les pensées de Joseph et de Marie pendant qu'ils cherchaient Jésus à Jérusalem. De plus en plus d'images montraient les miracles accomplis par l'Enfant Jésus, capable par exemple de modeler des oiseaux avec de l'argile puis de leur donner vie. On représentait même le Christ enfant en train de jouer.

Cette dévotion à l'Enfant Jésus a entretenu dans le christianisme, à partir de la fin du Moyen Âge, ce qu'on appellera « un esprit d'enfance », c'est-à-dire une attention croissante à l'enfance. Mais Jésus était loin d'être un enfant comme les autres !

Deux futurs rois prennent la pose
(voir double page précédente)

Peint en 1757, ce tableau montre deux rois-enfants. Le futur Louis XVI, alors âgé de trois ans, tient une corbeille de beaux fruits. Un peu derrière lui, son frère, d'un an plus jeune, le futur Louis XVIII, tient son petit chien en laisse. Tous deux portent d'amples vêtements, aux étoffes richement ornées, et sont soigneusement coiffés. Ils ont sans doute dû poser longtemps devant le peintre, qui a rendu avec soin l'expression de leurs visages et de leurs regards.

François Hubert Drouais, *Le duc de Berry et le comte de Provence enfants*, 1757, huile sur toile.

Musée d'Art de São Paulo, Brésil.

ኡ፡ኢየሱ፡ መንክረ፡በ፡፡
ውሁ፡ፀሐዬ፡ውስተ፡መስኮት፡ዳ
ዪባግ፡እግዚእኢየሱስ፡ሳዕቦ
እግረ፡ፀሐዬ፡ወየሐውር፡ምሥ

**Glissade sur
un rayon de soleil**

Dans ce manuscrit éthiopien
du XIXe siècle, on voit l'Enfant Jésus
accomplir un miracle étonnant,
et peu connu en Europe : il descend
d'une haute tour, sans se blesser,
en glissant sur un rayon de soleil.
Il faut savoir que les histoires
concernant Jésus enfant ont
également circulé parmi
les musulmans (pour qui Jésus,
mentionné dans le Coran sous
le nom de Îsâ, est un prophète
important, le dernier avant
Mahomet) et aussi chez les
chrétiens d'Égypte et d'Éthiopie,
demeurés nombreux même
lorsque l'islam y est devenu
la religion principale.

Manuscrit éthiopien
de la collection Antoine d'Abbadie,
département des manuscrits
orientaux. Bibliothèque
nationale de France, Paris.

ራተ፡
ራተ፡ወምዕራበ፡በኁሐ፡እግረ፡ፀ
ሐዬ፡ወካዕበ፡ዘርእ፡ዓጠተ፡ስገ
ም፡ፄወእረረ፡ፄየሐስከ፡ወወሀበ፡

Plus de 800 millions d'Indiens pratiquent l'hindouisme, l'une des plus anciennes religions du monde. Elle a été inspirée par le Veda, qui a été transmis oralement pendant des siècles avant d'être mis par écrit. La religion hindoue n'a ni prophète ni dogme. Elle reconnaît de très nombreux dieux : Brahma, le créateur, Vishnou, le protecteur, et Shiva, le destructeur, sont les trois plus importants. Tous ces dieux sont considérés comme les manifestations d'un principe divin unique et sans forme. Les hindous croient à la réincarnation après la mort : chacun renaît à une place qui dépend des actes, bons ou mauvais, accomplis dans ses vies antérieures. Mais on peut échapper à ce cycle sans fin en renonçant au monde, à l'exemple des *sâddhus*, ascètes qui pratiquent le yoga et la méditation.

Jeune garçon en habit de Hanuman, le dieu-singe, Hampi, Inde.

Photographie de Franck Guiziou.

L'HINDOUISME

Krishna, l'enfant-dieu

Inde

Krishna naquit à Mathoura, dans le nord de l'Inde, dans un humble campement de vachers, à une époque légendaire. C'était un enfant comme un autre. Ou presque, car il était aussi un dieu.

Apporter la paix sur terre

On dit en Inde que le dieu Vishnou descend périodiquement sur terre sous une forme humaine ou animale (un sanglier, une tortue, par exemple) pour y rétablir le bonheur. Cette fois, Vishnou prit la forme humaine de Krishna. Le but de Krishna était d'apporter la paix sur la terre, par tous les moyens, car les rois qui se combattaient sans cesse ruinaient l'humanité. Les rois furent avertis de la prochaine naissance de Krishna et tentèrent en vain de l'empêcher. Pour protéger Krishna de ses ennemis, son père le confia à un autre vacher, Nandagopa. Ce dernier et son épouse Yashoda élevèrent Krishna en compagnie de leur propre enfant, loin de Mathoura, dans un autre campement, qui était situé dans la Grande Forêt.

Un polisson à la nature divine

Krishna était un garçon espiègle, remuant et gourmand : il adorait le lait, le yaourt et le beurre frais. Il passait son temps à jouer et à semer le désordre, détachant les vaches, cassant les récipients à yaourt pour le manger, dérobant le beurre pour le distribuer aux autres enfants et aux singes. Cependant, il manifesta parfois sa nature divine aux vachers. Voici quelques-unes de ces circonstances.

Récits légendaires et prodiges

Un jour Krishna, marchant encore à quatre pattes, se montre plus polisson que d'habitude. Sa mère adoptive, Yashoda, se fâche alors et, pour pouvoir continuer son travail, lui attache une corde qu'elle fixe à un lourd mortier en pierre. Cela n'empêche pas l'enfant tout petit de marcher, entraînant le mortier, à la stupéfaction de tous, et arrachant sur son passage deux arbres immenses qui bloquent son chemin. Une autre fois, les compagnons de jeu de Krishna annoncent à sa mère qu'il a mangé de la terre. Sa mère, inquiète, examine alors l'intérieur de sa bouche, et elle y voit l'univers entier : astres, êtres vivants, montagnes, mers et continents. Comme si la bouche de Krishna renfermait tous les mondes contenus dans le ciel.

Krishna et la forêt magique

Plus tard, alors qu'il a sept ans, Krishna voit que la Grande Forêt ne possède plus assez d'arbres pour les besoins des vachers ni d'herbe pour leurs troupeaux. Il faut donc aller vivre ailleurs. Et Krishna sait où aller : dans la forêt abondante de Brindavane, couverte d'une herbe qui pousse bien, arrosée d'une belle rivière, et traversée d'un vent frais et agréable, un véritable paradis. Afin de provoquer le départ des vachers, Krishna fait sortir de son corps des loups par centaines, qui effraient les vachers et dévorent leurs troupeaux : tout le campement décide alors de fuir la Grande Forêt pour s'installer dans celle de Brindavane.

Roi joueur et puissant

Tels sont quelques-uns des récits légendaires de l'enfant Krishna. Plus tard, Krishna devint un roi, mais il aima toujours jouer et il montra, quand il le fallait, sa puissance magique et divine. Sous les traits de l'enfant Krishna, né dans une famille de simples vachers, se cache le dieu créateur de l'univers. Les Indiens d'aujourd'hui accrochent souvent des images du petit Krishna sur les murs de leur maison, et chaque enfant leur rappelle un peu l'humilité joyeuse du dieu.

Galette des rois et tirage au sort

Jean-Baptiste Greuze,
Le Gâteau des rois, 1774,
huile sur toile,
71 cm x 54 cm.
Musée Fabre, Montpellier.

Peint en 1774, ce tableau de Jean-Baptiste Greuze montre une famille de la campagne, réunie autour du gâteau des Rois.

Une fève qui fait le roi

Ce rituel est pratiqué en Europe depuis le XVᵉ siècle la veille de l'Épiphanie. Cette fête très importante a lieu le 6 janvier et célèbre l'adoration des Rois mages, venus apporter leurs présents à Jésus, lors de sa naissance.

Celui dont la part de gâteau contient la fève est désigné comme roi et reçoit une couronne de papier. Autrefois, tout le monde sortait ensuite en procession. On allait de maison en maison, en chantant jusqu'au petit matin, avant que ne commence, à l'église, la fête des Rois mages.

Sous la table

Dans le tableau de Greuze, comme encore aujourd'hui, un enfant prend place sous la table : sans rien voir, il dit à qui attribuer chacune des parts du gâteau. Autrement dit, on *tire au sort* qui sera roi, et c'est un enfant qui doit le désigner.

Mains innocentes

De telles pratiques remontent à des temps anciens. Déjà, dans la Rome antique, on faisait appel à des enfants pour certains rituels de divination, c'est-à-dire des cérémonies destinées à prédire le futur. L'un d'eux consistait à extraire d'une urne de petits objets de bois ou de métal, portant des inscriptions annonçant les événements à venir (ces petits objets s'appelaient en latin *sortes*, d'où l'expression « tirer au sort »). On demandait à un jeune enfant de plonger la main dans l'urne pour en retirer les messages.

À mi-chemin des dieux et des hommes

À Rome, la coutume voulait aussi qu'au moment de se mettre à table, on jette une part des mets dans le feu. Il incombait à un enfant d'accomplir ce geste, et d'annoncer ensuite que ce don avait été accepté par les dieux.

Main innocente de l'enfant ? Disons plutôt que les adultes lui attribuent un pouvoir presque sacré, une capacité à exprimer la volonté divine, à établir des liens avec le monde invisible. Peut-être parce que l'enfant n'est pas encore pleinement intégré à la vie sociale.

Jean-Baptiste Greuze (1725-1805) : peintre et dessinateur français.

Une jeune Indienne apporte le message de la Vierge Marie

18ᵉ siècle

Mexique

En 1712, les Espagnols sont installés en Amérique depuis près de deux siècles. Un peu partout, le mécontentement gronde : *« Depuis la venue des Espagnols, nos vies ne sont que souffrance et misère »*, disent les Indiens à mots couverts.

Personne ne la croit

Dans le village de Cancuc, au sud de l'actuel Mexique, une jeune Indienne Maya, âgée de treize ans, fait savoir que la Vierge Marie lui est apparue et a demandé qu'on lui construise une chapelle : elle veut venir vivre parmi les Indiens pour les aider à se libérer de leurs peines. María Candelaria raconte son histoire, mais personne ne la croit.

Un peu plus tard, elle raconte que la Vierge lui a parlé de nouveau, se plaignant de ce que les habitants de Cancuc n'aient pas fait ce qu'elle demandait. Alors, le curé convoque María Candelaria, l'accuse de mentir et la fait fouetter cruellement. Tout le village s'indigne et commence à croire la jeune fille, considérant le moment venu de chasser ce curé qui ne cesse de faire payer toutes sortes de taxes aux Indiens, leur réclame quotidiennement des poulets, des œufs et tant d'autres produits. Les villageois construisent alors la chapelle, et celle-ci devient le sanctuaire de la Vierge, dont María Candelaria fait connaître les volontés.

Un cri de révolte

Le 8 août 1712, devant la porte de la chapelle, la jeune fille exhorte les Indiens réunis à ne plus obéir au roi d'Espagne, à ne plus lui verser cet impôt que l'on nomme tribut, à ne plus courber l'échine devant les abus de ses juges et autres fonctionnaires, tous corrompus et avides. Voici ses paroles : *« Croyez-moi et suivez-moi ! Car il n'y a plus maintenant ni tribut, ni roi, ni évêque ! Ne faites rien d'autre que suivre et croire cette Vierge qui est ici dans la chapelle. »*

Ce cri de révolte est entendu par la plupart des villages environnants, dont les habitants affluent pour écouter la Vierge de Cancuc et l'honorer. Ils s'arment comme ils peuvent et infligent plusieurs défaites aux Espagnols, incapables de reprendre le contrôle des villages. Les Indiens organisent leur propre Église et nomment leurs propres évêques.

Libres le temps d'un instant

Ainsi, pendant quelques mois, jusqu'à l'arrivée de renforts militaires venus d'autres provinces qui massacreront les rebelles, les Indiens ont réussi à se soustraire à la domination coloniale et à défier le pouvoir du roi d'Espagne. Ils avaient pour guide et inspiratrice une jeune fille de treize ans à laquelle ils attribuaient des pouvoirs sacrés, voyant en elle une sorte de déesse par la bouche de qui la Vierge Marie parlait le langage de la justice et de la libération.

VOIR FICHE P. 169

Hong, huit ans, future reine de Corée

18e siècle

Asie

Hong naît en 1735. Son père, fonctionnaire au service du roi de Corée, est un lettré peu fortuné. En 1743, le roi promulgue un décret qui oblige tous les dignitaires du pays à déclarer le nom de leurs filles non mariées, car l'épouse du prince héritier doit être choisie parmi elles.

Habillée pour l'occasion

Hong a huit ans lorsque ses parents la conduisent au palais pour les trois sélections d'usage. Son père se sent obligé d'accomplir ce devoir envers son roi, bien que les frais liés à la robe d'apparat soient très lourds. « *Je me rendis à la seconde sélection,* raconte Hong, *encore plus effrayée qu'à la première. Quand j'arrivai à la cour, il apparut que la décision de me retenir était déjà prise car on m'installa dans des appartements voisins de ceux du roi. La reine Chongsong et Dame Sohnui* [une des concubines du roi, mère du prince héritier] *parurent avoir un faible pour moi.* »

Une vie si différente

« *À partir de ce jour-là, mes parents ne s'adressèrent plus à moi de la même façon : ils employaient des formules respectueuses. Les anciens de ma famille me traitèrent eux aussi désormais avec vénération, à mon grand embarras. Quant à mes cousins, je fus très peinée de voir qu'ils se tenaient maintenant à distance dans une attitude pleine de respect. Mon père, plein d'angoisse et de crainte pour moi, ne cessait de m'instruire et de me donner des conseils. La perspective de devoir quitter mes parents me brisait le cœur.* »

Trop de respect

Lors de la troisième sélection, « *le roi Yongjo fut très heureux de me voir. La reine Chongsong fut ravie de me voir et Dame Sohnui me manifesta tant d'affection que je fus soudain remplie d'une grande vénération. Elles refirent ma coiffure et mon maquillage, après quoi je m'installai, en tenue de cérémonie, à la table qu'on avait préparée pour mon dîner. Cette nuit-là je ne pus trouver le sommeil : des dames de la cour dormaient de chaque côté de mon lit, et dormir loin de ma mère me remplissait de frayeur et de chagrin.* »

Métamorphose

L'année suivante, Hong épousa le prince héritier Sado. Métamorphosée en reine, elle dut quitter sa famille et se plier aux contraintes de la cour, bien difficiles pour une enfant si jeune.

Surnommée le « Pays du matin calme », la Corée est située entre la Chine et le Japon. Tout au long de son histoire, elle a subi la pression de ces puissants voisins. La péninsule coréenne a été unifiée dès le VIIe siècle et gouvernée par la dynastie Choson à partir de 1392. Les Coréens se dégagent alors de l'influence culturelle chinoise et inventent un alphabet original, le hangul ; leur littérature connaît un grand essor. Annexée par le Japon en 1910, la Corée subit une occupation très dure jusqu'à la fin de la Seconde Guerre mondiale. La lutte d'influence entre les États-Unis et l'Union soviétique aboutit alors au partage de la péninsule en deux États. La guerre fratricide qui les a opposés de 1950 à 1953 a fait 2 millions de morts. Depuis, une ligne de démarcation militarisée sépare la Corée du Nord et la Corée du Sud.

LA CORÉE

250

Des gestes pour bien réciter

Pour aider l'élève à mémoriser les tons dans la prononciation du Veda, le maître pousse la tête de l'enfant vers le haut, le bas ou le côté au moment où ce dernier prononce la syllabe avec le ton correspondant, haut, bas ou résonant. La photo montre la récitation d'une syllabe haute : le maître s'occupe de l'un des élèves, tandis que les autres font le même mouvement.

Petit garçon deviendra brahmane

6ᵉ-20ᵉ siècle

Inde

VOIR FICHE P. 86

Autrefois, les brahmanes étaient chargés de perpétuer la connaissance intellectuelle et rituelle dans la société indienne traditionnelle. L'un de leurs devoirs était de transmettre l'ensemble de leurs textes sacrés, appelés **Veda.**

Première initiation

Les brahmanes transmettaient le Veda en l'enseignant à des garçons brahmanes. Les filles brahmanes aussi pouvaient l'apprendre, mais, avec le temps, l'apprentissage du Veda fut réservé aux garçons.

À l'âge de huit ans, parfois même dès cinq ans, le garçon, nous l'appellerons Nanda, recevait une initiation qui le qualifiait pour apprendre le Veda. Cette initiation s'appelait *oupanayana*. En voici les moments importants. Le maître prend solennellement la main de Nanda, lui demande de se tourner vers le soleil et il prie le soleil de protéger le garçon. Un feu sacré brûle à proximité. Nanda s'adresse à ce feu comme à un être vivant, un messager vers les dieux, et lui fait des offrandes. Ensuite, il s'agenouille devant son futur maître et lui demande la formule sacrée des brahmanes. Celui-ci lui enseigne cette formule. Puis il place sa main sur le cœur de Nanda, lui demande de suivre son enseignement avec attention et l'instruit de ses principaux devoirs d'étudiant. Il lui remet un bâton qui servira pour la marche, la surveillance du bétail du maître et pour se protéger. Il noue un cordon sacré qui passe de l'épaule gauche du futur élève à son côté droit et que le garçon devra porter pour tout rituel. Nanda conservera le cordon sur lui pendant toute son existence, comme on peut le voir aujourd'hui encore dans l'Inde moderne chez certains brahmanes.

Un apprentissage complet

L'initiation terminée, Nanda part vivre dans la famille de son maître, avec d'autres élèves. Il y restera des années, douze, disent souvent les traités. Nanda considère son maître comme un véritable père parce qu'il lui transmet la connaissance. Celui-ci suivra de près les progrès de Nanda. L'enseignement est oral. Nanda apprendra par cœur le Veda, tel que son maître le récite, ainsi que la grammaire, la littérature, la philosophie et d'autres matières.

La discipline est stricte et l'existence de Nanda simple. Il lui faut contrôler ses émotions, ne pas mentir, être propre, éviter les distractions. Chaque jour, Nanda participe aux rites religieux. Au début et à la fin de chaque cours, il vénère son maître en lui touchant les pieds. Ce dernier peut punir Nanda s'il commet une faute et il lui arrive même de battre un peu son élève, mais il ne doit jamais lui toucher la tête ou la poitrine.

Un bain rituel pour finir

Il n'y a pour ainsi dire pas de vacances. Trois ou quatre jours sont fériés chaque mois. Les cours ne s'arrêtent qu'en cas de maladie de l'élève ou du maître, d'accidents graves dans la famille ou dans le village, ou de visite d'un hôte de marque. Le paiement de l'enseignement n'est pas fixé d'avance. Lorsque la période d'étude de Nanda sera terminée, il proposera à son maître de l'argent ou des vaches, des champs, de l'or. Même si Nanda ne peut pas donner beaucoup, le maître acceptera ce don de gaieté de cœur, car son devoir est d'enseigner le Veda.

Avant de quitter définitivement la maison de son maître, Nanda, maintenant âgé de vingt ans, prendra un bain rituel qui marquera la fin de ses études, puis il retournera dans sa famille.

Veda : le Veda comprend des hymnes, qui glorifient les dieux de l'Inde, et des traités rituels. Il est écrit en langue sanskrite, l'une des plus anciennes langues humaines connues. Certaines parties du Veda datent de deux millénaires avant Jésus-Christ.

Souvenirs de catéchisme

Europe

19ᵉ-20ᵉ siècle

James Joyce (1882-1941) : poète et romancier irlandais.

James Joyce semble avoir gardé de très mauvais souvenirs de la manière dont les prêtres enseignaient alors aux enfants les préceptes de la religion catholique. Dans *Portrait de l'artiste en jeune homme*, il met en scène Stephen écoutant avec terreur les paroles du prédicateur.

L'enfer, une prison de flammes

« "Tâchons donc de faire cette retraite en l'honneur de saint François avec tout notre cœur et tout notre esprit. La bénédiction de Dieu descendra alors sur toutes vos études de l'année. [...] Aidez-moi, mes chers petits frères en Jésus-Christ. Aidez-moi par votre pieuse attention, par votre dévotion personnelle, par votre maintien extérieur. Bannissez de vos esprits toutes les pensées profanes et ne songez qu'à ces fins dernières : la mort, le jugement, l'enfer et le ciel [...]."

Il fit une pause [...]. Puis il reprit : "Maintenant, essayons pendant quelques minutes de nous représenter (dans la mesure du possible) la nature de ce séjour des damnés que la justice d'un Dieu offensé appela à l'existence pour le châtiment éternel des pécheurs. L'enfer est une prison étroite, sombre et fétide, un séjour de démons et d'âmes perdues, plein de flammes et de fumées. [...] le lac de feu de l'enfer est sans bornes, sans rivages et sans fond. [...] Ah, qu'il est terrible, le sort de ces malheureux ! Le sang bouillonne et bout dans les veines, la cervelle bout dans le crâne, le cœur dans la poitrine s'embrase et éclate, les entrailles ne sont plus qu'un rougeoyant amas de pulpe qui se consume, les yeux délicats flambent comme des globes en fusion. [...] Ô mes chers petits frères en Jésus-Christ, puissions-nous ne jamais entendre un tel langage ! Ah, je vous le dis, puissions-nous échapper à un tel sort !" [...] »

La terreur au ventre

« Stephen se dirigea vers la sortie par le bas-côté de la chapelle ; ses jambes flageolaient, la peau de son crâne frissonnait comme si elle venait d'être effleurée par des doigts de spectres. [...] Et à chaque pas, il se disait qu'il était déjà mort, que son âme avait été arrachée du fourreau de son corps, qu'il venait d'être précipité, la tête la première, à travers l'espace. [...] Dieu pouvait l'appeler à l'instant même. [...] Dieu l'avait appelé. Hein ? Quoi ? Oui ? Sa chair se recroquevillait devant l'approche des langues de flamme rapaces, se desséchait en sentant venir le tourbillon d'air suffocant. Il était mort. Oui. Il était jugé. Une vague de feu balaya son corps : la première. Une autre vague. [...] Son cerveau gargouillait et bouillonnait dans le logis du crâne prêt à craquer. Des flammes jaillirent de son crâne comme une corolle, criant comme des voix : "L'enfer ! L'enfer ! L'enfer ! L'enfer ! L'enfer !" »

Lettres à Dieu

La peur, celle de l'enfer notamment, a longtemps tenu une place centrale dans la religion chrétienne. Mais les choses ont changé, au moins depuis le milieu du XXᵉ siècle. Auparavant, déjà, bien des enfants avaient une expérience différente de la religion et faisaient de Dieu l'interlocuteur de leurs pensées secrètes. Ainsi, Françoise Dolto, psychanalyste française (1908-1988), avait sept ans (en 1915) lorsqu'elle écrivit une lettre à Dieu : « *Mon Dieu, je suis méchante tout le temps, j'ai beaucoup de peine d'avoir fait ça. Je tâcherai d'être bien sage pour que vous protégiez l'oncle Pierre.* » En 1881, Fortunée, âgée de treize ans, écrit dans son journal : « *Mes peines, je les dis bien au bon Dieu, je lui dis tous les jours, plusieurs fois par jour, je sens bien quand j'ai prié le mieux que j'ai pu que j'ai un peu plus d'espérance.* »

253

**Madrasa,
Somalie, 1973.**

Dans le monde islamique, les écoles coraniques, appelées madrasa, dispensent un enseignement centré sur le texte sacré. Le devoir principal consiste à mémoriser le Coran et à savoir l'écrire correctement.

Photographie de Rosy Rouleau.

MILLE ET UNE FORMES DE L'ÉCOLE

L'école a une très longue histoire. Elle existait déjà, il y a plusieurs milliers d'années, par exemple en Chine ou en Grèce. En revanche, d'autres civilisations ont ignoré l'école : les enfants y apprenaient d'une autre manière, auprès de leurs parents ou de leurs proches. Bien souvent aussi, des écoles existaient, mais seule une minorité d'enfants pouvait y aller. La plupart d'entre eux n'apprenaient ainsi ni à lire ni à écrire : ils étaient analphabètes.

La plus grande nouveauté, dans l'histoire de l'école, survient au XIXe siècle. Pour la première fois, en Europe d'abord, des lois rendent l'école obligatoire : tous les enfants, jusqu'à un certain âge, doivent être scolarisés.

Aujourd'hui, de telles lois existent presque partout dans le monde ; mais, dans les pays les plus pauvres, beaucoup d'enfants doivent travailler et vont très peu ou pas du tout à l'école.

L'école n'est pas partout ni toujours la même. À certaines époques, les maîtres se montrent très rudes, voire répressifs : les coups pleuvent sur les élèves indisciplinés. Heureusement, il n'en va pas toujours ainsi.

Certains écoliers vivent l'école comme un supplice, auquel ils préfèrent échapper le plus vite possible. D'autres y voient une chance et apprennent avec plaisir.

Serait-il possible qu'un jour apprendre contribue à l'épanouissement de tous ? Serait-il possible de se souvenir que le mot grec *scholè* (d'où vient le latin *schola* et les termes comme école, *school*, *escuela*, *scuola*...) désignait, loin de toute idée de « travail », le loisir qui permet à l'homme libre de cultiver la sagesse ?

À Sparte, une éducation pour servir la cité

Antiquité

Grèce

À Sparte, au cœur des montagnes du Péloponnèse, les jeunes reçoivent une éducation différente de celle des enfants d'autres cités grecques. De nombreuses histoires racontées par les auteurs anciens mettent en scène le caractère rigoureux, voire même cruel, de l'*agogé*.

Une vie vraiment spartiate

Les garçons sont répartis en classes d'âge (les petits, les moyens, les grands) et, dès l'âge de sept ans, ils habitent, mangent, jouent et travaillent en commun, loin de leurs familles. Ils dorment sur des paillasses qu'ils se sont confectionnés eux-mêmes avec des roseaux ; ils ne reçoivent qu'un seul vêtement pour toute l'année ; ils sont le plus souvent sales et affamés. Pour se nourrir, on les entraîne à dérober des légumes dans les jardins, des viandes dans les réfectoires des citoyens et, s'ils sont pris, ils reçoivent des coups de fouet. Plutarque raconte l'histoire d'un enfant qui avait dérobé un renardeau et le tenait caché sous son manteau : il laissa la bête lui déchirer le ventre avec ses griffes et ses dents plutôt que d'être découvert.

Le printemps de la cité

Les aînés qui les encadrent leur apprennent l'histoire des héros de la cité et les habituent à juger la valeur des actions des citoyens, à distribuer éloge et blâme. Savoir chanter des poèmes, jouer de la cithare, parler bref et vrai, se taire devant les adultes est tout aussi important que savoir lutter à mains nues, combattre à son rang, faire preuve de bravoure et de solidarité. Dans les fêtes de la cité, garçons et filles participent aux rituels en l'honneur des dieux : ils paradent, dansent, font admirer la beauté de leur corps. Ils sont selon les mots des Grecs « *le printemps de la cité* », la gloire pour une cité comme Sparte qui fait de l'*agogé* la clef de voûte de la reproduction de son système social et politique.

Seulement pour les fils de citoyens

Cette éducation, entièrement organisée et prise en charge par la cité, est en effet le privilège des fils et des filles de citoyens, qui ne sont qu'une minorité de la population. Les enfants des habitants libres mais n'ayant pas le droit de citoyenneté et, à plus forte raison, les petits esclaves en sont exclus. Son but est de former les meilleurs citoyens et épouses de citoyens, pleins de qualités à la fois physiques et morales, capables de servir la cité, à la guerre pour les garçons, en mettant au monde des enfants vigoureux pour les filles.

Pas de cité sans *agogé* : l'éducation était selon Lycurgue la tâche la plus importante et la plus belle de tout législateur.

Agogé : terme employé par les Grecs de l'Antiquité pour désigner le système éducatif. Associé à un autre mot grec, *paidos*, qui veut dire « enfant », il a donné le mot « pédagogie ».

Plutarque (46/49-125) : philosophe et écrivain grec.

Située dans le Péloponnèse, Sparte a été l'une des deux grandes cités-États de la Grèce antique, avec Athènes.
Sa Constitution – attribuée à Lycurgue, législateur mythique – limite le titre de citoyen à un très petit nombre d'habitants, les Égaux. La grande majorité de la population est constituée de dépendants et d'esclaves, qui ont en charge l'activité économique. Les Égaux se consacrent uniquement à l'entraînement militaire et mènent une vie austère et disciplinée. Ils prennent leurs repas en commun et sont réputés pour parler peu. L'infanterie spartiate a longtemps été la meilleure de toute la Grèce : en 480 avant J.-C., les hoplites conduits par Léonidas sont les héros de la bataille des Thermopyles contre les Perses. Les Spartiates s'engageront ensuite dans un très long conflit contre Athènes, la guerre du Péloponnèse.

SPARTE

Le « cahier » d'un élève de l'Antiquité.

Dans l'Antiquité, les élèves faisaient leurs exercices sur des tablettes en bois. Tracées par le maître, les quatre premières lignes invitent à écrire avec soin et donnent le conseil suivant : « Bien écrire, c'est d'abord bien former les lettres et écrire droit. Faites comme moi. » Mais l'élève a eu du mal à les recopier convenablement et bientôt les erreurs se multiplient !

Tablette de bois, IIIe siècle, retrouvée en 1899 à Tebtunis, Égypte.

Maître à l'école ou précepteur à la maison

Renaissance

Italie

La plupart des enfants n'allaient pas à l'école autrefois. Même dans une grande ville comme Florence, en Italie, et même à l'époque de la Renaissance, quand cette ville regorgeait de grands artistes et de savants, un petit garçon sur trois seulement, et bien moins de filles, apprenait à lire, à écrire et à compter dans une école.

Martin Luther (1483-1546) : réformateur religieux allemand.

Des coups pour apprendre

Le maître n'était pas commode, il avait toujours à portée de main une baguette ou des verges et, à la moindre faute d'un élève, il le fouettait. Cela paraissait normal à tout le monde.

Voir p. 111

Le jeune Paolo Morelli, qui avait manqué l'école jusqu'à l'âge de dix ou douze ans, voulut rattraper le temps perdu quand il revint de chez sa nourrice. Pour assimiler en quelques mois ce que d'autres écoliers avaient appris en cinq années, il fit promettre à son maître d'école qu'il ne le battrait pas comme les enfants plus petits de la classe. Il fallait, bien sûr, beaucoup de courage et de résolution chez un jeune garçon pour refuser d'être battu par son maître et pour discuter avec lui les conditions dans lesquelles il pourrait étudier.

Peur bleue de l'école

Plus tard, le fils de Paolo, Giovanni, se souvenait aussi avec épouvante de l'école où il avait été mis à l'âge de quatre ans : il se rappelait surtout les coups que le maître distribuait aux élèves, les terribles frayeurs qu'il provoquait chez eux. Lorsque son propre fils, Alberto, mourut de maladie à neuf ans, Giovanni regretta de l'avoir soumis au martyre de l'école, où Alberto avait été si souvent et si rudement battu. L'école, décidément, ne laissait à aucun garçon de très bons souvenirs !

Réprimandes du précepteur

Mais il y avait pire encore : avoir un maître à la maison, un précepteur. Cela n'arrivait que dans les familles riches, parce que cela coûtait cher. Quand il eut huit ans, par exemple, Giovanni tomba gravement malade et on le retira de l'école. Dès qu'il fut guéri, sa famille décida qu'il continuerait ses études à la maison. Et, pendant deux terribles années, soumis toute la journée aux réprimandes et aux coups infligés par son maître, le garçon n'eut pas un moment de répit.

Moins de violence pour les filles

Peut-être les filles avaient-elles plus de chance en restant à la maison, où leur seule maîtresse était leur mère. Bien sûr, elles apprenaient beaucoup moins de choses que leurs frères, mais les raclées étaient aussi bien moins violentes !

Précepteur : pendant plusieurs siècles, en Europe, les enfants des familles riches, par exemple les nobles, les princes et les rois, étaient éduqués à la maison, par un précepteur, payé pour donner à l'enfant un enseignement entièrement individuel.

VOIR FICHE P. 227

Objectif : instruction pour tous les enfants

Ce tableau nous montre une école à la campagne au XVIIe siècle. Le maître écoute l'enfant qui récite sa leçon. Deux autres enfants attendent leur tour. Pendant ce temps, le reste de la classe fait des exercices.

À cette époque, la République des Provinces-Unies (la Hollande actuelle) a décidé de prendre en charge l'éducation des enfants, dans les villes comme dans les campagnes. On y trouve des écoles partout, de sorte que l'analphabétisme est exceptionnellement faible pour l'époque. Le principal objectif de cet effort scolaire est de diffuser la religion protestante dans l'ensemble de la population. Luther (1483-1546), l'un des fondateurs du protestantisme, considérait comme un devoir des familles et des gouvernants de donner une instruction scolaire à tous les enfants. C'était, selon lui, une condition de leur bonne éducation religieuse.

Adriaen Van Ostade, *Le Maître d'école*, 1662, huile sur toile, 40 cm x 32 cm. Musée du Louvre, Paris.

Enfants précoces dans la Chine ancienne

12ᵉ-19ᵉ siècle

Asie

VOIR FICHE P. 78

Dans la Chine impériale, à partir du début de notre ère, une partie des fonctionnaires qui administrent le pays sont choisis pour leurs connaissances livresques. À partir du XIᵉ siècle, des concours de recrutement sont organisés tous les trois ans. Les participants doivent connaître parfaitement de nombreux textes littéraires et philosophiques, et savoir lire et écrire plusieurs milliers de caractères. Aussi, les parents ambitieux s'efforcent-ils de donner très tôt le goût des études à leurs fils.

Le plus tôt sera le mieux

L'école n'est pas obligatoire, mais les parents tentent dans la mesure du possible d'y envoyer leurs enfants. Les familles les plus riches et les plus influentes peuvent aussi engager des précepteurs pour leurs propres enfants. Ces derniers recevront un enseignement à domicile, aux côtés de leurs cousins et de leurs voisins pauvres, qui bénéficient ainsi du soutien des parents les plus fortunés.

L'apprentissage à l'école commence vers l'âge de huit ans, mais les garçons venant de familles ambitieuses commencent à lire et écrire bien plus tôt. Dès l'âge de trois ans, ils apprennent sous forme de jeu à reconnaître des caractères et ils doivent mémoriser des petits poèmes ou des chansons que leur récitent leur mère, leur grand-père ou un frère aîné. Très vite, ils apprennent par cœur des textes, parfois très longs et fort sérieux. Dans ce climat souvent très compétitif, les enfants précoces, doués d'une bonne mémoire ou d'une belle écriture, sont valorisés. On recherche dans ces enfants sages les qualités des futurs adultes et ils doivent se comporter avec sérieux, sans trop passer de temps à jouer. Lorsqu'un enfant montre des dons pour l'étude, il devient le centre de l'attention de toute sa famille, particulièrement de sa mère, et le climat peut devenir étouffant.

Astronome à sept ans

Dans les livres d'histoire, on trouve de nombreux exemples d'enfants prodiges. En voici un qui date du IIIᵉ siècle ; il s'agit d'un petit garçon de sept ou huit ans, irrésistiblement attiré par l'astronomie : « *Lorsque Lu jouait dans les champs avec ses amis du voisinage, il dessinait toujours des cartes des étoiles, il y ajoutait le soleil, la lune et les planètes. Il était capable de répondre à toutes les questions qu'on lui posait et il exposait dans tous leurs détails les phénomènes astronomiques. Ce qu'il disait était si extraordinaire que même les savants du village, qui avaient longuement observé le ciel, ne pouvaient pas lui tenir tête.* »

De pareils exemples sont, bien sûr exceptionnels, mais le soin mis par leurs parents à donner le plus rapidement possible à leurs fils une formation poussée est un phénomène ancien qui se poursuit encore de nos jours dans la Chine moderne, où les efforts portent maintenant sur les enfants des deux sexes.

Leçon aux élèves de deuxième année, école primaire élémentaire et supérieure de garçons, 1900. Sens.

Naissance de l'école publique

VOIR FICHE P.232

Les enfants d'autrefois allaient-ils à l'école ? Parfois. Mais ils n'y étaient pas obligés. La plupart d'entre eux travaillaient aux champs ou à l'atelier ; ils ne savaient ni lire ni écrire.

Laïque, gratuite et obligatoire

L'instruction ne paraissait pas si importante, surtout pour les filles. Pourtant, il existait beaucoup de petites écoles, tenues surtout par des religieux, mais aussi par des laïcs, où, dans une simple pièce, sans matériel, on apprenait à lire, à écrire, à compter : pas beaucoup plus.

Peu à peu, les exigences se firent plus grandes, d'abord avec la réforme protestante qui exige la lecture de la Bible, le développement des sciences et des techniques, l'essor du livre et celui des villes. Les États intervinrent dès le début du XIXᵉ siècle. En France, c'est la IIIᵉ République, avec les lois de Jules Ferry, en 1882, qui rendit l'école laïque, gratuite et obligatoire jusqu'à treize ans, âge du certificat d'études primaires. Et cela pour les garçons comme pour les filles, avec les mêmes programmes, mais le plus souvent dans des lieux séparés.

Instituteurs hussards

On vit s'ouvrir partout des « écoles de filles » et des « écoles de garçons », sous la conduite d'institutrices et d'instituteurs qu'on appelait « les hussards noirs de la République », parce que, pénétrés des idées de la Révolution française, ils étaient en quelque sorte les « soldats » de la nation et de son unité ; ils enseignaient à tous les enfants la même histoire, celle de leur pays.

Un lieu de vie pour tous les enfants

L'école publique était née. Elle fut un instrument d'instruction, d'hygiène (on y apprenait à se laver les dents, les mains), d'unification de la langue, de laïcisation, parfois de promotion sociale, mais aussi de discipline, d'ordre (il fallait se tenir droit, apprendre à se taire).

Elle fut un lieu de vie pour les enfants, avec la salle de classe, le buste de Marianne, l'estrade, le tableau noir, les cartes de géographie, les planches de sciences naturelles, et la cour de récréation, où les écoliers en blouse noire échangeaient leurs billes et rêvaient le monde.

Partout en Europe

En Allemagne, l'école est obligatoire plus tôt qu'ailleurs, dès la fin du XVIIIᵉ siècle. En Italie et en Grande-Bretagne, il existe des lois un peu antérieures à celle de la France, mais elles ne rendent l'école obligatoire que jusqu'à neuf ou dix ans. Peu à peu, ces mesures réduisent fortement la part de la population qui ne sait ni lire ni écrire. Vers 1900, l'analphabétisme a presque disparu en Allemagne ; en France, il ne concerne plus qu'une personne sur cinq, mais encore une sur deux en Italie.

Une même école pour tous les Italiens

19e siècle

Italie

Cœur, roman écrit par Edmondo de Amicis, a remporté un énorme succès lors de sa parution en Italie, en 1886. L'auteur le présente comme le journal tenu par l'un de ses fils, alors en troisième année d'école secondaire, dans le nord de l'Italie.

Un nouveau, venu du sud

L'extrait suivant se réfère aux luttes pour l'unification de l'Italie :

« *Samedi 22 octobre. Hier soir, le Directeur est entré avec un nouvel inscrit, un garçon au visage très brun, aux cheveux noirs, [...] tout habillé de sombre [...]. Il nous regardait avec ses yeux noirs, comme effrayé. Alors le maître lui prit la main et dit à la classe : "Vous devez être contents. Aujourd'hui entre dans notre école un petit Italien né à Reggio di Calabria, à plus de cinq cents milles d'ici. Ayez de l'amitié pour votre frère venu de loin. Il est né dans une terre glorieuse qui a donné à l'Italie des hommes illustres [...]. Traitez-le bien, afin qu'il ne souffre pas d'être loin de la ville où il est né. Faites-lui voir qu'un garçon italien trouve des frères dans n'importe quelle école italienne."* »

Accueil chaleureux

« *Ayant dit cela, il se leva et indiqua sur la carte murale de l'Italie le point où se trouve Reggio di Calabria. Puis il appela : "Ernesto Derossi !", celui qui a toujours le premier prix. Derossi se leva. "Viens ici", dit le maître.* Derossi sortit du banc et prit place à côté du bureau, en face du Calabrais. "Comme premier de l'école, lui dit le maître, donne l'accolade de bienvenue à ce fils de la Calabre." Derossi étreignit le Calabrais, en disant de sa voie claire : "Bienvenue !", tout en l'embrassant sur les deux joues. Tous applaudirent. "Silence ! cria le maître, on n'applaudit pas à l'école !" [...]* »

Notre pays a lutté pour l'unité

« *Il dit encore : "Souvenez-vous bien de ce que je vous dis. Pour que ceci puisse arriver, pour qu'un garçon calabrais puisse être comme chez lui à Turin et qu'un garçon de Turin puisse être comme chez lui à Reggio di Calabria, notre pays a lutté pendant cinquante ans et trente mille Italiens sont morts. Vous devez vous respecter, vous aimer les uns les autres. Celui d'entre vous qui manquerait de respect à ce compagnon parce qu'il est né dans une autre province se rendrait indigne de lever les yeux du sol quand passe le drapeau tricolore." [...]* »

Au début du XIXe siècle, la péninsule italienne est morcelée en plusieurs États et occupée par des puissances étrangères. Un mouvement national se forme pour libérer et unifier le pays. Dans le Sud, la lutte est menée par des sociétés secrètes comme celle des Carbonari ; dans le Nord, par le petit royaume italien de Piémont et son premier ministre, Cavour. En 1859, battus à Magenta et à Solferino avec l'aide de Napoléon III, les Autrichiens se retirent de l'Italie du Nord. L'année suivante, l'expédition de mille patriotes menée par Garibaldi libère l'Italie du Sud. Le roi de Piémont, Victor-Emmanuel, devient roi d'Italie. Ce mouvement d'unification, appelé le « Risorgimento » (la « renaissance ») s'achèvera en 1870 avec l'annexion des États du pape. Rome devient alors la capitale de l'Italie unifiée.

L'UNIFICATION DE L'ITALIE

Regards sur les écoles du monde

« *Nous sommes retournés à l'école* », avouent Olivier Culmann et Mat Jacob, deux photographes, qui ont réalisé, à la fin des années 1990, un grand reportage sur les écoles dans le monde. Voici quelques-unes des photographies qu'ils ont rapportées de leurs voyages au Cameroun, au Canada, au Mexique, au Japon et au Pakistan. Chacune est accompagnée des impressions et des souvenirs de l'un des deux photographes.

55 élèves, 1 professsseur

Cameroun. « *Simplice Lemesso, l'unique professeur de l'école* [...] *jongle avec ses cinquante-cinq élèves et court entre les deux salles de classe pour assurer simultanément quatre leçons pour les quatre niveaux de l'école. Il n'y a aucune chance pour que l'État fournisse un second prof. Comme tous les matins, Simplice Lemesso a aligné les élèves en rangs. Ils ont levé le drapeau camerounais, chanté l'hymne national, ainsi qu'une chanson à la gloire du Président.* » O. C.

Maîtres respectueux des élèves

Dans le sud du Mexique, les villages indiens ne voulaient plus des maîtres envoyés par le gouvernement, car ceux-ci étaient très souvent absents. Et, quand ils étaient là, ils se contentaient d'obliger les élèves à copier la leçon, sans rien expliquer ; parfois ils les traitaient très mal. Aucune chance de comprendre, aucune chance de s'intéresser. Alors, les villages indiens ont décidé de créer leurs propres écoles et de former leurs propres maîtres. Ce sont désormais des gens du village, qui respectent les élèves et expliquent jusqu'à ce que tous aient compris. L'éducation n'est plus quelque chose qui vient de l'extérieur ; elle part des besoins et des réalités de la vie quotidienne. Même si l'école manque de matériel et même si les filles doivent s'occuper de leurs petits frères pendant l'étude, les élèves apprennent avec goût. Ils savent que l'éducation est très utile. Elle est même indispensable pour donner plus de force à la lutte des communautés indiennes, pour faire respecter leurs droits.

Toujours connectés

Canada. « *Dans une classe
d'informatique, bondée
d'électronique, j'ai vu par terre
un pansement qui parcourait
la salle. Sous le pansement,
c'est les veines de la grande
machine qu'on devine, c'est
un fil électrique, le fil conducteur
de la pensée moderne...
Aux commandes de la machine,
un élève aux chaussures
de cosmonaute surfe sur
un mystérieux langage, pour
ingurgiter les codes d'un nouveau
savoir, les clés de la réussite...
Ce monde est bien carré.* » M. J.

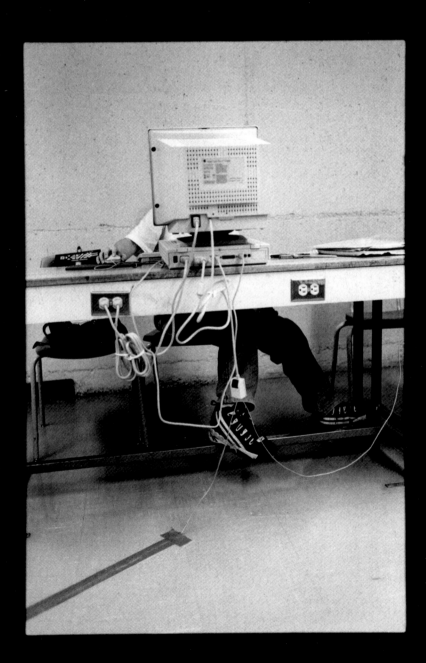

Les cours dans la cour

Pakistan. « *Ici, il n'y a souvent pas de mur. [...] Les classes sont généralement bondées et il est souvent nécessaire de faire cours à l'extérieur.*

Ce matin, tous les garçons de l'école sont assis dehors pour un examen de mathématiques. Les enfants cogitent. Alignés comme des idées [...], la tête enfermée par leur problème. [...]

Ici, il y a des gens qui donnent avec cœur le moyen de devenir un peu plus libre. » O. C.

Meilleurs, toujours meilleurs

Japon. « *J'ai vu une école maternelle
privée qui prône la pédagogie
de "l'éducation nu" : les enfants, vêtus
uniquement d'un short été comme
hiver, en deviendront plus forts
physiquement et donc moralement.
[...] J'ai vu des jukus, ces cours du soir
où les élèves vont après l'école. Pour
être meilleurs, meilleurs que les
autres et meilleurs qu'eux-mêmes.* »
O. C.

Le cri de Ma Yan : « Je veux étudier, je ne veux pas rentrer à la maison ! »

Aujourd'hui

Chine

« Maman dit : "Je crains que ce ne soit la dernière fois que tu ailles à l'école." J'ouvre de grands yeux, la regarde et lui dis : "Comment peux-tu dire une chose pareille ? Aujourd'hui, on ne peut pas vivre sans connaissances. Même un paysan a besoin de connaissances pour cultiver sa terre, sinon il n'obtient pas de récoltes." Maman continue : "Tes frères et toi, vous êtes trois à aller à l'école. Seul votre père travaille loin. Ça ne suffit pas pour vous prendre en charge." Je lui demande : "Cela signifie que je dois rentrer à la maison ?" Maman dit : "Oui." »

Appel au secours

Pour Ma Yan, jeune Chinoise de quatorze ans, fille de paysans pauvres de la province du Ningxia, dans le nord-ouest de ce grand pays d'Asie, c'est un rêve qui s'effondre. Alors, elle décide d'écrire une lettre à sa mère, qui se termine ainsi : *« Je veux étudier, maman, je ne veux pas rentrer à la maison. Comme ce serait magnifique si je pouvais rester à l'école ! »*

Trois petits carnets

L'épisode aurait pu se terminer avec cette lettre, si, quelques jours plus tard, un petit groupe de visiteurs n'était passé par le village de Ma Yan. Sa mère, très triste d'avoir eu à prendre cette décision, se mit à parler aux étrangers et leur demanda de l'aide. Elle leur confia la lettre et y ajouta trois petits carnets marron, le journal de sa fille, dans lequel, chaque jour, elle décrivait sa vie difficile.

Succès du journal

Ses petits carnets devinrent un livre, le *Journal de Ma Yan*, traduit dans dix-neuf langues et connu dans le monde entier. Sa publication a changé la vie de Ma Yan et celle de sa famille. Elle a pu reprendre ses études. Un élan de solidarité dans plusieurs pays a permis d'aider des centaines d'autres enfants à poursuivre leur scolarité, et a permis aussi d'améliorer les conditions matérielles de plusieurs écoles de cette province reculée de Chine.

Trop pauvres pour étudier

Surtout, le *Journal de Ma Yan* a attiré l'attention sur le sort de millions d'enfants qui, comme elle, sont privés de la chance d'étudier, tout simplement parce que leurs familles sont trop pauvres. C'est le cas en Chine, dans les campagnes, restées à l'écart du développement rapide des villes, mais aussi dans d'autres pays d'Asie, d'Afrique ou d'Amérique latine. Et le plus souvent, ce sont les filles qui sont les premières victimes de cette exclusion.

En Chine, le gouvernement a finalement décidé, en 2004, de rendre les écoles gratuites dans les régions les plus pauvres, jusqu'à la fin du collège. Mais le lycée reste payant, ce qui exclut les enfants des familles les plus démunies. Le cri de Ma Yan, *« Je veux étudier ! »*, risque de retentir encore longtemps, en Chine comme ailleurs dans le monde.

« Quand je repense aux rires de l'école, je me sens comme si j'y étais encore. Comme je désire étudier ! Mais ma famille n'a pas d'argent. »

Ma Yan

VOIR FICHE P. 69

Une école selon mon cœur

Raoul Vaneigem est l'auteur de plusieurs livres qui ont fortement inspiré le mouvement de Mai 68, comme le *Traité de savoir-vivre à l'usage des jeunes générations*. Il propose ici une école selon son cœur.

Ni premier ni dernier

1. C'est une école que je fréquenterais avec plaisir et sans être forcé d'y aller. Parce que je suis curieux : je me pose beaucoup de questions et j'ai envie d'acquérir les connaissances qui me permettront d'y répondre.

2. Une école où je m'efforcerais de connaître de plus en plus de choses parce que cela me plaît, et non de me montrer supérieur aux autres. Une école où il n'y aurait ni premier ni dernier, car je ne veux pas être le meilleur, je veux seulement vivre bien.

3. Une école où l'on enseignerait l'histoire de toutes les religions et de toutes les idées. Ainsi, je serais capable de les critiquer, de les refuser ou de choisir ce qui me convient. Une école où l'on ne me dirait pas : tu dois croire ceci sans discuter parce que c'est la vérité.

4. Une école qui m'apprendrait surtout à étudier la vie et le vivant sous toutes ses formes (les hommes, les bêtes, les plantes, les minéraux). Car le lieu qui nous entoure et où nous nous promenons tous les jours est la maison du monde et de l'homme, et il nous incombe de la rendre plus belle et plus agréable.

Un maître qui donne son savoir

5. Une école où l'on enseignerait les langues anciennes et les langues modernes, non parce que cela permet de gagner de l'argent ou d'obtenir un diplôme mais parce que cela m'aiderait à découvrir d'autres cultures que la mienne.

6. Une école où l'histoire accorderait plus de place aux progrès humains qu'aux progrès techniques. Mieux vaut connaître ceux qui ont aidé les hommes à vivre plutôt que ces rois, ces généraux, ces hommes d'État, ces chefs politiques, responsables des guerres et de la misère des peuples.

7. Une école où l'on montrerait comment les connaissances mathématiques et scientifiques ne doivent pas être au service du commerce et des intérêts égoïstes mais s'efforcer d'améliorer le sort des enfants, des femmes, des hommes du monde entier.

8. Une école où le maître ne serait pas un chef à qui il faut obéir mais un compagnon qui donne son savoir aux élèves. En leur permettant d'apprendre en jouant, il n'aurait pas besoin de crier des ordres ni de faire preuve d'autorité. Il en appellerait seulement à la curiosité et au désir de s'instruire.

Être, plus important qu'avoir

9. Une école qui cesserait de former les élèves pour les envoyer dans des bureaux et dans des usines où ils deviendront tristes, s'ennuieront et auront peur de devenir chômeur un jour ou l'autre.

10. Je ne veux plus d'une école où règne la violence, où le plus fort écrase le plus faible, où une bande se bat contre une autre, où l'on affirme que l'argent est très important et qu'il faut penser comme tout le monde. Je veux une école qui m'apprenne à devenir libre et indépendant, où j'aie envie d'être généreux, d'être heureux et de rendre les autres heureux. Une école qui soit une fenêtre et une porte ouvertes sur le monde et non quatre murs fermés comme une prison.

11. Je veux une école où l'on apprendrait à inventer des choses belles et utiles, à vivre comme on le désire et non à travailler pour un chef et à obéir.

12. Une école qui m'enseignerait à déjouer le mensonge de la publicité, du commerce, de l'information, de la mode, des drogues. Les vrais plaisirs ne s'achètent pas, car être est plus important qu'avoir. Mieux vaut jouir de la vie que posséder des biens. La seule richesse est celle de l'amour, de l'amitié, de la création, de la joie de vivre.

« Les enfants pauvres, ils ont moins de chance de réussir à l'école ; par exemple, quand ils apprennent à lire, ils n'ont que le livre de lecture de l'école pour les aider et, chez eux, ils n'ont pas de livres. »

Lila

À apprendre, certainement. À savoir lire, écrire et compter. Car là où l'obligation d'aller à l'école n'est pas respectée, beaucoup de gens sont encore analphabètes. Dans les pays pauvres, aller à l'école est un privilège, un rêve, une chance ardemment désirée.

« Ils n'ont pas les parents pour les aider. »

Amèle

À quoi sert l'école ?

Vivre en société

L'école ne transmet pas seulement des connaissances ; on y apprend aussi comment se comporter. La discipline y est plus ou moins sévère ; mais d'une manière ou d'une autre, l'élève apprend qu'il faut obéir, faire ses devoirs et travailler. On y inculque le respect des horaires, de l'emploi du temps.

Bref, l'école prépare à vivre en société. Mais quand la société traverse une crise, comme aujourd'hui, comment l'école ne serait-elle pas elle aussi en crise ? *« À quoi bon me préparer s'il n'y a pas de place pour moi dans cette société ? »*, doivent se dire beaucoup d'élèves dont les familles vivent de grandes difficultés, telles que le chômage. *« À quoi bon me former, si c'est pour me sentir exclu ou humilié, parce que je suis arabe ou noir ? »*

Autre école, monde différent

L'école perd son sens, si le monde auquel elle prépare n'offre pas à chacun une place digne, valorisée. Pour bien des écoliers, ce qu'on y apprend manque dramatiquement de signification, d'utilité.

Alors que dans les pays pauvres beaucoup d'enfants, privés d'école, rêvent d'y aller, dans les pays riches, l'école pour tous provoque beaucoup de déceptions, de frustrations, d'échecs. Et pourtant, ne peut-on rêver une autre école, dans un monde différent ? Une école qui soit à nous, pour nous, où l'on sache pourquoi on étudie. Un lieu pour s'épanouir, où l'on ait le désir d'apprendre et de partager toutes sortes de savoirs.

Les cahiers au feu !

« À la fin de l'année 1510, je jetai aux orties ma sacoche d'écolier », écrit Matthäus Schwarz. De ce jour (il est alors âgé de quatorze ans), il ne retourna plus à l'école mais décida de tenir son journal. Pour illustrer l'autobiographie qu'il rédigea plus tard, ce marchand d'Augsbourg (Allemagne) s'est représenté à chacune des étapes de sa vie.

Matthäus Schwarz, *Le Livre des costumes*, aquarelle.

Bibliothèque nationale de France, Paris.

LES ENFANTS, ACTEURS OU VICTIMES DE LA VIOLENCE?

Les médias ne cessent de parler de la violence à l'école, de la violence des jeunes. Ces derniers ont souvent l'impression que les adultes les regardent de travers, comme s'ils étaient tous des « délinquants » en puissance.

Si l'on se tourne un peu vers le passé, on s'aperçoit que les enfants ont souvent été associés, dans les siècles anciens, à des actes violents, terriblement cruels à l'occasion. Il arrivait que cette violence, loin d'être condamnée, semble juste aux yeux des adultes, sacrée même, presque divine.

Et aujourd'hui ? Tous les enfants, tous les jeunes ne sont pas violents, bien sûr, même s'il leur arrive de prendre plaisir à écraser un insecte ou à détruire un objet. Les plus chanceux évoluent dans un univers plus ou moins préservé de la violence. Mais, pour beaucoup, le monde environnant est si hostile qu'on se demande comment ils pourraient échapper à cette atmosphère lourde d'agressivité. Dans les cas extrêmes, la violence des enfants se fait meurtrière :

quelle folie que celle d'un monde où des enfants en viennent à tuer, et pour rien ! Cette violence-là n'a rien de sacré ; elle parle d'un grand vide, d'une vie qui n'a plus aucun sens.

Et que faire lorsque des enfants, des jeunes commettent vraiment des fautes ? Les uns n'envisagent que punitions, répression, police, prison. Aux yeux des autres, il faut plutôt écouter et comprendre les souffrances qui conduisent un enfant à commettre des bêtises, pour l'aider à agir autrement.

Les enfants, les jeunes veulent-ils répondre aux coups par d'autres coups ? Ou désirent-ils être écoutés et respectés ? En tout cas, ils ont sûrement compris qu'ils ne font que reproduire le monde qui les environne et la violence dont ils souffrent eux-mêmes.

Enfants justiciers à la Renaissance

15ᵉ-16ᵉ siècle

Europe

Vous savez que les enfants, autrefois, couraient partout dans les rues des villes. Ils y jouaient, travaillaient et assistaient à tous les spectacles qui s'y déroulaient. Ceux-ci pouvaient être violents et parfois même horribles.

Exécutions publiques

Les châtiments réservés aux criminels, tout autant que les jeux et les fêtes, avaient pour cadre les rues et les places : des gens en chemise étaient fouettés à travers toute la ville, les condamnés à mort étaient exécutés en public. Personne n'aurait eu l'idée d'écarter les enfants. À Florence, des pères de famille emmenaient leur fils assister à l'exécution des condamnés – on les pendait ou on leur coupait la tête –, pensant que cela leur apprendrait à bien se conduire !

Bourreaux à la place du bourreau

Les adultes provoquaient ou utilisaient souvent la violence des enfants. Dans beaucoup de villes françaises ou italiennes de la Renaissance, les enfants se chargeaient de tuer les condamnés lorsqu'ils trouvaient que le bourreau ne faisait pas bien son métier ; et parfois, pour cette même raison, ils tuaient le bourreau lui-même ! Ce qui se passait après l'exécution d'un condamné particulièrement détesté par les gens était tout aussi effrayant. Il arrivait que les garçons détachent le pendu ou s'emparent du corps d'un décapité pour le rouer de coups de bâton ou de couteau, lui jeter des pierres, le couper en morceaux. Ils traînaient le cadavre au bout d'une corde ou attaché à la queue d'un âne à travers la cité et finissaient par le jeter dans le fleuve ou hors des murs de la ville.

Messager de la volonté divine

Les adultes n'intervenaient pas. Il semble plutôt que de tels actes, qui déshonoraient le malheureux supplicié encore plus que le châtiment officiel, aient reçu une large approbation. Les garçons achevaient ainsi l'œuvre du bourreau, en nettoyant la ville de la méchanceté du condamné. On ne les en blâmait pas, parce que l'enfance était considérée comme pure et innocente et que la justice accomplie par les enfants était en quelque sorte une manifestation de la volonté divine.

VOIR FICHE P. 227

Justiciers en herbe

Fougueux prédicateur, Jérôme Savonarole (1452-1498) devient, trois ans durant, le dirigeant de la ville de Florence. Il prétend alors instaurer une « République chrétienne et religieuse » et imposer à tous les habitants des règles de vie strictes et austères. Pour mener à bien la réforme des mœurs, il organise des compagnies d'enfants, les « *fanciulli del frate* », qui doivent chasser les malfaiteurs, fermer les tavernes, brûler les jeux de hasard ou encore empêcher les fêtes du carnaval. Savonarole voulait ainsi canaliser l'énergie des groupes d'enfants et de jeunes, et la mettre au service de son projet. Mais il sera finalement condamné au bûcher et mourra sous les pierres lancées par les *fanciulli*.

Les enfants « tuent Judas »

Dans de nombreux pays d'Amérique latine, comme le Mexique ou le Venezuela, il était habituel de réaliser d'immenses effigies de Judas en tissu ou en papier pour la fête de Pâques. Des enfants portaient en procession le traître Judas, qui avait livré Jésus à la mort. Puis ils devaient « tuer Judas », en rassemblant du bois et en allumant un feu pour y brûler son effigie. Cette pratique était courante en Europe aussi, depuis la fin du Moyen Âge et jusqu'à la première moitié du xxe siècle. Souvent, les enfants se montraient très cruels, en détaillant les souffrances infligées à Judas : « Fendons-le, déchirons-lui les entrailles, car il a tué notre Dieu » ou encore : « Brûlons le juif ! » Leur violence visait souvent les Juifs en général, qu'il s'agissait de « tuer » en agitant des armes de bois et au bruit des crécelles.

Quand les enfants envoyaient les sorcières au bûcher

17ᵉ siècle

Suède

Francisco de Goya,
Le Sabbat des sorcières,
1797-1798, huile sur toile,
43 cm x 30 cm.
Museo Lázaro Galdiano,
Madrid.

Ce pays scandinave situé dans le nord de l'Europe est une terre de forêts et de lacs qui s'étend jusqu'au-delà du cercle polaire. Au Moyen Âge, la Suède fut habitée par les Vikings. Au XVIIᵉ siècle, elle devient une grande puissance militaire : les rois gouvernent en souverains absolus et mènent une politique d'intervention dans toute l'Europe du Nord. En 1810, le roi, se trouvant sans héritier, désigne comme prince héritier Jean-Baptiste Bernadotte, maréchal de Napoléon Iᵉʳ ! Le roi actuel est un de ses descendants. Depuis le XIXᵉ siècle, la Suède est un pays pacifique : sa politique de neutralité pendant les deux conflits mondiaux de 1914-1918 et 1939-1945 l'a préservée des malheurs de la guerre. Les Suédois jouissent de l'un des niveaux de vie les plus élevés d'Europe.

LA SUÈDE

En Suède, entre 1668 et 1676, une vague de procès de sorcellerie se déclenche. Tout commence par le récit d'un garçon de neuf ans, qui affirme avoir vu une fille de onze ans avec qui il gardait les chèvres marcher sur l'eau.

Chèvres, sabbat et Satan

Dans plusieurs villages, les accusations se multiplient. Partout, des enfants témoignent, accusant telle ou telle femme de leur village de se rendre au sabbat, sur l'île de Blakulla, dans la mer Baltique. Eux-mêmes, disent-ils, ont été emmenés par les sorcières ; ils ont chevauché dans le ciel sur une chèvre ; ils ont vu les sorciers et les sorcières se prosterner devant Satan et réciter des prières blasphématoires, comme le « Notre Père qui brûle en enfer ».

Des témoignages reconnus

Bien sûr, certains adultes émettent des doutes quant aux témoignages des enfants. Mais finalement les tribunaux, dépendants du roi de Suède, en admettent la validité : comment des enfants, par nature innocents, pourraient-ils mentir et nuire injustement à autrui ? Il est admis toutefois que le témoignage d'un enfant de cinq ans vaut le dixième de celui d'un adulte, celui d'un enfant de quatorze ans la moitié. Qu'à cela ne tienne ! Ce sont des centaines d'enfants, la plupart âgés de cinq à neuf ans, qui comparaissent comme témoins dans chaque procès. Plus de cinq cent cinquante dans la seule paroisse de Rättvik ! Comme ils demeurent ensemble dans une grande salle, pendant la durée du procès, on peut imaginer que certains enfants font circuler les détails des récits que tous racontent ensuite, de manière identique.

Accusés à tort

C'est ainsi que, à Mora, le tribunal condamne vingt-trois personnes à mort. À Angermanland, quarante-huit suspects sont exécutés. Plusieurs centaines au total. Jusqu'au jour de l'été 1676 où, à Stockholm, un enfant de treize ans qui avait témoigné contre une femme, ensuite brûlée sur le bûcher, confesse que son récit était entièrement inventé...

Ces faits, vieux de plus de trois cents ans, font penser à des procès très récents. On se soucie aujourd'hui de punir ceux qui ont commis des agressions contre les enfants. Mais il peut aussi arriver que les accusations de ces derniers, qui mènent des adultes devant un tribunal, soient inventées ou manipulées pour causer du tort ou simplement parce que des enfants profitent de la situation pour attirer l'attention sur eux.

Ce que les adultes voulaient entendre

Dans les affaires de sorcellerie du passé, les enfants n'ont pas inventé de toutes pièces les récits du sabbat, puisqu'on en retrouve de semblables partout en Europe. Ils les ont entendus de la bouche des adultes. Ce qu'ils ont dit n'a fait que confirmer ce que les adultes voulaient entendre. De toute manière, les procès de sorcellerie se sont multipliés en Europe, même sans témoignage d'enfants. La responsabilité d'un tel massacre n'incombe-t-elle pas d'abord aux hommes d'Église et aux juges, qui ont transformé le récit du vol des sorcières et du sabbat, auparavant tenu pour imaginaire, en un fait considéré comme absolument réel ?

Chasse aux sorcières

La chasse aux sorcières a fait rage un peu partout en Europe, au XVIe et au XVIIe siècle (et non au Moyen Âge, comme on le croit souvent !). Des femmes, parfois des hommes, étaient accusés de se rendre en volant dans les airs au « sabbat », une cérémonie où ils adoraient Satan et se livraient à toutes sortes de crimes effroyables, tuant des enfants dont ils mangeaient le corps ou qu'ils réduisaient en cendres pour fabriquer des philtres magiques. On soumettait les suspects à la torture, afin de les faire avouer, et les juges, convaincus de la réalité de tels actes, les condamnaient souvent à mort. Au moins quarante mille hommes et femmes ont ainsi été exécutés pendant cette période.

Implacable justice pour les enfants rebelles

19e siècle

France

Tu as dix ans vers 1840. Tu as faim, tu voles un pain. Ou simplement, tu vagabondes. La police t'arrête, te conduit au « violon » (le commissariat) et peut te traduire en justice.

Mauvaise graine

Le juge peut te déclarer irresponsable et te rendre à ta famille ou, si tu n'en as pas ou si elle ne veut pas de toi, te placer en maison de correction. Ou encore te déclarer responsable, te condamner à une peine que tu passeras en prison ou, plus probablement, dans une « colonie pénitentiaire ». De toute façon, c'est l'enfermement qui t'attend, pour une période plus ou moins longue, qui peut aller jusqu'à ta majorité, si tu es un récidiviste, c'est-à-dire si tu as déjà été condamné. Dans ce cas, tu es vraiment une « mauvaise graine » et il faut te corriger.

Dur enfermement

En prison, tu cohabites avec des adultes et ils ne te donnent pas un bon exemple. Il existe une seule prison pour enfants, à Paris, la Petite Roquette (1836-1971). Une prison circulaire où chaque enfant se trouve seul dans une cellule, où il doit étudier et travailler toute la journée, fabriquer des barreaux de chaise ou de petits objets. Tu as droit à une heure de marche dans une petite cour fermée.

Une ombre vivante

Même quand tu vas à la chapelle, tu es dissimulé par un capuchon pour que personne ne te voie ni ne te parle. De quoi déprimer ou se révolter. C'est ce qui arriva en 1867 lorsque l'impératrice Eugénie vint en visite : elle fut chahutée. Les enfants furent évacués et la prison fut provisoirement fermée.

Mater le petit rebelle

Mais tu risques plutôt d'être envoyé dans une colonie pénitentiaire à la campagne, loin de la ville qui t'a corrompu. Par exemple à Mettray, près de Tours. Le régime se veut familial et militaire : exercices physiques, travaux des champs, silence, prière, discipline sévère, punitions par l'isolement et privation de nourriture. Il faut te mater, petit rebelle. Et à la sortie, au besoin, on t'enverra à l'armée. Ce qui suppose que tu es un garçon. Tes sœurs indisciplinées sont confiées aux religieuses de l'ordre du Bon Pasteur, et ce n'est pas beaucoup plus drôle.

Plus tard, vers 1900, on créera des tribunaux pour enfants ; puis, vers 1935, l'éducation surveillée, qui se veut plus éducative et moins répressive.

VOIR FICHE P. 232

**Trois mineurs
dans la cour d'un centre
de détention provisoire.**
1999, Pskov, Russie.

Ils ont le droit à deux
heures de promenade
par jour. L'attente
du jugement peut durer
plus de un an.

Photographie
de Jéromine Derigny.

L'enfant terrible, conte africain

Afrique

Jusqu'à nos jours

Peu avant de mourir, un père recommande à ses deux fils de ne jamais se disputer. La mère disparaît à son tour. Les enfants héritent de trois grands troupeaux.

Cadet de malheur

Le cadet décide de les brûler ; l'aîné ne peut s'y opposer. Ne possédant plus rien, ils s'en vont dans la forêt, où ils demandent à la lionne de les abriter. Elle y consent, mais le cadet tue ses trois lionceaux. Avec leurs peaux, il fabrique un sac dans lequel il enferme leur mère, qu'il réussit à vendre comme s'il s'agissait d'un chien.

Mais pourquoi est-il aussi méchant ?

Les deux frères sont recueillis par le chef du village, mais le cadet tue ses deux filles. Il se réfugie alors avec son frère en haut d'un fromager, un grand arbre sous lequel le chef convoque tous les habitants. Le cadet urine dans le plat que s'apprête à manger le chef. On se met à couper

l'arbre ; lorsqu'il est sur le point de tomber, un petit lézard passe sa langue dans la fente : l'arbre se redresse. Le cadet déclare : « *Voilà un animal qui nous empêche de mourir* », et il le tue. Un milan vole au-dessus de l'arbre lorsqu'il est sur le point de s'abattre. L'oiseau recueille les deux frères, mais le cadet lui casse une aile, puis l'autre. Ils tombent tous. Un hérisson les ressuscite, mais devient à son tour sa victime. Le cadet le tue, le fait griller et le donne à son frère tandis qu'il mange le milan...

On ne naît pas humain, on le devient

Ce récit, raconté par les Bambara du Mali, dépeint le héros comme un véritable génie du mal, qui détruit ses bienfaiteurs et se met lui-même en danger. D'autres versions africaines racontent en outre sa naissance extraordinaire : il sort de la cuisse de sa mère, alors que son jumeau est né « du ventre ». Il marche et parle parfois dès la naissance. Antihéros, il est excessif dans le mal et ses actes sont toujours à l'inverse des normes sociales et morales. Que signifie ce personnage ?

Toujours infantile et maléfique, malgré les années qui passent, il demeure incapable de comprendre que les autres sont semblables à lui. Il ne les épargne pas, non plus que lui-même d'ailleurs. Le récit semble ne pas pouvoir se conclure, sinon en précipitant le héros dans la mort, ou en l'élevant à une destinée divine. Il n'y a pas d'issue pour lui dans l'humanité. Impossibles à clore, ces contes disent peut-être qu'on ne naît pas humain, en dépit des apparences, mais qu'il faut le devenir.

Voir p. 100

Racket à l'école

Aujourd'hui

France

M. a quatorze ans. Sa mère, de nationalité haïtienne, l'élève seule, avec amour. Il va au collège en banlieue parisienne, où il travaille bien. C'est un garçon tranquille, sans problème.

Contraint de voler sa mère

Puis, pendant des mois, il est harcelé par un groupe de garçons de son collège. Ils lui demandent de leur donner ses devoirs corrigés, puis des bonbons, des tickets de bus, et même de l'argent. S'il ne donne pas, il est menacé. Alors M. vole sa mère, pour ne pas recevoir de coups. Il vole des sommes de plus en plus importantes, sans que sa mère s'en aperçoive, sans qu'elle sache qu'il est racketté.

Frappé pour n'avoir rien donné

Un jour, il ne peut pas donner tout ce qu'on lui a demandé. Alors, les garçons l'accablent d'insultes racistes. Ils le frappent et le violent. Après cela, M. ne peut plus dormir, ni manger, ni travailler. Combien d'efforts lui faudra-t-il pour surmonter cette souffrance, cette humiliation ? Ils m'ont fait cela, dit-il, car *« je suis faible, mal protégé et noir »*.

Peur que ça recommence

Même s'il conduit rarement à de tels actes, le racket est fréquent dans certains collèges et lycées :

« Il y a toujours eu des vols dans les écoles. Ça fait très longtemps qu'il y a des racketteurs. Moi, ils ont essayé de me racketter au début de l'année, mais je cours vite ! »
Arnold, 10 ans

« Moi, mon petit frère s'est fait frapper par toute une bande d'enfants à la sortie de l'école. Comme ça. Pour rien. Il a eu très mal. Maintenant, j'ai toujours peur que ça recommence. »
Niakhalé, 10 ans

C'est quoi la racaille ?

Dialogue entre des enfants du quartier de Belleville, à Paris.
« C'est ceux qui sont dans la rue et qui n'ont plus d'espoir. » Nabil, 9 ans
« Un jour, au parc de Belleville, j'étais en boubou. Y'a une petite fille qui a appelé la racaille parce qu'elle voulait mon boubou. J'ai vite appelé ma mère ! » Rabiatou, 9 ans
« Moi, je vous dis : il n'y a pas de racaille ! Les gens n'ont rien ! Ils sont obligés de voler, c'est tout ! » Nabil
« Des fois, ils deviennent racailles parce que, dans une famille, la mère s'occupe pas du grand, mais que du petit. Le grand a des copains et il se laisse entraîner. La famille ne dit rien, parce qu'elle a d'autres problèmes. » Lou-Naomi, 10 ans
« Ils n'ont pas de place à l'école, ils ne sont pas bien dans leurs familles, ils n'ont pas de travail... Alors, ils deviennent racailles dans la rue. » Kadidjatou, 9 ans
« Déjà, en classe, ils se sentent isolés. Ils font n'importe quoi pour qu'on les remarque. Ils sentent qu'ils n'existent pas. » Philomène, 10 ans
« Moi, je crois que c'est un passage pour devenir grand. Ils veulent se la jouer. Et puis aussi, on commence à voler une fois et on s'habitue. Dès qu'on a envie de quelque chose, on vole ! Ça peut arriver à n'importe qui. » Gabrielle, 10 ans
« Mais non ! Tu crois, toi, que les gens aiment être racailles ? Tu crois que ça leur fait plaisir d'être racailles ? Moi, je suis pas d'accord. C'est le désespoir ! La pauvreté ! On est obligé de voler quand on est trop pauvre et trop mal. La racaille, c'est des gens qui n'ont rien ! Rien ! » Nabil *« Les racailles sont malheureux sur terre. »*
Anne-Diane, 10 ans

Des enfants qui tuent

Ce n'est pas nouveau, mais cela devient de plus en plus fréquent. Cela peut arriver au Japon, mais aussi en Grande-Bretagne, en Allemagne, aux États-Unis ou ailleurs. Ces actes et ces mots nous parlent d'un monde qui semble devenu fou.

Me venger du monde

À Kobé, au Japon, en juin 1997, un garçon de quatorze ans assassine deux fillettes et un enfant de onze ans, qu'il décapite. Il dépose la tête devant son école, avec une lettre : *« J'ai voulu me venger d'un monde qui m'a rendu invisible. »* L'année suivante, dans une ville située au nord de Tokyo, un élève de treize ans poignarde son professeur d'anglais qui lui a reproché d'être en retard. Dans une autre ville, un élève du même âge poignarde un camarade qui s'est moqué de lui. Près de Kobé, deux jumeaux de quatorze ans sortent dans la rue, repèrent au hasard une vieille dame qui passe par là et l'assassinent à coups de couteau. *« On n'aura plus à aller à l'école après ça »*, commentent-ils.

Réussir à tout prix

Certains crimes de ce genre ont été commis avec le *butterfly knife*, un couteau à manche orné, semblable à celui qu'utilise le héros d'une série télévisée et en vente dans n'importe quel magasin. Mais est-ce seulement la faute de la télévision ? Au Japon, les parents travaillent tellement longtemps, et souvent si loin de leur domicile, qu'ils n'ont pas le temps de s'occuper de leurs enfants. Ils leur font cependant comprendre qu'ils doivent à tout prix réussir à l'école. La pression est terriblement forte : discipline stricte, cours du soir, examens incessants, obsession des bonnes notes, indispensables pour entrer dans une université prestigieuse. La vie entière semble soumise à cette obligation de la réussite ; tout faux pas est ressenti comme une faute insurmontable, une honte insupportable. Lorsqu'ils ne sont pas à la hauteur d'une telle exigence, les enfants peuvent tomber dans le désespoir ou avoir des réactions très violentes.

Pour exister aux yeux des autres

« Si ta réussite n'est pas parfaite, tu n'es rien », semblent dire les adultes aux jeunes Japonais, qui ont alors l'impression de ne pas exister, d'être devenus invisibles. Commettre un acte criminel et monstrueux apparaît sans doute à certains d'entre eux comme la seule manière d'attirer l'attention sur eux.

Pauvres de nous qui vivons dans ce monde où des enfants tuent, uniquement pour retrouver la sensation d'exister et être remarqués par les autres ! Quel vide terrible révèle cette folie meurtrière !

Surnommé le « pays du Soleil-Levant », le Japon est un archipel d'îles montagneuses et volcaniques qui subit régulièrement des tremblements de terre. Ses 120 millions d'habitants vivent principalement dans des villes immenses : Tokyo, la capitale, en compte à elle seule 30 millions ! Pendant des siècles, le Japon est resté un pays fermé sur lui-même et il a développé une culture très originale, qu'il s'agisse de l'art du thé, des sushis, des bonsaïs, de la passion pour les cerisiers en fleur, des mangas, des arts martiaux, des samouraïs ou des sumos... Le Japon a connu depuis la Seconde Guerre mondiale une croissance fulgurante. Mais ce « miracle économique » s'accompagne de graves problèmes de société : stress et épuisement au travail, compétitivité à outrance, jeunesse livrée à elle-même...

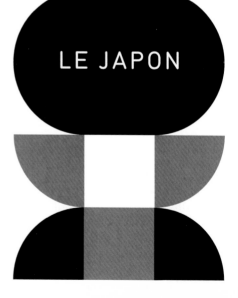

LE JAPON

Téo et le juge

Aujourd'hui

France

Téo a treize ans. Il est né au Cameroun, où sa grand-mère maternelle l'a élevé. À douze ans, il arrive en France, où il retrouve sa mère, qu'il n'avait pas vue depuis six ans.

Personne ne m'aide

Il vit avec elle, son beau-père, migrant sans papiers, et quatre demi-frères et sœurs. Il s'entend mal avec eux. Il n'arrive pas à suivre à l'école : « *Personne ne m'aide pour mes devoirs* », dit-il. Il passe beaucoup de temps dans la rue avec ses copains, et parfois il ne rentre pas la nuit. Une fois, les policiers viennent chez lui, l'accusant d'un vol de moto. Une autre fois, d'un vol dans une grande surface.

Famille d'accueil

Téo est présenté à un juge des enfants. À la demande de sa mère, celui-ci propose de placer Téo dans une famille d'accueil, à la campagne, pendant quelques mois. Téo s'y trouve bien et garde un bon contact avec sa mère. Au lieu de considérer Téo comme une « mauvaise graine » et de le punir, le juge cherche plutôt à comprendre les raisons de ses difficultés. Il demande conseil à des thérapeutes qui, connaissant sa langue et sa culture d'origine, essaient de reconstituer son histoire avant son arrivée en France.

Une histoire difficile à accepter

Ils comprennent alors que Téo est un enfant naturel, né quand sa mère était très jeune, de sorte que ses parents à elle n'ont pas admis cette naissance. Téo connaît l'identité de son père mais n'a jamais entretenu une vraie relation avec lui. C'est sa mère qui a choisi son nom, et non son père, comme le veut l'usage dans sa culture. Du fait de ce lien si distendu avec son père, Téo n'occupe pas une place claire dans sa parenté. Beaucoup de souffrances jalonnent son histoire. Mais du moins la parole a-t-elle commencé à circuler. Téo exprime le désir d'écrire à son père. Il trouve peu à peu sa place dans son entourage.

Enfant naturel :
enfant dont les parents ne sont pas mariés.

Commencer par écouter

Que serait-il advenu si le juge s'était contenté de le punir pour ses mauvaises actions ? Comme beaucoup d'enfants semblables à lui, Téo serait sans doute devenu ce que l'on appelle un « délinquant » ; peut-être aurait-il connu la prison. Alors, quand un enfant, un jeune, fait une bêtise, faut-il le déprécier et le punir ou bien commencer par l'écouter et tenter de l'aider ?

DANS LA GUERRE

Depuis des millénaires, les hommes se font la guerre et les enfants en subissent les conséquences. Parfois, ils combattent aussi, au moins dans leurs jeux. Dans la guerre, les enfants voient des proches mourir ou être blessés ; ils peuvent être atteints, eux aussi. Souvent, ils sont chassés de leur maison, ou même de leur pays : les réfugiés de guerre se comptent aujourd'hui par millions.

Les guerres anciennes étaient moins meurtrières que celles d'aujourd'hui, car les combattants s'affrontaient avec un armement simple, tel que des lances ou des épées. Au contraire, le XXe siècle a été le pire de tous, à cause de ses technologies militaires de plus en plus destructrices : deux guerres mondiales ont alors provoqué des dizaines de millions de morts. Avec une épée ou une lance, on ne peut faire mourir qu'une personne à la fois, tandis que la bombe atomique lâchée sur Hiroshima, le 6 août 1945, a anéanti à elle seule près de cent mille personnes.

De plus, depuis le XXe siècle, les conflits armés ne tuent pas seulement les soldats envoyés au combat, mais tout autant des civils, parmi lesquels beaucoup d'enfants. Parfois, ceux qui les déclenchent se fixent même pour objectif de détruire un peuple entier (cela s'appelle un génocide) : alors, on ne tue pas des enfants par « accident », mais parce qu'il s'agit d'un des buts même de la guerre.

Le XXe siècle n'a pas inventé l'horreur de la guerre, mais il l'a rendue plus terrible encore qu'auparavant. Le XXIe siècle sera-t-il plus pacifique ?

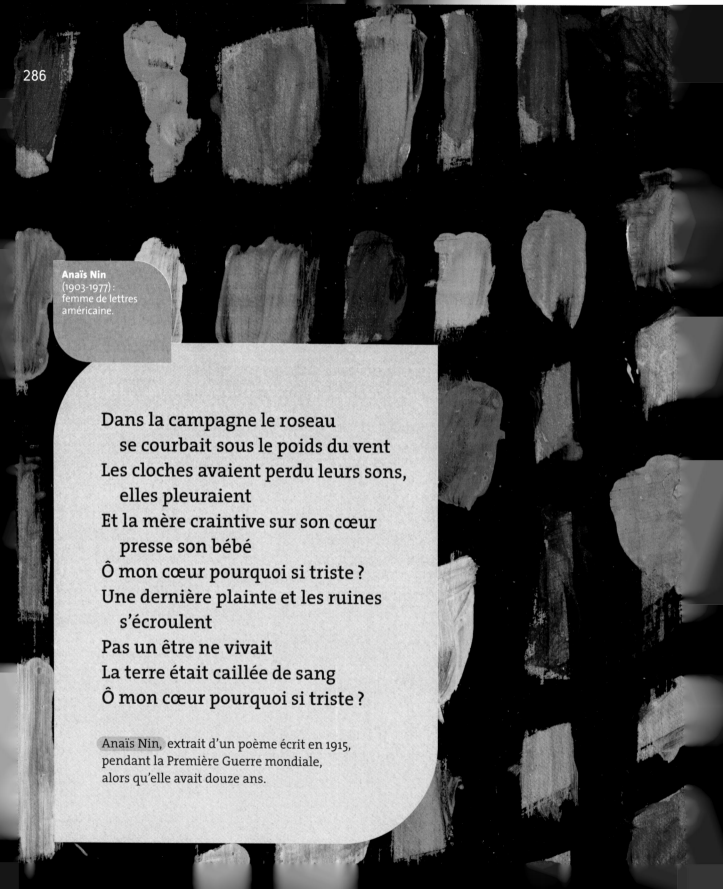

Anaïs Nin
(1903-1977) :
femme de lettres
américaine.

Dans la campagne le roseau
  se courbait sous le poids du vent
Les cloches avaient perdu leurs sons,
  elles pleuraient
Et la mère craintive sur son cœur
  presse son bébé
Ô mon cœur pourquoi si triste ?
Une dernière plainte et les ruines
  s'écroulent
Pas un être ne vivait
La terre était caillée de sang
Ô mon cœur pourquoi si triste ?

Anaïs Nin, extrait d'un poème écrit en 1915,
pendant la Première Guerre mondiale,
alors qu'elle avait douze ans.

Deux fillettes jouent
dans les décombres
des bombardements, au
lendemain de la Seconde
Guerre mondiale.
1946, Berlin.
Photographie
de Werner Bischof.

**Massacre
des nouveau-nés**

Selon l'Évangile, le roi juif
Hérode Ier ordonna, peu
après la naissance de Jésus,
de tuer tous les enfants de
moins de deux ans, car une
prophétie avait annoncé
qu'un enfant né à Bethléem
deviendrait roi des Juifs.
Au XVe siècle, le cardinal
Giovanni Dominici
recommandait de montrer
l'image du massacre des
Innocents aux tout-petits
afin de leur apprendre
à avoir peur des soldats.

Giotto, *Le Massacre
des Innocents*, 1303,
fresque, 185 cm x 200 cm.

Cappella degli Scrovegni,
Padoue.

Massacres d'enfants lors de la conquête de l'Amérique

16e siècle

Amérique

Bartolomé de Las Casas, un religieux devenu le défenseur des Indiens, dénonce les atrocités commises par les Espagnols, lors de la conquête de l'Amérique. Voici ce qu'il relate, en 1542, à propos de la Hispaniola (c'est-à-dire Haïti) et du Yucatán, au Mexique.

Attention ! Horreurs

« *Ils entraient dans les villages et ne laissaient ni enfants, ni vieillards, ni femmes enceintes ou accouchées qu'ils n'aient éventrés et mis en pièces. Ils arrachaient les bébés qui tétaient leurs mères, les prenaient par les pieds et leur cognaient la tête contre les rochers. D'autres les lançaient par-dessus l'épaule dans les fleuves en riant et en plaisantant. Ils embrochaient sur une épée des enfants avec leurs mères.* »

Oreilles coupées

« *Un Espagnol demanda au fils du seigneur d'un village de partir avec lui ; le garçon dit qu'il ne voulait pas quitter son pays. L'Espagnol répond : "Viens avec moi, sinon je te couperai les oreilles." Le garçon dit non. L'Espagnol dégaine un poignard, lui coupe une oreille, puis l'autre. Et, comme le garçon répétait qu'il ne voulait pas quitter son pays, il lui coupa le nez en riant, comme s'il lui tirait simplement les cheveux.* »

Jeté aux chiens

« *Dans ce royaume, un certain Espagnol qui allait à la chasse au cerf ou au lapin avec ses chiens ne trouva un jour rien à chasser et il lui sembla que les chiens avaient faim. Il enlève un tout petit garçon à sa mère et, avec un poignard, il lui coupe les bras et les jambes en morceaux, et donne à chaque chien sa part ; quand les chiens ont mangé les morceaux, il jette le petit corps par terre à toute la bande.* »

Le génocide des Indiens

Au cours du XVIe siècle, les Espagnols prennent possession de l'Amérique, de la Californie à la Terre de Feu (le Portugal, lui, colonise le Brésil). Ils détruisent villes et temples, et massacrent les populations, qui meurent aussi à cause des maladies contagieuses que les Espagnols apportent avec eux. Avant la Conquête, vingt millions d'Indiens vivaient sur le territoire du Mexique actuel ; cinquante ans après, ils ne sont plus que deux millions. Il n'est pas exagéré de dire que les Indiens d'Amérique ont été victimes de l'un des plus grands génocides de l'histoire.

En Europe, dans les siècles passés, les armées recrutaient parfois des mineurs, comme tambours ou exceptionnellement comme soldats.

Treize ans, trop jeune !

Malgré son très jeune âge, Joseph Bara, fils d'un modeste garde-chasse de Palaiseau, réussit à servir dans l'armée de la toute jeune République française.

En décembre 1793, il meurt dans la guerre de Vendée, à l'âge de treize ans. Le général Desmarres rapporte alors : « *Trop jeune pour entrer dans les troupes de la République, mais brûlant de la servir, cet enfant m'a accompagné, depuis l'année dernière, monté et équipé en hussard. Toute l'armée a vu avec étonnement un enfant de treize ans affronter tous les dangers, charger toujours à la tête de la cavalerie. Ce généreux enfant, entouré hier par des brigands, a mieux aimé périr que de se rendre et leur livrer deux chevaux qu'il conduisait.* »

Charles Moreau-Vauthier,
La Mort de Joseph Bara,
1880, huile sur toile,
80 cm x 145 cm.
Historial de Vendée,
Lucs-sur-Boulogne.

Joseph Bara, jeune héros de la Révolution française
18ᵉ siècle

France

Robespierre (1758-1794) : homme politique français.

Vive la République !

Immédiatement, on fait de lui un héros de la Révolution, un martyr de la République. Pour rendre son exemple plus édifiant encore, on ajoute au récit du général Desmarres qu'il est mort en criant « *Vive la République !* »

Robespierre déclare : « *Il n'est pas possible de choisir un plus bel exemple, un plus parfait modèle pour exciter dans les jeunes cœurs l'amour de la gloire, de la patrie, de la vertu. C'est la liberté qui produit des hommes d'un si grand caractère. Vous devez présentez ce modèle de magnanimité, de morale, à tous les Français et à tous les peuples.* »

Enfants patriotes

L'image de l'enfant héroïque a été abondamment utilisée au cours des deux guerres mondiales, notamment en France, en Allemagne et en Russie. L'amour de la patrie et le sens du sacrifice paraissaient chez l'enfant, réputé faible et pur, plus admirables encore et contrastaient d'autant mieux avec la brutalité grossière prêtée à l'ennemi. Pendant la guerre de 1914-1918, le patriotisme – c'est-à-dire l'amour de son pays, poussé alors jusqu'à la haine des autres nations – faisait l'objet d'une intense propagande et imprégnait amplement la société. Certains enfants vivaient intensément cet attachement à la patrie et exprimaient la haine de l'ennemi en des termes très violents. Anaïs Nin, dont un poème est cité au début de ce chapitre, rêvait d'être un garçon pour pouvoir aller au combat, tandis que Françoise Dolto, âgée de sept ans, écrivait à son père : « *Tu dois travailler plus à faire des obus pour tuer les sales boches [les Allemands] qui font du mal aux pauvres Français.* »

Voir p.286

Voir p.252

La révolution qui éclate en 1789 met fin à l'Ancien Régime, c'est-à-dire au pouvoir absolu du roi, aux privilèges de la noblesse et de l'Église. Avec la Déclaration des droits de l'homme et du citoyen, elle revendique un idéal de liberté, d'égalité et de fraternité. Mais de nombreux nobles conspirent et la famille royale tente de s'enfuir. La République est proclamée en 1792, et Louis XVI, accusé de trahison, est exécuté. Menacée par les puissances étrangères et par des révoltes à l'intérieur du pays, la Révolution se radicalise sous l'impulsion de Robespierre et soumet ses ennemis à la Terreur. La « levée en masse », mobilisation obligatoire de tous les hommes, permet aux armées révolutionnaires d'écraser les vendéens (royalistes) et de repousser les envahisseurs aux frontières. Le Directoire poursuit l'offensive et, en 1799, Napoléon Bonaparte, jeune général victorieux, s'empare du pouvoir.

LA RÉVOLUTION FRANÇAISE

La Première Guerre mondiale vue de l'Est

20ᵉ siècle

Europe de l'Est

Le jeune Andrej a écrit, à l'âge de quatorze ans, le récit de sa vie durant la Première Guerre mondiale. Il est né en 1908 à Varsovie, qui faisait alors partie de la Russie, et vivait non loin de la frontière autrichienne, quand la guerre éclata.

Jusqu'au bout de la guerre

Pendant le conflit de 1914-1918, même les jeux se faisaient guerriers. Ils devenaient un moyen que les adultes utilisaient pour inculquer le patriotisme aux enfants et les inciter à s'identifier à la Nation menacée. Dans cette variante du jeu de l'oie, on découvrait à chaque case les héros de l'armée française et la bravoure de ses soldats. Il s'agissait, selon les explications fournies, de défendre « le droit, l'honneur et la civilisation », contre la force brutale des ennemis allemands.

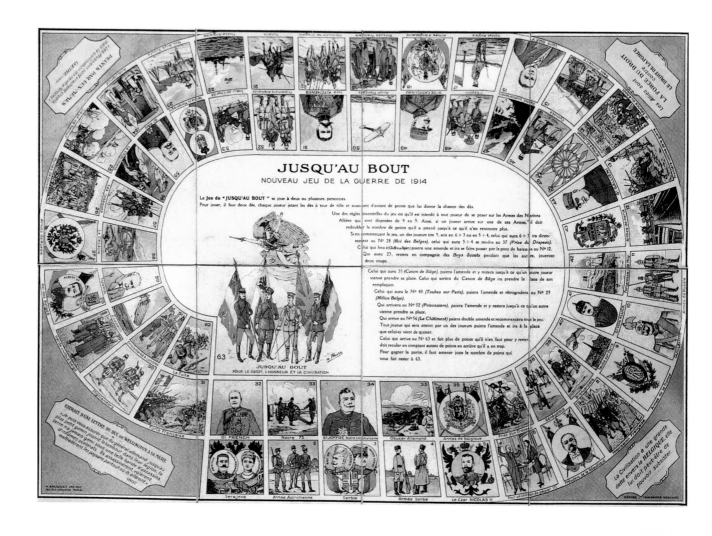

Monstres d'acier

« Le 8 juin 1914, les habitants de la ville commencèrent à se rassembler et à discuter de la guerre imminente et de ses horreurs. Et puis, le 10 juin, cette guerre a commencé. Le soir, les gens ne sortaient plus dans la rue. Durant le jour, des convois militaires passaient, avec beaucoup de soldats. Ils portaient des canons et des mitraillettes ; il y avait des automobiles blindées, des chars armés et d'autres machines de ce genre. Tout le monde regardait ces monstres avec stupeur et restait bouche bée. Ils n'avaient jamais vu pareilles choses de toute leur vie. »

Ville en feu

« J'allai me coucher avec une grande peur. Je me suis réveillé et j'ai vu que la ville brûlait. L'ennemi [l'Autriche-Hongrie et l'Allemagne] avait commencé les hostilités et concentrait son attaque sur notre ville. Mon père m'habilla et me mit sur le chariot, où étaient déjà assis mon frère et ma sœur. Nous étions à peine sortis de la ville qu'elle s'enflamma tout entière. Les bombes se rapprochaient de nous. Un obus explosa près du chariot, à côté duquel ma mère marchait. Elle fut blessée. Elle tomba malade durant le trajet. Un jour elle perdit conscience et mourut le soir. Ce fut l'épisode le plus terrible de ma vie. »

Terrible famine

« Nous arrivâmes à Kiev. Là, nous prîmes un train et deux semaines après nous sommes arrivés dans une région très lointaine, la Sibérie. À Tcheliabinsk, je recommençais à aller à l'école. Nous n'avions aucune nouvelle de notre pays. J'aidais mon père à divers travaux peu fatigants. Nous avons vécu ainsi jusqu'en 1918. Alors a commencé une terrible famine. Nous souffrions de la faim. Les gens commençaient à mourir de faim, parce que personne n'avait plus de grain. Ils mangeaient des choses qu'ils n'avaient jamais pensé manger. Ils mangeaient de la viande de chien et de chat. En 1921, la famine continuait de tuer beaucoup. Mon père tomba malade du scorbut, à cause de la famine. Comme j'étais l'aîné, je devais trouver de quoi nourrir mon père, mon frère et ma sœur. J'avais treize ans. »

Opposant principalement les Alliés – c'est-à-dire la Russie, la France et la Grande-Bretagne – à l'Allemagne et à l'Autriche-Hongrie, la « Grande Guerre » éclate en août 1914. Pendant quatre années, ce conflit bouleverse l'Europe : à l'ouest, les combattants s'affrontent dans une atroce guerre de tranchées, à proximité de la Somme ou de Verdun. Rejoints par les Italiens en 1915 puis par les États-Unis en 1917, les Alliés remportent la victoire en novembre 1918. Le traité de paix signé à Versailles redessine la carte politique de l'Europe. Le bilan humain est terriblement lourd : la guerre a fait 10 millions de morts et laisse 8 millions d'invalides.

LA PREMIÈRE GUERRE MONDIALE

L'objectif des nazis : exterminer tous les Juifs

20ᵉ siècle

Europe

Le maréchal Göring, chef de l'armée de l'air allemande, était l'un des plus proches collaborateurs de Hitler. Le voici, en 1938, lors de la naissance de sa fille, Edda, dont Hitler était le parrain.

Un papa si attentionné

Göring adorait sa fille. Il jouait avec elle des heures durant. Il lui a écrit des lettres pleines de tendresse : « *Ma chérie, ma chère et douce enfant ! Mon trésor adoré ! Tu sais, ma petite hirondelle, à quel point je t'adore ! Tu seras toujours notre bonheur et notre joie.* »

Un jour, un million de soldats de l'armée de l'air durent se cotiser pour offrir un fabuleux cadeau à la fille du maréchal : une réplique en miniature du château de Potsdam, avec toutes ses pièces et tous ses meubles, si grand qu'Edda pouvait jouer à la poupée à l'intérieur.

« Solution finale »

Pendant ce temps, Hitler et les principaux dirigeants nazis, tel Himmler, mettaient au point ce qu'ils ont appelé la « solution finale » : il s'agissait d'arrêter les Juifs partout en Europe et de les exterminer entièrement, hommes, femmes et enfants. Göring donna, lui aussi, des ordres nécessaires pour créer les camps où les Juifs étaient déportés. Pendant qu'il couvrait de cadeaux sa fille adorée, des dizaines de milliers d'enfants juifs devaient se cacher pour échapper à la police, comme Anne Frank l'a raconté dans son célèbre *Journal*. Des milliers d'autres vivaient confinés dans la misère des ghettos juifs. Bien d'autres encore étaient arrêtés, séparés de leurs parents et déportés dans les camps d'extermination. Ainsi, en quelques heures seulement, la police française arrêta quatre mille enfants lors de la rafle du Vél' d'Hiv, le 16 juillet 1942.

Au moins cinq millions de Juifs ont été assassinés par les nazis et leurs alliés durant la Seconde Guerre mondiale. Par le nombre de victimes, il s'agit de l'un des plus atroces génocides de toute l'histoire de l'humanité.

Anne Frank (1929-1945) : jeune Allemande juive, déportée en camp de concentration.

De la défaite de 1918 à la crise économique de 1929, l'Allemagne vit des temps sombres. Le parti national-socialiste (nazi), raciste et antisémite, attise les tensions et fait régner la violence dans la rue. En 1933, à la suite d'élections, son chef, Adolf Hitler, parvient au pouvoir. Entouré de proches comme Göring, Goebbels et Himmler, le « Führer » instaure une terrible dictature : partis politiques et syndicats sont supprimés, tous ceux qui résistent sont assassinés. À partir de 1939, le IIIᵉ Reich lance ses armées à la conquête de l'Europe, tandis que les nazis organisent l'un des plus abominables crimes de l'histoire, la Shoah, le génocide des Juifs. Mais avec la bataille de Stalingrad en Russie, la résistance dans les pays occupés, le débarquement américain en Normandie, commence la Libération. En 1945, les Russes s'emparent de Berlin et Hitler se suicide dans son bunker.

L'ALLEMAGNE NAZIE

Hermann Göring
avec sa femme Emmy
et leur fille Edda,
1938.

Dessiner dans les camps

Comme beaucoup d'autres enfants juifs, Helga Weissova, née à Prague en 1929, a été déportée, d'abord dans le ghetto de Terezín, puis dans le camp d'Auschwitz, où elle a réussi à dessiner ce qu'elle vivait et voyait.

L'objectif des nazis : exterminer tous les Juifs

Ida Grinspan est née en 1929 de parents juifs polonais. À quatorze ans, elle est arrêtée par des gendarmes français et déportée au camp de concentration d'Auschwitz-Birkenau. Elle raconte son arrivée.

Sous les cris et les hurlements

« Dès que les portes du wagon se sont ouvertes, nous avons été accueillis par des cris, des hurlements, une véritable cacophonie : *"Vite ! Dégagez !"* Les SS étaient disséminés un peu partout le long du train, et en tête il y avait un SS qui effectuait le tri : *"Ceux qui sont fatigués, vous montez dans les camions. Ceux qui peuvent marcher vous restez là."* D'instinct, je me suis dit que je n'étais pas fatiguée, je me suis mise à côté des femmes déjà sélectionnées. Le SS ne m'a pas vue, n'a pas remarqué mon jeune âge. Le SS ne s'est pas aperçu que je n'avais que quatorze ans. Ma mère m'avait coiffée avec une houppette comme on coiffait alors les jeunes filles, ce qui me vieillissait et me grandissait un peu. »

Triés comme du bétail

« Logiquement, je n'aurais pas dû entrer dans le camp. Seuls les garçons et les filles d'au moins quinze ans et demi les intéressaient. S'il m'avait demandé mon âge, c'était fini pour moi. Il n'a rien demandé. Derrière moi, le tri continuait, d'un signe de sa baguette, il envoyait les femmes vers les camions ou les laissait passer. Mon convoi contenait mille cinq cents personnes ; deux cent dix hommes et soixante et une femmes seulement ont été sélectionnés. »

Un numéro pour identité

« On nous a conduites dans une baraque crasseuse. Dans une grande pièce, nous avons dû abandonner nos vêtements et nous avons été tatouées (mon numéro était 75360). Quand nous sommes arrivées dans cette pièce, nous avions encore figure humaine, avec des cheveux et des vêtements. En sortant, rasées et couvertes de loques... tout avait basculé. Nous n'étions plus qu'un numéro, on ne ressemblait plus à des êtres humains, mais à des bêtes, tout cela pour nous humilier, pour nous dégrader, tout cela en quelques minutes. »

Une étrange fumée

« Des Françaises, arrivées avant nous, sont venues nous voir. Nous avons tout de suite demandé ce qu'étaient devenues les autres femmes, celles qui étaient entassées dans les camions. *"Les femmes qui sont montées dans les camions ne sont plus là. Elles ont été gazées dans une chambre à gaz et leurs corps ont été brûlés dans un crématoire, là-bas"*, ont-elles dit en nous montrant les colonnes de fumée qui s'élevaient au fond du camp. On ne les a pas crues, cela dépassait l'entendement. Ce n'est qu'au bout de quelques jours que j'ai compris qu'elles avaient raison, un jour où le vent rabattait la fumée et l'odeur dans notre direction. »

297

Les douches étaient des chambres à gaz

« Quand on rentrait dans la chambre à gaz, on leur faisait croire qu'il s'agissait de douches ; on leur distribuait même parfois du savon », explique Ida Grinspan. Mais ce qui sortait des tuyaux était un gaz qui provoquait la mort en quelques instants.

Bombes incendiaires sur un village du Vietnam

20e siècle

Asie du Sud-Est

Cette photo a été prise pendant la guerre du Vietnam, le 8 juin 1972.

Cri de douleur

Au fond, on voit le village de Trang Bang, qui vient d'être détruit par des bombes au napalm, y compris le temple bouddhiste où les enfants avaient trouvé refuge. Saisis de panique, des femmes et des enfants courent sur la route pour échapper aux flammes.

La petite fille nue qui s'enfuit s'appelle Kim Phuc. Elle a neuf ans. Son visage est déformé par la peur, par l'horreur. On croit entendre son cri.

Elle pousse un hurlement terrible. Pas seulement parce que son village flambe et qu'elle a peur. Elle crie de douleur, parce que son dos est atrocement brûlé par le napalm. Elle crie parce que les bombes au napalm sont faites pour tout brûler, même très loin de là où elles explosent. Les États-Unis en ont lancé des milliers sur le Vietnam, ainsi que d'autres armes chimiques qui s'attaquaient aux récoltes, aux animaux, aux gens.

Photo témoignage

Le photographe qui a réalisé ce cliché, Nick Ut, a recueilli Kim Phuc et l'a emmenée à l'hôpital. On ne croyait pas qu'elle survivrait, tant ses brûlures étaient profondes. Il a fallu des années pour la soigner.

Quant à la photo, elle a fait le tour du monde. Des millions de gens ont été saisis par la cruauté de cette guerre, qui s'en prenait à des enfants sans défense, complètement nus. Aux États-Unis, de plus en plus de jeunes en âge de faire leur service militaire refusaient de participer à une guerre aussi injuste. Partout dans le monde, les manifestations contre la guerre se multipliaient. L'année suivante, en 1973, les États-Unis ont été obligés de retirer leurs troupes du Vietnam.

Comme d'autres pays d'Asie et d'Afrique, le Vietnam a été une colonie française. Après avoir infligé à l'armée française une sévère défaite, à Diên Biên Phu, en 1954, les Vietnamiens ont retrouvé leur indépendance. Mais le pays s'est divisé : le gouvernement dictatorial du Sud était soutenu par les Français, puis par les États-Unis, tandis que le Vietnam du Nord voulait distribuer la terre aux paysans et instaurer un régime similaire à celui de la Chine communiste. À partir de 1964, les États-Unis ont envoyé soldats et bombardiers pour appuyer le Vietnam du Sud dans sa guerre contre le Nord.

LA GUERRE DU VIETNAM

8 juin 1972,
Trang Bang, Vietnam.
Photographie de Nick Ut.

**Mars 1990,
N'Djamena, Tchad.**
Photographie
de Raymond Depardon.

Enfants-soldats au Congo

Aujourd'hui

Afrique noire

« *Je m'appelle Bahati. Je suis né à Goma (République démocratique du Congo), en 1987. Chez nous, nous sommes sept enfants, six filles et un garçon. En tant qu'unique garçon, je faisais la joie et la fierté de mon père. J'ai une belle image de ma famille.* »

Enrôlé de force

« *En cinquième année de primaire, alors que je n'avais que dix ans, je fus arrêté et enrôlé de force par des militaires rwandais. Ce jour-là, nous étions à l'école. D'un coup, nous avons entendu plusieurs coups de fusils. Notre école était entourée de militaires. Ils sont entrés dans notre salle, nous ont jetés dehors où nous attendaient les camions. Notre maître qui voulait nous défendre fut tué sur place, avec un fusil. Quand j'ai vu mon maître par terre avec du sang, j'ai voulu pleurer ; je ne pouvais pas parce que les balles étaient tirées de partout et je ne savais plus où j'étais. Ces militaires nous tabassaient, déchiraient nos cahiers et nos uniformes scolaires. Depuis ce jour, je n'ai plus revu mes parents.* »

Entraîner pour tuer

« *Je suis resté dans un centre de formation militaire pendant six mois. Les adultes nous réveillaient très tôt à 4 h du matin, à coups de fouets, et nous dormions vers 23 h. Nous étions terrorisés et épuisés. Après la formation, j'ai reçu le grade de sergent.*

Lors d'une bataille, j'ai reçu des éclats de roquette dans le front. Suite à cette blessure, je fus interné à l'hôpital, avant de regagner le front. À Zongo, comme la bataille s'intensifiait, nous sommes entrés dans un village occupé autrefois par les rebelles. Pour nous venger, nous avons demandé aux hommes d'entrer dans leurs cases auxquelles nous avons mis le feu. Après le repli de nos ennemis, ceux-ci se sont organisés avec beaucoup de force. Ils nous ont attaqués et vaincus. Beaucoup furent tués lors de cette bataille. »

300 000 enfants

Après six années dans l'armée et beaucoup de dures épreuves, Bahati a été finalement démobilisé. Bien que la Convention internationale des droits de l'enfant l'interdise, 300 000 enfants sont, comme lui, enrôlés comme soldats, principalement dans les pays d'Afrique qui connaissent la guerre, mais aussi au Moyen-Orient et en Asie.

« *Vous savez, en tenue militaire, on se sent très fort ! Je me permets de prendre tout ce que je veux. Tout simplement parce que je suis militaire et que je tiens une arme. Je t'assure que sans tenue, sans arme, je n'oserais pas !* »

« *Un jour, on m'a frappé à mort, tout simplement parce qu'un ami avait fui en me laissant ses munitions alors que je dormais. Après, on m'a jeté dans le mapusa, un trou très profond, où il faisait très noir. Je suis resté là deux jours sans manger et sans boire.* »

Raphaël, engagé à 15 ans

Jouer à la guerre

Il y a des enfants, dans des pays en guerre, qui imitent les comportements des adultes : avec des fusils de plastique ou des mitraillettes en bois, ils improvisent des barrages, des combats, des arrestations, des perquisitions de l'armée ennemie.

Guerre dans la chambre

Il y a des enfants, dans des pays en paix, qui empruntent au cinéma, au journal télévisé ou à leurs lectures des scénarios pour jouer à la guerre. Certains préfèrent mettre en scène des bandes rivales, jouer aux cow-boys et aux Indiens. D'autres, cantonnés dans leur chambre, organisent de grandes batailles entre pays prétendument ennemis, avec des armées de soldats de plomb ou de plastique et tout l'arsenal miniature de la guerre, canons, chars et avions… D'autres encore choisissent de jouer à la guerre par ordinateur interposé.

Les filles aussi

Si les filles se laissent entraîner, elles sont en général les infirmières qui soignent les blessés, ou les compagnes des grands guerriers. Confrontées à une réelle situation de guerre, elles introduisent souvent dans leurs jeux d'autres personnages : les mères des combattants et des blessés, les femmes qui manifestent pour leurs droits.

Fabricants d'armes à tout âge

En temps de guerre comme en temps de paix, les adultes sont souvent mal à l'aise quand ils voient leurs enfants jouer ainsi. Certains parents s'interdisent d'offrir des jouets pouvant servir à ces mises en scène militaires, mais souvent les enfants s'ingénient à fabriquer eux-mêmes leurs armes, tels les plus petits qui font un pistolet avec leurs doigts et contournent ainsi l'interdiction.

Faire comme si

Pourquoi les enfants jouent-ils à la guerre ? De la même façon qu'ils imitent l'enseignant, le parent, le cuisinier, le pompier, le policier, l'artiste ou l'hôtesse de l'air, ils imitent les adultes dans leur rôle guerrier. Pour l'enfant qui joue à la guerre en temps de guerre, le jeu représente souvent un moyen de renverser des situations qui l'angoissent : il quitte un instant son enveloppe fragile d'enfant effrayé par la violence des armes, pour « faire comme si » il était lui-même le tout-puissant. Il puise ainsi le courage de continuer à affronter la dure réalité de la guerre. Même les enfants qui n'ont pas connu la guerre en pressentent l'horreur et s'en protègent à leur manière en déployant leurs armées imaginaires.

Quand l'enfant joue à la guerre, il suit des règles et celles-ci devraient rassurer les adultes : on fait semblant ; on meurt « pour rire » ; on défend souvent l'opprimé ou des idées qui sont chères à la société dans laquelle on vit. On joue à la guerre mais on est capable aussi de se passionner pour beaucoup d'autres jeux. Et puis ce n'est pas parce qu'un enfant joue souvent à conduire un camion qu'il deviendra conducteur de poids lourds !

**Deux jeunes Anglais
dans Play Street,**
1947. Londres.

RÊVES, RÉVOLTES, RÉVOLUTIONS

19

Ceux qui souffrent de l'injustice sociale, de l'exploitation, de l'oppression ou de la discrimination raciste en supportent souvent le poids en silence, sinon avec résignation. Mais vient parfois le moment où se fait entendre leur cri : « Ça suffit ! »

Le mécontentement peut s'exprimer de diverses manières : formation d'un syndicat ou d'une organisation luttant pour une cause précise, manifestations, grèves, résistance pacifique, etc.
La révolte se fait parfois plus radicale. Elle peut alors prendre le contrôle d'une ville ou d'une région, voire obliger les gouvernants à renoncer à leur pouvoir. Parfois, ces mouvements sont animés par l'espoir d'instaurer un monde plus juste. Lorsqu'ils réussissent, au moins provisoirement, on parle de révolution (surtout depuis la révolution anglaise de 1688 et la Révolution française de 1789).

Révoltes et révolutions entraînent souvent des affrontements, voire une véritable guerre. C'est le cas des luttes que les peuples colonisés ont menées pour obtenir l'indépendance de leur pays : en Amérique d'abord, à la fin du XVIIIe et au début du XIXe siècle, puis en Afrique et en Asie, au XXe siècle. Et, pour certains, aujourd'hui encore.

Loin d'être seulement témoins de ces luttes, les enfants tiennent volontiers leur place sur les barricades ou face aux tanks, et guident parfois les adultes par leur parole subversive. Mis au travail et exploités comme ils le sont, il n'est pas étonnant de les voir actifs dans les grèves ou dénonçant leur situation.

Dira-t-on que les enfants sont trop jeunes pour se mêler de politique ? Qu'ils risquent de se laisser manipuler par les adultes ? Ou bien que, étant les premiers à souffrir de l'injustice, ils ont leur place dans de tels combats, même s'il convient de les protéger à la mesure de leur jeune âge ? Et surtout, les enfants ne seraient-ils pas la raison même des luttes sociales ? N'est-ce pas pour assurer aux enfants des conditions de vie dignes que certains disent « ça suffit » ?

Mai 1750, Paris : l'affaire des enlèvements

18e siècle

France

VOIR FICHE P. 117

« Voilà l'émeute ! » Adrienne Boucher, marchande de poissons, a entendu les cris. Elle recouvre vite ses couteaux d'un linge, les cache dans ses paniers et s'enfuit. Habituée de la ville et du tumulte, elle a reconnu le bruit de ceux qui grondent contre la police et le roi. Avant d'avoir vu quoi que ce soit, elle sait que cela sera grave.

Une vague d'arrestations

Nous sommes en mai 1750 et, depuis quelques mois, Paris est en ébullition : le lieutenant général de police a renforcé les arrestations de mendiants. De plus, il a ordonné que les jeunes trop turbulents dans la rue soient mis en prison. Déjà, il y a trente ans, en 1720, des enfants avaient été arrêtés. On parlait de les envoyer en Louisiane, aux Amériques, pour défricher la terre de cette colonie française. La population s'était soulevée.

Kidnappés par la police

En 1750, le peuple se souvient : à nouveau, les enlèvements d'enfants par la police se font fréquents. Cela se passe de curieuse façon : un carrosse aux vitres de bois au lieu de verre s'immobilise, il en descend un homme qui se saisit en toute hâte de deux ou trois enfants et file à vive allure vers les prisons du Châtelet. C'est un policier, mais, le plus souvent, pour ne pas être reconnu, il est déguisé en cuisinier ou savetier...

La population parisienne n'est pas dupe, et l'émotion des parents comme de tous les habitants est immense. Personne ne peut tolérer que des enfants soient ainsi traités et la peur de nouveaux événements de ce genre va provoquer une grande fureur populaire.

Le peuple se rebelle

Le 23 mai, en plusieurs endroits, éclatent des émeutes. Elles dureront trois jours, seront très violentes : un homme de la police, reconnu pour avoir procédé à des enlèvements, est pourchassé par la foule, conduit chez le commissaire, puis retiré des mains du commissaire pour être finalement tué à force de coups. Une répression très sévère suivra : trois jeunes gens (de seize à dix-huit ans) ayant participé à l'émeute seront pendus en place de Grève. Les enfants seront libérés et rendus à leurs parents. Pendant ce temps, une sourde rumeur court : si le roi voulait emprisonner des enfants, c'était pour boire leur sang. C'était faux, mais cela montre à quel point la population était choquée pour imaginer une telle atrocité.

Des parents sur le qui-vive

L'émeute de 1750 a quatre principaux acteurs : la police, responsable des enlèvements, les enfants enlevés, leurs parents et voisins, les jeunes émeutiers, guère plus âgés que les enlevés. La jeunesse est au centre de ce grave conflit : les témoignages passionnés des parents reflètent avec précision le lien que la population entretient avec ses enfants. Jérôme est boucher ; son fils, Jacques, qui a quinze ans, vient de partir pour le catéchisme. Une jeune fille lui apprend que son Jacques vient d'être pris par le sergent. Effrayé, il court le chercher. Anne-Françoise, quant à elle, revient d'une visite rendue à son petit garçon en apprentissage : sur le chemin de retour, *« un tas d'enfants du quartier lui disent que son enfant avait été arrêté, qu'elle y fût [aille] tout de suite »*. Une autre femme, apeurée et en pleurs, cherche à cacher l'événement à son mari puis se précipite vers la prison. C'est une blanchisseuse. Devant la prison, les parents s'attroupent, frappent aux portes. Deux fois par jour, Marguerite Deschamps apporte de la soupe à son garçon et se désole de le voir couvert de vermine. D'autres s'indignent : leur fils a attrapé la gale et tient des propos orduriers. Au moment de la répression, un des enfants d'Élisabeth Requin est arrêté chez lui par un sergent qui lui ordonne : « *Lève-toi, bougre, et habille-toi.* » La mère pleurait beaucoup, doucement son fils lui dit : « *Ne pleure pas, ma mère.* » Elle le suivit dehors, le tenant par la main.

On ne touche pas aux enfants

L'émotion fut grande, car l'inconcevable était arrivé sur ordre du roi : toucher aux enfants de la nation. La foule se rebella, et le souvenir de cet épisode dura longtemps. Louis XV était alors roi ; le sentiment traditionnel que les populations portent à leur roi se craquela, se fissura. On ne touche pas impunément aux enfants, Louis XV « le Bien Aimé » fut dit « le Mal Aimé ».

Jean Antoine Houdon,
Louise Brongniart,
fille de l'architecte
Alexandre Théodore
Brongniart, 1777, sculpture
en marbre, 44,9 cm.
Musée du Louvre, Paris.

France

Sur les barricades, pour la liberté

19ᵉ siècle

Eugène Delacroix,
Le 28 juillet 1830 : la Liberté guidant le peuple,
1830, huile sur toile,
260 cm x 325 cm.
Musée du Louvre, Paris.

VOIR FICHE P. 232

En juillet 1830, trois journées d'émeutes à Paris avaient renversé le roi Charles X, un Bourbon hostile aux conquêtes de la Révolution, et mis à sa place Louis-Philippe d'Orléans, qui leur était favorable.

Voir p. 118

Faluche, giberne et pistolets

Eugène Delacroix a peint, en l'honneur des Trois Glorieuses, ce tableau que vous pouvez voir au Louvre, intitulé *La Liberté guidant le peuple*. La Liberté est représentée par une jeune fille, coiffée du bonnet phrygien. Elle brandit le drapeau tricolore, au sommet d'une barricade jonchée de cadavres, sur fond de foule et ville fumante (Paris et les tours de Notre-Dame). À sa droite, un jeune homme portant chapeau haut de forme, redingote et fusil : un étudiant. À sa gauche, un enfant, un petit garçon d'une dizaine d'années. Il est coiffé d'un bonnet de velours noir, la « faluche », insigne des étudiants. Une giberne, cartouchière où les soldats mettaient leurs munitions, lui bat les mollets. Il brandit dans chaque main un pistolet de cavalier. Il entraîne les révoltés et, la bouche ouverte, les appelle à se battre.

Connu sous le nom de Gavroche

Cet enfant combattant avec la Liberté et pour elle, Victor Hugo, trente ans plus tard, dans *Les Misérables*, l'appellera Gavroche. C'est le gamin de Paris, moqueur, débrouillard, glissé dans les recoins de la ville, qu'il connaît bien et dont il exploite toutes les possibilités. Il grappille sa nourriture, dort dans les abris ou à la belle étoile, vit de petits boulots, parfois de menus larcins qui lui valent d'affronter les « argousins » (la police). Il est un rebelle en puissance. Dans les révolutions, il fait merveille, colporte les nouvelles, les provisions, les munitions, se porte aux premiers rangs des manifestations, criant, conspuant et chantant. Il nargue les forces de l'ordre, s'active aux barricades qu'il sait construire et garder, insoucieux de sa vie, qu'il expose sans compter.

Enfants citoyens

Il y avait, dans la capitale et dans les grandes villes, beaucoup d'enfants errants, qu'on retrouve dans toutes les insurrections du XIXe siècle : 1830, 1848, la Commune. De moins en moins, toutefois. En effet, en même temps que se développe l'amour des enfants dans des familles plus attentives, l'ordre et la discipline grandissent dans la cité, surtout à l'époque de la IIIe République (1870-1940), soucieuse d'instruire les enfants. Gavroche désormais va à l'école. Le rebelle devient un citoyen.

Jeunes gavroches de la Commune de Paris (1871)

« La résistance est très longue à la barricade Drouot. La fusillade n'y cesse pas... Enfin, deux ou trois crépitements, et presque aussitôt nous voyons fuir la dernière bande des défenseurs de la barricade, quatre ou cinq jeunes garçons de quatorze ans, dont j'entends l'un dire : "Je rentrerai un des derniers". » (23 mai 1871, *Journal* de l'écrivain Edmond de Goncourt)

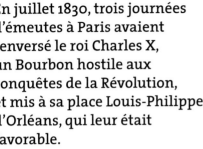

Eugène Delacroix (1798-1863) : peintre et dessinateur français.

L'enfant en « Harmonie », le monde inventé par Fourier

Constatant les malheurs de son époque, celle des débuts de l'industrialisation, Charles Fourier imagine une « utopie », un monde idéal, entièrement différent de celui dans lequel il vit. Dans cette société, qu'il nomme « Harmonie », personne ne manque de rien ; chacun peut développer ses facultés individuelles, tout en contribuant au bien commun.

Les enfants éduquent les enfants

Les enfants jouent un rôle central dans l'Harmonie de Fourier. Ils sont répartis en classes d'âge : les Bambins et Bambines (de trois à quatre ans et demi), les Chérubins et Chérubines (jusqu'à six ans et demi), les Séraphins et Séraphines (jusqu'à neuf ans), les Lycéens et Lycéennes (jusqu'à douze ans), les Gymnasiens et Gymnasiennes (jusqu'à quinze ans). Ils ne sont élevés ni par leurs parents ni par des maîtres, mais par d'autres enfants, un peu plus âgés, qu'ils rêvent d'imiter et qui sont, quant à eux, fiers d'exercer une telle responsabilité.

VOIR FICHE P. 232

Guidés par le désir vers la cuisine, l'opéra et l'atelier

L'enfant est laissé libre d'aller vers ce qui lui plaît, vers ce qui l'attire, mais non sans discipline, car il est aussi guidé par le désir de suivre les autres enfants et par l'émulation qui naît entre eux. Entre quatre et neuf ans, les enfants ne vont pas à l'école : il importe surtout de développer leurs capacités physiques et leur habileté, notamment par la pratique de l'opéra (danse, musique, chant...). Poussés par leur gourmandise naturelle, ils vont souvent dans les cuisines, où ils aident à plumer les volailles ou à écosser les légumes, curieux de mille choses et épanouissant leur sens gustatif, car, en Harmonie, on se soucie de produire vingt sortes différentes de pain, vingt espèces de fraises... Selon ses inclinations propres, chaque enfant passe dans les divers ateliers de production (charpenterie, menuiserie, cordonnerie, etc.) où il participe aux activités, mais jamais plus de deux heures de suite, car « *l'Harmonie varie à l'infini les initiations données à l'enfant* » et sait que son jeune âge exige qu'il change souvent d'activité. « *Il exerce toutes sortes d'arts et de métiers* », en furetant d'un atelier à l'autre, désireux de suivre ses camarades. Sa journée se compose d'« *une succession d'amusements utiles* ».

Le bonheur d'apprendre

Vers neuf ans, toutes ces expériences ont éveillé sa curiosité et « *meublé sa mémoire d'une foule d'observations pratiques* » : l'enfant est prêt alors à recevoir une instruction. Encore faut-il qu'il la demande, car l'enfant « *étudie sans fruit quand il n'a pas le désir de s'instruire* ». C'est pourquoi « *l'Harmonie met en œuvre la pratique avant la théorie* ».

Ainsi, « *les enfants que l'on traite aujourd'hui de paresseux, de mauvais sujets, auront pris parti dans quantité de fonctions utiles où ils développeront leurs facultés avec une émulation qui frappera de confusion les pères eux-mêmes* ». Faisant confiance aux passions des enfants et aux attirances qui naissent d'eux-mêmes, Fourier estime qu'il ne faut pas les réprimer : ainsi, l'Harmonie « *forme l'enfant à aimer le genre humain entier* » et l'unité sociale, qui permet le bonheur de tous.

Jules Arnout,
Excursions en Harmonie.
Vue générale d'un phalanstère, un village sociétaire organisé d'après la théorie de Fourier, 1847, lithographie.
Bibliothèque nationale de France, Paris.

Charles Fourier (1772-1837) a vécu des temps extraordinaires : la Révolution française et les débuts de l'industrialisation en Europe. Très critique à l'égard du système capitaliste naissant et soucieux de proposer une alternative, il imagine une société idéale, une utopie, qu'il nomme « Harmonie » : de même que le cosmos est composé d'astres unis par la force de l'attraction, les individus rassemblés dans un « phalanstère » vivront selon le principe de l'« attraction passionnée », qui tout à la fois soude le groupe et permet à chacun de suivre ses propres penchants. Des disciples de Fourier tenteront après sa mort de créer des phalanstères, en France et aux États-Unis ; sans succès. Toutefois, en rêvant une nouvelle organisation de l'activité humaine et en désirant l'émancipation des femmes, Fourier a inspiré la pensée socialiste et le féminisme.

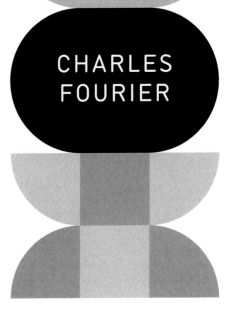

CHARLES FOURIER

Grévistes, ils sont les plus audacieux

19ᵉ siècle

Europe

Un matin de 1876, à Lille, les aides métallurgistes, des enfants, se mettent en grève : ils ne veulent plus aller à l'école pendant l'heure du dîner.

Une pause !

Les margeurs des imprimeries parisiennes, des aides qui sont également des enfants, demandent à ne pas laver les outils au moment des repas ; ils voudraient avoir droit à une récréation de cinq minutes pour « *casser une croûte* », car « *ils trouvent le temps long dans l'après-midi* ». Ce qui leur pèse surtout, c'est le rythme et la longueur de la journée de travail. Leurs revendications échouent la plupart du temps. Les patrons ne daignent pas leur répondre et les renvoient sur-le-champ. Les autorités hésitent entre le mépris pour ces « *gamineries* » et la répression contre les « *mauvais sujets* ».

Pas pris au sérieux

Ainsi, à Lisieux, en 1873, deux jeunes rattacheurs de filature de treize ans, traduits en justice pour avoir cessé le travail, sont acquittés mais enfermés en maison de correction jusqu'à seize ans. Les syndicats ne les prennent pas au sérieux. Les parents non plus et, attentifs à leurs gains, les reconduisent à l'usine, surtout s'il s'agit de filles.

À la manif !

Toutefois, dans les industries où ils étaient nombreux et mieux intégrés, les jeunes, sensibles aux revendications des ouvriers, ont été des déclencheurs de grève : ainsi, les rattacheurs de filature, les rebrousseurs de bonneterie, les « herscheurs » (rouleurs de chariots) des mines. Les adultes écoutent leurs enfants, plus audacieux, et les suivent. Les enfants les escortent dans les manifestations. Dans les cortèges, les plus petits restent à côté de leurs mères. Les adolescents sont souvent à l'avant-garde, portant drapeau, battant tambour, criant et conspuant les patrons et les gendarmes. Ils forment des bandes mobiles, prompts à lancer des pierres, et les adultes s'en défient.

Attendre encore

La grève est un acte de producteur à part entière. Or les enfants sont considérés comme des marginaux, des subordonnés, des auxiliaires. Il leur faudra souvent attendre un peu pour qu'on les prenne au sérieux.

Lorsque Gandhi naît, en 1869, l'Inde fait partie de l'Empire britannique : c'est une colonie soumise à l'autorité de la monarchie anglaise. Gandhi devient le principal leader de la lutte pour l'indépendance de son pays. Il défend le principe de la non-violence : il s'agit d'affronter les Anglais et leurs soldats sans arme et sans donner de coups, afin de faire apparaître l'injustice des colonisateurs. Ainsi, explique Gandhi, « *un seul individu peut défier la force brutale d'une domination injuste, sauver son honneur, sa religion, son âme et préparer l'effondrement de l'Empire oppresseur.* » Il appelle également à des campagnes de désobéissance et de boycott : ne plus acheter de sel aux Anglais (qui en avaient le monopole), brûler les vêtements importés par eux (et tisser ses propres vêtements). En 1947, les Britanniques sont obligés de proclamer l'indépendance de l'Inde. L'année suivante, Gandhi est tué dans un attentat.

GANDHI

Comme le veut la tradition indienne, Gandhi a été marié par ses parents à treize ans, avec une jeune fille qu'il ne connaissait pas. À ce moment, il continue ses études au collège. Lorsqu'il fait le récit de sa vie, il se souvient de son meilleur ami d'alors.

Ils sont carnivores

« *Il m'apprit que plusieurs de nos maîtres prenaient en secret de la viande et du vin [ce que la religion hindouiste interdit]. J'en demandais la raison à mon ami, qui m'expliqua ainsi la chose : "Nous sommes un peuple faible, parce que nous ne mangeons pas de viande. Si les Anglais peuvent nous dominer, c'est qu'ils sont carnivores. Tu sais combien je suis résistant et comme je cours* bien. *C'est que je suis carnivore. Essaie, et vois par toi-même la force que tu y gagneras." Mon frère aîné s'était déjà laissé convaincre. Assurément, j'avais l'air faible à côté de mon frère et de mon ami. Je me laissai charmer par ses exploits. Un poème à la mode parmi nous disait : "Voyez l'Anglais comme il est fort Et asservit l'Indien chétif S'il n'était pas grand carnivore Il n'aurait pas tant de hauteur."* »

Une expérience horrible

« *L'idée grandit bientôt en moi qu'il était bon de manger de la viande. Je désirais devenir fort et audacieux ; je voulais la même chose pour mes compatriotes, afin que nous puissions battre les Anglais et délivrer l'Inde.*

L'opposition à l'alimentation carnée, l'horreur qu'elle inspirait n'apparaissaient nulle part avec autant de force que dans la région du Goujrât. Et j'y étais né, on m'avait élevé dans ces traditions. J'avais une extrême dévotion pour mes parents et je savais que le jour où ils viendraient à apprendre que j'avais touché à la viande le scandale serait mortel. »

Cauchemar de chèvre

« *On convint d'un jour pour commencer l'expérience. Il fallait la mener en secret. Nous partîmes à la recherche d'un coin solitaire, au bord de la rivière, et ce fut là que je vis, pour la première fois, de la viande. Il y avait aussi du pain de boulanger. La viande de chèvre était dure comme cuir ; je ne pus même pas l'avaler. J'en eus la nausée et dus renoncer à manger. À la suite de cela, je passai une nuit épouvantable. Un horrible cauchemar me hanta. Il me semblait qu'une chèvre vivante se mettait à gémir en moi, et je sursautais, plein de remords.* »

Repentir

Gandhi mange ensuite plusieurs fois de la viande, mais il ne tarde pas à s'en repentir. Par la suite, il respectera toujours le régime végétarien et comprendra que la lutte contre les Anglais ne l'oblige pas à renier les valeurs traditionnelles de l'Inde.

Un souvenir d'enfance de Gandhi

19ᵉ-20ᵉ siècle

Inde

Mahatma Gandhi
(à gauche) à Rajkot et son camarade d'école Sheik Mehtab, 1883.

Photographie, collection privée.

VOIR FICHE P. 86

Ramzi et ses copains au cœur de la « révolte des pierres »

20ᵉ siècle

Proche-Orient

Désireux de retrouver la Terre promise de la Bible et d'y créer un État où ils seraient à l'abri des persécutions, les Juifs affluent en Palestine à partir des années 1920. À l'issue de la Seconde Guerre mondiale, l'ONU propose la division de la Palestine en deux États, juif et palestinien. Ce projet, suivi de la proclamation de l'État d'Israël, en 1948, est refusé par les Arabes, dont les armées sont vaincues. Pour les Palestiniens, c'est la « Nakba » (catastrophe) : 800 000 d'entre eux sont chassés de leurs terres et s'entassent dans des camps de réfugiés. Depuis, Israël a repoussé deux attaques surprises des pays arabes – guerre des Six Jours en 1967, guerre du Kippour en 1973 – et mène un combat permanent contre la résistance palestinienne. Confinés sur les territoires de Cisjordanie et de Gaza, séparés d'Israël par un mur, les Palestiniens poursuivent aujourd'hui leur lutte pour avoir droit à un État.

PALESTINE ISRAËL

En 1987, Ramzi était un petit garçon de huit ans, qui vivait dans le camp de réfugiés d'al-Amari, à côté de la ville de Ramallah. Ramzi est devenu célèbre à cause d'une photo prise un triste jour de cette année-là.

Révolte contre l'occupation

En revenant de l'école, il a entendu des coups de feu. Il s'agissait comme d'habitude d'une incursion de l'armée israélienne dans les ruelles du camp. Dans la fusillade, il a perdu un de ses copains qui a été atteint par une balle. Ramzi s'est mis alors à lancer des pierres sur les soldats, comme le faisaient les autres enfants d'Al-Amari et d'ailleurs, dans les villes et les villages palestiniens. Un photographe a fixé son geste et il est devenu un peu le symbole de la « révolte des pierres », déclenchée par les jeunes contre l'occupation israélienne. C'était l'Intifada, le soulèvement, qui a duré jusqu'en 1993 (plus tard, une « seconde Intifada » a commencé en 2000).

Jeu hors la loi

Dans les années qui ont suivi, Ramzi a eu affaire de nombreuses fois à l'armée israélienne. Il a été blessé mais a continué à lancer des pierres et à participer à des manifestations. Les enfants lançaient les pierres à mains nues ou avec des lance-pierres qu'ils confectionnaient avec soin. Ils jouaient aussi à envoyer sur les fils électriques des drapeaux palestiniens lestés par une pierre attachée au drapeau par un fil. Ce « jeu » les mettait hors la loi : il était interdit alors de brandir le drapeau palestinien. Ils aidaient aussi leurs aînés en leur préparant des tas de pierres ou en leur fournissant de vieux pneus de voiture que les adolescents utilisaient pour barrer les routes aux Jeep des soldats. De nombreux enfants et adolescents sont ainsi devenus la cible des soldats et ont été tués, blessés ou emprisonnés.

Vie brisée ou nouveau départ

Certains ont vu leur vie brisée par ces épisodes : ils sont restés handicapés du fait de leurs blessures, atteints de troubles psychologiques à cause de tant de violence, ou bien n'ont pas pu suivre une scolarité normale en raison des grèves et des couvre-feux. D'autres semblent avoir tiré de ces expériences une maturité et un sens des responsabilités qui ont fait d'eux de jeunes adultes très concernés par le devenir de la société palestinienne, des acteurs importants participant au développement de la communauté.

Ramzi est de ceux-là. Il a découvert en grandissant qu'il n'était pas seulement un jeune Palestinien soucieux de l'indépendance de son pays mais qu'il était aussi un musicien, que la musique pouvait l'aider à dépasser ses frustrations, à développer une image positive de lui-même malgré les humiliations ressenties dans une situation d'occupation. Après des études de musique à Ramallah, Ramzi est venu en France pour continuer son apprentissage du violon et de la guitare. Quand il est rentré en Palestine, il a voulu faire partager son amour de la musique aux enfants de la seconde Intifada en leur offrant la possibilité d'apprendre à jouer d'un instrument. Pour cela, il a créé une ONG : le Kamandjati.

1948, drame dans l'histoire

Tous les enfants se demandent d'où ils viennent. Ce qui les intéresse, ce n'est pas seulement de savoir comment ils ont été faits, comment ils sont nés, mais aussi de connaître leur histoire, l'histoire de leur famille. Quand les enfants palestiniens sont en âge de glaner des morceaux de réponse à travers le discours des grands ou de leur poser des questions directement, ils les entendent parler de maisons perdues, de terres confisquées, d'exode, de guerres, de fuites, de déplacements, de camps de réfugiés, tout cela depuis 1948.

Murs, barrages, perquisitions

Ramzi et les enfants de la première Intifada ont fait l'expérience de vivre sous l'occupation de l'armée israélienne. Avec les moyens du bord, les pierres, les pneus enflammés, ils ont exprimé leur révolte devant l'injustice de leur situation. À partir de 1994, ils ont connu quelques années de paix et d'espoir. Mais les enfants palestiniens d'aujourd'hui sont, eux aussi, confrontés à l'humiliation et à la violence : ils sont contraints de passer par des barrages où il faut attendre des heures sous le soleil, ils contournent des murs très hauts, ils subissent des perquisitions de l'armée la nuit, voient parfois leur père ou leur grand frère emprisonné, sont parfois blessés par un obus...
Il ne sert plus à rien de jeter des pierres, les soldats israéliens sont les plus forts et les enfants se désespèrent en attendant que leurs droits soient reconnus. Ramzi et d'autres comme lui font ce qu'ils peuvent pour qu'au moins les enfants prennent plaisir à rêver à ce que sera le monde demain.

Dans les villages rebelles des Indiens Mayas

Mexique

20ᵉ-21ᵉ siècle

En 1994, les zapatistes se sont soulevés contre la pauvreté, le racisme et l'injustice subis par les Indiens du Mexique. Leur porte-parole, le sous-commandant Marcos (*alias* le « Sub », pour *subcomandante*), aime raconter la vie des enfants dans les villages zapatistes.

Enfants devant l'école de Carmen Pataté, dans la forêt lacandone, décembre 2005, Chiapas, Mexique.
Photographie de Mat Jacob.

Des hélicos et pas d'oiseaux

« Yeniperr (cinq ans) s'approche pour me montrer un de ses dessins où le ciel est peuplé non d'oiseaux mais d'hélicoptères et où naissent de la terre non des fleurs mais des passe-montagnes [comme ceux qui couvrent le visage des zapatistes]. Yeniperr m'apporte ce dessin parce qu'elle veut l'échanger contre un chocolat aux noix que j'ai sur ma table. Moi, j'avais défendu ce chocolat aux noix comme si c'était le dernier, non seulement parce que, en effet, c'est le dernier, mais surtout pour cela. Quoi qu'il en soit, Yeniperr s'en va avec le chocolat aux noix et moi je reste avec le dessin où il y a des hélicoptères à la place des oiseaux et où fleurissent des passe-montagnes et non des fleurs. »

Renverser la mer

« Beto demande : "Combien mesure la mer ? À quoi sert autant d'eau ? De quelle taille est le lance-pierre qui peut tuer un hélicoptère ? Si le soldat a une famille et une maison ailleurs, pourquoi vient-il prendre notre maison et nous poursuivre jusqu'ici ? Si la mer est aussi grande que le ciel, pourquoi on ne la renverse pas pour que les hélicoptères et les avions du gouvernement se noient ?"

Olivio (sept ans), qui se nomme lui-même "sergent Capirucho", m'avoue que, lorsqu'il sera grand, il va être "Sub". "Et toi, Sub, qu'est-ce que tu seras ?" me demande-t-il, sachant que la réalisation de ses aspirations me laissera sans emploi. "Moi ? dis-je, je serai un cheval, un enfant cheval, et j'irai jusque là-bas, très loin...", et je montre un point indéfini sur l'horizon. "Tu peux être sergent", dit Olivio pour me consoler. »

« Luis et Marcelo (sept ans) jouent à se déconcerter mutuellement quand ils se mettent à réciter des poésies. Quatre poèmes forment leur répertoire, et ils s'ingénient à les mêler les uns aux autres. Le résultat ? Aucune importance, pourvu qu'à la fin ils obtiennent une sucette ou un chocolat, pourvu qu'ils puissent dessiner ou sortir chasser, toujours infructueusement, des oiseaux avec leurs lance-pierres. »

De l'espoir et du respect

« Dans toutes les communautés zapatistes, les enfants grandissent et deviennent adultes au milieu d'une guerre. Mais, contrairement à ce que l'on pourrait penser, l'enseignement qu'ils reçoivent n'est pas fait de haine et de vengeance, moins encore de désespoir et de tristesse. Non, dans les montagnes du Sud-Est mexicain, les enfants grandissent en apprenant que "l'espoir" est un mot qui se prononce de manière collective, et ils apprennent la dignité et le respect envers ceux qui sont différents. Peut-être qu'une des différences entre ces enfants et ceux d'autres endroits est qu'ils apprennent tout petits à entrevoir le lendemain. »

Le Chiapas est un des États les plus pauvres du Mexique. Dans les hauts plateaux et dans la forêt lacandone, au climat tropical, les Indiens Mayas sont majoritaires. Exploités pendant des siècles, dépossédés de leurs terres, victimes du racisme dans leur propre pays, ils ont décidé de s'organiser, de couvrir leur visage d'un passe-montagne pour qu'on les voie enfin, de prendre les armes pour qu'on les écoute. Dans la nuit du 1er janvier 1994, l'armée zapatiste occupe par surprise sept villes du Chiapas. Douze jours plus tard, elle accepte un cessez-le-feu afin de lutter pacifiquement pour les droits des Indiens. Depuis, malgré les menaces de l'armée fédérale, les zapatistes ont créé leur propre gouvernement, leurs cliniques et leurs écoles. On y apprend l'espagnol et les langues indiennes, la valeur de l'entraide et de l'action collective, l'histoire de l'humanité et de ses luttes pour un monde plus juste.

LES ZAPATISTES DU CHIAPAS

VALEUR DE L'ENFANCE, VALEURS POUR L'ENFANCE

« Valeur » : en voilà un drôle de mot !

Dire qu'un objet a beaucoup de valeur, cela signifie qu'il coûte très cher. Ont de la valeur les choses matérielles que l'on possède ou dont on rêve. Mais, pour les acquérir, il faut de l'argent. De fait, dans notre monde, l'argent semble devenu roi et tout paraît tourner autour de lui : en avoir, ne pas en avoir, passer sa vie à en gagner...

Mais le mot « valeur » a aussi une autre signification. Par exemple, le respect d'autrui, la loyauté, la solidarité sont des valeurs. Dans ce sens-là, il s'agit des principes que l'on croit juste d'appliquer, dans notre conduite, dans notre manière de nous comporter.

Lequel des deux sens du terme l'emporte aujourd'hui ? Les valeurs comme principes ? Ou l'argent comme valeur suprême ? Et quelles sont les valeurs importantes dans d'autres sociétés ? Le respect ou l'obéissance ? La bravoure ou la fidélité ? L'entraide ou la compétition ?

Et, si le respect s'applique à soi et aux autres, il faut aussi penser au respect de la nature. La pollution et la dégradation de l'environnement ne posent-elles pas la plus grave de toutes les questions : les enfants d'aujourd'hui pourront-ils encore vivre demain sur la planète Terre ? Ou sera-t-elle devenue inhabitable pour les humains ?

Apprendre à partager

Jusqu'à nos jours

Afrique de l'Ouest

Dans les villages wolof du Sénégal, l'enfant apprend très tôt qu'il doit partager, à commencer par la nourriture et les friandises qu'il reçoit.

Je te donne pour que tu partages

Observons une scène quotidienne : Safi, trois ans, provoque son frère, nommé Papa, cinq ans. Ils se roulent par terre, malgré les protestations de leur mère. La lutte tourne mal et Safi lance une sandale à Papa. Ce dernier la frappe. Safi pleure. La mère l'appelle : « Viens, je vais te donner 5 francs. » Safi est en colère et lance une sandale dans sa direction : « Laisse-moi. » Comme la sandale est tombée sur le bébé, la mère proteste : « Je ne te donnerai pas 5 francs. » Finalement, elle dit : « Tiens, voilà les 5 francs, tu achèteras des bonbons. » Safi dit à son frère : « Je ne t'en donnerai pas. » Celui-ci fait remarquer : « Le vendeur de bonbons est parti. » Finalement, les deux enfants s'éloignent ensemble. Safi rapporte du chewing-gum qu'elle partage avec Papa. Elle annonce qu'elle va en donner à sa grand-mère. Peu après, sa mère l'invite à en donner à Abdou, le bébé de dix mois, et Safi distribue un peu de sa part de chewing-gum à tous les enfants et les adultes présents.

Savoir surmonter les querelles

Que s'est-il passé ? Pour surmonter le conflit entre le frère et la sœur, la mère, au lieu de punir, fait un don et incite sa fille à le partager. Voilà ce que les adultes enseignent jour après jour aux enfants : échanger ce qu'ils ont, partager toujours, comme entre frères et sœurs. Ainsi, les enfants apprennent à se respecter, à surmonter les querelles et à faire preuve de solidarité, plutôt qu'à se méfier les uns des autres et à se sous-estimer.

Situé en Afrique de l'Ouest, le Sénégal a un climat tropical. Sa population est constituée de plusieurs groupes ethniques dont le plus important est celui des Wolof. Au XIIIe siècle, ils formaient un vaste empire qui s'étendait sur toute la région. La société traditionnelle wolof est divisée en groupes spécialisés (les agriculteurs, les artisans, les commerçants...) dont les membres se marient de préférence entre eux. Selon le principe du *jom*, elle accorde une grande importance à la transmission des valeurs de courage, de modestie, de générosité, de respect des anciens. La majorité des Wolof sont aujourd'hui convertis à l'islam. Grâce à leur tolérance et à leur esprit d'ouverture, le Sénégal est l'un des pays les plus démocratiques du continent africain.

LES WOLOF DU SÉNÉGAL

**Avril 2002,
Niamey, Niger.**
Photographie
de William Dupuy.

Courageux
ou pacifiste

Voici l'un des conseils donnés
à un jeune Indien Cheyenne
par son oncle, au début
du XXᵉ siècle : « *Souviens-toi que,
de tous les conseils que je te donne,
le plus important est d'être
courageux. Le courage est ce qui fait
un homme. Tu devras toujours te dire
à toi-même : "Je vais être courageux,
je n'aurai peur de rien."* »
Dans les sociétés où la guerre tient
une place importante, la bravoure
figure parmi les principales valeurs
enseignées aux garçons. Ailleurs,
au contraire, l'éducation montre aux
enfants qu'il ne faut pas se battre.
Ainsi, à Bali, on leur interdit
de se bagarrer. Si, malgré cela,
des enfants en viennent aux mains,
on les empêche ensuite
de se parler ou de s'approcher
pendant des mois.

Le Loup, l'Aigle et la Tortue

Aujourd'hui

Mexique

« Un jour, plus loin que tes yeux ne peuvent voir, dans une grande forêt avec un lac magnifique, vivait une tortue. »

À toute allure

« Elle était maître dans l'art de la lenteur, elle faisait tout avec calme, à la différence de ses voisins. Quant au loup, il se dépêchait toujours, qu'il mange ou parcoure la forêt. C'était le maître de la forêt, mais il aimait voler ses proies. L'autre voisin de la tortue, dans les hauteurs, était un aigle très beau et fier, avec une grande couronne : un chasseur tenace, malheureusement très prétentieux. L'aigle se vantait sans cesse auprès du loup d'être plus rapide que lui. Ils étaient tous les deux prétentieux, c'est sûr. Alors la tortue leur dit :

— Pourquoi vous pressez-vous ? Il vaut mieux prendre du repos et faire les choses lentement et bien.

Les deux autres, d'humeur mauvaise, répondirent :

— Quelle idiote ! Elle ne comprend pas que plus on fait vite et mieux ça vaut. »

Punis pour s'être précipités

« Le loup tenait une proie et l'aigle mangeait un rat, en avalant tous les os, et même la peau. Le loup, pressé, mordait la chair. En quelques secondes, ils terminèrent, alors que la tortue avait mangé à peine un bout de feuille.

Lorsque la tortue eut fini, les deux autres se reposaient sans savoir qu'un homme s'approchait sur son cheval métallique, armé d'un bâton qui crache le tonnerre. Il ne voulait assurément pas chasser une pauvre tortue ; il voulait ses deux amis. Le loup ne parvenait plus à courir, à cause de tout ce qu'il avait avalé. L'aigle avait tant mangé qu'il ne réussit même pas à se lever. Pauvres d'eux ! Ils ne pouvaient plus rien faire. La tortue, elle, avait agi lentement et s'était bien reposée dans le lac.

Morale : Ce n'est pas parce que tu fais les choses rapidement que tu réussis. Il n'y a pas que la vitesse qui compte, mais aussi le calme. Même si tu prends plus de temps, si tu fais les choses bien, cela vaut la peine. »

Éloge de la lenteur

Gustavo Adolfo, jeune Mexicain de treize ans, a écrit cette fable. Elle évoque celle de La Fontaine *Le Lièvre et la Tortue*, mais elle en est pourtant assez différente. La fable de Gustavo fait l'éloge de la lenteur, alors que le monde moderne nous oblige à vivre à toute allure. Elle fait aussi l'éloge de la modestie de la tortue, tandis que le loup et l'aigle incarnent la prétention à être supérieur aux autres et à les écraser.

Pierre Hébert, *Enfant jouant avec une tortue*, commande du ministre d'État pour la cour du Louvre, 1853, sculpture en marbre, 104,5 cm. Musée du Louvre, Paris.

C'est l'enfant qui remplit le Caddie®

Aujourd'hui

La maîtresse dit qu'il vaut mieux manger une pomme que des Smarties®. Ah ? Pourtant, les Smarties®, c'est le bouquet des courses avec maman. Au moment de payer, c'est presque obligatoire : devant la caisse, les Smarties® vous tendent la main.

À chacun ses manies

Le déballage à la caisse, c'est toujours si long… On étale les yaourts allégés pour ma mère, ceux au bifidus pour mon père – mon frère, lui, il ne les veut que nature, et moi, c'est à l'abricot « sinon rien » –, l'huile d'olive pour la salade, l'huile de tournesol pour la friture, l'huile de noix pour les salades savoyardes, le ketchup – indispensable –, quatre types de céréales selon les goûts de chacun, de la farine Francine qui permet de réussir les crêpes à coup sûr, des conserves de petits pois et carottes, et aussi une boîte aux petits pois seuls car je n'aime pas les carottes, des tonnes de légumes car nous suivons les recommandations des « maraîchers de France » à la télé, des fromages frais et des fromages secs pour les jours où on aura fini les premiers, de l'eau plate et de l'eau gazeuse, du gruyère râpé au cas où on en aurait besoin. C'est ça, le principe : on achète plein de choses en se disant qu'on en aura peut-être besoin ou envie.

À l'assaut des marques

Oui, vraiment, quel boulot pour ma mère. Ça demande de l'organisation et de la mémoire. Alors je l'aide. D'une certaine façon, même, on peut dire que je suis mieux informée qu'elle, car, moi, je regarde les pubs à la télé. Elles sont tellement bien faites qu'on dirait qu'elles sont fabriquées pour moi. Donc je repère les marques, les produits dernier cri. Grâce à moi, elle peut faire des expérimentations, un chocolat qui a un léger goût de pêche, un fromage vitaminé pour les sportifs. N'oublions pas qu'on trouve aussi des vêtements dans ce vaste marché, donc j'ai souvent l'idée d'une petite robe ou d'un survêtement… pour moi, par exemple ! Et puis dans les supermarchés on peut aussi acheter des livres, des magazines, des disques et des DVD. Et alors là, je suis vraiment plus forte que ma mère, car, par mes copines, je suis archi au courant des hit-parades. Au fond, pour les courses, c'est moi le guide éclaireur.

C'est quand on passe à la caisse que je m'ennuie ; alors, pour calmer mon impatience, ma mère m'achète des Smarties® ou des Kinder Bueno®. Selon mon humeur.

324

« Je suis la fée Publicité »

Aujourd'hui

Lorsque j'ai eu huit ans, il m'est arrivé une histoire incroyable.

La lampe mystérieuse

Avec papa, on faisait souvent des courses ensemble. On achetait un tas de choses, des carottes pour avoir les fesses douces, des épinards pour être très musclé, du lait pour avoir les os solides ou encore du poisson pour la mémoire... Après, et c'était mon moment préféré, on allait à la brocante pour, comme disait papa, dénicher la bonne affaire. Ce jour-là, je m'en souviens, un objet a attiré mon attention : une lampe, une lampe comme dans Aladin, j'étais très étonné. Papa a bien voulu me l'acheter. Puis on est rentrés à la maison et je suis monté dans ma chambre.

Tout ce que tu désires

Je jouais tranquillement, quand soudain une fée a surgi de la lampe et m'a dit : « *Salut, Thomas, je suis la fée Publicité, la plus grande fée contemporaine, je suis aussi un emblème de la modernité.* » Elle m'a dit aussi que j'avais de la chance de tomber sur elle, et qu'elle pouvait réaliser tous mes vœux ! Moi, j'ai d'abord rigolé, elle manquait d'allure, elle faisait de la peine : des pouvoirs, elle en avait sans doute pas beaucoup. Mais elle a repris : « *Que désires-tu, Thomas ?* » Je lui ai donc confié à demi-mot que j'étais très amoureux d'une fille nommée Sandra et que je voulais qu'elle aussi soit amoureuse de moi, là ! Et, tu parles, je l'ai vu, son sourire !

Une voiture, pour la classe

Elle m'a demandé alors si mon papa « *avait une belle voiture* ». Là, je lui ai dit que oui ! Non mais sans blague ! Et je la lui ai montrée par la fenêtre. Là, elle a pincé le nez ! « *Ah, non, ça, c'est pas une belle voiture, une belle voiture, c'est une Mercedes Classe A.* » J'ai demandé : « *Mais qu'est-ce que ça a à voir avec mon vœu ?* » Elle a chuchoté, la bouche pleine de miel : « *Si ton papa achète une Mercedes Classe A, toutes les filles de l'école tomberont amoureuses de toi, y compris Sandra.* » Et elle a ajouté en clignant des yeux : « *En plus, en ce moment, son prix est en réduction, c'est une bonne affaire !* » Et elle a disparu.

Trompé

J'ai raconté cette histoire à mon papa pour qu'il change de voiture. Vite car, la ristourne, elle ne marchait que pour un mois. Le regard grave, il m'a dit : « *Comme d'habitude la Publicité t'a menti. L'amour, ce n'est pas aussi simple, crois-moi...* » Il n'a rien voulu savoir. Il n'a même pas voulu l'essayer, cette Mercedes pleine de classe. Et Sandra n'est pas tombée amoureuse de moi.

> « *Si ton papa achète une Mercedes Classe A, toutes les filles de l'école tomberont amoureuses de toi, y compris Sandra.* »

Portables à tout faire... et à éteindre

Aujourd'hui

Les téléphones portables circulent aujourd'hui à l'intérieur des familles comme autrefois les paires de chaussures ou les vêtements. On récupère souvent ceux des aînés quand ils en changent. Il est rare de recevoir un portable dès le primaire. En général, il marque l'entrée au collège ou au lycée. Une chose est sûre : on ne l'utilise pas à douze ou quinze ans exactement comme à l'âge adulte.

SMS = Sert aux Messages Secrets

Dans des mains d'enfants, un téléphone portable a souvent pour destin de se perdre, ou de tomber. Dans la cour, sur le chemin de l'école, il passe de main en main. On commente entre copains SMS, photos, jeux ou vidéos archivés dans les portables des uns et des autres. C'est un téléphone qui ne sert pas qu'à téléphoner. Au collège ou au lycée, il se doit de rester éteint. Mais beaucoup le mettent sur vibreur et s'envoient des SMS comme on se passe des petits mots sous la table. On risque alors la punition suprême : la confiscation du portable.

Décrocher de sa famille

Grâce à lui, on quitte virtuellement et à loisir la table familiale, en envoyant des SMS à ses amis. Comme il encourage à contourner toutes sortes d'interdits, un portable donne souvent l'occasion de se faire gronder, mais également, et c'est important, un air de grande personne.

Dans les transports, le téléphone portable est accusé de créer de nouvelles formes d'incivilités. Sonneries, conversations ou parties de jeu bruyantes, des regards réprobateurs tombent sur ceux qui s'en servent au mépris des autres.

De toutes les occasions

Parfois aussi, il sert de témoin à l'occasion d'événements extraordinaires, comme un concert ou une fête : on prend des photos ou on appelle un copain, juste pour lui faire deviner où l'on est. Les plus jeunes ne sont d'ailleurs pas les seuls à s'en servir à tort et à travers. Tellement soucieux de pouvoir joindre leurs enfants à tout moment, des parents n'hésiteraient pas à leur téléphoner à une heure où ils sont en classe, ou chez le psy. La politesse, c'est souvent de penser à éteindre son portable.

Je suis ce que j'ai

Aujourd'hui

France-Japon

VOIR FICHE P. 282

Quel est le problème le plus grave entre les enfants à l'école ? Le racisme ? Les différences de couleurs de peau, de religions ?

Frappé pour un MP3

Arnold, dix ans, explique : « *Il y a des problèmes de religions, de couleurs, de pays. Et aussi parce qu'ils ramènent des MP3 et que ça les gêne. Ils sont jaloux. À la récré, ils ont dit donne-le-moi"; l'autre, il répond "non"; alors ils disent "je vais te frapper". À la sortie, ça se répète.* » Et Yunès, huit ans, ajoute, en exagérant un peu : « *Des fois, quelqu'un tape quelqu'un ou il le tue pour avoir son MP3.* »

Que ne ferait-on pas pour se procurer le dernier objet à la mode ? Pour porter des vêtements ou des chaussures de marque ? Si on ne les a pas, on est mal considéré par ses copains. Les autres vous regardent de travers. On n'est rien...

Esclaves des objets ?

On dirait que les objets dominent nos pensées, notre vie. Posséder un objet serait-il devenu plus important qu'avoir un ami ? Sommes-nous donc esclaves des biens matériels ? Sommes-nous devenus des jouets dans les mains de ceux qui gagnent des milliards en les vendant aux quatre coins de la planète ?

Est-ce la seule manière de cacher notre misère ?

Au Japon, beaucoup de jeunes collégiennes ou lycéennes se prostituent pendant leur scolarité. Elles collent leur numéro de téléphone sur un poteau ou dans une cabine téléphonique et des hommes paient très cher pour obtenir un rendez-vous avec elles. Pourtant, leurs familles sont loin d'être pauvres. Alors, pourquoi agir ainsi ? Parce qu'elles veulent toujours plus d'argent pour s'acheter des vêtements de marque, des produits de maquillage, des accessoires très coûteux. Pour elles, le désir de posséder des objets à la mode compte plus que tout !

On dirait que les objets se sont animés et se livrent à une danse folle autour de nous, qui sommes comme des pantins sans âme...

Adieu l'argent-roi

Alors, on se prend à rêver d'un autre monde, où l'argent ne serait plus roi. Un monde où les marchandises, ces objets qu'il faut acheter, cesseraient de nous faire perdre la tête.

Amèle rêve ; elle a trouvé la parade : « *Que le monde soit différent et que personne ne se dispute. Si quelqu'un veut quelque chose dans un magasin, il n'a pas besoin de l'acheter. Juste il le prend comme ça.* » Axelle, à sa manière aussi : « *Que l'argent tombe du ciel, à la place de la pluie.* » Amadou, lui, explique simplement un monde possible, fondé sur le partage et l'entraide : « *C'est par exemple une cousine qui a pas de beurre, elle toque chez une autre cousine, l'autre cousine lui prête ce qu'elle a dans le frigo.* »

« Au lieu de tuer les gens pour avoir quelque chose ou pour les voler, ça serait mieux de demander à la personne si elle peut le prêter pendant quelque temps et après on lui rendra. »

Axelle

**Jeune garçon
de la communauté
Embera sur une pirogue,**
juillet 2007, Parc national
Chagres, Panamá.

Photographie
de Véronique Durruty.

La colère des esprits de l'eau

Aujourd'hui

Amérique du Sud

Patricia Gualinga vit dans la haute Amazonie du sud de l'Équateur. Elle appartient à la communauté de Sarayacu (groupe des Canelos-Quichua). Elle a dix ans lorsqu'elle fait le récit suivant.

Premier souffle et première eau

« Il y a le village où nous vivons, dans la forêt d'Amazonie, nos maisons plantées sur pilotis au bord du fleuve, nos champs de lumu, nos poules et nos chiens. Et il y a nos purina. Chaque famille vient d'une purina. Comme le poisson né d'une lagune, ici c'est la forêt qui nous engendre ; et ce lieu où nos grands-pères ont ouvert les yeux, où ils ont pris le premier souffle et bu la première eau, ce lieu donc s'appelle purina.

Les purina sont loin de tout. À plusieurs heures de pirogue du village. Puis il faut tirer la pirogue sur la rive et marcher longtemps sous les feuilles avant d'arriver. Pendant notre absence, les singes et les oiseaux habitent la maison. Je les vois qui sortent par le toit. Et il faut faire le feu encore pour chasser les chauves-souris, reprendre possession de l'endroit un moment. On ne reste jamais trop longtemps dans notre purina. La forêt ne le supporterait pas. Car ici la nature est intacte. »

Les bulles de savon et les esprits

« Un jour, j'étais partie au bord d'une rivière laver un peu de linge avec un savon qu'une de mes tantes m'avait rapporté de la ville. Je me souviens, j'étais agenouillée sur un rocher. Il faut imaginer ces arbres, jamais coupés, comment chaque plante ici étire ses bras et l'eau fraîche, tellement claire que je vois les yeux des poissons avec le soleil partout sous les gouttes. Alors j'étais joyeuse et j'ai commencé à faire de la mousse, et des bulles de plus en plus grosses. J'étais petite encore, je ne savais pas. Soudain le ciel s'est assombri. En un instant c'était la nuit. Et l'eau de la rivière a commencé à monter, à monter. J'ai sauté sur la rive, j'étais terrorisée. Mon père est arrivé en courant. "Qu'est-ce que tu as fait ?" Il regardait le savon, l'eau laiteuse. Mais il voyait plus encore, avec ses yeux de chamane : il voyait la colère des esprits de l'eau dont j'avais irrité les yeux, le nez, la bouche et qui toussaient, se tortillaient affreusement. »

Reliée à la forêt

« J'ai compris ce jour-là comme mes mains, mes gestes étaient reliés à la forêt. J'étais honteuse, inquiète. Est-ce que j'avais tué quelqu'un ? De ces êtres blancs, un peu plus petits que nous, que mon père voit aussi dans les arbres, dans les rochers, dans les sources, et qui commandent les animaux ? "Non, m'a-t-il répondu en ramassant le savon, tu les as seulement irrités." Lui aussi, je sentais qu'il était furieux. Il nous a fallu repartir, rentrer plus tôt que prévu au village... Où la nature parle un peu moins. »

lumu : tubercule, appelé aussi yuca, utilisé comme la pomme de terre et aussi pour faire la *chicha* (boisson fermentée).

Peut-on sauver la Terre ?

Aujourd'hui

« Les gens, ils ont des papiers, des bouteilles en plastique, ils veulent pas s'embêter, alors ils les déposent n'importe où. Il faut leur expliquer que, si on continue comme ça, la Terre va devenir une poubelle géante. » Lila

« Y'a trop de pollution, avec les voitures, le pétrole. On gaspille l'eau, l'atmosphère. La nature, c'est la mère. Si la Terre n'était pas là, nous on ne serait pas là. » Marine

C'est vrai, toutes sortes de déchets s'accumulent autour de nous. Des pétroliers provoquent des marées noires qui tuent les poissons et les oiseaux. Des usines rejettent des produits toxiques dans l'air, dans les rivières et jusque dans les océans, où même les dauphins tombent malades.

Cyanure, danger nucléaire et insecticides

Il y aussi des accidents, comme en 1984, à Bhopal, en Inde, où un nuage de cyanure s'est échappé d'une usine de pesticides, causant la mort de vingt mille personnes, et contaminant de façon durable l'eau de toute la région. Il y a aussi la centrale nucléaire qui a explosé, en 1986, à Tchernobyl, en Ukraine, où des milliers de personnes, encore enfants lors de l'accident, souffrent maintenant de cancers à cause des radiations.

Il y a aussi, en Floride par exemple, l'usage massif des insecticides, qui se répandent dans l'air et entraînent chez les enfants qui naissent des malformations des organes génitaux. Il y a aussi les montagnes éventrées pour exploiter les minerais, les forêts massacrées qui disparaissent à vue d'œil, laissant place à des zones désertiques où les populations ne peuvent plus s'alimenter ni boire.

Il y a aussi le gaz carbonique, émis par les automobiles, les avions et les industries, qui modifie le climat, fait fondre les glaciers et monter le niveau des océans. À cause de cela, des régions habitées risquent de se trouver submergées par les eaux, tandis que la disparition d'un courant marin comme le Gulf Stream soumettra peut-être une bonne partie de l'Europe à un climat glacial, invivable.

Avant qu'il ne soit trop tard

Et pourtant, c'est tout juste si certains gouvernements ont commencé à prendre des mesures pour diminuer les causes de pollution, alors que d'autres refusent de respecter des règles sur lesquelles la plupart des pays du monde se sont mis d'accord. Malgré les efforts de certains, le monde semble livré à la volonté d'entreprises géantes qui se préoccupent avant tout d'une chose : produire plus et vendre plus, pour gagner plus d'argent, même si leurs usines polluent la planète et affectent la santé de ses habitants. Car polluer moins obligerait à plus de dépenses, auxquelles les maîtres de l'argent ne veulent pas se résoudre. Peut-être faudrait-il aussi renoncer à certains produits très rentables, qui leur font faire de bonnes affaires... Mais, si l'on ne change pas plus rapidement le cours des choses, la Terre sera-t-elle encore habitable longtemps ? Ou la folie des hommes en arrivera-t-elle à détruire leur maison commune ?

« Les hommes, ils cassent la nature. La nature, elle nous aide à vivre, alors il ne faut pas qu'on la tue. Il faut poser des panneaux : "Ne pas polluer la Terre". » Amadou

Bhopal, 1984, Inde.
Photographie
de Raghu Rai.

Une petite lumière qui ne s'éteint jamais

J'ai murmuré à l'oreille de ma fille : « *Tu peux bien fermer les yeux, je connais ton secret.* »

Secret partagé

Il est toujours pénible d'éveiller un enfant au petit matin, même s'il ne rechigne pas à aller à l'école.

« *Et c'est quoi, mon secret ? a-t-elle murmuré en s'étirant. Comment le connais-tu ?*

– Parce que c'est aussi le mien.

– Alors, ce n'est plus un secret. Toi et moi, ça fait beaucoup ! D'autant que j'ai dix ans et que toi, je peux bien le dire sans te choquer, tu es très vieux. Non, je rigole. Pour moi, tu n'es pas vieux. Juste un père avec pas mal d'années et qui raconte tellement de bêtises que j'oublie son âge. Ah ! En fait, ça signifie qu'on a ensemble un secret pour lequel les années ne comptent pas, non ?

– On peut même dire qu'il efface les années comme un coup de gomme. Chez les enfants, évidemment, ce n'est pas nécessaire. Chez les vieux, c'est comme oublier l'hiver et appeler le printemps chaque année en semant des fleurs et des légumes.

– Ça doit marcher parce que, pour moi, tu ne seras pas vieux tant que tu ne parleras pas de mourir. Je veux dire, tant que tu trouveras la vie merveilleuse.

– Voilà, tu viens de découvrir ton secret et le mien !

– Que la vie est merveilleuse ?

– Oui.

– Elle n'est pas toujours merveilleuse, la vie.

S'émerveiller coûte que coûte

– L'émerveillement est une petite lumière qui clignote. Tu le sais bien. Tous les enfants le savent. Leur richesse, c'est de s'émerveiller, et c'est ainsi qu'ils allument partout des feux de joie dans les cœurs. Car l'émerveillement n'est pas une satisfaction égoïste. Il a besoin d'être partagé.

– Oui, mais il s'éteint vite. Tu connais beaucoup de grandes personnes qui arrêtent de s'agiter pour regarder un rayon de soleil jouant dans les branches, écouter le chant d'un oiseau, admirer la forme d'un nuage ?

– Le drame des adultes, c'est qu'ils oublient de rester enfants. C'est pour cela qu'ils vieillissent, qu'ils deviennent vides, qu'ils n'apprennent plus rien.

– Tu exagères. Ils exercent un métier, ils l'ont appris, ils le connaissent.

Vivre, c'est créer un monde

– Oui, leur métier sert à gagner de l'argent, à acheter des choses utiles. Le plus souvent inutiles. Pour eux, l'émerveillement est une perte de temps et d'argent. C'est ainsi qu'ils s'appauvrissent. Celui qui cesse de s'émerveiller n'a plus de désirs, et sans désirs, ce que l'on apprend n'est rien. Vivre, c'est créer un monde où il y ait de plus en plus de raisons de s'émerveiller.

– D'accord. Si, pour commencer la journée, tu nous préparais un petit déjeuner, histoire de nous mettre du soleil plein les yeux avant que le jour se lève ? »

« *Tous les enfants le savent. Leur richesse, c'est de s'émerveiller, et c'est ainsi qu'ils allument partout des feux de joie dans les cœurs.* »

Des enfants et des mondes

On croirait volontiers que les enfants sont mieux traités dans le monde occidental qu'ailleurs. En Europe et en Amérique du Nord, tous vont à l'école. Sauf exception, ils ne sont pas obligés de travailler. Les droits des enfants paraissent mieux respectés. Au contraire, en Afrique, en Asie et en Amérique latine, nombre d'enfants souffrent de faim ou de dénutrition, doivent travailler ou sont enrôlés comme soldats. Les pires fléaux subis par les enfants, à cause de la guerre, de l'exploitation, de la misère semblent se dérouler au loin...

Mais si nous observons notre propre histoire, nous y découvrons qu'en Europe aussi, dans les siècles passés, la majorité des enfants travaillaient, vivaient souvent dans les rues et n'allaient pas à l'école, qu'ils étaient associés à toutes sortes de violences et utilisés parfois comme soldats. L'Europe d'hier a réservé aux enfants un sort souvent aussi cruel que leur condition actuelle sur d'autres continents. Dès lors, peut-on vraiment considérer notre propre culture comme meilleure que les autres ? Et n'oublions pas que les pays européens, en colonisant les autres parties du monde, ont contribué à les appauvrir.

Dira-t-on que le sort des enfants à notre époque est plus enviable que dans le passé ? Le XXe siècle passe pour être le siècle des enfants. Jamais leurs maladies n'ont été soignées avec autant d'attention. Jamais on ne s'est autant soucié d'améliorer leur éducation, de les protéger et de faire valoir leurs droits. Jamais l'enfance n'a été aussi valorisée.

Et pourtant, le XXe siècle a été l'un des plus cruels, pour les enfants autant que pour les adultes. Jamais les enfants n'ont eu à souffrir de guerres aussi meurtrières. Jamais ils n'ont été exposés à des techniques aussi inhumaines que la bombe atomique, les armes chimiques, les camps d'extermination. Jamais ils n'ont été victimes de massacres et de génocides aussi systématiques. Jamais ils n'ont subi les effets de pollutions aussi ravageuses. Jamais ils n'ont été à ce point entraînés dans les désordres d'un monde qui semble avoir perdu tout repère. Jamais l'injustice n'a été aussi criante, entre une minorité d'enfants choyés et respectés, bien soignés et bien nourris, éduqués et comblés de cadeaux, et une majorité qui n'a rien, ou presque rien.

Progrès d'un côté, désastres de l'autre : le contraste glace le sang. Et les Occidentaux, qui se vantent d'être modernes, sont-ils plus civilisés que les peuples qu'ils qualifient bien vite de « barbares » ?

En tout cas, l'humanité est loin encore d'avoir accordé aux enfants la place qu'ils méritent. Aucune société n'a su créer les conditions permettant à *tous les enfants* de jouir de leur droit à un plein épanouissement. Il y a beaucoup à faire, beaucoup à changer, si l'on veut qu'un jour le monde des adultes cesse d'étouffer celui des enfants et lui permette d'enrichir l'humanité future de toute son énergie créatrice...

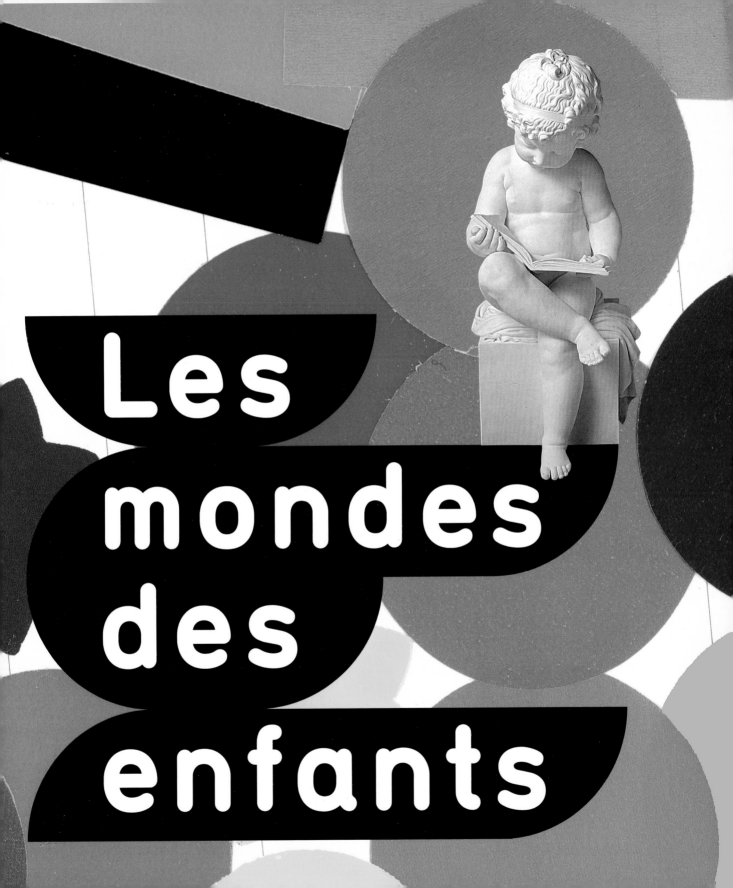

Les
mondes
des
enfants

Nous avons vu combien la vie des enfants
dépend du monde qu'ont créé les adultes :
de l'organisation de la famille, des conceptions
de l'éducation, des drames et des injustices sociales.
Malgré tout, les enfants ont l'art de faire surgir leur
propre monde, de le recréer sans cesse, en dépit
de tout ce qui les environne.

Ce monde de l'enfance, c'est celui du jeu, de l'amitié,
de l'imagination, du rire, de la créativité.
Dans cet univers bien à eux, les enfants vivent
des expériences et se transmettent des savoirs
que les adultes ignorent bien souvent :
des jeux, des comptines et des blagues, des histoires
et des secrets bien gardés.

L'enfance est l'âge de tous les apprentissages,
à commencer par celui du langage. L'âge des émotions
extrêmes, qui font rire ou pleurer. L'âge de toutes
les découvertes. Pour faire face à de permanentes
transformations et à des situations sans cesse
nouvelles, les enfants disposent de capacités
d'adaptation et d'apprentissage bien extraordinaires...

On pourrait croire ce monde de l'enfance identique
à toutes les époques et dans toutes les cultures.
Mais l'univers des enfants se nourrit des matériaux
que lui fournit le monde des adultes :
objets, jouets, histoires, rites et spectacles, etc.
Et leur univers n'est nullement à l'abri de celui
des adultes. Parfois, il en est mieux protégé
et leur créativité peut s'épanouir davantage.
Dans les époques les plus sombres de l'histoire,
il se réduit comme une peau de chagrin.

Nous allons explorer les mondes que les enfants
créent et animent. Mais sans oublier qu'ils se
développent au sein des différentes sociétés qui ont
existé à travers les siècles et les continents.

Elle tourne, elle tourne...

La toupie est un jeu apprécié des enfants dans de très nombreuses sociétés. Mais n'observe-t-on pas de nombreuses différences entre ces deux images ? La première est un tableau de Chardin (1699-1779) qui met en scène le fils d'un joaillier français, vers 1737. La seconde montre des enfants, jouant dans un village du Laos, en 2007.

Contes en plein air

Les enfants d'autrefois se réunissaient volontiers pour jouer ensemble ou, comme ici, pour écouter une histoire, racontée par l'un d'eux.

Barbie au pays des bonzes

Dans le monde moderne, l'enfant se retrouve souvent seul, face à des montagnes de jouets. Les mêmes produits, vendus par de célèbres marques, sont maintenant diffusés dans le monde entier, laissant de moins en moins de place aux jeux traditionnels de chaque région.

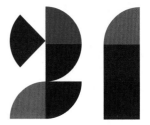

L'ÂGE DU JEU

L'enfance est l'âge du jeu. Des jeux, il en existe de toutes sortes. Pour les petits et pour les plus grands. Pour les garçons et pour les filles. Des simples et des compliqués. Des jouets qu'on reçoit dans d'énormes paquets et d'autres qu'on fabrique soi-même.

Des jeux où chacun invente son rôle, papa, maman, bébé, et d'autres pleins de règles à apprendre. Des jeux pour la ville et d'autres pour la campagne. Des jeux de cartes pour l'intérieur ; un ballon, une bicyclette ou un skate pour le plein air. Des jeux d'acrobatie et des jeux éducatifs. Des jeux de patience et des jeux de hasard. Des jeux en équipe et d'autres en solitaire. Des jeux juste pour jouer et d'autres pour gagner.

Pour un enfant, tout (ou presque) peut se transformer en jeu, même se laver, manger, surveiller le bétail ou marcher sur le trottoir. Quand on grandit, on change de jeux ; ils deviennent plus organisés et se différencient davantage de la vie ordinaire. Le jeu est une affaire très sérieuse : on se concentre si fort qu'on en oublie tout le reste ! Un enfant qui ne jouerait jamais ne grandirait pas. Car c'est le jeu qui permet au tout-petit de développer ses capacités physiques et mentales, tout en découvrant le plaisir de vivre. Pour les enfants, il est une manière de s'exprimer, de se lier avec les autres, de faire l'expérience du monde environnant, d'apprendre et de grandir.

Tout cela dépend aussi des adultes. Dans certaines sociétés, on laisse les enfants jouer assez librement, au moins jusqu'à un certain âge ; dans d'autres, le travail qu'on exige d'eux ne laisse pas place au jeu. Parfois, les adultes comprennent l'importance des activités ludiques (liées au jeu) ; parfois au contraire ils n'y voient qu'une perte de temps à éliminer. Les grandes personnes n'encouragent pas toujours les mêmes formes de jeu. Aujourd'hui, on achète de plus en plus de jouets différents, alors que, dans le passé, il y en avait en général assez peu : mais jouait-on moins pour autant ?

La longue vie des jeux d'antan

Pieter Bruegel l'Ancien,
Jeux d'enfants,
1560, huile sur bois,
118 cm x 161 cm.
Kunsthistorisches Museum,
Vienne.

Vers 1560, Bruegel a peint une ville flamande dont les rues, les places et les maisons sont livrées aux seuls enfants et à leurs jeux... Bien qu'on ne sache pas exactement dans quelle intention il a réalisé cet étrange tableau, celui-ci nous montre que bien des jeux d'aujourd'hui ont une origine très ancienne, tandis que d'autres se sont modifiés ou ont disparu.

Poupée, toupie et billes

Parmi les jouets des tout-petits, les hochets et les crécelles existaient dès l'Antiquité égyptienne, grecque et romaine, de même que les poupées. Le moulinet, que le vent agite ou que l'on fait tourner grâce à une ficelle enroulée sur la tige, est, lui, une invention du Moyen Âge. La toupie, le cerceau et les osselets remontent également à l'Antiquité. Les billes figurent aussi dans le tableau, de même que les noix, déjà utilisées en guise de billes par les petits Romains.

Pieter Bruegel l'Ancien (vers 1525/1530-1569) : peintre flamand.

La longue vie
des jeux
d'antan

Sauts, pirouettes et cache-cache

D'autres jeux, représentés par
Bruegel sur la page précédente,
tiennent de l'acrobatie : faire le poirier
ou la roue, exécuter des culbutes
ou tourner sur une barre fixe.
À plusieurs, on peut simuler un duel
en se servant de bâtons ou chercher
à désarçonner l'adversaire, auquel
un autre enfant sert de monture.
On joue aussi à saute-mouton,
à colin-maillard, à cache-cache
ou à « la queue du diable »
(on se tient à la queue leu leu et
le premier doit attraper le dernier).

Gendarmes, voleurs et chevaliers

Jean Froissart, un écrivain
du XIVe siècle, raconte que, enfant,
il jouait aux gendarmes et aux
voleurs et, d'un simple bâton
qu'il enfourchait, faisait un cheval,
un autre jeu très commun depuis le
Moyen Âge, l'époque des chevaliers.
Ici, on assiste aussi au « croc-en-jambe » :
il s'agit de passer sans tomber entre
deux rangées d'enfants qui vous
font des croche-pieds.

D'autres jeux encore imitent
des situations du monde adulte :
on représente une procession
de baptême, une messe ou une
demande en mariage ; on joue
« à la marchande »… Il y a aussi des
jeux très anciens et venus d'autres
régions du monde. Le cerf-volant,
par exemple, est d'origine chinoise.

**Garçons jouant avec
des noix (en guise de billes)
et fillettes jouant à la balle,**
IIe siècle, fragment de relief
romain, 23 cm x 69 cm.
Musée du Louvre, Paris.

Garçon jouant au Yo-Yo,
coupe à figures rouges,
Grèce, vers 440 avant J.-C.,
céramique ;
diamètre : 20,9 cm.

Antikensammlung, Berlin.

Belle carrière pour les poupées !

Connue depuis l'Égypte ancienne et sur tous les continents, la poupée semble attachée depuis toujours à l'enfance. Pourtant, elle aussi a une histoire car ses usages ont beaucoup varié.

Un objet magique

Parfois, la poupée est plus qu'un jouet, presque un objet magique. Elle peut représenter une divinité. Dans la Grèce ancienne, la jeune fille devait offrir sa poupée à la déesse Artémis, la veille de son mariage, ce don symbolisant la fin de son enfance. On observe encore de tels usages de nos jours. Ainsi, chez les Mossi du Burkina Faso, en Afrique, ce sont les femmes adultes qui achètent des poupées de bois, dans le but de garantir leur fécondité. Au moment de l'accouchement, on enduit la poupée de beurre de karité et on en prend grand soin car, aux yeux des Mossi, elle protège le nouveau-né. Plus tard, on la donne à la fille qu'elle a aidée à naître. La poupée devient alors un simple jouet… ou presque, car, si sa propriétaire la casse, ce sera un signe de mauvais augure, laissant craindre qu'elle n'ait pas d'enfant.

Jouet ridicule ?

En Europe, l'histoire de la poupée change au XVe siècle, quand apparaissent les premiers artisans spécialisés, les *poupeliers*, qui fabriquent des poupées en bois tourné, en tissu ou en papier mâché (les plus réputés travaillent en Allemagne et en Hollande). Mais les poupées n'ont pas toujours bonne réputation et certains les qualifient de « jouets ridicules », qui détournent les enfants d'apprentissages plus utiles. Au XVIIe siècle, La Fontaine écrit avec ironie :
« Les enfants n'ont l'âme occupée
Que du continuel souci
Qu'on ne fâche point leur poupée. »
Les enfants considèrent la poupée comme un être vivant : voilà une fantaisie répréhensible aux yeux de certains adultes !

Poupée-modèle

À partir du XVIIIe siècle, le ton change. Rousseau loue l'utilité de la poupée, qui permet à la fillette d'apprendre le goût de la parure : elle *« est toute dans sa poupée, elle y met toute sa coquetterie, elle attend le moment d'être sa poupée elle-même »*. Bien vu, monsieur Jean-Jacques ! La poupée offre une belle image de soi, à laquelle la fillette s'identifie. À travers sa poupée, elle se voit devenue la jeune fille, la jeune femme, qu'elle aimerait être. Comme une poupée Barbie d'aujourd'hui.

Faire comme maman

Au XIXe siècle, la poupée commence à être fabriquée industriellement. Elle représente désormais non plus une femme coquette mais un enfant, un bébé, dont la petite fille joue à être la maman. Aux XXe et XXIe siècles, la poupée poursuit sa carrière, avec d'incessantes innovations (elle bouge, parle, fait pipi, etc.), des garde-robes et des accessoires toujours plus abondants (sacs, maquillage…). La prouesse technique et la multiplication des accessoires seraient-elles devenues plus importantes que le fait même de jouer avec sa poupée ?

Petite fille à la poupée,
école française
du XVIIIᵉ siècle, huile
sur toile, 60 cm x 48 cm.
Musée de Grenoble.

Cette poupée ancienne ne
figure ni un enfant ni une
dame en belle toilette, mais
une femme vouée à la vie
religieuse. C'est un idéal
bien sérieux que l'on
propose ici à l'enfant.

Un poilu,
soldat de la Première
Guerre mondiale,
1915 ; bois, cuir,
laine, métal, 34 cm.
Musée de l'Armée, Paris.

Voir
p. 142

Poupées, aussi pour les garçons ?

Du XVIIᵉ au XIXᵉ siècle, le tambour
est le jouet typique du garçon,
comme la poupée pour la petite fille.
« *Et le petit Colin, fait-il toujours
bien du bruit avec son tambour ?* »
demande Don Juan, le héros de
Molière. Tandis que la fille s'adonne
calmement à la coquetterie ou aux
soins des bébés, le garçon s'agite et
casse les oreilles de tout le monde,
comme s'il se préparait au combat...
À travers les jouets, les enfants
s'imprègnent des rôles que
la société attribue à chacun des
deux sexes. Toutefois, au XVIIᵉ siècle,
Louis XIII enfant joue à la poupée
avec sa sœur, sans que personne
ne le réprimande. Puis, au XIXᵉ siècle,
lorsque l'amour maternel devient
un lien très exclusif, la poupée
est plus fermement interdite
aux garçons. Depuis, celui
qui cajole une poupée risque
de se faire traiter de fille...
Mais, aujourd'hui, quand les rôles
au sein de la famille changent,
quand il semble normal qu'un père
s'occupe de son bébé, pourquoi les
garçons n'auraient-ils pas le droit
de jouer avec des poupées ?

Jouer sans jouets

Longtemps, sur tous les continents, la très grande majorité des populations a vécu des travaux des champs ou de l'élevage. Alors, les enfants des campagnes ne recevaient pas de jouets, ou de façon vraiment exceptionnelle. Mais cela ne les empêchait pas de jouer, loin de là !

La nature pour terrain de jeux

Comme ils n'allaient guère à l'école, ils avaient beaucoup de temps pour jouer, du moins jusqu'à cinq ou six ans environ. Ensuite, les travaux qu'on leur confiait, comme la garde des troupeaux, n'empêchaient pas de jouer. Il était aisé de grimper aux arbres, de se rouler dans l'herbe, de plonger dans un torrent ou d'attraper de petits animaux...

Les enfants utilisaient les objets de la vie quotidienne pour s'amuser. En Europe, un simple balai se métamorphosait en cheval ; en Asie, un citron faisait office de balle... Presque tous les objets pouvaient servir de jouets : une chaise, un panier, une calebasse, un emballage. Adofine raconte ses jeux en pays toradja : « *Nous jouions à la dînette en utilisant comme marmite une boîte en fer blanc vide ou une coque de noix de coco. Pour le riz, c'était du sable, les feuilles étaient nos légumes.* »

Jouets faits main

Mais les enfants fabriquaient aussi leurs propres jouets. Dans l'Europe médiévale, ils confectionnaient des poupées avec des morceaux de tissu ou de cuir, du bois ou de la paille. En Indonésie, ils utilisaient la tige d'un végétal, le taro, sur laquelle ils sculptaient le visage et les membres, et qu'ils habillaient avec du papier ou du chiffon ; ils façonnaient aussi de petits animaux en argile et fabriquaient parfois des maquettes de leurs maisons.

En Afrique aujourd'hui, bien des enfants, aidés de leurs aînés, élaborent leurs propres jouets en fil de fer, à l'aide de boîtes de conserve vides, de vieilles sandales ou de morceaux de pneu récupérés. Certains modèlent de petits personnages de glaise, qui sèchent ensuite au soleil. Créer de tels jouets de ses propres mains (ou parfois par la seule force de son imagination) est pour l'enfant une bonne occasion d'accroître son habileté.

Oh ! la belle bulle !

Faire des bulles de savon amuse les enfants depuis le Moyen Âge. Pourtant, que de différences avec notre époque ! Maintenant, nous achetons un produit industriel, contenant le liquide et une tige en plastique où se forme la bulle. C'est très facile ; on peut en faire beaucoup. Certains fabricants proposent même une tige munie de plusieurs cercles, pour faire plusieurs bulles à la fois (ainsi, le liquide se finit plus vite et il faut en racheter). À l'époque de Pieter Cornelisz van Slingelandt (1625-1691), on n'achetait rien du tout. Il fallait préparer soi-même l'eau savonneuse et couper un bon morceau de roseau creux. On avait bien du mal à souffler dedans. Cela demandait de l'entraînement pour réussir à former une belle bulle bien grosse. Le jeu demandait de longs préparatifs et une grande habileté. Tout le plaisir était de faire une bulle, plutôt que de courir après pour la faire éclater...

Rien n'est impossible

Jouer sans jouets se révèle sûrement plus facile au milieu de la nature, qui offre végétaux, terre et cailloux en abondance. Mais rien n'est impossible à l'enfant des villes : au lieu de construire sa cabane en se servant de branches, comme l'enfant des champs, il fera la sienne avec un drap ou du carton...

Pieter Cornelisz van Slingelandt,
Les Bulles de savon,
XVIIe siècle,
huile sur bois, 67,3 x 61 cm.
Palais des Beaux-Arts
de Lille.

Porter les dieux, un jeu d'enfants

Aujourd'hui
Inde

Dans les montagnes himalayennes de l'Inde, la période des neiges est terminée et les activités agricoles – travail dans les rizières, soin des arbres fruitiers – scandent à nouveau la journée.

Les dieux sont de la fête

Chand observe les adultes de son village qui se préparent à célébrer la fête annuelle dédiée à l'une des divinités locales, le dieu Jamlu. Le moment de la fête coïncide avec les grandes vacances à son école primaire : parents et amis se rendent visite, on mange des sucreries, on s'amuse à la foire. Les dieux des villages voisins participent aussi à la fête. Ils viennent portés sur leurs palanquins en bois, décorés avec des visages métalliques, des bijoux et des étoffes colorées. Ils arrivent en procession accompagnés d'officiants et de musiciens. Une fois réunis devant le temple, ces dieux-palanquins se saluent, s'embrassent, font des virevoltes et se mettent à danser.

Comme les adultes

En attendant la fête, Chand et ses camarades construisent eux aussi un palanquin, plus petit mais préparé avec un soin extrême. L'un de ses copains a fabriqué des visages métalliques. Un autre a trouvé des étoffes et des ornements. Chand joue à être le prêtre, d'autres les musiciens, un autre encore le porte-parole de la divinité. Tous sont pourvus de leurs instruments de jeu : une petite cloche, une casserole en guise d'encensoir, une canette vide attachée à une ficelle pour le tambour. Ils vont aussi rencontrer les petits palanquins construits par d'autres groupes de copains.

Ensemble, ils portent les palanquins-jouets en procession de maison en maison, avec l'espoir de recevoir une petite obole. Le moment le plus amusant pour les enfants reste celui de la course, où tous les petits palanquins entrent en compétition pour arriver premier. Comme dans la fête des adultes, chacun rentre chez soi à la fin de la course, et les palanquins sont démontés jusqu'au prochain jeu.

Plus tard, ce sera sérieux

Lorsqu'il sera grand, Chand portera sur ses épaules le vrai palanquin du dieu Jamlu. Ce qui l'amuse pour l'instant, c'est de jouer avec sa copie, sorte de poupée en bois qui, comme les dieux des adultes, doit être célébrée et honorée.

VOIR FICHE P. 86

Palanquins-jouets construits par les enfants du village de Jagatsukh, 1994, Inde. Photographie de Daniela Berti.

Un palanquin est fait d'une plate-forme ou d'un siège muni de deux brancards permettant de porter, sur les épaules, un personnage important, un roi, une divinité.

Des mondes en miniature

La dînette figure parmi les jeux les plus communs à travers les continents et les siècles.

Cuisine aux herbes et au sable

De la petite vaisselle servait déjà de jouet dans la Grèce ancienne. Un peu partout, les enfants font la cuisine avec du sable, des végétaux et n'importe quel petit récipient. En Europe, le XVe siècle voit apparaître les *bibelotiers*, artisans spécialisés qui fabriquent des dînettes en étain, comprenant toute la gamme des marmites, des plats et des assiettes.

Couvert de boutons

Le petit Matthäus Schwarz a trois ans en 1500. Il a la varicelle et doit rester au lit. Sa sœur l'évente avec un plumeau (car, à l'époque, il n'existe pas de médicament contre la fièvre). On lui a offert de petits jouets, propres aux garçons de son temps : il a posé ses deux petits cavaliers peints sur sa table, en position de combat.

Matthäus Schwarz, *Le Livre des costumes*, XVIe siècle, aquarelle.

Bibliothèque nationale de France, Paris.

Maison de poupée

À partir du XIXe siècle, la « maison de poupée » permet de représenter non plus seulement la cuisine ou la salle à manger, mais toutes les pièces de la maison, avec leur mobilier. Les parents pensaient sûrement que ce jouet permettait d'apprendre aux enfants à bien tenir leur future demeure ; mais ceux-ci en profitaient pour mettre en scène mille histoires surgies de leur imagination. La dînette ou la maison de poupée offrent un monde en miniature, comme bien des jouets de garçons : soldats de plomb, trains et petites voitures, devenues l'un des jouets par excellence au XXe siècle, à mesure que l'automobile accaparait une place centrale dans la consommation moderne.

Jouets à grandeur de main

Avec de tels jouets, on fait la cuisine ou on conduit une voiture, comme papa et maman. Le jouet miniature favorise l'imitation du monde des adultes, et c'est là un aspect essentiel du jeu enfantin. Tous les objets habituellement conçus pour les grandes personnes tiennent, une fois miniaturisés, dans la main de l'enfant. Grâce au jouet, il les manipule à sa guise. Tout un monde généralement hors de portée ou interdit se meut selon sa volonté. La miniaturisation aide l'enfant à entrer dans l'univers des adultes, en lui donnant la sensation de le maîtriser. Les jouets rapetissent le monde pour aider les enfants à grandir.

Sale jour pour les jouets !

19ᵉ siècle

France

Voir p. 44

Au XIXᵉ siècle, on faisait des cadeaux le 1ᵉʳ janvier : c'était le jour des étrennes. L'enfant dont se souvient Jules Vallès en reçoit quelques-uns, mais...

Jouets sous clé

« Quand la visite est finie, j'ai plaisir à prendre le jouet ou la friandise, la boîte à diable ou le sac à pralines ; – je bats du tambour et je sonne de la trompette [...]. Mais ma mère [...] me prend la trompette et le tambour. [...] On m'arrache tout et l'on enferme les étrennes sous clef.

"Rien qu'aujourd'hui, maman, laisse-moi jouer avec, j'irai dans la cour, tu ne m'entendras pas ! rien qu'aujourd'hui, jusqu'à ce soir, et demain je serai bien sage !

– J'espère que tu seras bien sage demain ; si tu n'es pas sage, je te fouetterai. Donnez donc de jolies choses à ce saligaud, pour qu'il les abîme."

[...] Je me suis mis à pleurer. »

Des jouets bien à moi

« C'est qu'il m'est égal de regarder des jouets, si je n'ai pas le droit de les prendre et d'en faire ce que je veux ; de les découdre et de les casser, de souffler dedans et de marcher dessus, si ça m'amuse...

Je ne les aime que s'ils sont à moi, et je ne les aime pas s'ils sont à ma mère. C'est parce qu'ils font du bruit et qu'ils agacent les oreilles qu'ils me plaisent ; si on les pose sur la table

comme des têtes de mort, je n'en veux pas. Les bonbons, je m'en moque, si on m'en donne un par an comme une exemption, quand j'aurai été sage. Je les aime quand j'en ai trop. »

Jouer encore et toujours

Au lieu d'aller à l'école, Pinocchio se laisse entraîner dans le merveilleux pays des jouets. Dans cette « utopie » peuplée uniquement d'enfants, il n'y aurait que des jours de fête ; on pourrait jouer du matin au soir : acrobaties, déguisements, ballons, chevaux de bois, tous les jeux imaginables dans une agitation frénétique, où tous sifflent et crient à qui mieux mieux ! On le sait, Pinocchio se réveillera transformé en âne. Voilà qui devrait servir de leçon : n'oubliez pas les devoirs de l'école ! Mais l'histoire en dit peut-être plus : quand on joue, on aimerait continuer, jouer encore et toujours. Mais, si tout devenait jeu, le plaisir ne s'épuiserait-il pas ?

Droit au plaisir de jouer

La morale rigide de la mère, soucieuse seulement du devoir et des choses utiles, ne saurait laisser libre cours au plaisir du jeu. Ainsi, dans certaines familles de la petite bourgeoisie, où les jouets ne sont pas absents, des enfants peuvent être privés du droit de jouer. Une situation plus rude que dans les familles paysannes, où la ferme et les champs offrent bien des occasions de jeu, mais toutefois moins difficile que dans les familles ouvrières du XIXᵉ siècle, où le travail en usine épuise les enfants, sans ménager la moindre pause pour le jeu. Aujourd'hui, jouer est l'un des droits reconnus par la Convention internationale des droits de l'enfant.

Dans la cour de récré

Aujourd'hui

Europe

Aujourd'hui, dans la cour de récréation, on voit souvent les filles jouer de leur côté au papa et à la maman pour les plus petites puis à l'élastique ou à la corde à sauter, et les garçons faire des bagarres, des poursuites, des parties de ballon ou de billes. Heureusement, certains jeux les rassemblent, comme celui où « les garçons attrapent les filles », puis c'est le contraire. Ce jeu est pratiqué aussi bien en France qu'en Grande-Bretagne ou aux États-Unis par exemple.

Jeu de « plouf-plouf » dans une cour d'école, 2010, Garcelles-Secqueville.
Photographie de Pascal Lecœur.

Attrape-moi si tu peux

D'autres jeux se retrouvent dans plusieurs pays comme le « plouf-plouf » ou « pouf-pouf », qui permet de déterminer par le hasard qui sera, par exemple, le chat dans le jeu qui suit. On chante parfois « Am Stram Gram... » ou « Une balle en or tu sors. Et si le roi ne le veut pas ce ne sera pas toi, au bout de trois, 1, 2, 3 ». En Espagne, on dit « Plom, plom, plom » et en Angleterre « Dip, Eeny Meeny Mo ». Si les plus grands se dépêchent de « plouffer » pour se mettre à jouer, les petits de l'école maternelle ont souvent du mal à accepter le résultat du pouf-pouf, qu'ils ne laissent pas tout à fait au hasard et qu'ils recommencent jusqu'à obtenir un résultat qui les satisfasse...

Cinéma dans les têtes

Quelques-uns des jeux de la cour sont inspirés par ce que les enfants voient à la télévision, au cinéma ou dans les jeux vidéo. Par exemple, les garçons vont s'imaginer en Power Rangers, les filles en chanteuses de la « Star Academy ». Certains parents regrettent que les enfants se laissent ainsi influencer par ce qu'ils voient. Mais ils oublient que les héros des films sont des personnages que tous les enfants connaissent et adorent, et qu'ils les utilisent pour créer un jeu bien à eux. Les adultes s'étonnent aussi que les enfants conservent des jeux ancestraux, comme les billes ou la corde à sauter, que l'on pratique à la belle saison. Les élèves se transmettent en effet un savoir qui fait partie de leur culture d'enfants et que les adultes connaissent souvent mal.

La grande ronde des jeux

Mais tous ces jeux anciens sont toujours un peu transformés, par exemple par une nouvelle règle aux billes ou une nouvelle comptine à la corde à sauter. D'ailleurs un jeu est toujours nouveau pour l'enfant, qui le découvre par ses frères et sœurs ou ses copains. Puis il le délaisse quand il devient à ses yeux « un jeu de bébé » qu'il est grand temps d'abandonner au profit d'un autre...

Envahisseurs

Aujourd'hui

Dans les sociétés traditionnelles, surtout rurales, les jouets sont rares, souvent fabriqués par les enfants ou leurs parents. Cela a commencé à changer, en Europe, avec l'apparition de l'artisanat puis de l'industrie du jouet.

Séduction non durable

Depuis le XIXe siècle, celle-ci se développe en tirant parti de toutes les nouveautés techniques, comme l'électricité, le plastique, devenu au XXe siècle la matière principale des jouets et, désormais, l'informatique. Aujourd'hui, l'industrie du jouet compte parmi les plus importantes. Il lui faut produire et vendre toujours plus. Il lui faut convaincre enfants et adultes d'acheter toujours plus.

Si tôt aimé, si tôt délaissé

L'important, c'est la quantité. Le mot d'ordre ? Beaucoup, beaucoup et beaucoup. Pourvu qu'on en ait les moyens, on achète de plus en plus de jouets. Certains durent longtemps ; la plupart se cassent facilement et ne peuvent pas être réparés. Nombre d'entre eux ne séduisent qu'un instant, le temps d'en comprendre le principe, après quoi on les délaisse. Avec de tels jouets, nous apprenons à nous lasser vite, pour désirer sans cesse de nouveaux produits.

Plus malins que les jouets

Entouré d'autant d'objets, on en oublie presque qu'il est possible de jouer sans jouet. L'abondance de jouets de plus en plus sophistiqués étouffera-t-elle l'art du jeu enfantin et sa capacité d'invention ? Ou les enfants seront-ils toujours plus malins que les jouets qu'on leur offre ?

Toujours plus sophistiqués

Les jouets, comme toutes les marchandises actuelles, font l'objet d'une compétition permanente. Chaque année, il faut des modèles différents de ceux de l'année précédente, munis de plus de gadgets et d'accessoires en tout genre. Au milieu du XXe siècle, on se contentait de simples pistolets ou de carabines ; maintenant, d'énormes armes à laser prolifèrent pour une guerre interstellaire inspirée du cinéma. Il est devenu difficile de rester simple : il faut posséder l'arme la plus surpuissante, la voiture la plus perfectionnée. Sinon, de quoi on a l'air...

Bons consommateurs

Combien de pièges recèlent les simples jouets que nous utilisons ! Ils ressemblent au monde dans lequel nous vivons, qui prétend faire de nous les meilleurs des consommateurs...

Un garçon présente un objet qu'il a fabriqué avec des matériaux de récupération.
Août 1992, Burkina Faso.
Photographie de François Perri.

Joueurs sans frontières

Aujourd'hui

La planète Internet est leur terrain de jeux.
Ils habitent la France, le Japon, l'Australie ou le Brésil.

Bolide supersonique et cote de maille

Ils peuvent disputer, ensemble, en même temps et en ligne, des parties endiablées, au volant d'un bolide supersonique, dans le costume d'un impitoyable agent secret ou sous la cote de maille d'un chevalier partant à la conquête du Graal. Dans les jeux vidéo en réseau, aucune frontière, nulle barrière de langue ou de culture.
Plus de distances. Juste une passion pour un même jeu, partagée par des pratiquants de tous les pays, auxquels on s'affronte ou avec lesquels on s'allie.

MMO et WOW

Internet a multiplié à l'infini les possibilités. Il a même inventé le jeu de masse : le « MMO », ou « jeu massivement multijoueurs ». Des milliers de *gamers*, par l'intermédiaire du Web, peuvent disputer simultanément la même partie ! Le plus célèbre, le jeu World of Warcraft et son univers médiéval, « WOW » pour les intimes, compte plus de dix millions d'abonnés dans le monde entier... Le temps du tête-à-tête avec la machine, console ou ordinateur, semble dépassé. La partie est aujourd'hui mondiale.

Joli pactole

Éditeurs de jeux, fabricants de consoles et fournisseurs d'accès à Internet rivalisent de projets pour attirer les passionnés. C'est que le jeu en ligne représente un joli pactole : plusieurs milliards d'euros par an... En préparation, du côté de la Californie, des plates-formes communautaires où acheter ses titres à la carte, sur le Web, avant d'y jouer sur son propre écran, télévision ou ordinateur. À plusieurs. Et sans limites de participants...

À consommer avec précaution

Inépuisable terrain de jeux, Internet peut aussi réserver de mauvaises surprises. Mieux vaut en être informé. D'abord, la dépendance : beaucoup de jeunes, une fois conquis par un titre, ont du mal à s'arrêter. Attention à l'addiction, donc. D'autant que, sur le Web, de nombreux jeux ne sont pas à mettre entre toutes les mains. Violence, mais aussi vulgarité, racisme ou jeux d'argent : certains sites Internet sont à éviter. C'est pourquoi il est toujours bon d'avoir un parent pas loin...

Le jeu, c'est la santé

20ᵉ siècle

Grande-Bretagne

D. W. Winnicott a consacré sa vie à étudier l'importance du jeu des enfants. L'histoire (vraie) suivante nous rappelle que le premier jouet d'un bébé, c'est son propre corps : ses mains, sa bouche et… ses pieds !

Elle mord, elle pleure

Il s'agit d'une petite fille qui, dès neuf mois, souffre quotidiennement de crises de convulsions. Elle est très nerveuse, s'évanouit souvent et pleure presque toute la journée. Lorsqu'elle a un an, D. W. Winnicott la reçoit régulièrement en consultation : *« Prise sur mes genoux, elle pleure sans arrêt.*

Une autre fois, raconte-t-il, *elle me mordit si fort qu'elle m'arracha presque la peau. Elle joua ensuite pendant un quart d'heure, sans arrêt, à jeter des spatules par terre. Tout le temps, elle pleura comme si elle était vraiment malheureuse. Deux jours après, je la pris sur mes genoux pendant une demi-heure. Elle avait eu quatre crises les deux jours précédents. D'abord, elle pleura, comme d'habitude. Elle me mordit de nouveau très fort les doigts, cette fois-ci sans paraître se sentir coupable, puis recommença le jeu consistant à mordre et à jeter les spatules par terre. »*

Expérimentation sur doigts de pieds

« Alors qu'elle était sur mes genoux, elle devint capable de prendre du plaisir à jouer. Au bout d'un moment, elle commença à tripoter ses doigts de pieds, je lui enlevai donc ses souliers et ses chaussettes ; s'ensuivit une période d'expérimentation qui l'absorba totalement. C'était comme si elle découvrait et se prouvait sans cesse, pour sa plus grande satisfaction, que, si l'on peut mettre les spatules à sa bouche, les jeter par terre et les perdre, les doigts de pieds, eux, on ne peut pas les arracher. » À partir de ce jour, la petite fille a cessé d'avoir des crises nerveuses ; elle est devenue joyeuse, active, ouverte à l'échange. C'était *« une autre enfant »,* dit sa mère.

Bien grandir en jouant

Il a donc suffi qu'on l'aide à découvrir *le plaisir de jouer,* pour que cette petite fille soit guérie de troubles qui auraient pu devenir permanents ! Cela prouve combien le jeu est indispensable au développement des enfants.

Le jeu, explique Winnicott, naît de la confiance qui se développe dans la relation avec la mère, le père ou tout autre adulte qui s'occupe de l'enfant. Une fois cette confiance établie, le jeu permet aux enfants de communiquer, de se représenter la réalité et d'exprimer sans mots ce qui s'agite à l'intérieur d'eux. Dans le jeu, les enfants découvrent leur puissance créative et trouvent les moyens de « se soigner eux-mêmes », en surmontant bien des difficultés qui se présentent à chaque étape de la vie.

Donald Woods Winnicott (1896-1971) : pédiatre et psychanalyste anglais.

Comme par magie

Voici un jeu très simple
des tout-petits : l'enfant lance
une bobine attachée à une ficelle ;
elle disparaît derrière un meuble ;
il tire sur la ficelle et ramène
la bobine à sa vue. Répétée
inlassablement, l'opération
provoque chaque fois autant de joie.
Que signifie donc ce jeu ?
Il met en scène le pouvoir de faire
réapparaître un objet qui a disparu.
Or, quelle est l'une des premières
grandes inquiétudes d'un bébé ?
C'est l'absence de sa mère
(ou des personnes qui s'occupent
de lui). Bien vite, il découvre que,
s'il crie ou s'il pleure, sa mère arrive
le plus souvent (mais pas toujours).
Le jeu de la bobine le rassure
et le réjouit, car il représente
la disparition momentanée de la
mère, suivie de son immanquable
réapparition commandée
par le bébé lui-même.
D'où ses éclats de bonheur.

L'ENFANT SANS PAROLE, L'ENFANT QUI PARLE

Étymologiquement, l'enfant est celui qui ne parle pas (*infans* en latin). En effet, ce mot désignait les enfants en bas âge (pour parler de ceux de sept ans et plus, on utilisait le mot *puer*, qui a donné par exemple « puéril » ou « puériculture »).

L'enfant serait donc celui qui ignore le langage articulé, considéré comme le propre de l'homme. Pourtant, un bébé parle potentiellement toutes les langues du monde : il en émet spontanément tous les sons (alors qu'il faut beaucoup d'efforts à un adulte pour les reproduire...). C'est l'imitation de son entourage qui le conduit, ensuite, à faire une sélection parmi tant de possibilités, à n'apprendre qu'une seule langue, ou parfois deux.

N'est-il pas extraordinaire de voir que, dès sa naissance, le bébé commence cet apprentissage ? Et d'observer avec quelle rapidité ses capacités se développent, lui permettant bientôt de prononcer ses premiers mots ? Le propre de l'enfance, c'est surtout cela : l'acquisition du langage et de la communication avec autrui.

Car si le langage n'a pas été maîtrisé avant douze ans, il ne peut plus l'être, le cerveau n'étant plus capable d'un tel prodige. Il est arrivé que certains soient privés de cet apprentissage, comme les « enfants sauvages », abandonnés ou perdus, privés de contact avec d'autres humains. Quant aux enfants autistes, ils semblent refuser d'entrer dans le monde qui les entoure, même si on ne sait pas exactement pourquoi ils ne parlent pas.

À la parole des enfants, les adultes s'efforcent d'imposer des règles. La vie en groupe exige qu'on apprenne le bon usage de la parole : les mots qu'il faut dire, le ton de voix approprié, les moments où il faut se taire. Quant au langage des enfants entre eux, il a également ses codes. Il est souvent secret et transgresse parfois cette innocence que les adultes voudraient attribuer à l'enfance.

366 Bébé vient de naître. Sa maman le tient dans ses bras, le regarde et tire la langue. L'enfant regarde sa maman et, après une petite hésitation, tire la langue à son tour. Ils ont déjà commencé à communiquer.

Grimaces et mimiques

Les petits singes ne font pas ça. On dit couramment que « singer » c'est imiter, mais les singes n'imitent pas. Imiter est une capacité propre à l'homme. Pour les bébés, c'est la première manière d'entrer en relation avec les adultes qui s'occupent d'eux. Par des grimaces d'abord, puis par des sons ; plus tard ils ajoutent des gestes. La mère aussi aime ce jeu-là. Elle imite à son tour le petit. Bébé ne sait pas dire un seul mot, mais il a déjà trouvé une façon de dialoguer. Il ou elle a compris en quoi consiste un dialogue : une alternance de gestes et de sons, de part et d'autre.

Il découvre, il écoute

Si sa maman s'arrête, alors qu'ils sont en train de jouer ainsi, l'enfant montre son mécontentement. Il apprend aussi que, pour se comprendre l'un l'autre, il faut prêter attention aux mêmes choses : l'enfant regarde là où l'adulte regarde. Il découvre ensuite comment indiquer les objets qu'il veut obtenir ou qu'il trouve intéressants, et qu'il veut montrer aux autres.

L'enfant ne sait pas encore parler, mais il écoute parler les autres. Même avant de naître, quand il était dans le ventre de sa mère, il entendait très bien ce qui se passait à l'extérieur. Il reconnaissait la voix de sa maman et le rythme des sons dans les conversations.

Sons, syllabes et mots

À partir de cinq mois, il peut émettre des sons à son gré et s'y exerce volontiers. Cet entraînement l'amène, vers huit mois, à produire des syllabes répétées, qui vont composer ses premiers mots (maman, papa, dodo, bobo...). Petit à petit, dans les dialogues dont l'enfant a déjà l'habitude, les mots viendront remplacer les gestes et les sons d'avant. À partir de dix-huit mois, il commencera à construire des petites phrases : d'abord deux mots, ensuite trois, puis quatre...

Pas facile de se faire comprendre

Mais l'enfant ne sait pas encore réagir face à l'échec. Si par exemple il demande un gâteau et n'obtient pas de réponse, ou, pire, essuie un refus, alors, il ne sait pas quoi faire. À deux ans, il ne parvient pas à imaginer ce que les autres pensent. Si sa mère ne lui donne pas ce qu'il a demandé, c'est peut-être parce qu'elle n'a pas compris, ou bien parce qu'elle ne veut pas le lui donner (elle pense qu'il a déjà trop mangé, par exemple). Cette situation de dépaysement ne dure pas longtemps. Avant quatre ans, l'enfant aura appris que chaque personne est différente et que, si on veut avoir du succès dans la communication, il ne suffit pas de se faire comprendre, il faut aussi se mettre d'accord.

Imitation, par un nouveau-né, des gestes et des expressions du visage d'un adulte.
1977, États-Unis.
Recherche effectuée par Andrew N. Meltzoff et M. Keith Moore.

Dès la naissance, l'enfant communique

Victor, enfant sauvage

19ᵉ siècle

France

En cette année 1800, on vient de découvrir, dans le centre de la France, un enfant sauvage, vivant nu dans la forêt ! Écoutez son étrange histoire, racontée par le docteur Jean-Marc Itard.

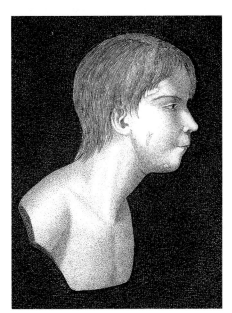

Profil de Victor,
frontispice pour
De l'éducation d'un homme sauvage, ou des Premiers développements physiques et moraux du jeune sauvage de l'Aveyron
de Jean-Marc Itard, 1801.
Bibliothèque nationale de France, Paris.

Tout nu, tout seul

« *Un enfant de onze ou douze ans, que l'on avait entrevu quelques années auparavant dans les bois de la Caune, entièrement nu, cherchant des glands et des racines dont il faisait sa nourriture, fut dans les mêmes lieux rencontré par trois chasseurs qui s'en saisirent au moment où il grimpait sur un arbre pour se soustraire à leurs poursuites. Conduit dans un hameau du voisinage et confié à la garde d'une veuve, il s'évada au bout d'une semaine et gagna les montagnes où il erra pendant les froids les plus rigoureux de l'hiver, se retirant pendant la nuit dans les lieux solitaires, se rapprochant le jour des villages voisins.* »

Presque animal

Capturé de nouveau, il est conduit à Paris. On découvre alors « *un enfant d'une malpropreté dégoûtante, affecté de mouvements spasmodiques et souvent convulsifs, se balançant sans relâche comme certains animaux de la ménagerie, mordant et égratignant ceux qui le servaient ; enfin, indifférent à tout et ne donnant de l'attention à rien* ». Il continue de se nourrir de glands, de pommes de terre et de châtaignes crues, ne supporte pas d'être habillé, ni de dormir dans un lit. Il garde l'habitude de flairer tout ce qu'on lui présente et, au lieu d'une démarche régulière, a toujours tendance « *à prendre le trot ou le galop* ». Surtout, il ne parle pas et sa voix ne laisse échapper qu'un son guttural et uniforme.

Loin des hommes

Pinel, un célèbre médecin de l'époque, conclut que l'enfant est atteint d'« idiotisme ». Mais Jean-Marc Itard, un autre médecin, pense que son comportement n'est dû qu'à l'absence de contact humain : « *Cet enfant a passé dans une solitude absolue sept ans à peu près sur douze. Il est probable et presque prouvé qu'il a été abandonné à l'âge de quatre ou cinq ans et que, si, à cette époque, il devait déjà quelques idées et quelques mots à un commencement d'éducation, tout cela se sera effacé de sa mémoire par suite de son isolement.* »

Pourquoi « Victor » ?

L'enfant est alors confié à Itard qui, durant quatre ans, va déployer des efforts extraordinaires pour développer l'usage de ses sens, ainsi que ses capacités affectives et intellectuelles. La conduite de l'enfant se modifie fortement ; il s'adapte à son nouveau mode de vie et s'attache à la gouvernante qui prend soin de lui. Au début, l'enfant ne prête attention qu'à certains bruits et reste indifférent à la voix humaine. Cinq mois passent avant qu'Itard observe un premier changement : « *Un jour qu'il était dans la cuisine occupé à faire cuire des pommes de terre, deux personnes se disputaient vivement derrière lui, sans qu'il parût y faire la moindre attention. Une troisième survint qui, se mêlant à la discussion, commençait toutes ses répliques par ces mots : "Oh ! c'est différent." Toutes les fois que cette personne laissait échapper son exclamation favorite : "oh !", le sauvage de l'Aveyron retournait vivement la tête. Je fis le soir, à l'heure de son coucher, quelques expériences sur cette intonation, et j'en obtins à peu près les mêmes résultats. Je passai en revue toutes les autres intonations simples, connues sous le nom de voyelles, et sans aucun succès. Cette préférence pour le "o" m'engagea à lui donner un nom qui se terminât*

par cette voyelle. Je fis le choix de Victor. Ce nom lui est resté et, quand on le prononce à haute voix, il manque rarement de tourner la tête ou d'accourir. »

Premier mot : « lait »

Itard tente alors d'associer le son « o » à l'*eau* que Victor désire boire : « *Dans les moments où sa soif était ardente, je tenais devant lui un vase rempli d'eau, en criant fréquemment eau, eau ; en donnant le vase à une personne qui prononçait le même mot à côté de lui, et le réclamant moi-même par ce moyen, le malheureux se tourmentait dans tous les sens, agitait ses bras, rendait une espèce de sifflement et n'articulait aucun son.* » Alors, Itard répète la même expérience avec du lait : « *Le quatrième jour, j'entendis Victor prononcer distinctement le mot "lait" qu'il répéta presque aussitôt. C'était la première fois qu'il sortait de sa bouche un son articulé, et je ne l'entendis pas sans la plus vive satisfaction. [...]* »

Itard réfléchit

« *Néanmoins, ce ne fut qu'au moment où je venais de verser le lait dans la tasse qu'il me présentait, que le mot "lait" lui échappa avec de grandes démonstrations de plaisir. Le mot prononcé, au lieu d'être le signe du besoin, n'était qu'une vaine exclamation de joie. Si ce mot fût sorti de sa bouche avant la concession de la chose désirée, c'en était fait, le véritable usage de la parole était saisi par Victor. Au lieu de cela, je ne venais d'obtenir qu'une expression du plaisir qu'il ressentait. Pour éclairer ce soupçon, j'eus recours à une autre épreuve : au milieu de son déjeuner,* j'enlevai la tasse qui contenait le lait, et l'enfermai dans une armoire. Si le mot "lait" eût été pour Victor le signe distinct de la chose et l'expression du besoin qu'il en avait, nul doute qu'après cette privation subite, le mot "lait" n'eût été de suite reproduit. Il ne le fut point.* »

Espérances déçues

Après de longs efforts, au cours desquels Itard invente de nombreuses techniques d'apprentissage du langage écrit, Victor parvient seulement à prononcer toutes les voyelles, sauf le « u », et trois consonnes. Malgré des avancées importantes, les espérances initiales du médecin restent déçues. Mais ses expériences ne furent pas vaines ; elles sont considérées comme le début de la pédagogie destinée aux enfants en situation de handicap. Après s'être occupé de Victor, Itard a consacré tous ses soins aux sourds-muets ; il a été l'un des premiers à proposer de leur apprendre à lire sur les lèvres.

L'histoire de Victor permet aussi à Itard de souligner qu'un enfant a besoin, dans ses premières années, du contact avec d'autres humains, pour pouvoir développer sa sensibilité, son intelligence et l'usage de la parole.

Photo du film de François Truffaut, *L'Enfant sauvage*, 1970, inspiré de l'histoire de Victor de l'Aveyron. Dans le rôle de Victor, Jean-Pierre Cargol.

369

Drôles d'expériences de l'empereur Frédéric II

Voici comment aurait agi l'empereur germanique Frédéric II (1194-1250), aux dires de Salimbene de Adam, un chroniqueur italien du XIIIe siècle : « *Il fit des expériences pour connaître la langue et le parler qu'emploieraient, en grandissant, des enfants qui n'auraient parlé avec personne. Pour ce faire, il ordonna à des nourrices de donner du lait à des enfants, en les nourrissant au sein, de les baigner, de les nettoyer, mais en aucun cas de les cajoler ni de leur parler. Il voulait en effet savoir s'ils parleraient en hébreu, langue primitive, ou en grec, ou en latin, ou en arabe, ou dans la langue des parents qui les avaient procréés. Mais, il œuvrait en vain, parce que les enfants, ou bébés, mouraient tous : ils ne pouvaient vivre, en effet, privés des battements de mains, des gestes, de la gaieté, des cajoleries de leurs nourrices.* » Selon toute probabilité, cette histoire a été inventée pour nuire à Frédéric II, personnage hors du commun, féru de culture et de sciences, dialoguant volontiers avec des savants arabes. Du reste, une expérience similaire était, depuis l'Antiquité, attribuée au pharaon Psammétique Ier (XVIIe siècle avant J.-C.). Même inventé, le récit est porteur de leçon : l'enfant ne peut apprendre le langage que par l'imitation de ceux qui l'entourent. Il ne lui suffit pas d'être alimenté pour vivre ; l'absence de tout lien affectif, de tout contact sensible entraîne généralement la mort, ou tout au moins de graves troubles de la personnalité, comme on en a eu encore la preuve dans certains orphelinats au milieu du XXe siècle.

Ces enfants qui ne viennent pas d'une autre planète : les autistes

École de la Fondation Autisme, juin 2008, Paris.
Photographie de Sophie Brändstrom.

Écrivain, psychologue et clown, Howard Buten a travaillé pendant plus de vingt ans avec des enfants autistes. Il raconte sa première rencontre avec l'un d'eux.

Un petit garçon train

« On est tous différents. On bouge pas pareil, on s'assied pas pareil, on parle pas pareil ; on a pas le même air. Tous, on est différents. Et puis, un jour, on rencontre quelqu'un qui est encore plus différent que tous les autres. Un enfant, par exemple. Des enfants si différents de tous les autres qu'on dirait qu'ils viennent d'une autre planète. [...]

Un jour, j'étais tout seul dans une salle d'attente. [...] Brusquement, un enfant a fait irruption. Un petit garçon – mais on aurait cru un petit train. Il ne m'a pas dit bonjour. Il faisait comme si je n'étais pas là. Il a couru jusqu'au milieu de la pièce, s'est laissé tomber par terre, les jambes étendues droit devant lui, les mains entre les jambes, et il s'est mis à se balancer d'avant en arrière et d'arrière en avant, très fort, très vite, comme un essuie-glace sur un pare-brise. [...] »

Comme des ailes de papillon

« En se balançant, il faisait des bruits avec sa bouche. On aurait pu croire qu'il chantonnait mais c'était pas vraiment une musique. Ça me rappelait le bruit de la machine à laver quand on met trop de linge dedans : chhhh boum-boum chouk-chouk chhh mmmmmh. Sans arrêter de se balancer en faisant sa musique de machine à laver, il a levé une main devant ses yeux, il a regardé ses doigts très fixement et il s'est mis à les remuer comme des ailes de papillon. Il louchait un peu. Son autre main, il l'a mise dans sa bouche et il l'a mordue. Mais ça n'avait pas l'air de lui faire mal. [...] »

Il me regardait très fort

« Soudain, il s'est levé. Il a couru à travers la salle d'attente, il s'est jeté par terre, il s'est relevé, il a recommencé une ou deux fois et puis il s'est tourné vers moi. Il m'a regardé. On ne m'avait jamais regardé comme ça. Ses yeux faisaient comme le projecteur de diapos, en classe – mais il n'y avait pas de diapos. Il me regardait, très fort, sans bouger. Et je me suis dit : la diapo, c'est moi. [...] »

Seul avec lui-même

« Je ne sais pas pourquoi les enfants autistes sont autistes, a dit le médecin. Il m'a expliqué qu'on les appelle autistes parce que aut, ça veut dire soi-même, et iste, ça veut dire avoir surtout un rapport avec. Un autiste, c'est quelqu'un qui a surtout un rapport avec lui-même, au lieu d'avoir des rapports avec les autres. Les autistes font comme s'ils étaient tout seuls, même quand il y a plein de gens autour d'eux. [...] »

Peur des gens différents

« On dit que les gens qui voient des enfants autistes pour la première fois, ils en ont peur. Je sais bien qu'on a souvent peur des choses et surtout des gens très différents. Une drôle de couleur de peau, une langue bizarre qu'on ne comprend pas. Mais enfin, les gens différents, ils doivent nous trouver bizarres aussi, non ? On doit leur flanquer une sacrée frousse. Et nous, on sait bien qu'il n'y a pas de quoi. [...]

Quand je rencontre quelqu'un de différent, quelqu'un qui vient d'un autre pays, ça me donne envie de le connaître. Envie de voir s'il y a des trucs marrants chez lui – des choses à manger, par exemple. Et aussi sa langue, sa musique, sa façon de marcher, de danser. La bouffe, la langue, la musique, c'est toutes ces choses-là qu'on appelle la culture, et chaque pays a la sienne. [...] »

S'ouvrir à une autre culture

« J'ai pensé que les enfants autistes, c'est peut-être comme les gens qui arrivent d'un autre pays, avec une autre culture. Si on apprend comment c'est chez eux, et à faire comme ils font là-bas, ils auront moins peur de nous, et peut-être même qu'ils auront plus envie d'apprendre comment c'est chez nous et à faire comme nous faisons chez nous. C'est comme ça qu'on peut être bien ensemble, qu'on peut communiquer, qu'on peut avoir des relations. [...]

Être différent, c'est pas forcément être malheureux. Je crois même que c'est plutôt nous qui sommes malheureux que les autistes soient différents. »

Silence imposé ou droit à la parole

En même temps qu'il découvre la parole, l'enfant doit en apprendre le bon usage : comment s'adresser aux adultes ; les mots interdits et ceux qu'il faut dire... L'éducation, propre à chaque société, cherche à endiguer la parole souvent tumultueuse des enfants.

On se tait devant les adultes

Au début du XXe siècle, dans les familles nobles d'Europe, la règle est claire : les enfants ne doivent jamais ouvrir la bouche devant les adultes. Quand les adultes parlent à table, les enfants n'ont qu'à se taire, sauf si on les interroge. Voici les souvenirs d'une femme née en 1920 : « *On nous disait : il faut dire bonjour madame, faire une révérence, répondre poliment, ne pas parler entre vous quand vous êtes à table, attendre qu'on vous parle, dire bonjour ma tante, bonjour mon oncle.* » Une autre explique que les bonnes manières « *étaient inculquées avant même l'usage de la parole, si bien qu'à l'avènement de celle-ci, les mots correspondants – bonjour, au revoir, je vous prie, merci – étaient, par habitude acquise, prononcés machinalement* ». Tels sont les mots qu'il faut dire, pour respecter le code de la politesse. Telle est sa règle impérative : apprendre le silence, pour ne pas interférer avec la parole des adultes.

Écouter la parole des aînés

Il semble que la plupart des sociétés aient connu des règles en partie semblables, jusqu'à une date récente. Par exemple, au début du XXe siècle, un guerrier Cheyenne se souvient d'avoir reçu le conseil suivant de son oncle : « *Quand tu es en présence de tes aînés, écoute ce qu'ils disent et essaie de t'en souvenir ; c'est ainsi que tu apprendras. Ne parle pas beaucoup ; il vaut mieux laisser les autres parler et les écouter.* »

Quelques règles

Aujourd'hui, à mesure que les principes éducatifs deviennent moins autoritaires et insistent sur les droits de l'enfant, les règles de contrôle de la parole se font de moins en moins strictes. Le droit à la parole fait partie des droits reconnus de l'enfance. Mais peut-on pour autant, adultes comme enfants, renoncer à toute règle ? Ne sont-elles pas nécessaires pour concilier le droit de chacun à parler (ou à se taire) ? Pour respecter la parole des autres, ne faut-il pas apprendre à écouter ?

**Août 2009,
France.**
Photographie de Meyer.

Obscénités et impertinences enfantines

20ᵉ siècle

Europe

Voici ce que chantait une fillette de neuf ans, vers 1930, dans un village des Alpes :

« Un perroquet
Qui avait la colique
Quand il pétait
Ça sentait le navet
Son père lui dit
Tu joues de la musique
Mais non papa
Je joue du flageolet
Un, deux, trois
Tu n'y es pas »

Mots interdits et chéris

La même comptine, avec diverses variantes, se retrouve à l'époque dans la bouche d'autres enfants, un peu partout en France. Comme le montre la partie finale, il s'agit bien d'une comptine, utilisée pour désigner celui « qui s'y colle » : on dit le texte en montrant chaque enfant à tour de rôle et celui qui est pointé par le dernier mot est éliminé.

S'étonnera-t-on que des enfants parlent de pets et autres choses de ce genre que la bienséance voudrait taire ? Eh bien, il faut savoir que la parole obscène ou indécente des enfants, celle qui évoque les excréments, les organes génitaux ou l'acte sexuel, est un fait très répandu, attesté de longue date et dans de très nombreuses cultures !

En voici un autre exemple, cette fois en Turquie :

« Qui a pété ?
Le pou a pété
Il s'est mis à galoper
Prenant le chemin
La betterave est cuite
Et tombée sur la route
Celui qui a pété
Son cul a gonflé
Tass, touss
Fille péteuse »

Roi des enfants

De tels textes comportent souvent des éléments très anciens, remontant parfois au Moyen Âge. Ainsi, la comptine du perroquet qui pète se termine parfois par une formule telle que « *si le roi ne le veut pas, tu ne le seras pas* » : elle évoque le rite par lequel les enfants désignaient chaque année leur propre roi, qui avait son rôle à jouer dans certaines fêtes. Était élu « roi des enfants » celui qui avait réussi à tuer un oiseau, coq ou « pape geai », dont le perroquet a peut-être pris la place. Ces comptines, d'apparence gratuite, transmettent des aspects d'une culture très ancienne.

Audace sacrilège

Comptines et chansons obscènes des enfants tournent parfois en dérision les croyances des différentes religions. C'est le cas de cette strophe, chantée par des enfants de neuf à onze ans, en région parisienne, vers 1945 :
« Jésus-Christ a une quéquette
Pas plus grosse qu'une allumette
Il s'en sert pour faire pipi
Vive la quéquette
de Jésus-Christ ».

SMS, chelou ? mdr !

Aujourd'hui

mdr = mort de rire

« Ici c ke pr mé pote ».
Cette mise en garde
– « ici c'est que pour mes potes » –
est rédigée en langage SMS.

Pied de nez aux adultes

Cette astuce permet d'écrire plus vite sur un clavier de téléphone portable ou d'ordinateur, et fait enrager les adultes, parce qu'elle les oblige à lire à voix haute pour comprendre, un peu comme le fait un enfant quand il apprend à lire. Mais, même en ânonnant, si l'on ignore que mdr signifie « mort de rire », et lol également, certains messages resteront énigmatiques. Difficiles à décrypter.

Créer une langue à part que seuls les plus jeunes comprendraient est un vieux réflexe. Le langage SMS sert à se démarquer des aînés, comme les vêtements, la coiffure ou les choix musicaux. C'est un signal, un code pour se reconnaître en tant que membres d'un même groupe. Mais le langage SMS ne se partage qu'à travers un écran. Il ne s'agit pas d'une langue en soi car personne ne parle le SMS. Il n'invente pas de mots mais se contente de les déguiser sous des abréviations. On ne peut donc pas le qualifier de nouvel argot pour mordus de technologies.

Des keums et des meufs

Parmi les langues secrètes, l'argot tient depuis très longtemps une place de choix. Dès le XIVe siècle, cette langue des voleurs servait à préparer un coup dans le dos d'une victime qui n'y « entravait » rien. Aujourd'hui encore, des mots d'argot, comme « bahut » ou « cinoche », se glissent dans les conversations. Ils cohabitent avec des mots en verlan, apparus au cours des années 1970. Le verlan, qui consiste à parler « à l'envers », est devenu un signe de connivence entre jeunes des banlieues populaires, avant de se répandre dans toute la société. Désormais, des meufs et des keums s'amusent à jouer aux chanmés jusque dans les beaux quartiers.

Adeptes et grincheux

En quelques décennies, le verlan s'est enrichi de mots arabes, tsiganes, et continue d'évoluer à travers le rap. Certains veulent y voir une « langue du ghetto » qui servirait à se maintenir à l'écart de la société, au même titre que le port d'une casquette ou d'une cagoule. D'autres se réjouissent de sa créativité. Ce débat reste vif, et une chose est sûre, c'est chelou.

AMIS ET AMIES, COPAINS ET COPINES

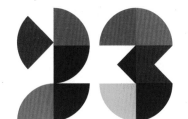

Quoi de plus normal que d'avoir des amis, de jouer avec ses camarades, de rire entre copains ! L'amitié semble indissociable de l'enfance, autant que le jeu.

Mais qu'est-ce que l'amitié exactement ? Est-ce la même chose à tous les âges ? Pour les filles et pour les garçons ? Autrefois et de nos jours ? Y a-t-il des sociétés où l'amitié n'existe pas, ou d'une manière très différente de celle que nous connaissons ?

Aller à l'école, par exemple, change bien des choses. Cela permet de connaître plus d'enfants ; en effet, quand l'école n'existe pas, on ne joue guère qu'avec les enfants de sa famille ou du voisinage. En même temps, on semble aujourd'hui valoriser un lien très exclusif avec ses meilleurs copains ou copines, ceux et celles avec qui on partage une complicité exceptionnelle. Au contraire, d'autres cultures semblent accorder plus d'importance à la camaraderie, qui crée une solidarité plus large, et sans jalousie, entre tous les enfants d'un même groupe.

L'amitié n'est pas toujours tendre. Elle nous réunit, mais elle exclut aussi ceux qui appartiennent à un autre groupe, créant parfois de fortes rivalités. Même entre amis, on peut se jouer des mauvais tours, se bagarrer ou se brouiller, pour un moment ou pour toujours.

Et puis, s'il y a des enfants qui multiplient les amitiés, d'autres préfèrent les activités solitaires, ou bien avec un petit nombre d'amis. Mais rester sans ami(e)s, est-ce vraiment possible ?

Chahuts enfantins au XIVe siècle

Moyen Âge

Europe

Les groupes d'enfants jouent souvent de mauvais tours à leurs aînés ou commettent quelques bêtises, qui leur valent ensuite de sévères réprimandes. Cela ne date pas d'aujourd'hui.

Un ballon dans les vitraux

Voici comment, en 1385, l'évêque de Londres décrit les jeux des enfants aux abords de la cathédrale Saint-Paul : « *Certains, qui sont également des vauriens, insolents et oisifs, et qui, poussés par des esprits malfaisants, s'occupent plutôt à faire le mal que le bien, jettent des pierres, des flèches et divers projectiles sur les pigeons et autres oiseaux qui nichent ou perchent dans les murs et les porches de l'église. Ils jouent aussi au ballon à l'intérieur de l'église et sur le parvis, et s'y adonnent à d'autres jeux destructeurs, cassant et causant grands dégâts aux vitraux et aux statues de l'église.* »

Vive la bagarre !

À la même époque, en France, le chroniqueur Jean Froissart se souvient de son enfance : « *Loin de mon maître, je ne pouvais me tenir tranquille, car je me battais avec les autres enfants : j'étais battu et je battais. Et j'étais si enragé alors que je rentrais chez moi avec mes vêtements déchirés. Alors on me grondait et souvent on me battait, mais à coup sûr cela ne servait à rien, car je ne me modérais pas pour autant. Il suffisait que je voie mes compagnons passer devant chez moi, et j'avais tôt fait de trouver un prétexte pour m'en aller m'amuser avec eux.* » Entre compagnons, on ne se prive pas d'en venir à la bagarre ; c'est presque un jeu, même s'il peut dégénérer.

Des bêtises et encore des bêtises

L'énergie débordante des groupes enfantins se fait volontiers espiègle, irrespectueuse. Entre amis, on s'entraîne mutuellement à faire des bêtises, qu'on ne ferait pas tout seul, car les amis ont sur nous beaucoup d'influence. Celle-ci peut nous aider à trouver ce qui nous convient, ou au contraire nous en éloigner. Souvenons-nous de l'ami de Gandhi qui le presse de manger de la viande, contre l'enseignement de ses parents et de sa religion, ce dont il se repent ensuite amèrement.

Voir p.313

Ce que les contes nous disent de l'amitié et de la trahison

Moyen Âge–19e siècle

Europe

Un roman du Moyen Âge raconte que deux garçons naquirent le même jour, à la même heure, dans deux familles et deux lieux différents. Ils furent baptisés ensemble par le pape, qui leur donna deux coupes ciselées semblables.

Les amis finissent par se ressembler

Ayant grandi, ils se mirent en route pour se retrouver et se lier d'une amitié si étroite qu'ils se ressemblaient trait pour trait. Leurs noms traduisaient cette affinité, puisqu'ils s'appelaient Ami et Amile. Après beaucoup d'aventures, ils se marièrent, mais l'un d'eux attrapa la lèpre, une maladie qui ronge le corps et qui altéra leur ressemblance. Une voix surnaturelle indiqua à l'autre le cruel moyen de guérir son ami : il fallait tuer ses propres enfants et laver le lépreux avec leur sang. Il le fit, son ami guérit, et les enfants ressuscitèrent, en gardant au cou une marque rouge.

Pétrifié pour avoir révélé un secret

Ce récit médiéval est très proche d'un conte connu dans toute l'Europe : le compagnon d'un prince, parfois le fils d'une servante né le même jour que lui, l'aide à conquérir la princesse dont il est amoureux. Le compagnon a dérobé un savoir secret, mais il ne peut le révéler sous peine de se pétrifier. Contraint de tout raconter, il devient pierre jusqu'aux jambes, puis jusqu'au cou, et finalement tout entier. Le prince, pour redonner vie à son ami, doit tuer son propre enfant et enduire la statue avec son sang. L'enfant ressuscite, mais il porte désormais au cou un collier d'or.

Si l'on en croit ces contes – et les contes, il faut les croire ! –, les enfants ont besoin de l'amitié pour cheminer vers l'âge adulte et le moment du mariage. En plus des liens du sang, ceux de la famille, d'autres liens sont nécessaires, des liens choisis, des liens d'amitié, afin de parvenir à l'âge où l'on peut soi-même engendrer des enfants. Et ceux-ci, il faut être prêt à les sacrifier pour redonner vie à son ami.

Fourberie

Mais il y a aussi des trahisons dans les contes, qui montrent le chemin qu'il ne faut pas suivre. Dans *Jean de l'Ours*, le héros fort et courageux, fils d'une femme et d'un ours, se lie d'amitié avec trois compagnons dont les noms disent les dons extraordinaires : Tord-Chêne, Tranche-Montagne et Jean de la Meule. Jean de l'Ours descend dans un puits profond pour délivrer trois princesses enlevées par des dragons en les faisant remonter par une corde, hissée par les compagnons. Ceux-ci coupent la corde et abandonnent Jean de l'Ours dans le monde souterrain dangereux, car ils veulent garder les princesses pour eux. Le héros réussit pourtant à remonter sur terre, à se faire reconnaître et à épouser la plus belle des jeunes filles. Les compagnons sont punis, puisqu'ils n'ont pas eu le courage d'affronter la longue descente vers un autre monde souterrain : voulant contourner la difficulté, ils ont en quelque sorte court-circuité le chemin initiatique et trahi le pacte d'amitié conclu avec Jean de l'Ours.

VOIR FICHE P. 38

L'amitié au village

Afrique de l'Ouest

Dans les villages d'Afrique de l'Ouest, la vie est organisée de telle manière que les amis de jeux sont en même temps des cousins, proches ou éloignés, et parfois des neveux et des oncles. Ils se nomment entre eux « frères » ou « sœurs », même s'ils sont seulement des demi-frères ou des cousins germains. Cette amitié, qui coïncide avec les liens de famille, dure toute la vie. C'est surtout lorsqu'on habite en ville que l'on se fait des amis qui n'appartiennent pas à la famille.

Les filles parlent mariage

Les jeunes filles de la campagne et des villes se retrouvent entre amies pour les moments de loisir, pour se faire des tresses ou pour s'aider dans les grandes corvées ménagères dont elles ont souvent la charge dès l'âge de dix ou douze ans. Les conversations entre adolescentes ont souvent lieu au marché, sur le chemin du puits ou des champs. Elles parlent de leurs petits amis, des projets de mariage, des craintes et des attentes liées à cet événement majeur.

Modestes gains partagés

Quant aux garçons qui jouent ensemble, celui qui est chargé par un adulte de faire une commission sera accompagné par ses jeunes amis. Dès huit ou dix ans, ils s'organisent pour gagner de l'argent et vendent des biscuits, du thé ou du sucre au coin des rues. Ils se partagent leurs modestes gains ou les donnent à leurs parents. Les garçons plus âgés se retrouvent autour du thé qu'ils préparent devant la boutique d'un célibataire prêt à se marier ou devant la maison d'un jeune marié qui les accueille. Ils s'aideront financièrement lors des noces de l'un d'entre eux.

Entre amis, on partage aussi la peur

Dans les sociétés où une période d'initiation marque le passage à l'âge adulte, les enfants s'amusent à imiter les adolescents apeurés par les épreuves initiatiques auxquels ils sont soumis (menaces, séjours dans la forêt, isolement, enseignements secrets). Ils s'enduisent de boue et se mettent à crier de terreur, se poursuivent les uns les autres jusqu'à ce que chacun fasse mine de mourir de frayeur. Lorsque leur tour d'être initié arrive, le partage de la peur et de la douleur crée entre eux des liens aussi forts que ceux qui existent entre frères ou entre sœurs. Ils se respecteront toute la vie.

À l'école, les enfants de villages ou de quartiers plus lointains se rencontrent. L'ami est alors nommé *« mon promotionnaire »* (celui qui est issu de la même promotion). Il devient l'ami de classe. L'école élargit considérablement le cercle des amis.

Mali, 1910, des enfants s'associent

20ᵉ siècle

Afrique de l'Ouest

Dans certaines sociétés, les enfants sont incités à former des groupes de camaraderie très amples, au lieu de se lier seulement avec leurs amis les plus proches. C'est le cas des associations d'enfants, auxquelles l'écrivain peul Amadou Hampâté Bâ, né en 1900, a participé dans son enfance, quand son pays, le Mali, était colonisé par la France.

Percer le mystère des Blancs

Amadou – que l'on appelait alors Amkoullel – et son grand ami, Daouda, se sont taillé une solide réputation auprès des enfants de leur ville, Bandiagara, car ils ont résolu une grande énigme : certains affirmaient en effet que les excréments des Blancs, ces personnages mystérieux et inaccessibles, étaient aussi blancs que leur peau ; d'autres prétendaient qu'ils étaient quand même noirs. Pour en avoir le cœur net, les deux enfants se sont glissés en cachette dans le quartier réservé aux Français, pour en rapporter des « pièces à conviction ». Par la suite, ils constituèrent une belle collection d'objets jugés précieux, trouvés dans le « village d'ordures » (la décharge) des Blancs.

Singulier musée

« *Notre musée, unique en son genre, était devenu le rendez-vous de nombreux gamins du quartier. À force de les entraîner au bain, à la cueillette, d'organiser avec eux des courses à pied, des danses au clair de lune et des séances de récitations de contes, Daouda et moi finîmes par rassembler autour de nous un petit groupe décidé à nous suivre partout, parfois même contre le gré de leurs parents. Le moment était venu de créer notre propre association d'âge, ou* waaldé. »

Un chef, un doyen, un juge

« *Mes camarades décidèrent de me choisir pour chef. Il n'y avait là rien de surprenant, tous les membres de ma famille étant ou ayant été chefs d'association. Il nous fallait aussi choisir un doyen (mawdo), sorte de président d'honneur toujours choisi parmi une association d'adultes et qui jouait traditionnellement un rôle de conseiller, de représentant officiel et éventuellement de défenseur en cas de difficultés avec la population. Nous choisîmes Ali Gomni ; il accepta et fixa la première réunion solennelle, au cours de laquelle nous devions élire nos dirigeants et fixer le règlement intérieur de notre* waaldé. *Chaque association était en effet organisée selon une hiérarchie qui reproduisait la société du village ou de la communauté. Outre le* mawdo, *extérieur à l'association, il devait y avoir un chef, un ou plusieurs vice-chefs, un juge (cadi), un ou plusieurs commissaires à la discipline ou accusateurs publics (moutassibi), enfin un ou plusieurs griots pour jouer le rôle d'émissaires ou de porte-parole.* »

Entraide et vie commune

La « *waaldé d'Amkoullel* », forte au départ de onze garçons de dix à douze ans, recrute ensuite jusqu'à soixante-dix membres ! Sa première tâche consiste à se faire respecter par les autres associations d'enfants. Tous s'entraident et se défendent mutuellement, chapardent aussi, selon une coutume tolérée par les adultes, dans les jardins potagers des personnes peu aimées de la ville. Ils prennent souvent leurs repas ensemble et dorment dans le dortoir que la mère d'Amkoullel a fait aménager dans une grande case.

Mai 2006, village de Yekpangoutimgou, Bénin.
Photographie de Meyer.

Dames de cœur

« *Notre* waaldé *grossissait de jour en jour. Pour être complets, il ne nous manquait plus que d'être jumelés, comme le voulait la coutume, avec une association de jeunes filles de la même catégorie d'âge que nous et dont nous deviendrions, en quelque sorte, les chevaliers servants et les protecteurs attitrés, elles-mêmes devenant nos "dames de cœur" platoniques. Vers 1911, je décidai de soumettre cette proposition au vote de mes camarades et lançai une convocation pour une réunion plénière. Notre séance se tint un soir après le dîner, par une nuit de pleine lune. À mon arrivée, le moutassibi Bori Hamman s'écria d'une voix forte : Amîron warî ! (Le chef est venu !) »*

Débats houleux à l'assemblée

« *Quand le silence fut total, il se tourna vers moi : "Nous t'écoutons, chef." J'attaquai l'objet de la réunion.*

"Ô associés ! La réunion de cette nuit a pour but de vous soumettre une idée que j'ai conçue. Je souhaite qu'elle devienne la vôtre. Examinez-la, voyez si elle en vaut la peine et, si vous êtes d'accord pour la réaliser, dites-le. Comme vous le savez, notre waaldé *masculine n'a pas d'association féminine pour lui servir d'épouse. Elle est donc encore célibataire. Cela ne saurait durer plus longtemps. De toutes les* waaldés *de jeunes filles de notre âge, celle qui a été créée par Maïrama Jeïdani me paraît la mieux indiquée pour devenir notre partenaire. Elle a déjà été sollicitée par trois associations de garçons rivales de la nôtre et avec lesquelles nous avions des comptes à régler. Cela fera un compte de plus, mais ce n'est pas cette perspective qui nous fera reculer.*

– Pourquoi aller de l'autre côté de la ville pour trouver une telle association ? demanda notre camarade Amadou Sy. Ne pouvons-nous pas en trouver qui soient à portée de la main ?

– Amadou Sy, répliqua Gorko Mawdo, en disant cela tu es poussé par un ressentiment que je connais...

– Menteur aux lèvres effilées comme une lame de rasoir ! explosa Amadou Sy. Ai-je l'air d'un garçon que l'on peut insulter sans conséquence ?"

Au cours de la séance, il y eut encore cinq ou six accrochages du même genre. Finalement ma proposition fut acceptée et on me chargea de mettre en œuvre les premières démarches en vue du jumelage. Amadou Sy et les autres fauteurs de troubles furent jugés et condamnés à payer des amendes de noix de cola pour indiscipline et grossièretés au cours de la réunion. »

Islamisé depuis le Moyen Âge, le Mali a été le centre de grands royaumes, comme l'empire du Mali, qui atteint son apogée au XIIIe-XIVe siècle. Les villes de Tombouctou et de Gao sont alors le centre de sa richesse économique, fondée sur le commerce à travers le Sahara. Colonisé par la France à la fin du XIXe siècle, le Mali est devenu indépendant en 1960. En grande partie désertique, c'est aujourd'hui l'un des pays les plus pauvres du monde. Ses 12 millions d'habitants se concentrent dans la vallée du fleuve Niger, vivant essentiellement de l'agriculture et de la pêche. Constituée principalement de Bambara et de Peuls, la population est musulmane à 90 %. Perpétuant la tradition des griots, musiciens et poètes traditionnels, de nombreux artistes, comme le couple d'aveugles Amadou et Mariam, ont fait connaître la musique malienne au monde entier.

LE MALI

Mali, 1910, des enfants s'associent

Préparer la grande rencontre

« Pour accroître nos chances, Ali Gomni me conseilla d'emmener mes camarades jouer et danser avec les jeunes filles aussi souvent que possible, et de chercher par tous les moyens à leur plaire et à nous rendre utiles. Le soir même, je provoquai une réunion extraordinaire de tous nos camarades et leur proposai d'organiser une grande séance de fête et de danse. Finalement, grâce aux dons de nos parents, nous réunîmes huit mille cauris [petits coquillages servant de monnaie] et quatre cents noix de cola. La séance eut lieu quelques jours après. Pour ouvrir la séance, des griots chantèrent les louanges de Maïrama Jeïdani et de sa famille. En l'honneur de la jeune fille, les chefs des trois associations rivales de la nôtre donnèrent aux griots, comme c'est la coutume, d'importantes quantités de noix de cola et de cauris. Puis, je fis déclarer par notre moutassibi Bori Hamman que non seulement j'offrais aux griots une somme beaucoup plus importante en l'honneur de Maïrama, mais que j'y ajoutais, pour les gens de caste attachés aux familles des jeunes filles, un mouton et le prix des condiments afin qu'ils se préparent un bon méchoui. Je couronnai le tout en offrant aux griots un nouveau don substantiel en l'honneur, cette fois-ci, de toutes les compagnes de Maïrama. »

Comment l'emporter sur les autres waaldés

« Nos rivaux, eux, n'avaient pensé ni aux autres jeunes filles, ni aux gens de caste de leurs familles. Mon annonce fut saluée de cris enthousiastes par les griots qui improvisèrent immédiatement des louanges en mon honneur et en celui de ma famille. Nos rivaux comprirent vite que leur place était ailleurs. Non seulement notre waaldé était mieux nantie que les leurs, mais elle comptait davantage de garçons batailleurs et bien entraînés. Quelques escarmouches où nos adversaires furent malmenés prouvèrent que nous n'étions pas de ceux à qui l'on pouvait reprendre une conquête... Un mois après cette mémorable soirée, les compagnes de Maïrama Jeïdani prirent leur décision ; elles nous choisirent. Ce soir-là des plats furent distribués un peu partout dans la ville pour annoncer le mariage de nos deux associations. »

Apprendre à organiser la vie collective

« Certains lecteurs occidentaux s'étonneront peut-être que des gamins d'une moyenne d'âge de dix à douze ans puissent tenir des réunions de façon aussi réglementaire et en tenant un tel langage. C'est que tout ce que nous faisions tendait à imiter le comportement des adultes. Il ne se tenait pas de réunion, de palabre ni d'assemblée de justice (sauf les assemblées de guerre) sans que nous y assistions, à condition de rester tranquilles et silencieux. Le langage d'alors était fleuri, exubérant, chargé d'images évocatrices, et les enfants, qui n'avaient ni leurs oreilles ni leur langue dans leur poche, n'avaient aucune peine à le reproduire. La vie des enfants dans les associations d'âge constituait, en fait, un véritable apprentissage de la vie collective et des responsabilités. »

Amitiés dangereuses ?

Japon

Pendant la Seconde Guerre mondiale, Ichirô Hatano et sa mère s'écrivent, exprimant leurs inquiétudes, leurs joies, leur amour l'un pour l'autre. Même le jour où la bombe atomique tombe sur Hiroshima, le 6 août 1945.

Seul dans la capitale

L'année précédente, Ichirô, qui a terminé la primaire, doit rester seul à Tokyo pour aller à l'école secondaire, alors que sa famille réside en province. Il demande souvent conseil à sa mère, à propos de ses relations avec les autres garçons et du choix de ses amitiés :

« *Maman, quand je reste seul sans rien faire à la maison, la solitude me pèse. C'est pourquoi je déjeune aussitôt levé et je m'en vais à l'école. Quand j'y arrive, même lorsque c'est très tôt, j'y trouve toujours un autre élève. Quand je joue avec les camarades, je ne me sens pas triste. Lorsqu'il n'y a personne, j'attends en jouant à la balle. Après les classes, c'est la même chose. Le soir, je me sens curieusement triste. C'est pourquoi je reste à jouer à la balle jusqu'à ce qu'il fasse sombre.* »

Faire le bon choix

« *Est-ce mal, maman ? Je reste à jouer, mais je ne fais jamais rien de mal. Je fais bien attention aux camarades que je fréquente. Ne t'inquiète pas, je pense que tu crains que je fasse de mauvaises connaissances, mais je ne crois pas qu'il y ait chez nous de "furyô" [garnement, mauvais garçon]. Ce sont tous des garçons complaisants et gentils.*

J'appartiens à la section de base-ball et les types des classes supérieures sont tous très bien. Yamada m'a dit que l'un d'eux était "furyô", mais j'ai causé avec lui et j'ai trouvé qu'il était tout à fait comme il faut. Il est très gentil pour moi. »

L'habit ne fait pas le moine

« *Dis-moi maman, à quoi penses-tu qu'on puisse distinguer les "furyô" ? Est-ce que ce sont ceux qui portent leur casquette de travers ? Ou ceux qui sont mal habillés ? Il y en a deux ou trois dans notre classe, mais ce serait ridicule de les appeler "furyô" à cause de cela, puisqu'il est évident qu'à moins d'avoir accaparé des tissus ou d'en acheter au marché noir, on ne peut pas avoir de beaux vêtements* [À cause de la guerre, tous les produits, comme l'alimentation ou les vêtements, manquent]. *Ce n'est pas de leur faute s'ils sont pauvrement habillés. De toute façon, je ferai bien attention, donc, ne te fais pas de souci.* »

À partir de la fin du XIXᵉ siècle, le Japon entend jouer le rôle d'une grande puissance en Asie. Après avoir annexé la Corée en 1910, il occupe la Mandchourie et se lance en 1937 à la conquête de la Chine. L'occupation japonaise est terrible : plus de 300 000 personnes sont massacrées dans la ville de Nankin. En 1940, l'empire du Japon s'allie avec l'Allemagne nazie et l'Italie fasciste. Le 7 décembre 1941, il mène une attaque surprise contre la flotte américaine de Pearl Harbor, dans les îles Hawaï, puis s'empare des Philippines, de la Malaisie et de la Birmanie britannique, de l'Indonésie hollandaise. À partir de 1942, l'offensive américaine dans le Pacifique contraint les Japonais à reculer. En 1945, les États-Unis lancent deux bombes atomiques sur Hiroshima et Nagasaki et le Japon se rend sans condition. Le pays est ruiné, mais l'empereur Hirohito conserve son pouvoir.

LE JAPON ET LA SECONDE GUERRE MONDIALE

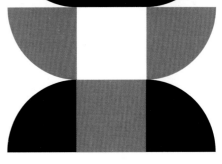

L'école n'est pas seulement un endroit où l'on apprend à lire, à compter, etc. C'est aussi un lieu de vie où l'on se retrouve entre copains pour discuter et jouer ensemble, en particulier pendant la récréation.

Une bande, un chef

L'amitié évolue en même temps que l'enfant grandit. À l'âge de quatre ou cinq ans, avoir des amis veut dire avant tout avoir des copines et des copains avec qui l'on joue tout le temps mais, à l'âge de huit ou neuf ans, cela suppose aussi de partager des valeurs de fidélité, d'entraide et de solidarité.

À l'école maternelle, ces relations d'amitié se construisent parfois à l'intérieur d'une « bande » que dirige un « chef ». C'est lui qui décide qui joue et à quoi, et qui mène les bagarres avec les bandes adverses. Pour Thomas, cinq ans, « *c'est le chef qui commande* ». Mathilde explique : « *Moi, je suis dans la bande de Léa.* » Mais, quand arrive une dispute parce qu'un enfant a triché et que les autres disent « *on lui cause plus* », il doit trouver un moyen de se faire de nouveau accepter du groupe, par exemple en proposant de prendre le mauvais rôle dans le jeu qui s'organise.

L'esprit d'équipe

En grandissant, les enfants de huit ou neuf ans ont parfois envie de ne plus avoir de chef, parce que « *ça fait des histoires* », et ils préfèrent avoir l'esprit d'équipe : « *Il n'y en a pas un qui commande ; on décide ensemble à quoi on joue* » (Priscilla, neuf ans). Malgré tout, il y a toujours des enfants remarquables, dont tout le monde a envie d'être le meilleur ami. Ils savent mettre de la joie dans un groupe, inventer des jeux passionnants et défendre les plus faibles contre ceux qui les embêtent.

Mauvais souvenirs ?

Mais que savent les parents de l'univers de la récré ? Ils ont souvent l'impression que c'est seulement un moment dangereux où l'on se fait bousculer et voler son goûter. Peut-être est-ce parce que leurs enfants leur racontent plus facilement leurs accidents et leurs chagrins que leurs joies ? Ou peut-être est-ce parce qu'eux-mêmes gardent de mauvais souvenirs des récréations de leur enfance ? Sans doute ont-ils besoin d'être rassurés par leurs enfants sur ce moment de liberté et de secrets dont ils ne savent finalement pas grand-chose...

Équipes et clans, le temps d'une récréation

Aujourd'hui

Europe

Cour de récréation d'une école située dans un quartier multiethnique dans le nord de Londres, juin 1999. Photographie d'Olivier Culmann.

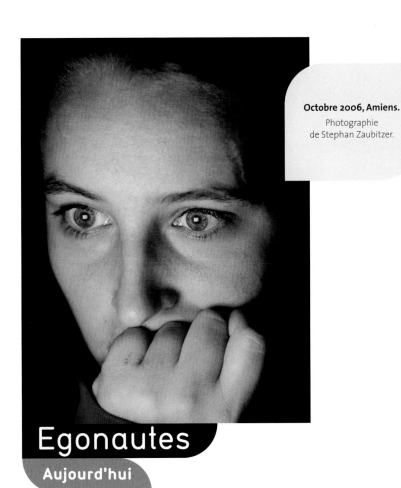

Des milliers de jeunes blogueurs peaufinent leur image sur la Toile en utilisant un pseudonyme « qui flashe », tels « Dark Vador », « Bond » ou « Lovely Girl » que seuls leurs amis connaissent. Pour se connecter sur le blog d'un camarade de classe, il faut donc connaître son pseudo. Ces retrouvailles en ligne renforcent la complicité, les liens d'amitié.

Une grande communauté ?

On échange des points de vue sur un film, une émission, une chanson ; on télécharge des vidéos pour rire ensemble ; on commente les dernières photos publiées.

Mais, lorsqu'on fait l'expérience d'explorer les blogs de personnes inconnues, on trouve souvent le contenu décevant. Comme si les blogueurs, à force de fredonner inlassablement « moi, moi, ma pomme », n'avaient finalement pas grand-chose d'autre à raconter.

Un média mondial de l'importance du Net permet pourtant d'élargir les horizons, de chercher à s'ouvrir sur les autres plutôt que de se complaire dans une forme de nombrilisme, au risque de passer pour un « egonaute ». C'est-à-dire un internaute obnubilé par son ego, sa petite personne. L'écran n'est pas un miroir.

Octobre 2006, Amiens.
Photographie
de Stephan Zaubitzer.

Egonautes

Aujourd'hui

Tous les prétextes sont bons pour apprendre à se servir d'Internet.

Bavardages instantanés

Préparer un exposé pour l'école donne l'occasion de rechercher des informations sur des sites Web. Puis, à mesure que l'on grandit, Internet sert aussi à communiquer avec ses amis.

On tchatche avec eux sur la messagerie instantanée, et cela agace souvent les parents, qui ne comprennent pas pourquoi on a besoin de bavarder en ligne avec ses copains alors qu'on vient de les quitter à la porte de l'école, ou même de leur téléphoner.

Ma vie, mon blog

Au collège, certains passent à la vitesse supérieure en créant un blog comme on se fabrique une carte de visite personnelle. Avoir son blog encourage à parler de soi, de sa famille, de ses amis. Cette pratique tient un peu du journal intime mais avec une différence de taille : le contenu d'un blog est fait pour être vu. Ceux qui le visitent sont invités à y inscrire leurs commentaires, ce qui permet au passage de mesurer sa cote de popularité.

Aline, jeune collégienne, raconte l'histoire d'une amitié

Aujourd'hui

France

Comment devient-on des amis ? L'amitié change-t-elle à mesure que l'on grandit ? L'entrée au collège entraîne certainement des transformations importantes. On quitte ses anciens camarades de l'école primaire et on se retrouve avec de nombreux élèves que l'on ne connaît pas. Il faut se faire de nouveaux amis.

Première rencontre

Alice vient de finir sa sixième dans un collège du Bordelais, elle a douze ans, et elle raconte comment elle a rencontré des camarades en arrivant : *« Je me disais : je vais peut-être avoir du mal à me trouver des copines, je vais être un peu gênée. Et puis en fait, pas du tout. Quand j'ai vu Elora, je me suis dit, peut-être que ce sera ma meilleure copine, je ne suis pas sûre. Et puis au bout d'un moment, on se rencontre, on se parle, et ça va tout seul, en fait. »*

On parle de tout et de rien

Dans la cour, on ne joue plus parce que *« ça fait bébé »*, et les filles passent beaucoup de temps à parler de leurs histoires. Alice : *« On marche, on est en groupe. On parle de tout et de rien. Souvent il y a des problèmes avec une copine du groupe et on s'en occupe ; si quelqu'un l'a embêtée, on va le voir et ça fait toute une histoire, mais sinon on fait rien. »*

Et les garçons ? *« À mon avis, les garçons, ils font moins de groupes que les filles, parce qu'ils ne sont pas pareils dans leur tête ; déjà, les filles, ça parle beaucoup plus de garçons que les garçons parlent de filles ; elles sont là : "untel je le trouve super mignon", après il y en a plusieurs qui le trouvent mignon, ça fait des histoires, et en fait c'est ça qui nous occupe dans la cour. »*

Tout le temps ensemble ?

L'amitié prend beaucoup d'importance et suppose que l'on trouve un accord dans la relation qui s'installe. Alice raconte comment ça s'est passé avec Elora : *« Au début de l'année, quand je l'ai connue, elle m'a dit : "Pour moi, une copine c'est quelqu'un qui reste tout le temps avec moi" ; et moi, j'ai pensé : "Bon d'accord, ce n'est pas grave, dans ce cas tu ne seras jamais ma meilleure copine." Et puis après, finalement, elle s'est adaptée à moi, parce que moi, j'ai envie d'être libre, je ne suis pas une marionnette, et du coup elle a compris ça et maintenant elle est normale. »*

Une relation indispensable

Alice raconte enfin comment les liens d'amitié ont changé pour elle, à l'adolescence : *« Personnellement, moi, je trouve que les amis, c'est vraiment important... Parce que tu te sens moins seul. Déjà, quand tu es enfant, tu as des amis, mais ils ne comptent pas vraiment comme des amis, ils comptent comme camarades pour jouer, tandis que, quand tu es ado, c'est quelqu'un à qui tu peux te confier, tu peux parler, voilà, mais tu ne peux pas jouer avec lui. Parce que au début quand tu es ado, tu joues mais au bout d'un moment, c'est fini. »*

Pour nouer des amitiés au collège, il faut d'abord s'habituer à des relations nouvelles entre camarades, plus intenses souvent, mais qui séparent davantage filles et garçons et qui se compliquent entre filles. C'est du moins l'expérience d'Alice, mais chacun a la sienne et toutes ne se ressemblent pas.

Juin 2009, Copenhague.
Photographie de Maja Daniels.

Enfances solitaires

Voir p.395

Souvent, les enfants des classes les plus élevées de la société vivent à l'écart des autres, isolés dans leur monde de privilèges. Ainsi, Louis XIII passait l'essentiel de son temps en compagnie des adultes chargés de son éducation, plutôt qu'avec d'autres enfants.

Pas d'école et pas d'amis

Dans les familles aristocratiques, les rencontres enfantines sont rares et très surveillées par les adultes. Marie Bonaparte, dont on fera connaissance dans un prochain chapitre, ne va pas à l'école et reste presque tout le temps chez elle, avec des adultes ; elle attendra l'âge de dix ans pour nouer sa première amitié véritable. Dans ces milieux sociaux, les occasions de jeu et d'amitié sont fort réduites.

Voir p.407

Pas de temps pour l'amitié

Les enfants de milieux humbles, vivant à la campagne, comme les petits gardiens de buffles d'Indonésie, semblent plus libres de choisir leurs amis de jeux et d'aventures. Pour l'enfant de la rue, tel Amadou, l'amitié représente l'un des rares refuges où puiser du réconfort. Mais la pauvreté et l'exploitation peuvent aussi mettre des entraves aux amitiés : lorsqu'un enfant travaille dans un atelier ou une usine dix heures par jour, comment aurait-il le temps de se faire des camarades ? Dans de telles situations l'enfance est parfois le temps de l'amitié volée.

À l'écart

Et aujourd'hui, quand l'école ouvre largement le champ des amitiés, certains enfants se montrent moins portés que d'autres à créer de tels liens. On dira qu'ils sont timides, qu'ils ont du mal à s'intégrer. Certains éprouvent une grande frustration, car ils se sentent exclus des cercles d'amis. D'autres ont peut-être simplement plus de goût pour des activités solitaires, plus silencieuses.

Mais, pour tous, n'est-ce pas une joie de rencontrer un(e) véritable ami(e), sur qui on puisse compter et de qui on se sente compris ?

Voir p.231

Voir p.214

Souffre-douleur

Renée Berruel note dans son journal en 1906 (elle a douze ans) : *« Oui, j'étais malheureuse ! J'allais au cours Nicoud, mais je prenais des leçons au lycée et j'étais le vrai souffre-douleur des petites filles du lycée, elles se moquaient de moi. Oh ! comme je les aimais celles qui me donnaient un peu de leur amitié mais, comme elle étaient rares. Je restais seule dans mon coin comme une abandonnée et elles trouvaient toujours quelque reproche à me faire. »*

Janvier 2008,
plage de Kep,
Cambodge.
Photographie
de Pierre-Yves Brunaud.

DÉCOUVERTES DU CORPS, SENTIMENTS AMOUREUX, ÉTATS D'ÂME

Les questions qui concernent le corps, l'amour et la sexualité ne naissent pas avec l'adolescence, même si elles deviennent alors plus vives. L'enfance n'est pas cet âge préservé des attirances du corps et de l'âme, comme la morale des adultes a longtemps voulu le faire croire. À cet âge, la découverte du corps et le sentiment amoureux trouvent dans le jeu un bon terrain d'expérimentation ; dans la parole aussi.

Curiosités, désirs et sentiments se modifient à mesure que l'on grandit, notamment à l'approche de la puberté. Ils sont vécus de différentes manières selon les cultures. Il y a quelques décennies, l'« éducation sexuelle » à l'école a été présentée comme une grande nouveauté. Mais n'était-ce pas une tentative assez artificielle pour mettre fin à des siècles d'éducation répressive, qui prétendait taire, cacher ou punir tout ce qui avait trait à la sexualité ?

Hors d'Europe, certaines sociétés semblent avoir laissé bien plus de liberté aux enfants. Une liberté absolue ? Le cas est rare et prête à discussion. Chaque culture a son code de conduite. En tout cas, nombreuses sont celles qui, par leur mode de vie, par des jeux ou des récits, ont su créer pour les enfants des occasions de se familiariser avec le corps, de recevoir de leurs aînés des enseignements aidant à se préparer aux expériences de l'amour et de la sexualité.

Mais, au fait, être amoureux, est-ce la même chose sur tous les continents ? Peut-on l'exprimer, le vivre de la même manière à toutes les époques ?

Louis XIII, sa nourrice et le sexe de son père

Le *Journal* de Jean Héroard fait une place étonnante aux stimulations sexuelles du tout jeune Louis XIII. Le 29 juin 1603, il a à peine deux ans et Héroard note : « *En tétant, il gratte sa* marchandise, *droite et dure comme du bois. Il se plaisait ordinairement fort à la manier et à y jouer du bout des doigts.* »

Dans le lit de Maman Doundoun

Louis entretient aussi des relations très tendres avec sa nourrice, qu'il appelle Maman Doundoun. Du reste, comme c'était généralement le cas à l'époque, celle-ci dort dans sa chambre, en compagnie de son mari. Louis finit souvent dans son lit. Le 15 septembre 1605 (il a presque quatre ans), il déclare : « *Je veux coucher avec Doundoun.* » Deux jours plus tard, il se vante « *qu'il n'est pas* puceau, *parce qu'il a couché avec Doundoun, quand Bocquet* [son mari] *n'y est pas* ».

« *Doundoun, dit-il, vous avez deux enfants en votre ventre, j'en ai fait un et Bocquet l'autre, parce que j'ai couché avec vous et Bocquet aussi.* » Il fanfaronne, mais, incontestablement, les contacts physiques sont fréquents et sans pudeur, de sorte qu'il est bien informé du corps féminin : peu après, il explique qu'il a, lui, « *une cheville au milieu du corps, mais que c'est Doundoun qui a un gros conin au milieu des jambes* ».

Puis dans le lit du roi

Le corps de son père, Henri IV, lui est tout aussi familier, car souvent, « *le Roi va se coucher, le fait dépouiller et mettre dans le lit auprès de lui, où il gambade en liberté* ». Le 28 mai 1607, le roi Henri revient de la chasse ; il va voir son fils et lui montre son pénis, en disant : « *Voici ce qui t'a fait tel que tu es.* »

Marchandise :
le terme désigne ici le sexe du jeune garçon.

Puceau :
garçon qui n'a pas encore eu de rapports sexuels.

Autoportrait de Louis XIII à six ans, dessin du 30 octobre 1607, conservé dans *Le Journal de Jean Héroard, médecin du dauphin puis roi de France, Louis XIII.*
Bibliothèque nationale de France, Paris.

Sa tâche future : engendrer un roi

À cette époque, les contacts corporels entre enfants, ou entre enfants et adultes, étaient plus libres qu'ils ne le seront dans les siècles suivants. Cependant, Louis XIII n'est pas un enfant ordinaire : le premier de ses devoirs comme futur roi sera d'engendrer un héritier afin de perpétuer sa dynastie. Voilà pourquoi, dès sa naissance, son père et ceux qui l'entourent prêtent une telle attention à sa « *marchandise* », comme dit Héroard, et se préoccupent de le préparer à sa future activité sexuelle. Il n'a que trois ans et demi lorsque Henri IV lui répète qu'il devra faire un enfant à Anne d'Autriche, avec qui son mariage est déjà arrangé !

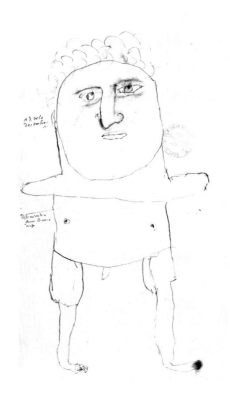

Fils aîné du roi Henri IV et de Marie de Médicis, le petit Louis est élevé au château de Saint-Germain-en-Laye. Lorsque son père est assassiné par Ravaillac en 1610, il devient roi. Mais il n'a que neuf ans et sa mère gouverne à sa place. Louis est alors un jeune garçon timide et réservé qui se passionne pour la chasse et la danse. À seize ans, il décide d'écarter sa mère du pouvoir et de gouverner lui-même. Avec l'aide du cardinal de Richelieu et des mousquetaires, il renforce l'autorité de l'État et repousse les frontières du royaume. Malheureusement atteint d'une maladie chronique, Louis XIII meurt en 1643, un 14 mai, comme son père. Cinq ans plus tôt, sa femme, Anne d'Autriche, lui a enfin donné un fils, après vingt-trois ans de mariage. Il s'agit du futur Louis XIV.

LOUIS XIII

Henri IV et sa famille, 1602, gravure (détail) de Léonard Gaultier, 25 cm x 31,1 cm.

Musée national du château de Pau

Henri IV est assis à côté de Marie de Médicis, son épouse. Il tient la main du dauphin, le futur Louis XIII, assis sur les genoux de sa nourrice.

Sexualité réprimée

18e-20e siècle

Europe

VOIR FICHE P. 117

En Europe, dans les siècles passés, l'intérêt des enfants pour la sexualité était le plus souvent nié et réprimé. L'éducation des fils du prince Xavier de Saxe, Louis et Joseph, âgés de neuf et dix ans en 1776, en donne un exemple.

Masturbation interdite

Leur précepteur, l'abbé Barruel, découvre alors que, malgré sa surveillance presque constante, ils se livrent à des « *indécences* » (terme pudique pour désigner la masturbation). Aussitôt, il leur fait « *craindre les suites les plus funestes pour leur santé, indépendamment du salut de leur âme* ». À la suite de ses réprimandes, il lui semble bientôt qu'ils « *sont très persuadés que, si on ne les avait avertis, ils seraient tombés dans le marasme, qu'ils auraient été dans peu de temps bossus, maigres, secs, incapables de monter à cheval et surtout que jamais ils ne se seraient guéris de leur incommodité* ».

Onanisme :
masturbation.

Maladies imaginaires

Pour conforter cette leçon, le précepteur a l'idée de leur lire, pendant les repas, le traité du docteur Tissot, *De l'onanisme.* Publié en 1760, cet ouvrage a connu un énorme succès et a exercé une grande influence jusqu'au xxe siècle. Cette *Dissertation sur les maladies produites par la masturbation* (tel en est le sous-titre) se veut une démonstration scientifique des conséquences atroces d'une pratique dont le docteur Tissot déplore la fréquence. Selon lui, elle rendrait sourd, provoquerait un affaiblissement de la personne, des fièvres et parfois la mort.

L'auteur n'hésite pas à présenter des cas de nature à terrifier ses lecteurs, même si son diagnostic ne repose sur aucun argument : « *Le fils de M., âgé de quatorze à quinze ans, est mort de convulsions, et d'une espèce d'épilepsie, dont l'origine venait uniquement de la masturbation : il a été traité inutilement par les médecins les plus expérimentés.* »

Curiosité honteuse

Cacher le corps nu, taire la sexualité, n'y voir que des choses honteuses : les enfants européens ont longtemps été élevés avec de tels principes. Bien sûr, cela ne les a pas empêchés d'exercer leur curiosité et de contourner ces interdictions. Mais ils ont dû le faire avec plus de honte et d'inquiétude que les enfants des sociétés où de tels tabous n'existaient pas ou pesaient moins lourd.

Voir p. 126

Sexualité libre pour les enfants mohaves

Les Mohaves du Colorado élèvent leurs enfants avec affection, dans un climat de grande tolérance. Les adultes ne mettent aucun frein à la curiosité sexuelle des garçons et des filles, qui peuvent se livrer à toutes les caresses que leur ingéniosité découvre, sans que personne ne les en empêche ou ne les blâme. Il semble que certains enfants pratiquent l'acte sexuel à un très jeune âge.

Jeux de filles et de garçons à Madagascar

Jusqu'à nos jours

Sud-Est de l'Afrique

Dans les campagnes de Madagascar, les enfants de trois à huit ans ne vont pas encore à l'école ; mais, n'ayant plus besoin d'autant d'attention que les tout-petits, ils sont laissés assez libres par leurs parents.

Le jeu des vaches et des taureaux

Filles et garçons se réunissent pour jouer ensemble, sans surveillance des adultes. Ils s'amusent volontiers à imiter les troupeaux : les garçons jouent les taureaux et les filles, les vaches. On mime différentes scènes, selon la fantaisie du jour, mais les simulations d'accouplement manquent rarement... Quand vient le moment de traire les vaches, on change de rôle, car les garçons offrent alors leur pénis en guise de pis. Les filles n'en ayant pas, elles sont les propriétaires des vaches et leur tâche consiste à les traire.

Voilà bien un jeu dans lequel les enfants se chargent eux-mêmes d'apprendre ce qui distingue garçons et filles et se familiarisent sans détour avec la différence des sexes !

Découvertes intimes

Les enfants des villes d'Europe ne peuvent pas aussi aisément s'inspirer de l'observation des animaux. Mais ils savent que jouer au papa et à la maman autorise à se glisser, sous des formes variées, dans les rôles masculins et féminins. Jouer au docteur fournit aussi l'occasion de quelques explorations corporelles. Même si on fait généralement preuve de plus de réserve qu'à Madagascar, bien des jeux permettent de prendre conscience de la différence entre filles et garçons et d'expérimenter diverses manières d'entrer en contact les uns avec les autres.

Située au large de la côte est de l'Afrique, Madagascar est l'une des plus grandes îles du monde et une terre mystérieuse. Son isolement a permis le développement d'une flore et d'une faune locales que l'on ne rencontre nulle part ailleurs sur la planète, comme les lémuriens, de la famille des primates. Quant aux premiers habitants de l'île, ils sont arrivés d'Indonésie, en traversant tout l'océan Indien ! Au XIXe siècle, Madagascar forme un royaume indépendant. Envahie par la France, l'île devient une colonie en 1896 et le restera jusqu'en 1960. Aujourd'hui, l'agriculture fait vivre la majorité des 20 millions d'habitants du pays. Mais Madagascar est confrontée à de graves problèmes écologiques dus à la déforestation et à l'érosion des sols. Ils viennent s'ajouter à toutes les difficultés que connaissent les pays pauvres.

MADAGASCAR

Premiers émois avec la cousine Apollonie

France **19ᵉ siècle**

Photo du film de Federico Fellini *Amarcord*, 1973.

Voir p. 44

Dans *L'Enfant*, Jules Vallès, né en 1832, met en scène son enfance. À dix ans, il vit au Puy, tandis qu'une partie de sa famille habite la campagne environnante.

Je la dévore des yeux

« Il y a aussi ma cousine Apollonie ; on l'appelle la Polonie.

C'est comme ça qu'ils ont baptisé leur fille, ces paysans !

[...] Je la dévore des yeux quand elle s'habille – je ne sais pas pourquoi –, je me sens tout chose en la regardant retenir avec ses dents et relever sur son épaule ronde sa chemise qui dégringole, les jours où elle couche dans notre petite chambre, pour être au marché la première, avec ses blocs de beurre fermes et blancs comme les moules de chair qu'elle a sur sa poitrine. On s'arrache le beurre de la Polonie [...]. »

Odeur de framboise

« Je reste quelquefois longtemps sans la voir, elle garde la maison au village, puis elle arrive tout d'un coup, un matin, comme une bouffée.

"C'est moi, dit-elle, je viens te chercher pour t'emmener chez nous ! Si tu veux venir !"

Elle m'embrasse ! Je frotte mon museau contre ses joues roses, et je le plonge dans son cou blanc, je le laisse traîner sur sa gorge veinée de bleu !

Toujours cette odeur de framboise.

Elle me renvoie, et je cours ramasser mes hardes et changer de chemise. Je mets une cravate verte et je vole à ma mère de la pommade pour sentir bon, moi aussi, et pour qu'elle mette sa tête sur mes cheveux ! »

Serre-moi plus fort

« [...] Le garçon d'écurie a donné une tape sur la croupe du cheval, un cheval jaune, avec des touffes de poils près du sabot [...].

Le voilà sellé.

[...] Elle m'aide à m'asseoir sur la croupe.

J'y suis !

"[...] Mon petit Jacquinou, passe tes bras autour de ma taille, serre-moi bien [...]. Serre, je dis ! Serre-moi plus fort."

Et je la serre sous son fichu peint semé de petites fleurs comme des hannetons d'or, je sens la tiédeur de sa peau, je presse le doux de sa chair. Il me semble que cette chair se raffermit sous mes doigts qui s'appuient, et tout à l'heure, quand elle m'a regardé en tournant la tête, les lèvres ouvertes et le cou rengorgé, le sang m'est monté au crâne, a grillé mes cheveux. »

Ma vie, mon journal

19e siècle

Europe

À la fin du XIXe siècle, dans les milieux aisés d'Europe, les filles étaient volontiers incitées par leur mère ou leur institutrice à tenir un journal, à y inscrire les faits et les pensées, surtout religieuses, de chaque jour.

D'abord, un exercice scolaire

Il s'agissait d'un exercice presque scolaire, lu régulièrement par les adultes. Puis, le journal s'est fait peu à peu plus intime, devenant ce qu'il est encore aujourd'hui : le témoin des inquiétudes secrètes et des tourments amoureux que l'on ne peut dire à personne.

Personne avec qui pleurer

Catherine Pozzi, qui sera plus tard écrivain et poète, passe son enfance dans les beaux quartiers de Paris. Le samedi 24 octobre 1896 (elle a quatorze ans), elle écrit dans son journal :

« Dans la vie, la jeune fille est un être seul. Ah, combien seule ! Enfant, elle fut gâtée, chérie, adulée. Jeune fille, on la laisse. C'est une fleur dont on ne veut pas respirer le parfum. [...] Pauvre jeune fille ! À qui pourra-t-elle se confier ? À qui dire les choses qui lui brûlent le cœur ? Près de qui pleurer ? Avec qui sourire ? Hélas, avec personne. »

Un ami de papier

« Et voilà pourquoi j'ai ce cahier, et voilà pourquoi j'écris, je pense et j'espère sur ces feuilles. C'est avec lui que je souris. Et c'est avec lui que je pleure... Ô mon ami ! ô ma chose à moi, ma chose adorée ! Oh combien je chéris chacune de ces feuilles où mon âme est écrite !!! Mais des larmes me viennent aux yeux. Une amertume atroce me serre la gorge. Dire qu'il n'y a personne avec qui je puisse pleurer en paix ! Personne ne me comprendrait... pas même maman !!! »

Personne ne me comprend

« Oh mon âme, mon âme ! Tu voudrais mourir, n'est-ce pas ? Oh, mon cœur, mon cœur, cesse de battre, arrête, et tout sera fini... Mais mon âme a beau s'agiter comme un pauvre oiseau blessé, enfermé dans une cage, mon cœur ne s'arrête pas. Pourquoi suis-je née ? Personne ne me comprend. Personne ne saura jamais ce que sont les douloureuses, les terribles angoisses d'un cœur de jeune fille. Si on me voit pleurer, on ne comprendra pas pourquoi je pleure. Si on me voit rêver, on croira que je pense à mon piano, ou mon chien, ou ma nouvelle robe. La jeune fille est un être seul. »

« C'est avec lui que je souris. Et c'est avec lui que je pleure... Ô mon ami ! ô ma chose à moi, ma chose adorée ! Oh combien je chéris chacune de ces feuilles où mon âme est écrite !!! »

Habitants du Sahara, les Touaregs sont en majorité nomades. Ils vivent de l'élevage, de l'agriculture et du commerce caravanier. Leurs ancêtres sont à l'origine de gravures rupestres préhistoriques. Leur islamisation débute au XIe siècle. Connus pour leurs valeurs guerrières, les Touaregs ont mené une longue résistance contre la colonisation française aux XIXe et XXe siècles. Dans cette société hiérarchisée, les femmes participent à la vie publique. Le port du voile est associé à l'honneur masculin ; à cause de la teinture indigo du turban qu'ils ne quittent jamais et qui déteint sur la peau, les Touaregs ont été surnommés les « hommes bleus ». Aujourd'hui, cette population de langue berbère est estimée à 3 millions d'individus, répartis entre le Niger, le Mali, l'Algérie, le Burkina Faso et la Libye. Les sécheresses de 1974 et 1984, qui ont provoqué la mort des troupeaux et la famine, ont contraint une partie des Touaregs à se sédentariser dans les villes.

LES TOUAREGS

Initiation sentimentale et sexuelle chez les Touaregs

Jusqu'à nos jours

Afrique saharienne

Jeune Touareg,
février 2004, Nord du Mali.
Photographie
de Bruno Fert.

Les Touaregs, éleveurs nomades vivant au Sahara, accordent une grande importance au développement émotionnel de l'enfant. Pour eux, l'équilibre de l'adulte dépend de l'affection et de l'éducation des sens qu'il a reçues dès sa naissance.

Tous préparés à la puberté

À partir de sept ans, on explique aux filles et aux garçons comment fonctionne leur corps ; on les aide à contrôler leurs sentiments et leurs émotions (comme la peur, la colère, la joie, la surprise). Peu à peu, ils se préparent à affronter les transformations de la puberté. C'est souvent un aîné, autre que le père ou la mère, qui a le rôle d'éducateur.

Avant leurs premières règles, les filles sont envoyées chez une tante, une grande sœur mariée ou une cousine, pour recevoir des enseignements sur les énergies qui circulent dans le corps. Chaudes ou froides, elles conditionnent la bonne ou la mauvaise humeur et forment le caractère. La jeune fille réglée se retire du monde au moment de l'écoulement de sang et elle se protège ainsi du regard des autres. Elle apprend à reconnaître ses phases fertiles et infertiles et peut ainsi avoir des relations amoureuses sans devenir enceinte, car la grossesse hors mariage est considérée comme un échec éducatif.

Un voyage initiatique

Quant aux garçons, avant que n'apparaissent les moustaches et les favoris, ils sont envoyés en voyage avec des étrangers ou des parents à qui ils doivent le respect. Subtilement, ces hommes introduisent dans leurs conversations des histoires de passions amoureuses et abordent les mécanismes du désir sexuel. En présence de ces aînés qu'ils connaissent peu et intimidés par la traversée d'une région inconnue du désert, où même le plus grand des caravaniers peut se perdre, les jeunes se montrent discrets, contiennent leur impulsivité et s'initient à la retenue. Ils apprennent à maîtriser leur corps adolescent, avide de sensations fortes. De retour, ils s'installent à l'écart des tentes et discutent des jeux sexuels permettant de respecter leurs petites amies.

Défilé de prétendants

Vers treize ou quatorze ans, les filles dotées d'un voile posé gracieusement sur les cheveux et les garçons enturbannés se rendent aux rencontres galantes (*ahâl*), ayant lieu le soir, loin des tentes. Là, ils observent comment leurs aînés, qui ont entre seize et vingt-cinq ans, chantent, se lancent dans des joutes oratoires, s'échangent des regards et des gestes tendres. Discrètement, ceux-ci se fixent des rendez-vous. Les jeunes filles reçoivent plusieurs prétendants à l'entrée de la tente de leurs parents. L'heureux élu, qui passera le reste de la nuit près de son aimée, est le plus noble d'entre eux. Il est celui qui a acquis la « *maîtrise du corps et de l'esprit* » (*udaf n iman*, dit-on en touareg), qui fait devenir un adulte respectable.

Favoris :
touffes de barbe sur les joues, de chaque côté du visage.

Premier amour dans les montagnes d'Arabie

20ᵉ siècle

Moyen-Orient

Voir p.114

Ahmed Abodehman a raconté son enfance dans un village des montagnes d'Arabie Saoudite. Il a treize ans lors de l'épisode suivant.

Une fille arc-en-ciel

« *Un jour, j'ai avoué à ma mère que j'aimais une autre femme. "Tu sais, maman, combien j'aime la poésie, et tu sais que je t'aime plus que la poésie... mais cette fille a quelque chose de plus que toi, de plus que la poésie. Je suis sûr que c'est elle, l'arc-en-ciel."* [...]

Mon arc-en-ciel m'a dit un jour qu'elle avait vu mon image dans l'eau du puits et qu'elle avait tellement bu de cette eau qu'elle croyait m'avoir bu tout entier. Cet aveu m'a rendu fou d'amour pour elle. C'était sa première déclaration. J'ai confié mon secret à une vieille du village qui m'a conseillé de réunir sept cheveux de mon arc-en-ciel et sept petits cailloux sur lesquels elle avait marché, puis de les placer avec un verset du Coran sous la porte d'entrée de sa maison. »

Nouvelle mosquée, nouvelle vie

« *Mon père, qui avait deviné lui aussi mes sentiments et voulait m'apprendre à nager, changea de mosquée et commença à faire la prière dans la mosquée voisine de la maison de mon arc-en-ciel. Je ne savais pas qu'on avait le droit de changer de mosquée.*

Du coup, j'ai adopté la nouvelle pour y faire mes prières, comme les anciens, plus humblement même. Ils m'ont adopté aussi, jusqu'à ce que j'en fasse trop, comme d'habitude. Le père de mon arc-en-ciel, qui s'en est inquiété, est allé voir ma famille pour leur parler de mon islam, pour leur dire que ma conduite n'était pas normale et qu'il fallait s'occuper de moi. Pour ma part, il m'a suffi d'entendre les commentaires du père de mon arc-en-ciel pour cesser d'aller faire la prière dans sa mosquée. »

Mon ânesse, ma Ferrari

« *Pendant deux semaines, j'ai évité mon amie. Pour oser même reparaître devant elle, il me fallait faire montre de nouveaux signes de supériorité. Nous avions une ânesse, très belle, l'équivalent aujourd'hui d'une Ferrari ou d'une puissante moto de course. J'avais même découvert le secret pour la faire courir comme le vent. Avant le coucher du soleil, qu'on appelle le soleil des morts, juste avant qu'il plonge dans la mer qu'il boit tout entière, j'étais sur mon ânesse et mon arc-en-ciel se trouvait avec*

sa mère sur la terrasse de leur maison. Il suffisait que j'effleure la croupe de l'animal avec une petite badine pour qu'il coure comme le vent. J'allais montrer à mon arc-en-ciel des vertus qu'elle ignorait en moi, quand soudain un serpent-chasseur, en me désarçonnant, interrompit brutalement le spectacle. Je basculai alors entre les pattes de mon ânesse, qui rentra seule à la maison. »

VOIR FICHE P.115

2007, al-Hajrah,
Yémen.
Photographie d'Abbas.

403

RÊVES ET MONDES IMAGINAIRES

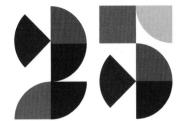

L'imagination enfantine sait transformer un bout de tissu
en maison, un bâton en véhicule spatial,
des cailloux en héros d'une interminable aventure.

Ces mondes imaginaires se déploient dans le jeu d'abord, et parfois à travers le dessin ou l'écriture. Les livres dans lesquels on plonge peuvent les enrichir, et le goût de la rêverie, les prolonger.

Ils prennent forme dans les rêves, tantôt agréables, tantôt effrayants. Mais, si tous les enfants rêvent, les cultures humaines ne se font pas toutes la même idée du rêve ni de la manière de le comprendre.

Ces mondes imaginaires, comme les contes d'hier et les dessins animés d'aujourd'hui, sont peuplés de héros aux pouvoirs magiques impressionnants. Des êtres très puissants dans la peau desquels on se glisserait volontiers.

Dans l'imagination des enfants, il entre de la fantaisie, des inventions drolatiques, de la créativité poétique et parfois des forces menaçantes. L'imaginaire des enfants est-il toujours lumineux et joyeux ou traversé de violences et d'inquiétudes ?

L'univers magique de Mimi, princesse Bonaparte

Arrière-petite-nièce de Napoléon Iᵉʳ, Marie Bonaparte est une princesse bien singulière. Sa mère étant morte un mois après sa naissance, en 1882, son père la confie aux soins d'une nourrice d'abord, puis d'une gouvernante (Mimau) et d'une institutrice (Mᵐᵉ Reichenbach).

Des cahiers pour les rêves

On l'instruit à la maison, dont elle ne sort que très rarement. Entre sept et dix ans, elle écrit et dessine avec passion dans ce qu'elle appelle ses « Cahiers de bêtises ». Elle y raconte surtout ses rêves et des histoires qu'elle invente. Dans ses cahiers, la réalité qui entoure Mimi (c'est ainsi qu'elle se nomme) se transforme en un monde imaginaire, où prédominent la magie et la fantaisie. Elle peuple cet univers de personnages très étranges, qu'elle affuble de drôles de noms : l'homme de velours, l'homme rôti, la fillette qui crache, le lapin sans peau, les petites chenilles dorées, la chèvre morte qui fume, le pied monté, l'oreille froide et chaude, Tileli, Glo Glou, Moss-Glocks...

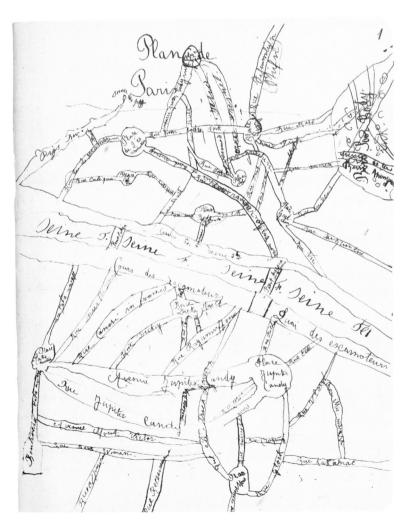

Cahier de bêtises

Dans son troisième cahier, Marie a dessiné les plans d'une ville où les rues portent les noms de ses personnages. Le long de la Seine, on voit un « *quai des Escamoteurs* », un peu plus loin, une « *rue Kakamac* », une « *rue Sarquintuié* »...

Marie Bonaparte, dessin provenant des *Cinq Cahiers écrits par une petite fille entre sept ans et demi et dix ans et leurs commentaires*, 1889-1892.

Bibliothèque nationale de France, Paris.

Et Mimi devint la reine des fées

Les plus fréquemment mentionnés sont l'énigmatique Sarquintuié, la minuscule poupée Clinette et surtout l'Escamoteur (nom que l'on donnait alors aux magiciens) :

« Mimi était triste et, un jour, elle vit entrer dans le salon un homme. Cet homme était l'ESCAMOTEUR !!!! Madame Proveux, Mimau et Madame Reichenbach étaient dans la chambre, alors il les prit, elles allèrent dans les nuages où elles étaient toutes évanouies !!! Alors il prit Mimi dans un lit en argent et alors il toucha Mimi avec une baguette et elle devint une fée, la reine des fées !!! Alors il fit de Mimi et de Madame Proveux et de Madame Reichenbach des fées en les touchant avec une baguette. »

Souvent, l'Escamoteur transmet ses pouvoirs magiques à Mimi ou du moins lui apporte son aide. Un jour, il lui donne trois éventails, dont l'un « sert à voir à l'intérieur des personnes ».

Chauves-souris contre mollets noirs

Plus loin, Marie raconte « la lutte des chauves-souris avec les petits mollets noirs. Au temps ancien vivait une reine appelée Clinenette la folle [Marie Bonaparte nomme indifféremment sa poupée Clinette ou Clinenette], qui aimait beaucoup son peuple ; leur race était appelée Kakamac, Mic-Miau ou Pichor ou Moumous, et un jour la reine vit des chauves-souris venant pour faire du désastre dans le pays. Elle commande à tous ses hommes d'aller à la guerre des chauves-souris et ils prirent les Tikelies et le Trapatou, qui étaient leurs armes et ils oublièrent le Tloko, qui était la chose pour faire explosion. Et les chauves-souris oublièrent les Tikelies et le Trapatou, alors quand les chauves-souris vinrent pour tirer, elles virent qu'elles n'avaient pas d'armes et alors, et alors, elles demandèrent aux gens les Tikelies et le Trapatou, mais ils ne voulaient pas les donner, et alors elles renonçaient à la guerre et alors comme elles renonçaient à la guerre, elles devinrent des petits mollets noirs ».

407

Fervente adepte des théories et des méthodes d'investigation de l'inconscient développées par Sigmund Freud, Marie Bonaparte (1882-1962) a joué un rôle majeur dans les premières années du mouvement psychanalytique. Marie Bonaparte a rencontré Freud à Vienne (Autriche) en 1925 et est devenue une de ses patientes. Déployant une grande activité, elle a traduit elle-même plusieurs de ses livres et participé à la fondation de la première organisation des psychanalystes français... En 1938, Marie Bonaparte a aussi aidé personnellement Freud à fuir l'Autriche, envahie par les nazis.

MARIE BONAPARTE

Lecture et consolation

Très tôt, notre désir de lire n'a d'égal que notre besoin de consolation.

Un lieu singulier pour lire

Pour un enfant, un livre peut être consolateur, mais il faut aussi un endroit singulier pour le lire : arbre creux, cabane, tanière ou terrier. Ou bien lorsque tout est plongé dans le noir, sous les draps pleins de chaleur et d'odeurs, on braque une lampe de poche sur une page couverte de signes. Plaisir de lanterne sourde. Bonheur clandestin de lanterne magique. Compact, facile à cacher, plein comme un œuf, le livre s'associe bien vite à tel ou tel lieu qui favorise l'immobilité ou la fuite.

Il existe des recoins de l'espace et des creux du temps permettant de passer de l'autre côté. Certaines lumières aussi. Alors le repli sur soi se transforme en ouverture sans limites. Le pli du monde où l'on se blottit avec un livre devient un désert, une steppe, une banquise. Doucement, le malheur s'éloigne. Ainsi, toute lecture enfantine est une expérience intense, un voyage immobile et sur place en compagnie de bêtes qui parlent, de héros prompts aux métamorphoses.

Sur le fil du récit

L'« enfantin » est machine à produire des possibles ; une machine puissante qui fonctionne de préférence dans des angles morts, des espaces restreints, à des heures paisibles et inviolables.

Dès qu'il est sûr qu'on l'a oublié, un enfant marche sans tomber sur le fil de n'importe quel récit, avec cette concentration et cette disponibilité formidable des jeunes lecteurs, le sourcil froncé, le front plissé, les lèvres qui remuent un peu, le doigt qui suit encore la ligne. Ferveur première. Jubilation silencieuse. De découvertes en aventures, il se grave à jamais en lui des scènes, des visages, des noms propres mais surtout des lumières.

Chaque récit demeure lié au lieu où il a une première fois jeté l'ancre. Puis il dérive longuement dans notre souvenir tandis que le filin qui le relie à cette ancre se déroule démesurément.

Souvenirs de lecture

Je me souviens d'avoir lu, sagement assis en tailleur, sous une fenêtre devant laquelle tombaient de longs voilages et des doubles rideaux. C'était une tente, une isba, une grotte. Personne ne songeait à venir me chercher là. Les aventures d'*Aladin et la lampe merveilleuse* sont restées inséparables de ces voilages, de ces plis moirés. Un jour d'hiver, alors que j'étais au lit et fiévreux, je me suis plongé dans le splendide album de *Babar et le Père Noël*. Dehors, il faisait un froid terrible. J'étais enfoui dans de profonds oreillers, l'album posé contre mes genoux remontés comme une montagne. C'était un livre neuf dont les pages craquaient et qui avait une délicieuse odeur de colle et d'amande. La consolation devenait enchantement. Je me souviens d'avoir lu d'autres livres dans une cabane branlante installée assez haut dans un arbre et faite de planches un peu moisies. J'ai lu aussi, l'été, dans une grange surchauffée. Des poules venaient pondre dans le foin, des oiseaux nichaient entre les solives, et il y avait une odeur de paille et de crotte que j'associe encore, paradoxalement, à des histoires de Grand Nord et aux *Enfants du capitaine Grant*. Mais chaque machine enfantine est unique.

Haut perché

J'ai beaucoup lu. Tout ce qui me tombait sous la main. Tantôt enfoui, tantôt perché. Postures, positions, dispositifs comptent énormément. J'ai lu, par exemple, installé au sommet d'une énorme armoire où j'apportais tout un matériel de survie, gourde d'eau, couverture, biscuits et une pile de petits illustrés très vulgaires, pleins d'histoires de bandits sans scrupule. C'était un fort, un endroit idéal pour résister à une attaque, pour survivre à une catastrophe.

Ni infantiles ni faciles

Le temps passe. On vieillit.
On oublie. Mais on se souvient
de ces installations et de ces clartés.
Procurer un livre aux enfants est un
geste important. Un geste très beau
mais particulièrement délicat. Écrire
pour l'enfance ou pour la jeunesse
implique une vraie responsabilité.
L'enfant ne s'attend pas à ce qu'on lui
destine des livres. Les livres qu'on lui
propose doivent être avant tout
des livres, ni infantiles ni forcément
« faciles » ou amusants. Les livres
qu'on lui propose doivent seulement
donner à l'enfant envie de s'en
emparer, de se sauver et de trouver
le lieu secret où les lire.

Charles-Gabriel Sauvage,
Enfant lisant, 1790-1791,
biscuit de porcelaine dure,
46,5 cm.
Cité de la céramique,
Sèvres.

Un rêve de flammes

19e siècle

France

George Sand (dont le vrai nom est Aurore Dupin) est devenue une femme de lettres célèbre, amie de nombreux écrivains et musiciens. Dans *Histoire de ma vie*, elle raconte sa petite enfance. Voici un souvenir qui remonte à l'âge de quatre ans.

Polichinelle contre poupée chérie

« On me fit présent, une fois, d'un superbe polichinelle, tout brillant d'or et d'écarlate. J'en eus peur d'abord, surtout à cause de ma poupée, que je chérissais tendrement et que je me figurais en grand danger auprès de ce petit monstre. Je la serrai précieusement dans l'armoire, et je consentis à jouer avec polichinelle ; ses yeux d'émail, qui tournaient dans leurs orbites au moyen d'un ressort, le plaçaient pour moi dans une sorte de milieu entre le carton et la vie. Au moment de me coucher, on voulut le serrer dans l'armoire auprès de ma poupée, mais je ne voulus jamais y consentir, et on céda à ma fantaisie, qui était de le laisser dormir sur le poêle. [...] »

Sa bosse avait pris feu

« Je m'endormis très préoccupée du genre d'existence de ce vilain être qui riait toujours et qui pouvait me suivre des yeux dans tous les coins de la chambre. La nuit, je fis un rêve épouvantable : polichinelle s'était levé, sa bosse de devant, revêtue d'un gilet de paillon rouge, avait pris feu sur le poêle, et il courait partout, poursuivant tantôt moi, tantôt ma poupée qui fuyait éperdue, tandis qu'il nous atteignait par de longs jets de flamme. Je réveillai ma mère par mes cris. Ma sœur, qui dormait près de moi, s'avisa de ce qui me tourmentait et porta le polichinelle dans la cuisine, en disant que c'était une vilaine poupée pour un enfant de mon âge. Je ne le revis plus. Mais l'impression imaginaire que j'avais reçue de la brûlure me resta pendant quelque temps, et, au lieu de jouer avec le feu comme jusque-là j'en avais eu la passion, la seule vue du feu me laissa une grande terreur. »

La vieille femme du réverbère

Quelques jours plus tard, dans la rue, une vieille femme qui allumait un réverbère dit à la petite Aurore :
« Prenez garde à moi, c'est moi qui ramasse les méchantes petites filles, et je les enferme dans mon réverbère pour toute la nuit. »

« Il semblait que le diable eût soufflé à cette bonne femme l'idée qui pouvait le plus m'effrayer. Je ne me souviens pas d'avoir éprouvé une terreur pareille à ce qu'elle m'inspira. Le réverbère, avec son réflecteur étincelant, prit aussitôt à mes yeux des proportions fantastiques, et je me voyais déjà enfermée dans cette prison de cristal, consumée par la flamme que faisait jaillir à volonté le polichinelle en jupons. Je courus après ma mère en poussant des cris aigus. J'entendais rire la vieille, et le grincement du réverbère qu'elle remontait me causa un frisson nerveux, comme si je me sentais élevée au-dessus de terre et pendue avec la lanterne infernale. »

Marionnette de Polichinelle, bois et textile, 70 cm. MuCEM, Paris.

Auteur de célèbres romans comme *La Mare au diable* ou *François le Champi*, Aurore Dupin (1804-1876) a commencé à écrire dans les années 1830. Elle a été l'une des premières femmes à vivre de sa plume en Europe. À son époque, la société assignait aux femmes une place secondaire par rapport aux hommes. Pour être libre, Aurore Dupin choisit, dès le début de sa carrière, de signer ses livres d'un pseudonyme masculin. Féministe avant l'heure et romantique, George Sand sortait déguisée en homme, fumait le cigare... Elle vécut de grandes passions amoureuses avec les célèbres artistes Alfred de Musset et Frédéric Chopin. À partir des années 1850, elle se retire dans la maison de son enfance, à Nohant, dans le Berry, où elle meurt à l'âge de 71 ans.

GEORGE SAND

Le matin des rêves en Amazonie

Amérique du Sud

Rodolfo Siquihua a douze ans. Il vit dans le nord-est de l'Équateur, dans la forêt d'Amazonie. Il appartient à la communauté de Ahuano, dont les habitants descendent de l'ancien peuple Quijo. Voici son récit.

Aube enchanteresse

« On me réveille chaque matin avant le jour, pour ne pas me laisser tremper dans ces mauvais rêves qui précèdent l'aube, si l'on reste couché trop longtemps. Me voilà assis sur le tronc, au bord du feu, où grand-mère cuit la wayusa. Dehors, c'est encore tellement noir que les arbres n'ont pas encore commencé d'exister. Il n'y a que les cris, les chiens, les crapauds, les coqs. Ici c'est comme l'intérieur d'une grotte où la lumière prend seulement les visages, avec le bout des doigts. L'heure de raconter les rêves. On chuchote. Grand-mère verse le thé brûlant dans les bols de pilche. La fumée vient brouiller mes yeux. Mushkuy... Grand-mère dit toujours qu'on habitait d'abord les rêves de nos ancêtres avant le ventre de nos mères. Les rêves nous précèdent, les rêves nous suivront. Mon petit frère s'assoit. Allin pakariskankichu ? *"Tu es bien né ce matin ?"* lui demande mon grand-père. Il ne répond pas. »

Les arbres écoutent

« *Ma sœur parle d'un panier percé, d'où tombaient les papachina, l'une après l'autre, derrière elle, entre le champ et la maison. Poc, poc, poc... Les tubercules roulent dans le fossé sous les feuilles, comme des pierres. Je sens que c'est un mauvais rêve parce qu'ils questionnent : "C'était toi qui portais le panier ? Qui a pu faire le trou ?" Ils parlent ainsi pour épuiser le rêve. Ma mère surtout. Elle le retourne comme un vêtement sale, au bord du ruisseau quand elle fait sa lessive. Et la boue du rêve s'en va. Ici on dit allichina : "faire aller bien le rêve". Tandis que dehors les arbres naissent maintenant. L'un après l'autre. On dirait qu'ils écoutent.* »

Mille oiseaux nés de ma sarbacane

« *L'autre jour, j'avais ce souffle profond, cette impatience à raconter. J'avais ce rêve de sarbacane. C'était une sarbacane immense, elle dépassait le feuillage des arbres, et je la tenais pourtant comme une herbe, elle ne me pesait pas. J'avais raconté cela seulement et rien d'autre. Ils ne savaient pas encore combien je soufflais fort. Rien non plus pour ce qui est sorti ensuite de ma sarbacane : ces plumes multicolores, ces toucans, ces perroquets, ces colibris. Par milliers. Mais déjà ils étaient tous sortis : mon père, ma mère, ma grand-mère, mon grand-père, mes sœurs aînées. Ils m'avaient laissé là, tout seul, avec mon rêve devant le feu. Est-ce qu'ils craignaient rien qu'à l'entendre de l'épuiser, que sa force se perde dans les oreilles et dans les mots ? Je sais que ce rêve était bon. "Et qu'un bon rêve", dit ma grand-mère, "il faut le taire pour le laisser s'accomplir, de toutes ses plumes, de tout ce qu'il contient".*

Dehors le jour était levé. La maison m'a semblé soudain toute sombre. J'ai bu mon bol de wayusa. »

Wayusa :
herbe énergétique bue le matin en tisane, comme le café.

Mushkuy :
le rêve en langue quichua.

« Je vais te couper ! »

Aujourd'hui

Afrique de l'Ouest

VOIR FICHE P. 320

Observons quelques petites scènes, dans un village wolof du Sénégal.

Quand dire n'est pas faire

« *Je vais te couper !* » dit Mbène, une petite fille de trois ans et demi, à Madiop, son cousin du même âge… En voici deux autres, de quatre ans et demi, qui se tiennent au pied d'un baobab. Mbake dit à Yoro : « *Je brûle ton corps.* » Yoro répond : « *Je brûle ton corps.* »… Voici maintenant Massamba, quatre ans, en compagnie de Dam, dix ans. L'aîné le chatouille sous les bras et lui prend le pénis, en disant : « *Venez couper le pénis !* » Massamba réplique : « *Je vais déféquer ici !* » Il s'installe sur les chevilles de Dan et imite le bruit de la défécation : « *Je défèque… han… sur tes mains !* »

Occasion de défoulement

En pays wolof, les adultes tolèrent sans difficulté de telles attitudes, pourvu qu'il s'agisse de très jeunes enfants et que le jeu ne dure pas trop longtemps. Lorsqu'il ne s'agit que de mots, ils les laissent s'exprimer sans crainte, voyant là une bonne occasion de défoulement pour les enfants. En revanche, ils sont attentifs à prévenir ou à contrôler tout geste réellement violent, et confient souvent cette tâche à l'aîné du groupe des enfants.

Les paroles et les gestes décrits ici sont chargés d'agressivité : ils expriment le désir de détruire l'autre. Sur d'autres continents, l'enfant aurait sans doute placé ses doigts en forme de pistolet et fait semblant de tirer.

C'est moi le plus fort

Bien sûr, ces enfants ne veulent pas accomplir réellement de tels actes. Seulement, l'idée les habite et ils l'expriment sans retenue, par des paroles ou par des gestes. Cela s'appelle un fantasme, c'est-à-dire une situation que l'on met en scène par la pensée, dans sa tête. Anéantir l'autre est une façon de manifester un immense pouvoir. De tels fantasmes sont très communs : l'enfant se croit volontiers doté d'une force surnaturelle. Il peut tout ce qu'il veut ; il s'imagine tout-puissant.

Grandir, c'est accepter peu à peu le fait que de tels désirs n'ont leur place que dans le monde des fantasmes. Et que, dans la réalité, on ne peut ni détruire les autres ni être tout-puissant.

L'enfant rusé, conte bambara

Une femme enceinte était partie chercher du bois. Elle ramassa du bois, elle en ramassa tant qu'elle dut en laisser, car elle ne pouvait le charger sur sa tête. L'enfant qui était dans son ventre dit : « Maman, enfante-moi ! Je te poserai le bois sur la tête. – Hé, s'exclama-t-elle, un enfant qui parle dans le ventre de sa mère n'arriverait-il pas à s'enfanter lui-même ? » Il naquit donc de son propre fait. « Maman, rase-moi la tête ! dit le nouveau-né. – L'enfant qui est parvenu à s'enfanter lui-même n'arriverait-il pas à se raser la tête ? » Il la rasa lui-même. « Maman, donne-moi un nom, dit-il encore. – L'enfant qui a réussi à se raser seul la tête n'arriverait-il pas à se donner un nom ? » Il se nomma donc : « Je m'appelle Petite-Gourde-rouge. » Alors il posa le bois sur la tête de sa mère et ils s'en furent ensemble.

Dans la suite du récit, l'enfant protège ses frères de la sorcière qui veut les tuer. Disposant de pouvoirs magiques, il se transforme notamment en couteau, en mouton, en vent. La sorcière aussi se métamorphose sans cesse, mais, à la fin, elle doit reconnaître que la puissance de l'enfant est plus grande que la sienne, et elle meurt. Ce conte africain montre un enfant qui, à peine né, est aussi fort qu'un adulte et possède des pouvoirs magiques exceptionnels. Voilà une autre image de l'enfant tout-puissant, mise en scène par le moyen d'un récit.

Une histoire des frères Grimm, aux limites de la réalité et de l'imaginaire

19e siècle

Allemagne

À partir de 1812, les frères Jacob et Wilhelm Grimm publient l'un des plus célèbres recueils de contes.

Récit d'un jeu qui tourne mal

Dans l'un des récits, intitulé « Comment des enfants jouèrent à s'égorger mutuellement », des enfants de cinq et six ans décident de mimer l'abattage d'un cochon et se répartissent les rôles : l'un d'eux sera le boucher, un autre le cochon, deux autres encore la cuisinière et son aide, chargée de recueillir le sang de l'animal. Mais le jeu devient réalité et l'enfant qui tient le rôle du boucher égorge vraiment, avec son couteau, celui qui fait le cochon...

Confiance aux enfants

Lorsque le recueil paraît, une mère se plaint de la cruauté de ce récit, qui, selon elle, interdit de confier le livre à des enfants. Les frères Grimm se défendent. Jacob explique qu'il faut faire confiance aux enfants. Wilhelm précise que cette histoire lui a été racontée par sa mère, lorsqu'il était petit, et qu'il a su en tirer profit. Pour lui, les contes sont porteurs d'une morale ; dans sa jeunesse, il a lui-même compris l'enseignement de ce récit : il faut savoir rester maître de soi.

Histoires violentes, histoires dangereuses ?

Ainsi, à l'époque des frères Grimm, on se demandait si une histoire cruelle pouvait déclencher la cruauté des enfants, tout comme aujourd'hui on se demande si la violence des films et des dessins animés à la télévision peut susciter des attitudes violentes de la part des jeunes spectateurs.

Les frères Grimm avaient confiance dans la capacité des enfants à percevoir, dans ce récit, non une incitation à agir de la même manière que ses personnages, mais la démonstration qu'il *ne faut pas* agir ainsi, qu'il ne faut pas confondre le jeu et la réalité. Ils avaient confiance dans le fait que les contes, pleins d'horreurs et si souvent cruels, délivrent un enseignement que les enfants sont capables de comprendre.

Il n'empêche : malgré les justifications qu'ils avaient trouvées, lorsque parut la deuxième édition du recueil, ce récit n'y figurait plus...

Jacob Grimm (1785-1863) et **Wilhelm Grimm** (1786-1859) : linguistes et écrivains allemands.

Lithographie d'Oskar
pour *Les Voyages
de Gulliver*
de Jonathan Swift,
1726.

Freud explique les rêves de ses enfants

Europe

En 1900, **Sigmund Freud** raconte le rêve de l'une de ses filles, âgée de huit ans et demi, à la suite d'une promenade familiale dans les Alpes.

Voir p.44

Rêve absurde ?

« *Elle avait, pendant cette promenade, formé des vœux que le rêve devait accomplir. Nous avions amené avec nous à Hallstadt le fils de nos voisins, âgé de douze ans, cavalier accompli, qui avait, selon toute apparence, conquis le cœur de la petite.*

Le lendemain matin, elle nous raconta le rêve suivant : "Crois-tu, j'ai rêvé qu'Émile était à nous, qu'il vous appelait Papa et Maman et dormait avec nous, dans la grande chambre, comme nos garçons. Là-dessus, Maman arrive dans la chambre et jette sous nos lits de grosses tablettes de chocolat enveloppées de papier bleu et vert." Les frères déclarèrent : "Ce rêve est absurde." La petite fille défendit une partie de son rêve : "Qu'Émile soit tout à fait à nous, ça c'est idiot, mais pour les tablettes de chocolat, non." »

La nuit pour réaliser ses désirs

« C'est cette dernière partie que je trouvais obscure. La maman m'a donné les éléments de l'explication. En revenant de la gare à la maison, les enfants se sont arrêtés devant un distributeur automatique ; ils auraient voulu avoir de ces tablettes, entourées de papier d'argent. La maman avait estimé, avec raison, que cette journée avait réalisé assez de désirs et elle avait laissé celui-ci pour le rêve. J'avais compris sans peine l'autre partie du rêve, car j'avais entendu moi-même comment notre gentil invité avait, sur la route, engagé les enfants à attendre que Papa et Maman arrivent. Le rêve de la petite avait fait de ces relations temporaires une adoption durable. Son bon petit cœur ne concevait pas d'autre forme de vie en commun que celle qu'elle menait avec ses frères, et que le rêve réalisait. »

Voir p.65

Le message du rêve

Pour Freud, le rêve est la réalisation d'un désir qui n'a pas pu être assouvi pendant le jour : faire d'Émile un membre de la famille, ou manger du chocolat. Bien sûr, les rêves ne sont pas toujours aussi simples. Certains racontent des histoires très compliquées, effrayantes parfois, et on se demande quel désir ils pourraient bien réaliser. Ces rêves-là se rapportent non aux événements des jours précédents, mais à des choses plus anciennes, que l'on a oubliées. Il peut aussi s'agir de désirs ou de fantasmes que nous n'osons pas nous avouer en toute clarté, et c'est pourquoi le rêve les exprime de manière détournée, cachée.

Freud enfant

Freud est né en 1856, dans ce qui était alors l'Empire austro-hongrois (il vivra surtout à Vienne, sa capitale). Il était l'aîné des huit enfants de sa mère, Amalia. Son père, Jakob, avait aussi des enfants nettement plus grands, d'un premier mariage. Tout jeune, Sigmund a pu observer une curieuse situation, car certains de ses demi-frères avaient presque l'âge de sa propre mère. Cela a peut-être contribué à sa découverte du complexe d'Œdipe. Ce roi grec avait été abandonné à la naissance. Une fois adulte, il épousa sa mère sans la reconnaître, après avoir tué son père. C'est en analysant ses propres rêves et en retrouvant des souvenirs d'enfance oubliés que Freud, le fondateur de la psychanalyse, a mis au jour l'existence de l'inconscient : une révolution dans la conception de l'être humain !

L'inconscient : c'est une sorte de « coffre-fort » bien fermé, au fond de nous. Il conserve une mémoire des choses vécues ou éprouvées depuis la naissance et, croyons-nous, oubliées depuis longtemps. Bien que nous n'en ayons pas conscience, ces traces demeurent secrètement en nous et font partie de notre personnalité. Parfois, le coffre-fort s'entrouvre : des rêves se chargent de souvenirs enfouis ; des pensées ou d'étranges paroles s'échappent...

L'ENFANT DES CONTES

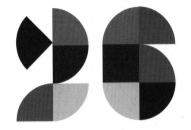

Nous pensons aujourd'hui que les contes, comme *Cendrillon* ou *Le Petit Poucet*, sont des histoires qui n'intéressent que les enfants. C'est pour eux que sont conçus les livres de contes ou les dessins animés qui s'en inspirent. Pourtant, autrefois, les contes n'étaient pas destinés aux enfants, mais aux adultes (mis à part quelques récits assez simples racontant des aventures animales). C'est lorsqu'ils se réunissaient, le soir, pour la veillée, que les villageois avaient plaisir à écouter ces récits.

La plupart des grands contes merveilleux concernent le passage de l'adolescence à l'âge adulte. Certains, cependant, s'occupent de la transition de l'enfance à l'adolescence, comme *Pequeletou*, qu'on va lire dans les pages qui suivent. Ils racontent souvent la détresse, les tourments, les angoisses, dans lesquels les enfants sont plongés à cause de la défaillance ou même de la haine des parents : un père qui ne vous reconnaît pas, une mère qui veut votre mort, une sœur qui vous jalouse, des accidents de naissance. Ces histoires, souvent terribles, confirment ce que déclarait Sigmund Freud : « Il ne semble pas que l'enfance soit cette idylle bienheureuse en laquelle notre souvenir la transforme plus tard. »

Mais les contes disent aussi qu'on peut recevoir de l'aide, venant de personnes ou d'animaux secourables. Ils offrent à l'imaginaire un parcours, une histoire, des clés, une issue qui ouvrent à un heureux destin.

Trois contes peu connus, dont les héros sont des enfants, sont présentés ici : le premier provient du sud de l'Europe, le deuxième d'Indonésie, le dernier de Kabylie, en Afrique du Nord.

Pequeletou : un conte de France et d'Italie

Europe

Une femme faisait, un jour, cuire des fèves dans un grand chaudron. Une mendiante se présenta à sa porte et lui demanda l'aumône :

« Je ne puis rien vous donner, étant très pauvre moi-même.

– Pas autant que moi ! répondit l'autre. Puisque vous avez quelque chose à cuire, donnez-moi un peu de ce qui est dans le chaudron, car je meurs de faim.

– Ce sont des fèves, si je vous en donne une assiettée, ce sera autant de moins pour moi ! »

Alors la mendiante lui dit : « Eh bien, qu'elles deviennent autant d'enfant ! » Et elle s'en alla.

Le feu s'éteignit et il sortit du chaudron autant d'enfants qu'il y avait de fèves, tout petits, qui se réunirent autour de la femme en criant : « Mère, mère, nous avons faim !

– Mon mari me tuera s'il voit toute cette bande ; mais je vais m'en débarrasser », se dit la femme.

Elle prit un couteau, les saisit l'un après l'autre, leur coupa la tête d'un coup et les jeta loin. Quelques-uns eurent beau chercher à se sauver et à se cacher dans des caisses, des trous ou des tiroirs, ou derrière le balai, ils furent pris et eurent la tête tranchée. Lorsque la femme crut qu'il n'en restait plus, elle s'occupa de faire une tourte.

Tout en travaillant, elle s'écria : « Si j'en avais gardé un, il m'aiderait maintenant. Je l'enverrais porter le dîner à son père. » Une petite voix se fit entendre qui dit :

« Mère ne vous tourmentez pas, il en reste un !

– Où es-tu ? Viens !

– Non pas, répliqua la petite voix, j'ai peur. Quand vous aurez tout préparé, je viendrai ; mais pas avant. »

Lorsque la tourte fut prête, la femme en fit deux parts qu'elle mit dans deux paniers dont l'un contenait une bouteille de vin ; puis elle dit : « Viens, maintenant. » Du trou de la serrure, elle vit sortir un petit bonhomme gros comme une fève qui dit : « Mère, vous m'appellerez Pequeletou et vous serez contente de moi. » Alors, elle lui donna les deux paniers en disant : « Celui où il y a la bouteille de vin blanc est pour ton père, l'autre pour toi » ; et, après s'être fait indiquer le chemin, Pequeletou partit.

Après avoir beaucoup marché, il trouva un petit ruisseau. « Comment ferai-je pour passer ? » se dit-il. Alors il vit un pâtre auquel il dit : « Beau pâtre, faites-moi passer le torrent, je vous donnerai un verre de bon vin blanc !

– Qui parle ? dit le berger, je ne vois personne.

– Me comptez-vous pour rien ? » répliqua la même voix.

Il s'avança et crut voir deux paniers qui marchaient tout seuls.

« Que celui qui veut passer se fasse voir », cria le berger.

Pequeletou monta sur le panier pour se faire voir et le berger le mit de l'autre côté du ruisseau. Avant qu'il n'arrive chez son père, la même chose lui arriva deux fois. Près d'arriver, il trouva devant lui un tas de pierres. « Jamais je ne pourrai passer » se dit Pequeletou, et il se mit à crier : « Ohé ! mon père, venez me prendre.

– Qui m'appelle ? dit l'homme, je n'ai pas d'enfants.

– Vous en avez un, venez me chercher. »

L'homme vint et vit les deux paniers :

« Où est donc l'enfant ?

– Regardez bien et vous me verrez ! »

Le père le vit enfin et se fit tout raconter.

« Père, dit ensuite l'enfant, allez prendre votre repas, je surveillerai si aucun voleur n'arrive » ; et il alla se mettre dans un petit trou du mur. Quelques instants après, il survint trois brigands :

« Emportons ces instruments de labour », dit l'un d'eux.

Mais aussitôt Pequeletou se mit à crier :

« Père, ô père, il y a des voleurs ! »

Ceux-ci regardèrent de gauche à droite et, ne voyant personne, dirent :

« Qui peut nous surveiller ? »

La voix criait toujours :

« Père, ô père, il y a des voleurs !

– Attendons, dirent les hommes, et nous verrons. »

Bientôt après, le père de Pequeletou arriva et ils lui demandèrent qui était leur surveillant. Le père leur répondit en montrant le trou du mur où était son fils.

« Cédez-le-nous pour quelques jours et vous deviendrez riche. »

Pequeletou fut obligé de partir avec eux.

Chemin faisant ils lui dirent :

« Nous allons voler une vache dans l'étable que tu vois là ; et, comme tu es tout petit, c'est toi qui feras l'affaire. »

Arrivé à l'étable, Pequeletou entra par le trou de la serrure et, de là, il cria :

« Il y a des bœufs et des vaches, que faut-il prendre ? »

Comme toujours il répétait ces mots, le maître de la maison entendit et s'écria :

« Aux voleurs ! Aux voleurs ! »

Les trois hommes s'enfuirent, laissant Pequeletou à la merci du propriétaire. Ce dernier ne vit personne mais la voix disait toujours : « Que faut-il que je prenne, un bœuf ou une vache ? » Comme la voix venait de la serrure, le maître avança sa lumière pour y regarder :

« Vous allez me brûler, dit la même voix, si vous avancez encore la lumière ! »

Alors, Pequeletou sortit de sa cachette et alla se réfugier dans la mangeoire des vaches, et l'une d'elles, le prenant pour une fève, l'avala. Pendant ce temps, le propriétaire entra, fit le tour de l'étable et ne trouva personne. Cependant, une voix criait toujours : « Que faut-il prendre, un bœuf ou une vache ? »

« Je ne comprends rien à tout ceci, dit le fermier ; mais il me semble que la voix vient de l'estomac de cette vache ; tuons-la et nous verrons après. »

On ne vit rien, mais on entendait toujours la voix qui répétait les mêmes mots. En dépeçant la vache, on en laissa un morceau hors de l'étable.

Un loup vint à passer qui avala le tout et Pequeletou avec. Pendant que le loup mangeait, Pequeletou criait : « Sus au loup ! Sus au loup ! » Et ce dernier marchait sans jamais s'arrêter, croyant que quelqu'un était à sa poursuite. À force de marcher, le loup tomba, épuisé de fatigue, et mourut. Pequeletou sortit alors de sa cachette et s'en alla, courant à toutes jambes auprès de ses parents à qui il raconta ses aventures, leur faisant promettre que jamais plus ils ne l'abandonneraient ni ne le céderaient à personne.

Sangbidang, la fille à la dent unique : un conte toradja

Indonésie

Il y avait une fois une enfant différente des autres depuis sa naissance. Elle n'avait qu'une seule dent. Oui, contrairement à nous qui en avons beaucoup – en général trente-deux –, elle n'avait qu'une seule et unique dent. On l'appela donc Sangbidang.

Cette fillette avait l'habitude d'aller jouer au bord du chemin où passaient des personnes allant au marché. Elle allait s'y amuser avec son aînée. Elle s'y promenait quand quelqu'un passa. Il l'examina et s'exclama : « Oh ! Un tel enfant qui n'a qu'une dent ? *Wah !* ajouta-t-il, un enfant exceptionnel de naissance ! Un tel enfant portera chance à ses parents, cela signifie qu'il les fera s'enrichir. » Ainsi à chaque fois que quelqu'un passait : « Cette enfant fera la fortune de ses parents, elle les enrichira ! »

De retour à la maison, l'aînée en parla, disant : « Eh ! mère et père, les gens sur le chemin ont crié après Sangbidang. Tous les passants étaient en émoi et ont crié : "Cette enfant qui a une seule et unique dent va mettre en péril ses parents, les mettre en danger !"

– Non, affirma Sangbidang, les passants ont dit : "Cette enfant-là portera chance à ses parents. Ils n'ont pas dit qu'elle leur portera malheur !"

– Toi, tu veux ruser, mais moi, j'ai bien entendu cela ! »

L'aînée était jalouse d'entendre que sa cadette, d'après les dires des gens, porterait chance à ses parents. Elle inversa donc les paroles en leur affirmant que cette petite-là leur porterait malheur. Ces derniers se fâchèrent contre Sangbidang et s'exclamèrent : « Ah ! Il est évident que cette enfant nous apportera malheur et maladie. Il est préférable de l'obliger à s'en aller d'ici.

– Va-t'en, ne reste plus chez moi ! dit son père en la chassant.

– Pauvre de moi, ne me demande pas de partir, père ! Où irai-je ? Fais-moi des reproches, père, mais ne m'ordonne pas de m'en aller ! Demande-moi n'importe quoi, mais non de partir.

– Non, répondit le père, tu seras la cause de notre malheur. Tu nous mettras, dit-on, en péril. Va-t'en d'ici !

– Pauvrette, ne lui demande pas de partir, dit sa mère. »

Son père la déshabilla et lui dit : « Ne porte pas mes vêtements. Va-t'en ! »

Tissu porté lors de rituels et de cérémonies nuptiales, première moitié du xxe siècle, batik et soie, île de Java.
Musée Guimet-Musée national des arts asiatiques, Paris.

Sangbidang : dans la langue des Toradja, *sang* signifie un ou une, et *bidang* signifie morceau d'étoffe et parfois pièce d'une maison.

Sangbidang,
la fille à la dent
unique,
un conte toradja

Sarong :
pièce d'étoffe
drapée à la manière
d'une jupe.

Elle s'enfuit, nue et effrayée. Sa mère était très peinée, mais elle avait peur du père de ses enfants. Le père de Sangbidang lui enleva sa chemise tandis que sa mère pleurait en la regardant. Elle lui dit : « Emporte cette natte déchirée, tu t'enrouleras dedans et tu y dormiras. »

Et cette pauvre Sangbidang s'en alla. Elle refusait à présent de rester. Puis elle rencontra une vieille femme qui n'avait pas d'enfant. Celle-ci vivait seule.

« Puis-je, grand-mère, habiter chez vous, lui demanda Sangbidang ? [*Dans ce conte, « grand-mère » n'indique pas un lien de parenté mais souligne le respect dû à l'âge.*]

– Qui es-tu, enfant ?

– Moi, on m'appelle Sangbidang. Mon père m'a chassée, il croit que je vais porter malheur. Il m'a mise à nu. Voici ce qui m'a été seulement donné, ce que je porte pour m'enrouler : une natte déchirée !

– Oui, viens ici, nous habiterons dans ma maison. Que tu portes malheur ou que tu portes chance, nous vivrons ensemble ! Reste ici dans ma maison. »

Sangbidang demeura donc avec cette vieille femme, dans la maison de sa grand-mère. Un jour, elle se lassa de rester assise dans la maison, car elle avait peur de descendre : « Mon père me verra et se fâchera contre moi, pensait-elle. Il m'a ordonné de partir. » Elle se cachait dans la maison.

« Grand-mère, lui dit-elle, achète-moi aiguilles et étoffes, je coudrai un peu.

– D'accord, je te les achèterai quand j'irai au marché. »

Sa grand-mère revint du marché avec du fil, des aiguilles et de l'étoffe. Et elle se mit à coudre cette étoffe pour en faire des sarongs de femmes et des sarongs d'hommes. Mais, à chaque fois qu'elle piquait l'aiguille dans le sarong qu'elle cousait, elle la piquait d'abord à sa dent, puis dans l'étoffe. Le fil qu'elle tirait de là étincelait comme de l'or. Le sarong ainsi fait paraissait cousu d'or, car l'aiguille piquée dans sa dent, puis dans l'étoffe,

devenait aussi brillante que l'or. Quand le sarong fut achevé, elle dit : « Eh, grand-mère ! Va le vendre au marché. Si l'on te demande : "Qui l'a cousu ?", tu répondras : "C'est moi !" Surtout ne dis pas : "C'est Sangbidang !" »

Sa grand-mère partit au marché en emportant le sarong pour le vendre. *Wah !* son prix était élevé et les gens se le disputaient : « Moi, je veux l'acheter, dit l'un. » Quelqu'un d'autre surenchérit et s'exclama : « Donnez-moi ce sarong, je l'achète ! C'est moi qui l'achète. »

Les gens faisaient donc monter son prix si bien qu'il se vendit très cher. La grand-mère acheta alors deux pièces d'étoffes pour confectionner des sarongs et les emporta chez elle. Tout le jour Sangbidang ne faisait que coudre. Elle piquait l'aiguille à sa dent puis dans l'étoffe et le « chemin suivi par l'aiguille » étincelait par la suite comme de l'or. Peu de temps après, elle avait de nouveau achevé ce sarong.

« Oh, grand-mère, va le vendre pour nous au marché. Mais si on t'interroge là-bas, surtout ne dis pas : "C'est Sangbidang qui l'a fait." Si quelqu'un demande : "Qui l'a cousu ?", réponds : "C'est moi", n'est-ce pas ?

– D'accord. »

Quand elle arriva au marché, on s'arracha le sarong. On se disputait pour l'acheter : « Je l'achète tant, je l'achète mille pièces.

– Moi, je l'achète deux mille ! »

Sa grand-mère réutilisa cette somme. Elle porta les étoffes chez elle et Sangbidang confectionna de nombreux sarongs cousus d'or. Elle ne faisait que coudre en piquant d'abord l'aiguille à sa dent, puis au vêtement et le fil devenait par la suite en or, il étincelait vraiment !

Peu de temps après se répandit dans ce village la nouvelle selon laquelle il y avait une vieille femme qui confectionnait des sarongs splendides, cousus de fil d'or.

Bétel :
poivrier grimpant
ou feuilles de cet arbre.

Aréquier :
palmier dont le fruit,
la noix d'arec,
contient une amande.

Le roi du village l'entendit et demanda :

« Y a-t-il, comme on le dit, une vieille femme qui coud des sarongs splendides ? Et si j'allais voir ? »

Il y alla. Lorsqu'il arriva au marché : *Wah !* Il restait encore un sarong qui n'était pas vendu ! On était en train de se l'arracher. Une fois sur place, le roi cria :

« Apportez-moi ce sarong ici, apportez-le ici, moi, je veux l'acheter ! *Wah !* » Le roi l'acheta, il ne marchanda pas, il l'acheta au prix le plus fort.

« Eh ! vieille femme ! Qui a cousu ce vêtement, lui demanda-t-il ?

— C'est moi.

— Je ne le crois pas. Parle vrai, grand-mère ! Qui a cousu ce sarong ?

— C'est moi, dis-je !

— Bien, ajouta-t-il, tu affirmes que c'est toi qui l'as cousu, grand-mère. Je vais aller chez toi. Je te suivrai là-bas !

— Surtout ne me suis pas chez moi, roi ! Ma maison est en très mauvais état, délabrée. Elle est très sale, il s'en dégage une odeur d'excréments et elle est obscure.

— Même si ta maison est sale, j'irai quand même, grand-mère !

— J'y vais d'abord, tu viendras dans un moment. »

Pendant que le roi était occupé au marché, la vieille femme, la grand-mère de Sangbidang, se hâta de rentrer à la maison. Elle acheta des bananes et une fois chez elle les mâcha, puis les étala sur les flancs de la maison et sur le chemin conduisant à l'échelle. Puis elle en cracha sous la gouttière, sur l'échelle et sur la plate-forme à l'avant de l'habitation. Il n'y eut aucun endroit où elle ne vomit pas de banane. Et le roi arriva.

« Vois ma maison, roi ! Ses flancs sont pleins d'excréments, même les abords de la maison dégagent l'odeur d'excréments !

— Non, grand-mère, j'y vais vraiment, je vais dans ta maison !

— Ne viens surtout pas, n'y monte pas ! »

Ce roi alla s'asseoir sur la plate-forme en marchant entre les bananes vomies qu'il pensait être des excréments.

« Mais cela ne sent pas la merde, constata-t-il. Je voudrais mâcher bétel et arec, ajouta-t-il. Homme, grimpe pour moi à l'aréquier ! » Le serviteur à qui il avait donné cet ordre alla à l'arrière de la maison.

« Quand tu grimperas à l'aréquier, regarde par la fenêtre. »

Son serviteur grimpa à l'aréquier qui se trouvait à l'arrière de la maison et regarda à l'intérieur. *Wah !* Il y avait une jeune fille qui s'appliquait à coudre ! En grande hâte, il descendit de l'arbre et fit un clin d'œil au roi en lui disant :

« Il y a une jeune fille là-haut. » C'est elle qui coud ces étoffes merveilleuses, pensa le roi en lui-même. C'est sûrement cette jeune fille là-haut.

« Eh, grand-mère, ajouta-t-il, je vais monter dans ta maison !

— Surtout n'y monte pas, roi, j'aurai honte si tu vas là-haut. Pauvre de moi, ma maison est très sale ! Regarde, c'est plein d'excréments sur le chemin, hélas, c'est crasseux !

— Je monte dans ta maison, quoi que tu en dises. »

Elle était donc obligée de le laisser monter. Il alla dans la chambre à coucher au sud et regarda : *Wah !* il y trouva la jeune fille qui le vit.

« C'est toi, n'est-ce pas, qui as confectionné les sarongs ? Il l'observa et s'exclama : Ton nom est Sangbidang, n'est-ce pas, puisque tu n'as qu'une dent. »

— Oui, roi, on m'appelle Sangbidang.

— Ma petite-fille est très sale, elle n'est qu'une souillon et elle a très mal au ventre. Ne t'approche pas d'elle, roi !

— Sangbidang n'est pas malade. C'est elle qui a confectionné ces sarongs. Je vais prendre ta petite-fille pour femme. Oui, je veux l'épouser, grand-mère, et l'emmener avec moi.

426

Sangbidang,
la fille à la dent
unique :
un conte [oral]e

– Ne l'emmène pas avec toi, ma petite-fille est très sale !

– C'est faux, je veux l'amener avec moi dans mon village, dans ma maison.

– Si tu m'emmènes, roi, emmène aussi ma grand-mère, sinon je n'irai pas.

– Oui, j'emmènerai ta grand-mère, si tu souhaites que je te prenne pour femme. »

Il les prit avec lui. Il épousa la jeune fille et la grand-mère était heureuse d'être partie avec eux.

Peu de temps après, on entendit la nouvelle selon laquelle la mère de Sangbidang était morte. Elle était morte à force de penser à sa fille qu'elle chérissait, et elle avait peur du père de ses enfants. La pauvre avait donc le cœur brisé et elle repensait à Sangbidang : « Où se trouve mon enfant ? » se répétait-elle. C'était là la cause de la maladie de sa mère.

« Je vais y aller, ma mère est morte à ce qu'on dit.

– Partons ensemble, dit le roi !

– Non, moi je pars, ma pauvre mère est décédée, dit-on, je veux y aller ! »

La jeune femme n'écouta pas le père de son enfant qui disait : « Et ton enfant ? » En effet, elle avait accouché, elle avait déjà un bébé.

« Ton enfant, tu pars sans l'avoir allaité !

– Non, je m'en vais, ma mère est morte. Dans un petit moment tu me l'amèneras là-bas et je lui donnerai le sein mais je m'en vais d'abord ! »

Elle partit, elle ôta ses très beaux habits, elle partit sans vêtement, si ce n'est ce petit morceau de natte déchirée que sa mère lui avait donné. Elle s'en retourna chez sa mère. On allait célébrer pour celle-ci le rituel mortuaire. On allait respecter les prescriptions anciennes : en effet depuis le départ de Sangbidang, sa mère était devenue pauvre, très pauvre. Et comme on n'avait rien à sacrifier pour elle, on devait accomplir ce rituel funéraire. Quand Sangbidang arriva, on allait enlever sa mère du champ de sacrifice.

« N'emportez pas ma mère, ce n'est plus la peine, je suis ici ! »

On allait l'emporter, elle s'agrippa très fort à elle et la pleura avec ferveur.

« Va-t'en de là, Sangbidang, lui dit-on ! Natte déchirée s'en est allée, natte déchirée est revenue, natte déchirée n'a pas changé : tu portais une natte déchirée en partant et tu portes toujours cette même natte en revenant ! Va-t'en d'ici ! »

Son père vint et essaya de la faire partir : « Pars, nous allons enterrer ta mère, la placer dans la falaise. Dans un moment il fera nuit, et toi, tu t'agrippes à elle !

– C'est ma mère, ne l'emportez pas, moi je vais lui faire son rituel !

– Ah, vraiment, ironisa quelqu'un, et avec quoi ? Où sont les buffles que tu vas lui offrir en sacrifice ? Natte déchirée s'en est allée, natte déchirée est revenu, natte déchirée n'a pas changé. Vas-tu lui sacrifier ce qui te sert à t'enrouler ? »

En entendant ces propos, elle pleura. Peu après, des coups de fusil répétés se firent entendre. Son père et les autres personnes présentes écoutèrent et dirent :

« Eh ! Sangbidang, il y a là-bas un valeureux guerrier, un vainqueur. Va-t'en, lâche ta mère, on va la mettre en sépulture. Mais qui vient avec des fusils ? C'est peut-être le roi qui fait le tour des villages. Il nous verra et nous avons honte s'il te voit. C'est le roi qui s'approche à cheval avec des armes, il apporte de nombreux buffles. Va-t'en d'ici ! On veut mettre ta mère dans le tombeau. Natte déchirée s'en est allée, natte déchirée est revenue, natte déchirée n'a pas changé.

– Qu'est-ce que cela peut faire si ce roi vient ? Peu m'importe, moi je veux accomplir les rites pour ma mère ! »

Le roi arriva peu de temps après et s'écria : « Oh ! Sangbidang, voici ton enfant qui pleure depuis que tu l'as abandonné ! Viens ici lui donner le sein ! »

Les Toradja vivent dans le sud de Célèbes, une île qui fait partie de l'Indonésie. On estime leur nombre à environ 650 000. La plupart des Toradja habitent des villages perchés dans les montagnes et cultivent des rizières en terrasse. Les toits de leurs maisons ressemblent à des proues de navire et peuvent atteindre plus de 15 mètres de haut. La culture traditionnelle Toradja accorde une grande place au culte des ancêtres et aux rites funéraires. Les morts sont enterrés dans des tombes creusées à flanc de falaise et ornées de balcons sur lesquels on place les effigies des disparus, comme accoudées à la balustrade. On sacrifie à cette occasion le plus grand nombre possible de buffles, censés accompagner le défunt dans l'au-delà.

LE PEUPLE TORADJA

Mais elle ne l'entendit pas, tout occupée qu'elle était à pleurer sa mère, elle était très malheureuse, elle éprouvait de la peine car on disait : « Ta mère est morte de souffrance. »

Sangbidang était donc très affligée : sa mère n'avait pu se réjouir quand le roi l'avait épousée, et elle était morte. Et à présent elle la pleurait. Au moment où le roi arriva, elle prit son enfant dans les bras. « Allaite ton enfant », répéta-t-il ! Elle resta sans voix.

« Elle est arrivée avec une natte déchirée pour tout sarong, dit quelqu'un, comment peut-elle être la femme du roi ? »

Celui-ci la regarda et ordonna : « Change de sarong ! Mets ta plus belle chemise et ton plus beau sarong et enlève cette natte déchirée. Puis tu viendras ici allaiter ton bébé ! » Elle se changea et allaita ensuite son enfant. Tous les gens étaient stupéfaits. Il en était de même de son aînée qui avait affirmé : « Ma cadette, dit-on, portera malheur ! » Il en était de même de son père qui la regardait en tremblant : « Ciel ! Mon enfant est effectivement riche alors que je l'ai chassée d'ici autrefois ! » Quant à sa mère, on la reposa : elle ne permit pas qu'on la mette au tombeau.

« Nous allons sacrifier pour elle des buffles. »

Elle accomplit pour sa mère le rituel dans sa forme la plus complète et des centaines de buffles furent immolés en son honneur. Quand elle revint de la falaise à sépultures où sa mère avait été déposée, elle retourna à la maison du roi. Son père, qui la regardait pensif et honteux, resta avec l'aînée qui la jalousait ; ils l'avaient nommée « la fille qui porte malheur ! »

Voilà c'est tout.

La vache des orphelins : un conte kabyle

Afrique du Nord

Un homme avait épousé deux femmes. De la première épouse, il eut une fille et un garçon. La seconde mit au monde une fille.

La grande qualité de la seconde était de savoir tisser des burnous magnifiques. Un jour, elle fit venir les deux enfants de la première épouse et elle leur dit : « Si vous tuez votre mère, je vous tisserai de beaux burnous ! »

Les deux enfants allèrent jusqu'à un tas de pierres et attrapèrent des serpents venimeux, assez pour en remplir une outre de cuir. De retour à la maison, ils dirent à leur mère de mettre la main dans l'outre. Elle fut mordue et sut qu'elle allait bientôt mourir.

« Mes chers enfants, je sais que ce n'est pas vous qui voulez ma mort. Écoutez bien : faites en sorte que la vache qui se trouve dans le champ ne soit jamais vendue. Si jamais vous n'aviez pas assez à manger, vous n'auriez qu'à la traire et boire son lait. Après mon enterrement, venez sur ma tombe et je vous donnerai d'autres conseils. »

Après la mort de leur mère, les deux enfants allèrent trouver la seconde épouse de leur père et lui demandèrent de tisser pour eux de beaux burnous. La marâtre refusa en les accusant d'avoir tué leur mère. Elle les chassa de la maison sans leur donner à manger pendant qu'elle gavait sa propre fille de sucreries. Le soir, la marâtre ne leur donna pas plus à manger. Ils allèrent dans le champ où se trouvait la vache et burent à même le pis. Ils firent de même les jours suivants. La marâtre s'étonnait de les voir toujours plus beaux, plus grands et plus forts, alors que sa fille devenait plus chétive. Elle dit à celle-ci de les suivre dans la journée et de les observer. Le soir, elle les vit qui tétaient la vache. Elle voulut faire de même, mais la vache lui lança une ruade et lui creva presque un œil.

La marâtre, furieuse, exigea de son mari qu'il aille vendre la vache au marché dès le lendemain. Mais il ne trouva pas d'acquéreur, de même que la semaine suivante. La troisième semaine, son épouse se déguisa en homme et acheta la vache sans discuter le prix. Elle la mena au boucher pour qu'il l'abatte et la dépèce. Apprenant cela, les deux enfants se rendirent sur la

La vache des orphelins : un conte kabyle

tombe de leur mère pour lui raconter leur malheur. Du fond de sa tombe, la voix de leur mère leur dit : « Allez chez le boucher et demandez-lui la panse. Apportez-la et videz tout son contenu sur ma tombe. »

Les enfants firent ainsi et, bientôt, deux petites ouvertures apparurent à la surface de la tombe : l'une contenait du beurre, l'autre du miel. Les enfants en mangèrent. Ils y venaient tous les soirs. Ils devenaient toujours plus beaux, tandis que la fille de la marâtre devenait toujours plus laide et plus faible. La marâtre en devint folle de jalousie. Elle envoya sa fille les épier et, lorsque celle-ci voulut goûter, le beurre se transforma en liquide purulent et le miel, en sang fétide. Elle raconta tout à sa mère, qui profana la tombe, déterra les ossements et les brûla. Revenus à la tombe, les enfants entendirent la voix de leur mère : « Ma tombe est détruite, mes ossements brûlés. Je ne peux plus vous aider. Vous êtes maintenant assez grands. Quittez le pays. »

Après avoir marché toute la journée, ils se réfugièrent dans un grand arbre auprès d'une source. Une vieille femme, venue chercher de l'eau, vit leur reflet et prévint l'*agellid* [chef du village, gouverneur ou roi] qu'il y avait une jeune fille et un jeune homme très beaux cachés dans l'arbre.

Il demanda aux jeunes gens qui ils étaient. La jeune fille répondit : « Nous sommes frère et sœur et orphelins. Nous nous sommes enfuis car nous avons peur de notre marâtre qui nous veut du mal ! » L'*agellid* leur dit de descendre mais, auparavant, la jeune fille lui fit promettre de ne leur faire jamais aucun mal. Il jura. Il les logea dans le village et vint les voir le lendemain. Il admira la beauté de la jeune fille, à qui il demanda de devenir son épouse. Elle consulta son frère qui fut d'accord. L'*agellid* fit célébrer une grande fête, et dix mois de bonheur pour tous s'écoulèrent.

Mais un jour, la nouvelle du mariage arriva aux oreilles de la marâtre. Elle décida de rendre visite à ses beaux-enfants, en compagnie de sa fille chétive qu'elle para de riches vêtements et bijoux. L'*agellid* était absent. La marâtre entraîna la jeune femme près du puits sous prétexte de lui parler et l'y jeta. Elle ne se noya pas, mais resta coincée entre les roches qui tapissaient le fond du puits. Alors la marâtre installa sa fille chétive dans la chambre de l'*agellid*, en la revêtant des robes et des bijoux de la jeune femme. « Si l'*agellid* voit ton œil torve et demande ce qui t'est arrivé, tu lui diras que le fard à paupières du pays est si mauvais qu'il te l'a brûlé. » De retour, le mari posa en effet la question. Il demanda aussi :

— Lorsque je t'ai épousée, ta peau était douce et rose comme une peau de pêche ; à présent, elle est toute sèche et grise.

— C'est bien la faute de l'eau de ton pays !

— Le jour de nos noces, tu avais une longue chevelure noire et soyeuse. Et maintenant tes cheveux sont crépus et mal soignés !

— C'est à cause des mauvais peignes de ton pays ! »

Le jeune homme ne trouva plus rien à dire, mais il remarqua que, chaque soir, le frère de son épouse se rendait au puits. La fausse épouse demanda alors à l'*agellid* de tuer son frère. Bien que surpris de cette demande, il accepta et fit venir le jeune homme : « On exige que je te tue ! » Ils se quittèrent sans un mot.

Le frère se rendit au puits et, se penchant vers le fond, cria : « Ma sœur, je vais bientôt mourir ! »

— Mon frère, je ne peux pas t'aider. Depuis que je suis au fond du puits, j'ai donné naissance à deux beaux garçons, que j'ai nommés Ahcen et Lhocin. Ahcen dort sur mon genou droit et Lhocin sur mon genou gauche. Je ne peux plus bouger car, à ma droite, un monstre est prêt à dévorer Ahcen et, à ma gauche, une hydre à sept têtes menace Lhocin. Je ne peux pas te venir en aide. »

Le jeune *agellid*, qui avait suivi le frère, avait tout entendu. Il lui demanda de questionner sa sœur sur les moyens de la délivrer, elle et ses enfants.

« Mon frère, c'est très simple. Il faut faire descendre les deux moitiés d'un veau égorgé, l'une vers la droite pour le monstre, l'autre vers la gauche pour l'hydre. Leur attention sera détournée pendant un instant. Tu me jetteras une corde solide avec laquelle tu me remonteras, moi et mes enfants. »

Ainsi fit-on. L'*agellid* ordonna alors à son bourreau de tuer la fille chétive et de la couper en morceaux pour en faire un repas, et de faire porter ce repas à sa mère, la cruelle marâtre. Elle dévora ce cadeau avec appétit. Mais elle découvrit au fond du plat un œil fermé et un œil ouvert qui la regardaient fixement. Elle comprit qu'elle venait de manger sa fille. Elle tomba malade de douleur et mourut peu après.

Peuple berbère habitant les régions montagneuses du nord-est de l'Algérie, les Kabyles sont les descendants de populations qui habitaient l'Afrique du Nord avant la conquête arabe. Les Kabyles ont été parmi les plus actifs résistants au colonialisme français jusqu'à l'indépendance. L'organisation sociale traditionnelle des Kabyles est fondée sur le village, gouverné par une assemblée démocratique de tous les hommes majeurs. Riche d'une longue tradition de contes, de poésie et de musique, la culture kabyle est devenue l'une des plus dynamiques du Maghreb. Les Kabyles militent activement pour la reconnaissance de leur langue et de leur identité par le gouvernement algérien.

LES KABYLES

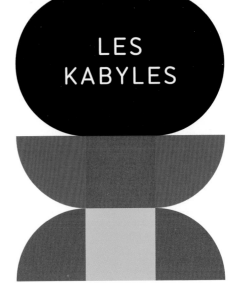

PEURS ET PLEURS, RIRES ET SOURIRES

Dans l'enfance, les émotions sont intenses, extrêmes. Le tout-petit passe en un instant du rire aux larmes, des larmes au rire. Dans les nuits enfantines s'agitent monstres et créatures terrifiantes. Les adultes peuvent alimenter ces frayeurs, mais les enfants aussi jouent volontiers à se faire peur. En grandissant, on apprend peu à peu à surmonter ces peurs, à se jouer d'elles.

De même, un rien suffit à faire rire un petit enfant. En grandissant, on rit un peu moins, surtout lorsque la vie est rude, au point que certains adultes en oublient complètement ce bonheur. Pourtant, l'enfance fait éclater le rire, dans le plaisir du jeu et des amitiés complices.

Pleurs et rires n'ont pas la même place, ni la même tonalité, dans toutes les sociétés. Les personnages qui terrifient les enfants ne sont pas partout les mêmes. Ici, on juge utile d'avoir recours à eux ; là, beaucoup moins. De même, selon les cultures, on ne rit pas des mêmes choses, ni de la même manière.

Outre les personnages effrayants, de nombreux héros peuplent l'imaginaire des enfants. Ils changent selon les époques et les continents. Hier, on comptait parmi eux des saints ou des dieux ; à notre époque, ce sont plus volontiers des champions et des stars. Qu'ils soient fictifs ou réels, ces héros deviennent des compagnons familiers, auxquels on aimerait ressembler, ou bien trop parfaits pour être imités. On s'adresse à eux, on leur demande de l'aide, au moins en imagination. On les admire et on les aime. Ils font partie de nos vies.

Le Père Croquemitaine croque les petits garçons qui sont méchants pour leurs camarades.

Père Croquemitaine,
estampe.
MuCEM, Paris.

Ogres et croquemitaines dans l'Italie du XVe siècle

Renaissance

Europe

VOIR FICHE P.227

Giovanni Pontano, poète à la cour de Naples au XVe siècle, a écrit des berceuses en vers latins. En voici une, qui annonce la venue de l'ogre, dévoreur d'enfants pleurnicheurs ; elle montre aussi la mère (ou la nourrice) qui protège l'enfant, y compris en faisant croire qu'il n'est pas là.

Malheur aux enfants qui ne dorment pas !

« Sombre est la nuit, sombre aussi l'Orcus, regarde comme Sombrement dans la nuit, il vole de ses ailes noires.

C'est lui qui cherche à prendre les petits garçons, les petites filles qui ne dorment pas.

Ô mon fils, tiens bien fermés les yeux, pour qu'il ne te prenne pas éveillé !

C'est lui qui cherche à prendre les petites filles qu'il entend pleurer Et les petits garçons ; retiens, mon fils, la voix !

Le voilà qui vole, sa tête s'entoure d'un noir brouillard, Il cherche partout, le tout-noir, il cherche mon fils à moi.

Sa bouche gronde, à ce cruel, ses dents s'entrechoquent et grincent C'est lui qui dévore les petits pleurnicheurs, qui dévore les enfants qui ne veulent pas dormir.

Mais malheur à moi, ne porte-t-il pas aussi des verges ? Arrête ! Lucius s'est calmé,

On dit même qu'il n'est pas là, qu'il est à la campagne.

Mon petit Lucillus est à la campagne, jamais il n'est méchant,

Jamais il ne tarde à dormir la nuit, ni ne pleure le jour.

Finis-en de ta rage, referme tes mains hirsutes, ogre impitoyable !

Il s'est tu, il dort, mon petit Lucius ! »

Il ne faut pas terrifier les enfants

Le recours à ces figures effrayantes, dont la crainte était censée inciter les enfants à bien agir ou à s'endormir sans tarder, était courant alors et l'est resté longtemps. Pourtant, comme d'autres savants de son époque, Maffeo Vegio s'oppose, dans son traité *De l'éducation des enfants* (1443), à ce procédé, dont il a souffert personnellement dans son jeune âge :

Voir p.128

« Il ne faut pas terrifier les enfants par tous ces noms tout à fait monstrueux de revenants et d'espèces de fantômes que les femmes ont l'habitude d'imaginer et auxquels, une fois imaginés, elles prêtent trop souvent crédit. Il ne faut pas évoquer devant eux les sorcières, dont une croyance récente du peuple raconte qu'elles viennent tuer les petits enfants sous la forme de chats. On ne leur nommera pas non plus l'Orcus qui dévore les gens, ni le Sylvain qui se niche au plus haut du toit des maisons, ni les fées, ni les déesses vengeresses. Aux enfants, on ne racontera donc rien de tel, rien de ce dont je me souviens quant à moi avoir été si longtemps terrifié, au point que jusque tard dans mon adolescence j'ai eu grand peine à me délivrer de la terreur si vivement imprimée en moi depuis ma plus tendre enfance. »*

Ogre : le mot dérive de *Orcus*, nom du dieu romain qui veille sur le monde des morts (comme le Pluton des Grecs).

Le soir, on se raconte des histoires de fantômes

20ᵉ siècle

Indonésie

Voir p.312

Ulia, un garçon Toradja, raconte comment lui et ses amis se réunissent le soir, après la journée passée dans les rizières avec les buffles.

Histoire de se faire peur

« Puis, la soirée arrivait, avec son ambiance particulière. Nous nous asseyions sur une des plates-formes de greniers. Et nous commencions là notre distraction préférée : se raconter des histoires de revenants, des récits relatifs aux bombo [les âmes des morts] *et à d'autres esprits.*

Assis serrés les uns contre les autres dans le noir, nous débutions nos histoires macabres qui se présentaient comme suit : "une fois mon père revenait d'une fête funéraire. La lune était voilée. Il vit sur la route une apparition, une forme quasi humaine, qui se détacha dans l'obscurité. Elle s'approcha de plus en plus près... il se trouva que c'était un revenant", et ainsi de suite.

Ces récits n'étaient pas toujours fiables, et moi-même je me plaisais à en inventer quelques-uns, qui n'étaient pas vrais du tout. La nuit avançait, et notre groupe se réduisait de plus en plus. Effrayés, les uns après les autres partaient... »

Esprits parmi les vivants

Dans beaucoup de sociétés, en Europe ou sur les autres continents, on croyait que les esprits des morts qui n'avaient pas trouvé la paix, risquaient de revenir importuner les vivants, pour réclamer de l'aide ou pour les menacer de quelque vengeance. Lorsqu'on n'y croit plus vraiment, on appelle cela des histoires de fantômes, qui font frissonner, au cinéma ou ailleurs. Ulia et ses amis semblent faire les deux à la fois. Ils croient sans doute autant que leurs parents aux *bombo*, les esprits des morts qui reviennent inquiéter les vivants. Mais ils jouent aussi à inventer des histoires, pour avoir peur ensemble, au cours de leurs assemblées nocturnes.

Voir p.231

Gandhi aussi avait peur du noir

Gandhi a exposé les peurs qui le hantaient encore à l'âge de treize ans : *« J'étais poltron. J'étais toujours hanté par la peur des voleurs, des fantômes, des serpents. Je n'osais pas mettre le pied dehors, la nuit. L'obscurité me terrifiait. Il m'était presque impossible de dormir dans le noir : j'imaginais des fantômes sortant d'un côté, des voleurs d'un autre, et d'un troisième des serpents. Je ne pouvais donc supporter de dormir sans lumière dans ma chambre. Comment avouer mes peurs à ma femme* [Comme beaucoup d'Indiens de son temps, Gandhi a été marié par ses parents à treize ans, avec une jeune fille qu'il ne connaissait pas] *qui reposait à mon côté ? Elle avait passé l'enfance et se trouvait déjà au seuil de l'adolescence... Je la savais plus courageuse que moi, et j'avais honte. La peur des serpents, des fantômes, lui était inconnue. Elle pouvait aller n'importe où dans le noir. »* Mais rien de tout cela n'a empêché cet enfant poltron de devenir un des hommes les plus extraordinaires de l'histoire du XXᵉ siècle, doté d'un courage et d'une force de caractère remarquables.

VOIR FICHE P. 427

Démon ailé,
île de Bali.
British Museum,
Londres.

Le bon usage des histoires à faire peur

Chaque société transmet, d'adulte à enfant, un ensemble de figures fantastiques terrifiantes dont la première fonction est de détourner les enfants des dangers.

Dans la famille des monstres

En France, la Bête Havette, le Grappin ou Marie Crochet attrapent et engloutissent les enfants qui s'approchent trop près de l'eau, le loup-garou emporte et dévore ceux qui restent dehors la nuit tombée, ou bien la Grand-Mère à Poudrette jette de la poussière dans les yeux de ceux qui ne veulent pas dormir.

Il en est de plus terrifiants encore, comme, dans le Languedoc, La-Jambe-crue-et-l'Œil-ouvert, qui court plus vite que tout le monde. Le plus mystérieux de ces êtres, le (ou la) Babou, est impossible à décrire ; son nom seul suffit à faire peur : à peine peut-on lui donner la forme d'un visage vide et inquiétant, voire d'un espace noir et indistinct, ou d'une sorte de masque qui fait des grimaces.

Courage et ruse exigés

L'Homme-au-sac, qui emporte les enfants désobéissants dans sa besace pour les dévorer, se retrouve dans un récit populaire présent dans toute l'Europe. Il raconte les affrontements entre un petit garçon et un ogre. Trois fois de suite, l'enfant joue des tours à l'ogre, qui l'attrape et le met dans son sac. Il réussit à s'échapper deux fois, et la troisième se débarrasse par une ruse de son adversaire, souvent décrit comme un géant. Dans les pays scandinaves, le jeune héros, intrépide et malin, a pour nom Smörbuck, c'est-à-dire Petite Motte de Beurre : considéré comme comestible par l'ogre, il démontre qu'il a de l'esprit et du courage.

Rencontrera-t-il la peur ?

Un autre conte, très connu également, *Jean sans peur*, relate les aventures d'un garçon qui ne connaît pas la peur et qui a juré de ne pas se marier avant de l'avoir rencontrée. Son parrain, qui est curé, imagine un stratagème. Il l'attire en haut du clocher de l'église où il a placé le bedeau déguisé en fantôme. Jean le bouscule pour le faire parler et le jette du haut du clocher. Après cet échec, il quitte son village, passe trois nuits dans un château hanté, où des diables tombent de la cheminée par morceaux – une jambe, l'autre, les bras, le tronc, la tête –, pour reconstituer un corps entier. Il n'éprouve toujours aucune crainte. Mais il a levé le sort du château hanté et reçoit la princesse comme épouse. Il ne veut toujours pas se marier. C'est la princesse qui lui fait connaître la peur en lui faisant découper un pâté dans lequel elle a fait enfermer des oiseaux vivants qui s'envolent. Surpris et épouvanté, il « frémit ».

Trembler pour grandir

Les adultes, apparemment cruels envers les enfants, leur permettaient ainsi de nommer ou de donner une figure à leurs angoisses internes profondes, qui concernent des questions sans expression, ni représentation ni réponse possibles : d'où je viens ? est-ce que je risque d'être dévoré ou de mourir de faim, d'être abandonné ou blessé ? Le danger provient alors de l'extérieur et la crainte remplace l'angoisse. Pour devenir adulte, il faut avoir connu la peur. Comme le disait si bien le grand poète René Char : *« Il faut trembler pour grandir. »*

René Char (1907-1988) : poète français.

Chez les Inuit, rire = danger

Arctique

Dans de nombreuses cultures, le rire a mauvaise réputation. On en sera sans doute surpris, tant rigoler nous semble naturel. Pourtant, en Europe même, il a fallu attendre de longs siècles avant que les clercs du Moyen Âge cessent de tenir le rire pour une expression diabolique ! Surtout le ricanement et le rire aux éclats.

Explosif et incontrôlable

Chez les Inuit, qui vivent dans les étendues glacées du Groenland, de la Sibérie et du grand Nord canadien, on juge très dangereux de rire sans retenue. Voilà bien le problème du rire : il est explosif, incontrôlable. Ne dit-on pas qu'on rit comme un fou ou comme un tordu, qu'on se gondole, qu'on se fend la pêche et même qu'on est mort de rire ? Le rire déforme le visage, pendant que le corps se contorsionne... Or, dans bien des sociétés traditionnelles, on considère que chacun doit savoir contrôler l'expression de ses sentiments et les mouvements de son corps.

Ainsi, les Inuit se gaussent volontiers des Blancs, qui rient sans mesure. Comme des enfants, disent-ils. À leurs propres enfants, ils enseignent dès que possible à ne laisser paraître leurs émotions qu'avec discrétion, et tout particulièrement à éviter de rire fort.

Si tu ris, tu perds

Que le rire soit dangereux, rien ne le démontre mieux que les récits mettant en scène la terrible Ululijarnaat, une femme associée à la Lune, toujours hilare, avec sa bouche grande ouverte et sa langue tirée. Elle s'efforce de faire rire les hommes et les femmes qu'elle rencontre. Si elle y parvient, ils auront le ventre tranché et les viscères arrachés.

Un jeu, dénommé *arsiq*, est très apprécié par les Inuit : il consiste à garder son sérieux le plus longtemps possible, malgré les grimaces et les pitreries de celui qui est en face. Qui ne peut se retenir de rire a perdu. On connaît, dans l'Europe de l'Ouest, un jeu similaire : « Je te tiens, tu me tiens par la barbichette, le premier de nous deux qui rira aura une tapette... »

Pour vivre longtemps, ne riez pas !

Or, chez les Inuit, il ne s'agit pas seulement d'un jeu mais aussi d'un moyen d'apprendre un comportement indispensable à la vie collective. Et d'écarter bien des menaces : lors du solstice d'hiver, les chamanes se travestissent pour faire rire les adultes assemblés ; ceux qui ne peuvent contenir leur rire auront, dit-on, la vie écourtée...

Chamane : un « chamane » (terme issu d'une langue de Sibérie orientale) est, selon les croyances de nombreux peuples du nord-est de l'Asie et d'Amérique, un homme capable d'effectuer des voyages dans l'au-delà et d'entrer en contact avec les esprits et les morts. On lui prête le pouvoir de guérir les maladies, de prédire l'avenir, de résoudre les crises qui affectent le groupe, de repousser les attaques d'esprits hostiles ou encore d'attirer la bienveillance des forces qui contribuent à la fertilité de la nature.

Gennady, chamane de Touva, durant un rituel, août 2008, République de Touva, Russie. Photographie d'Ivan Boiko.

Dispersés sur les rives de l'océan Glacial arctique (Groenland et Canada) et du détroit de Béring (Alaska et Sibérie), les Inuit se sont remarquablement adaptés à la vie dans le Grand Nord, malgré ses températures extrêmes. Ils ont inventé l'iglou, le kayak, les pantalons en fourrure d'ours... Traditionnellement, les Inuit vivaient de chasse et de pêche. Ils tuaient les phoques ou les baleines au harpon et se déplaçaient en traîneau à chiens sur la banquise. Pour entrer en contact avec les esprits, ils faisaient appel à des chamanes dont le tambour rythmait les chants magiques. Aujourd'hui, les Inuit sont environ deux cent mille. Ils vivent dans des maisons modernes, sont convertis au christianisme, se déplacent en scooter des neiges et travaillent dans des pêcheries industrielles... Au Canada, ils gèrent un territoire autonome, le Nunavut.

LE PEUPLE INUIT

Lectures pour tous ou livres pour enfants ?

19ᵉ-20ᵉ siècle

Europe

Dans la plupart des sociétés, et cela pendant des siècles, il n'a pas existé de livres conçus spécialement pour les enfants. Ceux qui savaient lire devaient puiser dans la bibliothèque de leurs parents et se plonger dans des ouvrages écrits pour les adultes. On peut en dire autant des récits transmis oralement, comme les contes.

Le tournant du XIXᵉ siècle

Au début du XIXᵉ siècle, George Sand écrit qu'il « *n'existe point de littérature à l'usage des petits enfants* ». Peu auparavant, il y eut bien quelques coups d'essai, comme *Le Magasin des enfants*, publié par Mᵐᵉ Leprince de Beaumont en 1758, à Lyon. Mais le grand essor date du XIXᵉ siècle. Les contes, ceux de Charles Perrault, des frères Grimm ou de Hans Andersen, deviennent alors une littérature spécialement destinée aux enfants.

Des livres rien que pour eux

Au même moment, on publie les premières histoires écrites d'emblée pour les jeunes lecteurs, et dont les héros sont souvent des enfants. Voici *Pierre l'Ébouriffé* (*Struwwelpeter*), qui paraît en Allemagne, en 1845. En France, la comtesse de Ségur raconte *Les Malheurs de Sophie*, en 1859. En Italie, en 1880, Collodi invente un personnage promis à une longue célébrité : Pinocchio. Le XXᵉ siècle apporte d'autres nouveautés. Vers 1930 sont publiés les premiers livres

Voir p. 411

pour les tout-petits, avec des pages cartonnées, des images de grandes dimensions et très peu de texte.

La bande dessinée prend son envol à partir de 1900 et devient vite l'un des genres préférés des enfants. Parmi ses premiers héros, au tout début du XXᵉ siècle, figurent Pim, Pam, Poum, Bécassine et les Pieds Nickelés, plus ou moins tombés dans l'oubli. D'autres, un peu plus jeunes, comme Tintin (1929) ou Superman (1938), ont traversé les générations avec succès.

Voir p. 66

Voir p. 414

Illustration d'Antoon Krings pour ***Loulou le Pou***.

Gallimard Jeunesse/Giboulées, coll. « Les Drôles de Petites Bêtes », 1995.

Carlo Collodi (1826-1890) : écrivain italien.

Sophie Rostopchine, comtesse de Ségur (1799-1874) : femme de lettres française d'origine russe.

Hans Christian Andersen (1805-1875) : écrivain danois.

Illustration de
Maurice Sendak pour
Max et les Maximonstres.
Delpire, 1967
pour l'édition française.

Illustration
de Louis Forton
pour **La Bande
des Pieds-Nickelés,**
Offenstadt, 1915.
En argot,
« avoir les pieds nickelés »
signifie être paresseux.
Collection Selva, Paris.

**Décembre 2002,
Londres.**

Photographie
de Franck Courtès.

Hit-parade des héros pour enfants

5e siècle avant J.-C.-21e siècle

Quels sont et quels ont été les héros les plus familiers, les plus prisés des enfants ?

Exemples à suivre

Dans la Grèce antique, les héros que l'on présentait à leur admiration étaient principalement les vainqueurs des jeux sportifs et les grands hommes qui s'étaient illustrés dans la vie de la cité. Il fallait voir en eux des modèles pour la pratique du sport et pour l'apprentissage des vertus civiques.

Dans l'Europe chrétienne, les hommes d'Église recommandaient de montrer aux enfants des images de saints, afin qu'ils s'imprègnent de leurs vies exemplaires et commencent à les admirer. Tandis que les images des martyrs et de leurs supplices devaient leur enseigner la valeur de la souffrance physique, celles de l'Enfant Jésus avaient de quoi les attendrir. Tout comme, en Inde, celles de Krishna enfant pouvaient émouvoir les jeunes âmes élevées dans la religion hindouiste.

Robinson et Cendrillon au panthéon

Voir p.88

Bientôt, les personnages des contes et des romans peuplent l'imagination des enfants. Plus que tout autre, Robinson Crusoé, perdu sur son île déserte, est une occasion d'évasion, par exemple pour Jean-Jacques Rousseau, pour Jules Vallès ou pour Alphonse Daudet, l'auteur du *Petit Chose*, qui raconte : « *Le soir après souper, je relisais mon Robinson, je l'apprenais par cœur ; le jour, je le jouais, je le jouais avec rage, et tout ce qui m'entourait, je l'enrôlais dans la comédie.* » Tous les héros ne sont pas entièrement positifs. Bien des filles se croient mal aimées ou persécutées par leurs parents, et s'imaginent dans la peau de Cendrillon...

Voir p.44

Héros mondialisés

Et aujourd'hui ? Pour la première fois sans doute, il existe des héros *mondiaux* de l'enfance, compagnons familiers, connus et commentés sur les cinq continents. La télévision, ainsi que les marques qui associent ces personnages à leurs produits pour en augmenter les ventes, sont la cause de cette réalité nouvelle.

Certains de ces héros sont des personnages de dessins animés : Mickey, Misti, Bruk et bien d'autres... D'autres sont des stars, chanteurs et chanteuses, acteurs et actrices, sportifs, qui fascinent les enfants. La presse invite à suivre leur vie, avec ses événements heureux ou douloureux. On collectionne leurs images et on peut, selon les cas, chercher à leur ressembler, critiquer certains de leurs actes ou... s'éprendre d'amour pour eux (ou elles) !

Alphonse Daudet (1840-1897) : écrivain français.

Publiée en 1719, *La Vie et les Aventures étranges et surprenantes de **Robinson Crusoé*** est l'oeuvre du romancier anglais Daniel Defoe (v. 1660-1731).

L'ENFANT ET L'ANIMAL

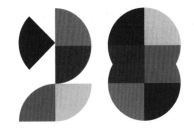

Pendant des millénaires, les humains ont vécu de la chasse et de la cueillette, de l'agriculture et de l'élevage ; ces activités impliquaient un lien permanent avec la nature. Les enfants grandissaient dans un environnement où les animaux étaient très présents. Les volatiles entourant la maison campagnarde, poules ou dindons, accompagnaient les premiers pas des tout-petits. Devenus bergers ou bergères, ils gardaient chèvres ou buffles. Nous les verrons chasseurs d'insectes et d'oiseaux, ou encore observant, grâce aux animaux, les grandes étapes de la vie : la naissance, l'accouplement, la mort aussi.

Dans les villes, cette familiarité avec la nature disparaît ; mais une complicité demeure : l'enfant s'identifie facilement à l'animal, de poils, de plumes ou de peluche. Du reste, les adultes donnent volontiers aux enfants des noms affectueux d'animaux : « mon lapin », « mon petit chiot » (*mi cachorrito*, en espagnol), « mon faisandeau sauvage » (au Japon), « petit poulet » (*pullulus*, dans le latin de la Rome antique), etc. L'animal est un bon miroir pour l'enfant.

Dans les fables d'autrefois comme dans les dessins animés actuels, les animaux comptent parmi les héros préférés des enfants. Ces récits aident à se familiariser avec l'univers des adultes : en le transformant en une fantaisie animalière, ils donnent de lui une image plaisante. Les animaux sont pour les enfants des *alliés* dans leur grande tâche : faire l'apprentissage du monde.

Plus que les adultes, les enfants éprouvent cette complicité avec la nature et avec l'animalité que le monde moderne fait disparaître. Mais les idées que les citadins d'Europe ou d'ailleurs se font des animaux, et de la différence entre l'homme et l'animal, sont-elles partagées dans toutes les sociétés ?

Petits chasseurs dans la brousse

20e siècle

Afrique noire

Voir p. 147

Amadou Hampâté Bâ raconte son séjour dans le village bambara de Donngorna, loin de sa région natale. Grâce à son ami, il découvre de nouveaux jeux et des formes de chasse inhabituelles pour lui.

Lézards et sauterelles au menu

« Je profitai de cet heureux temps pour aller m'amuser avec Bamoussa, le fils du chef du village, un garçon qui devait avoir un an de plus que moi. Il allait tout nu, portant en bandoulière un sac fait de bandes de coton dans lequel il gardait tout ce qui lui tombait sous la main : souris des champs capturées au piège, sauterelles, lézards, fruits sauvages, etc. Cela me changeait de ma vie de petit Peul habitué à jouer entre veaux, chevreaux et agnelets et à boire du lait en tétant directement chèvres et brebis. Je trouvais les occupations de mon ami Bamoussa bien amusantes, mais tout de même un peu dégoûtantes. Aussi me contentais-je de manger les fruits et lui laissais-je ses souris, lézards et sauterelles. Il les grillait sur un feu de menus morceaux de bois et de paille que je l'aidais à ramasser. »

Feu à volonté

« Il possédait une houe minuscule dont il usait pour creuser, un petit couteau et une hachette et, pour allumer le feu, un briquet africain constitué de deux pièces : une pierrette à feu et un fer de choc. Il produisait du feu à volonté. La brousse était son restaurant préféré. Il y déjeunait souvent. Certains s'étonneront peut-être qu'un enfant aussi jeune (il devait avoir autour de six ans) soit capable de faire tant de choses. C'est que les enfants africains étaient extrêmement précoces, leurs jeux consistant le plus souvent à imiter les travaux des adultes, qu'ils aidaient d'ailleurs très tôt dans leurs tâches. Bamoussa n'était nullement une exception. »

La chasse, jeu favori des enfants

Dans presque toutes les sociétés rurales du monde, chasser des animaux est l'un des jeux favoris des enfants. À l'exception sans doute de l'Inde, dont la culture traditionnelle enseigne à ne tuer aucun animal.

Mais la manière de chasser et le sens de cette activité peuvent varier. Les proies diffèrent selon les lieux et les âges. Les techniques imitent souvent celles des adultes. Dans plusieurs régions d'Afrique, les enfants reçoivent des arcs miniatures ; en Amérique, ils menacent oiseaux et petits rongeurs avec des lance-pierres. Chez les Indiens d'Amazonie, ce sont les petites filles qui attrapent des larves et des tarentules, et les font cuire.

Les filles à la chasse au lapin

En Europe, du Moyen Âge jusqu'au XVIIIe siècle, la chasse était réservée aux nobles (même si les autres braconnaient en cachette). Ensuite, ce privilège a été aboli. Mais, au XXe siècle encore, on se faisait un devoir, dans les familles nobles, d'initier les enfants, y compris les filles, à cette pratique. Née en 1911, l'une d'elles se souvient : « *Dès l'âge de sept ans, nous avons eu des petits fusils avec des cartouches. On nous donnait cinq petites balles. On tirait des lapins et des corbeaux. Papa nous donnait une petite carabine et nous allions tirer des lapins dans le parc, mon frère et moi, tout seuls, le jeudi et le dimanche. Il envoyait le garde-chasse ou un domestique pour surveiller de loin et vérifier que nous étions prudents.* »

VOIR FICHE P. 100

Charles Darwin, collectionneur d'insectes à dix ans

19e siècle

Grande-Bretagne

Surpris par un hémiptère

« *Je crois avoir observé les insectes avec un certain soin ; en effet quand j'eus dix ans [en 1819], j'allai passer trois semaines à Plas Edwards, sur la côte du pays de Galles ; je fus aussi intéressé que surpris lorsque j'y découvris un gros insecte hémiptère noir et écarlate, de nombreux papillons ainsi qu'une cicindèle, tous inconnus dans le Shropshire. J'étais presque résolu à commencer une collection de tous les insectes que je pouvais trouver morts ; en effet, après avoir consulté ma sœur, je conclus que je n'avais pas le droit de tuer dans le seul but de constituer une collection.* »

Passion de la collection

Dès huit ans, le petit Charles est un collectionneur passionné : « *Je collectionnais toutes sortes de choses, coquilles, sceaux, cachets de poste, monnaies et minéraux. Cette passion de la collection, qui peut conduire un homme à devenir un naturaliste systématicien, un connaisseur ou un avare, était très forte chez moi et, de toute évidence, innée, car aucun de mes frères et sœur n'eut jamais ce goût.* »

Déshonneur de la famille

Tels sont quelques-uns des épisodes que Charles Darwin, né en 1809, à Shrewsbury, en Angleterre, raconte dans son *Autobiographie*. Un jour, son père lui dit : « *Tu ne t'occupes que de chasse, de chiens et d'attraper des rats : tu seras le déshonneur de ta famille.* » Mais cette passion un peu particulière de la collection enfantine s'est transformée peu à peu en intérêt scientifique pour les espèces animales et leurs caractéristiques.

Charles Darwin
(1809-1882) :
naturaliste
britannique.

Cruautés enfantines

Les animaux font souvent les frais de la curiosité, volontiers cruelle, des enfants : fourmis et autres insectes aux pattes arrachées, chiens et canards bombardés de pierres... Le même Darwin s'en souvient : « *Lorsque j'étais très petit garçon, j'ai agi cruellement en battant un chiot. Je crois que c'était simplement pour jouir du sentiment de ma puissance... Cet acte pèse lourdement sur ma conscience... Il m'est d'autant plus pénible que j'avais déjà, et que j'ai longtemps eu, une passion pour les chiens.* »

Sa théorie contredit la Genèse

Adulte, Charles Darwin devint l'un des plus grands savants du XIXe siècle. Sa théorie de l'évolution explique que l'homme est le résultat de la transformation naturelle des espèces animales. Ce faisant, il a radicalement contredit l'enseignement des religions juive, chrétienne et musulmane, fondé sur la Genèse : selon ce texte, Dieu a créé les humains dès l'origine du monde, et leur a alors accordé le pouvoir de dominer les animaux.

VOIR FICHE P. 187

Qui est le plus fort ?

Même dans les sociétés vivant de la chasse ou de l'élevage, la familiarité des enfants avec les animaux n'était pas forcément paisible. Un enfant aime bien se sentir le plus fort en faisant fuir chiens ou oiseaux. C'est une petite revanche, pour tant de frayeurs occasionnées par les animaux, comme ce hibou dont le cri nocturne terrifie le petit Félix Platter, fils d'un imprimeur de Bâle, vers 1540.

Compagnon et complice

Aujourd'hui, la majorité des enfants du monde vit dans de grandes villes. Les contacts avec les animaux deviennent rares et plutôt artificiels (par exemple, au zoo). Pour compenser cette distance avec la nature se développe l'habitude d'avoir chez soi un chien ou un chat, un oiseau ou un hamster... L'animal domestique joue le rôle d'un compagnon de jeu, d'un complice avec lequel on partage joies et peines. On se comprend à demi-mot ; même si on se dispute parfois. Il faut s'occuper de lui, le soigner : cela fait du bien de se sentir utile. L'animal représente souvent le petit frère ou la petite sœur que l'on aimerait avoir.

Félix Platter
(1536-1614) :
médecin,
anatomiste
et botaniste suisse.

Toujours à mes côtés

L'univers des enfants est aussi peuplé des petites bêtes qui fourmillent dans les livres ou envahissent les écrans : Mireille l'abeille, Mimi la souris, Winnie l'ourson et tant d'autres. Sans oublier les animaux de peluche, offerts dès la naissance : certains ont l'honneur de devenir ce « doudou » sans lequel il n'y a pas moyen de dormir. L'animal en peluche ou en plastique semble devenu inséparable de l'enfance. Pourtant, il s'agit d'un objet tout récent dans l'histoire de l'humanité, propre au monde moderne, si fortement séparé de la nature.

Figurine de chat à la mâchoire articulée, découverte à Thèbes ; bois, bronze, ficelle, Nouvel Empire (vers 1550-1069 avant J.-C.).

The Bristish Museum, Londres.

De tels animaux, sculptés dans l'Égypte ancienne, semblent des jouets que les enfants tiraient au bout d'une ficelle. Mais est-ce bien sûr ?

Michel de Montaigne (1533-1592) : écrivain français.

Animal familier ou animal domestique

Stèle funéraire d'une fillette, fin du Iᵉʳ siècle, calcaire.

Musée d'Aquitaine, Bordeaux.

Ce relief romain du Iᵉʳ ou IIᵉ siècle montrant une petite fille tenant un chat constitue l'un des premiers témoignages de la domestication de cet animal en Europe.

Voir p. 448

Voir p. 367

Allaités par des animaux

Dans de nombreuses sociétés du passé, il était fréquent, lorsque le lait de la mère ou de la nourrice manquait, que l'enfant soit allaité par une chèvre, comme le mentionne Hampâté Bâ. Au XVIᵉ siècle, Montaigne explique que c'est une pratique ordinaire dans le Sud de la France. Cette illustration, qui figurait dans le *Larousse ménager* jusqu'en 1941, montre comment pratiquer un tel allaitement. Par ailleurs, nombre d'enfants sauvages ont été élevés par un animal. En 1563, l'un d'eux fut retrouvé dans les Ardennes : nourri par une louve, il s'entendait à merveille avec ses louveteaux, qui partageaient leurs proies avec lui. Il devint ensuite un berger hors pair, car il avait le don de tenir les loups à distance du bétail. Au XVIIᵉ siècle, en Lituanie, trois enfants ont été adoptés et allaités par des ourses. En 1988 encore, à Düsseldorf (Allemagne), le petit Horst Weiner a été élevé jusqu'à quatre ans par une chienne, qui lui donnait à manger et le lavait.

Et si les animaux étaient des humains ?

Amérique

Jusqu'à nos jours

Ce grand masque à transformation des Indiens Kwakwaka'wakw provient de la Colombie-Britannique, sur la côte ouest du Canada. Lorsqu'il est fermé, il représente une tête d'oiseau. Un mécanisme permet d'en ouvrir les volets latéraux, dévoilant alors, derrière les apparences animales, une intériorité semblable à celle des humains.

xixᵉ siècle ; bois peint, graphite, cèdre, toile, corde, hauteur : 34 cm x largeur : 120 cm x profondeur : 25 cm (ouvert).

Musée du quai Branly, Paris.

Un enfant indien du peuple Raramuri
(aussi appelé Tarahumara), qui vit dans les montagnes
du nord du Mexique, fait le récit suivant.

Le corbeau était paysan

« Au début du monde, tous les animaux que nous connaissons aujourd'hui étaient des humains et parlaient ; peu à peu, ils se sont transformés en animaux. Par exemple, le corbeau était un homme qui travaillait les champs et semait du maïs, des haricots et d'autres choses encore. Vint le moment où il dit : "J'en ai assez de semer pour pouvoir manger ; je m'en vais plutôt dans une grotte où personne ne pourra me voir !" Il emporta un bâton, qui devint son bec, une couverture, qui forma son plumage, avec ses plumes très brillantes, et tout cela parce qu'il ne voulait plus semer, mais seulement prendre ce que les autres cultivaient. C'est ainsi que nous le voyons depuis, prenant les graines de nos champs. Ainsi, comme le racontent nos ancêtres, l'homme qui ne voulait pas semer ni travailler les champs se transforma en corbeau. »

Des hommes déguisés en animaux

Dans cette histoire, les animaux ont d'abord été des hommes, mais ne le sont plus. D'autres peuples d'Amérique, comme les chasseurs du Nord canadien ou ceux de l'Amazonie brésilienne, estiment que les animaux sont des humains comme nous. Il faut même les considérer comme des membres de notre famille, des beaux-frères par exemple. La seule différence réside dans leur apparence : ces humains-là se sont déguisés en animaux pour cacher leur véritable identité !

Un double

Certains peuples amérindiens, comme les Mayas, pensent aussi que chaque être humain possède un « double » qui l'accompagne. Il peut s'agir d'un oiseau, d'un serpent, d'un jaguar ou d'un autre animal, correspondant à la personnalité de chacun. Ce double, appelé *nagual* ou *lab*, vit à la fois à l'intérieur de l'être humain et dans le monde extérieur. S'il lui arrive malheur, s'il est fait prisonnier ou blessé, la personne souffrira d'un trouble ou d'une maladie.

Dans ces sociétés, les enfants apprennent que les animaux sont des humains. Et qu'une partie de notre personnalité d'être humain est en fait animale. On les encourage à penser qu'il n'y a pas de véritable différence entre les humains et les animaux !

Les Tarahumaras sont un peuple amérindien installé dans le nord du Mexique, dans les montagnes sauvages et les canyons escarpés de la Sierra Madre occidentale. Ils y ont trouvé refuge au XVIe siècle alors qu'ils fuyaient la conquête espagnole. Les communautés d'agriculteurs et d'éleveurs tarahumaras étant isolées dans les montagnes, elles ont su préserver leur mode de vie, leur langue et leurs traditions. Les hommes participent à des compétitions rituelles de course à pied dans la montagne, en poussant un palet de bois, sur des distances parfois supérieures à 80 km ! Les Tarahumaras pratiquent des rituels chamaniques au cours desquels ils font usage de peyotl, une plante hallucinogène. L'écrivain Antonin Artaud a raconté son expérience de l'absorption de peyotl dans l'ouvrage qu'il a consacré aux Tarahumaras.

LES TARAHUMARAS

L'animal, miroir d'humanité

Europe

« Monsieur le roi, il veut marier sa fille. Mais il y a trois ouvrages à faire pour la marier. » Ainsi commence un conte dit en 1874 par Nannette Lévesque, vieille femme illettrée originaire de la haute Ardèche.

Comment gagner la fille du roi ?

Jean, le fils d'une pauvre femme, veut tenter l'aventure, malgré le peu d'encouragement de sa mère. En route, il rencontre la grosse cane, puis la grosse belette, enfin la grosse abeille, chacune avec ses petits. Elles demandent toutes les trois à Jean de ne pas maltraiter ceux-ci. *« Il passa sans leur faire de mal. »*

Le roi lui donne une première tâche : rapporter la *« clef de la garde-robe de sa fille »*, qu'il vient de jeter dans un gouffre plein d'eau. *« Il était bien ennuyé. Il vit venir la cane avec ses petits, can, can, can. »* Elle plonge et rapporte la clef, qu'elle remet à Jean.

Le roi, étonné, lui donne le deuxième *« ouvrage »* : ramasser un sac de riz éparpillé dans un buisson d'épines. La *« grosse belette et ses petits »* réunissent tous les grains jusqu'au dernier et en remplissent le sac.

La troisième tâche concerne directement la fille du roi. Jean doit la reconnaître alors qu'elle se trouve avec deux autres habillées de la même façon, portant la même coiffure, les mêmes parures, le même mouchoir. Très embarrassé – il n'a jamais rencontré la princesse –, il cherche, vire, se promène, jusqu'au moment où il entend la mère abeille bourdonner, puis la voit se poser sur l'épaule d'une des jeunes filles. *« Allons, venez avec moi, vous serez ma femme. »* Le roi dit : *« Tu m'as gagné ma fille, elle est à toi. »* Et le Jean emmena la fille.

Amitié avec l'animal, heureux présage

Ce conte, intitulé *Les Animaux reconnaissants*, met en scène un héros pauvre et démuni, qui se fixe un grand projet. En route, il acquiert l'assistance d'animaux envers lesquels il se montre compatissant. Les trois mères lui ont dit que « d'autres » sont passés et ont tué plus de la moitié de leurs petits. Certains contes du même type racontent l'échec de ces « autres » à conquérir la princesse.

La compassion, c'est reconnaître l'autre et le reconnaître dans sa souffrance et dans sa détresse. L'attention portée aux animaux, nos « frères inférieurs » selon l'expression consacrée, engage une communication première, qui va permettre de se reconnaître pareils à eux et différents, à la fois. Les relations amicales avec les animaux sont le présage et le signe de bonnes relations avec l'autre et avec soi-même, un signe d'humanité donc.

Qui est le champion des frayeurs causées aux enfants ?
À coup sûr, c'est le grand méchant loup... En Europe, du moins,
car sur d'autres continents l'emportent le tigre ou le lion,
dont on menace par exemple les enfants japonais.

Loup qui fait peur et loup péteur

Mais pourquoi le loup ? Certainement parce que cet animal causait autrefois bien du souci aux paysans, qui craignaient pour leurs volailles et le bétail qu'on menait paître. Les loups s'aventuraient même en pleine ville, blessant ou tuant parfois de jeunes enfants. Pourtant, le loup n'est pas seulement cet animal redouté dans la vie quotidienne ; il occupe une bonne place dans l'imaginaire, les contes et les jeux d'enfants. Tout le monde connaît l'histoire des *Trois Petits Cochons*. Dans ses versions anciennes, les cochons sont parfois remplacés par d'autres animaux, par exemple des oies. Et le loup ne fait pas que souffler : « *Ouvre-moi ta porte ou bien je vais gratter, je vais pétarader, je vais souffler et ta maison va s'écraser.* » Le loup d'autrefois est un loup qui pète !

On joue au loup ?

Tout le monde connaît aussi le jeu du *Loup y es-tu ?* : « *Promenons-nous dans les bois / Pendant que le loup n'y est pas / Si le loup y était / Il nous mangerait / Loup, loup, y es-tu ? / Entends-tu ? / Que fais-tu ?* »

Quand le loup a fini de s'habiller, il sort et pourchasse les autres joueurs, jusqu'à en attraper un, qui prend sa place. Il y aussi le jeu de la *queue leu leu*, attesté dès le XIVe siècle : le loup doit s'emparer d'un des moutons qui se tiennent à la queue leu leu derrière leur berger, sans se faire prendre par celui-ci.

Le loup péteur se retrouve dans une comptine, connue depuis le XVIe siècle : « *Un loup passant dans le désert / Tout habillé de gris de vert / La queue levée, le cul ouvert / Il fait un pet / Pour qui ? / Pour toi / Retire-toi dans ta cabane en bois.* »

Loup vert et bienfaisant

Cette comptine et ces jeux gardent le souvenir des fêtes qui se déroulaient autrefois le 24 juin, jour de la Saint-Jean. Dans certains villages d'Europe, on élisait un homme qui prenait le nom de Loup Vert. Tous les autres participants devaient l'attraper, en se tenant par la main, et faisaient mine ensuite de le jeter dans le feu. Curieusement, ce loup ne semble pas tout à fait mauvais, car sa couleur verte évoque la fertilité de la nature, que l'on célébrait ce jour-là en dansant autour d'un arbre. Le grand méchant loup serait-il aussi porteur de bienfaits et de bonnes récoltes ?

Grand méchant loup, d'où viens-tu ?

Moyen Âge-Aujourd'hui

Europe

Comment Mickey a conquis le monde

Connu sur les cinq continents, Mickey Mouse est l'un des tout premiers héros mondiaux de l'enfance. Comment a-t-il fait pour devenir si célèbre ?

Enfance d'un héros

Mickey est né en 1928, aux États-Unis d'Amérique. Il a deux pères, Ub Iwerks et Walt Disney, mais il doit son nom à la femme de ce dernier. Dans son premier dessin animé (*Plane Crazy*), Mickey construit un avion pour emmener Minnie ; il vit alors en noir et blanc et reste muet. Durant ses dix premières années, les nombreux courts-métrages dont il est le héros sont projetés avec succès dans les cinémas, avant le film principal. Le public se presse, d'autant que Walt Disney innove en ajoutant bientôt la couleur et le son stéréo. Mickey devient très célèbre et reçoit un oscar, dès 1932.

Mickey superstar

En 1944, pendant la Seconde Guerre mondiale, les troupes américaines, lors de leur débarquement en Europe, se donnent pour mot de passe « Mickey Mouse » ! Pourtant, dans les années d'après-guerre, Donald fait de l'ombre à la célèbre souris et paraît sur le point de l'éclipser. Mickey réagit : la télévision, alors toute nouvelle, l'aide à mieux faire connaître ses aventures. Et le premier parc Disneyland, ouvert en 1955, devient son royaume.

Il est alors l'emblème incontesté de Walt Disney, la plus grande entreprise mondiale vouée au divertissement enfantin. Celle-ci propulse son image partout, à coups de millions de dollars dépensés en publicité. Et si Mickey a pu prendre position aux quatre coins du globe, c'est aussi parce que son pays, les États-Unis d'Amérique, domine le monde pendant la seconde moitié du XXe siècle.

Bien comme il faut

À sa naissance, Mickey se conduisait de façon effrontée ; il maltraitait les animaux et faisait plus d'une bêtise. Des parents ont exigé un héros plus aimable et ses admirateurs protestaient chaque fois qu'il s'éloignait du droit chemin... Mickey a dû se faire sympathique et souriant, intelligent et malicieux, serviable avec sa petite amie. Il offre depuis l'image rassurante d'un enfant vif, à l'énergie inépuisable, mais toujours raisonnable. Walt Disney voit en lui le « synonyme de tout ce qui est bon ». Peut-être lui manque-t-il un grain de fantaisie ou un zeste de personnalité, mais n'est-ce pas la meilleure manière de plaire au plus grand nombre ?

La petite souris aux grandes oreilles est l'un des premiers héros animaux à s'imposer grâce au dessin animé. En fait, Mickey est à la fois un enfant et un animal. Serait-ce aussi parce qu'il compte parmi les animaux les plus petits et les plus souvent dépréciés que les enfants du monde entier se reconnaissent aisément en lui ?

Ub Iwerks
(1901-1971) : animateur et producteur américain.

Walt Disney
(1901-1966) : dessinateur, cinéaste et producteur américain.

Deux jeunes Congolais, habillés en costume de Disney, travaillent comme hôtes dans une foire de décoration d'intérieur pendant la période de Noël.
Décembre 2005, Brazzaville, Congo.

Photographie d'Héctor Mediavilla.

FÊTES, SPECTACLES ET DIVERTISSEMENTS

29

Fêtes et spectacles semblent une extension du jeu enfantin. Les fêtes sont des moments privilégiés pour jouer ou recevoir des cadeaux, souvent de nouveaux jouets. Les fêtes foraines aussi regorgent de jeux de toutes sortes. Certains spectacles, tels les marionnettes, le cirque, la magie ou les clowns, alimentent le plaisir de se raconter des histoires et peuvent les enrichir de nombreux personnages.

Mais a-t-il existé, toujours et partout, des fêtes et des spectacles conçus spécialement pour les enfants ? Certainement pas. Nombre de sociétés n'ont connu que des festivités, et surtout des cérémonies à caractère religieux, destinées à tous, et en premier lieu aux adultes. Toutefois, les enfants y ont souvent leur place, et une place bien à eux.

Depuis le XXᵉ siècle, fêtes et spectacles organisés à l'intention des seuls enfants ne cessent de prendre de l'ampleur, sauf sans doute là où règne la pauvreté. Mais, aujourd'hui, certains des divertissements préférés des enfants s'éloignent de plus en plus du jeu. Avec les écrans d'ordinateur, la télévision n'occupe-t-elle pas la première place parmi les passe-temps de millions d'enfants ? N'est-elle pas seule à pouvoir capter leur attention durant une journée entière ? Et si elle procure bien des plaisirs, que conserve-t-elle de l'esprit du jeu enfantin ?

Marionnettes à Athènes

Grèce　　　　　**Antiquité**

Déjà dans l'Antiquité grecque, à Athènes, il existait des spectacles de marionnettes, spécialement réalisés pour les enfants.

Fête de la cité

Ils n'avaient pas lieu tous les jours, ni même toutes les semaines, mais seulement en de rares occasions, lors des principales fêtes de la cité, qui se déroulaient tous les ans (ou tous les quatre ans).

Les spectacles en question comptaient parmi les nombreuses attractions de ces journées, à côté des concours sportifs, du théâtre, des processions et des sacrifices d'animaux. Tous les citoyens y participaient, mais aussi leurs enfants, qui apprenaient ainsi comment honorer les dieux auxquels ces célébrations étaient dédiées.

Platon et les marionnettes

Nous n'avons pas gardé trace des histoires que les spectacles de marionnettes mettaient en scène. Parmi elles figurait peut-être celle de Thésée qui tue le Minotaure et sauve ainsi les garçons et les filles qui devaient être remis chaque année à ce monstre. En tout cas, c'était le divertissement favori des plus petits : Platon, le grand philosophe athénien du IVe siècle avant notre ère, explique que, si les petits enfants devaient déterminer le type de spectacle le plus attrayant, « *ils jugeraient en faveur du montreur de marionnettes* ». En fait, aller à un spectacle de marionnettes apportait plus qu'une simple distraction ; c'était aussi une manière de participer à une journée importante pour la cité, de manifester son appartenance à la communauté civique ou, pour les plus jeunes, d'en apprendre les coutumes et les croyances.

Thésée et le Minotaure, assiette à figures rouges, vers 520-510 avant J.-C., céramique, 19 cm.
Musée du Louvre, Paris.

Athènes et Sparte furent les deux grandes cités-État de la Grèce antique. Au VIe siècle avant notre ère, le législateur Solon, puis Clisthène, donnent à Athènes la première constitution démocratique de l'Antiquité : l'assemblée de tous les citoyens (dont sont toutefois exclus les femmes, les étrangers et les esclaves) prend les décisions importantes, vote les lois, le budget, la paix ou la guerre. Elle élit les stratèges, magistrats en charge de la guerre. Un tribunal de citoyens exerce la justice. Au Ve siècle, sous l'impulsion du stratège Périclès, Athènes devient le centre d'un empire qui couvre la mer Égée : c'est l'âge d'or de la cité, l'époque de Socrate, de Sophocle et du Parthénon. Bien qu'elle ait été battue par Sparte au cours de la guerre du Péloponnèse, Athènes a exercé une influence considérable sur la politique, la pensée et l'art, chez les Romains puis dans l'ensemble du monde occidental.

LA DÉMOCRATIE ATHÉNIENNE

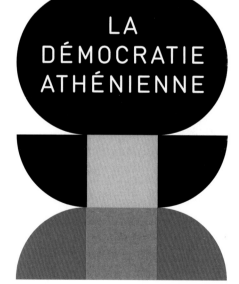

Enfants assistant à un spectacle de Guignol dans le jardin du Luxembourg, 1898, Paris.
Photographie d'Ernest Roger.

Théâtre d'ombres à Bali

Jusqu'au 20e siècle

Indonésie

Les habitants de Bali vivaient principalement de la culture du riz et de l'élevage des buffles. Jusqu'au milieu du XXe siècle, presque tous les soirs avait lieu dans chaque village un spectacle de danse, de musique ou de marionnettes, présenté par un groupe d'habitants ou par une troupe itinérante.

Chaque soir, c'est la fête au village

Tous y assistaient. Même les bébés suivaient des yeux danseurs et danseuses, tandis que les adultes les aidaient à bouger leurs bras et leurs mains conformément aux positions de danse traditionnelle. Parfois, ils se retrouvaient sur les genoux de leurs parents, lorsque ceux-ci jouaient de la musique.

Du côté de la lumière

Le théâtre d'ombres était l'un des spectacles les plus appréciés. Les marionnettes, en cuir peint de multiples couleurs, placées derrière un tissu de coton et une lampe, projetaient leurs ombres sur le tissu. Elles étaient fixées sur des tiges, manipulées par les marionnettistes qui les faisaient bouger, les rapprochaient ou les éloignaient de la lampe, de façon à les faire paraître plus petites ou plus grandes. Tous les habitants du village, adultes et enfants, admiraient ce spectacle. Les plus petits avaient le privilège de se tenir du côté des marionnettistes et de voir ainsi les véritables marionnettes avec leurs couleurs, et pas seulement leurs ombres sur le tissu.

Pas d'applaudissements

À Bali, la coutume d'applaudir n'existait pas. La meilleure manière de manifester sa satisfaction consistait tout simplement à rester sur place, pour profiter du spectacle.
Mais parfois, le public jugeait celui-ci mal interprété et se mettait à rire. Or tous les spectateurs étaient de fort bons connaisseurs, puisque tous, y compris les enfants, pratiquaient la danse, la musique et le théâtre.

Histoire sans fin

L'une des pièces les plus souvent représentées s'intitulait *Histoire de la Sorcière et du Dragon*. Furieuse que le roi n'ait pas épousé sa fille, la Sorcière lance ses partisans, transformés en monstres, à l'attaque du peuple. Alors, le Dragon, joué par deux hommes portant un large masque, affronte la Sorcière, avec l'aide de nombreux jeunes gens. Les épisodes se succèdent, mais la lutte ne se termine jamais, car la Sorcière ne peut ni triompher ni être tuée.

Bien qu'ils le connaissent en détail depuis leur plus jeune âge, les villageois de Bali, grands et petits réunis, ne se lassaient jamais de voir et de revoir ce spectacle, dans lequel le combat entre le Dragon et la Sorcière, la vie et la mort, n'a pas de fin…

Un enfant balinais de sept ans a illustré l'une des scènes de l'histoire de la Sorcière et du Dragon. Dessin recueilli à Bali par l'anthropologue Margaret Mead, en 1936-1938.

Marionnettes à tiges actionnées lors d'un spectacle de théâtre d'ombres, janvier 1997, Bali, Indonésie. Photographie de Luca Tettoni.

L'île de Bali fait partie de l'Indonésie, quatrième pays au monde par sa population. Les Balinais sont les seuls habitants de ce pays, islamisé au XVe siècle, à pratiquer encore l'hindouisme. Si l'Indonésie a été colonisée dès le XVIIe siècle par les Hollandais, ce n'est qu'au début du XXe siècle que ces derniers ont achevé la conquête de Bali : les rois de Bandung mettent alors le feu à leur palais et, accompagnés de leurs sujets, se donnent la mort dans un grand suicide collectif ! Bali a proclamé son indépendance en 1945, comme toute l'Indonésie. La culture des rizières en terrasses, alimentées par un complexe système d'irrigation, donne à cette île volcanique l'apparence d'un jardin. La vie dans les villages est animée par des spectacles ou des concerts de gamelan, orchestre constitué essentiellement de percussions. Aujourd'hui, Bali tire l'essentiel de ses ressources du tourisme.

L'ÎLE DE BALI

Les danses des *katchina* chez les Indiens Hopi

Amérique du Nord

Voir p.356

Dans beaucoup de sociétés anciennes, les spectacles auxquels assistent les enfants ne sont pas conçus spécialement pour eux. Du reste, il ne s'agit pas vraiment de « spectacles » mais plutôt de rituels, de cérémonies religieuses, tels que les sacrifices d'animaux en Grèce et à Rome, ou les processions des dieux en Inde, que les enfants imitent volontiers dans leurs jeux.

Punitions ou récompenses pour les enfants

En 1896, dans un village des Indiens Hopi, l'historien de l'art Aby Warburg a photographié des enfants Hopi réunis sur la place d'un village, pour assister à une danse rituelle. Celle-ci a pour but de protéger la croissance du maïs. Les hommes du village ont mis des masques imposants. Ils inspirent aux enfants une grande terreur, car on leur a appris que les personnages qui dansent sont des êtres surnaturels, des divinités ou des esprits. On s'arrange pour qu'ils ne reconnaissent pas leurs parents sous le déguisement.

Ces personnages, appelés *katchina*, ont aussi pour tâche de récompenser ou de punir les enfants, selon qu'ils ont été sages ou non ! Dans le premier cas, ils leur donnent de petits cadeaux, des arcs et des flèches, ou des poupées, également nommées *katchina*, qui ressemblent aux danseurs. Ces poupées-là ne représentent pas des bébés ou de belles jeunes filles, mais des divinités.

La vraie histoire des *katchina*

Voici l'histoire que racontent les Hopi : les *katchina* sont des enfants qui, il y a très longtemps, ont péri noyés dans une rivière. Chaque année, leurs âmes revenaient au village et emportaient d'autres enfants avec eux. Puis, cédant aux plaintes des Indiens, les *katchina* acceptèrent de demeurer dans le monde des morts et de ne plus prendre d'enfants, à condition que les villageois les fassent revivre chaque année par des masques et des danses.

Ainsi, le secret de ces personnages masqués, que l'on cache aux enfants, les concerne au premier chef. Et les *katchina* ne sont pas sans faire penser au Père Noël, qui, lui aussi, réapparaît chaque année pour récompenser les enfants sages...

VOIR FICHE P. 147

Poupée *katchina*
provenant du village Walpi dans l'État d'Arizona (États-Unis), vers 1970 ; peuplier, plumes, laine, cuir, coquillages, fourrure, peinture, 34 cm.
Collection Jean-Claude Bonne.

**La scène se passe
à Oraibi en Arizona,
en 1896.**
En haut, les enfants
assistent, en spectateurs,
à la danse rituelle *katchina*
effectuée par leurs parents,
que l'on voit sur
la photographie du bas.

Photographie
d'Aby Warburg.

Dans la peau d'un autre

Quel plaisir de se déguiser en
chevalier ou en princesse, en pirate
ou en fée, en Zorro ou en Indienne !
Dans la peau d'un autre, on invente
une longue histoire (avec ou sans
déguisement, d'ailleurs). En réalité,
ce jeu qui réjouit les enfants a d'abord
été une pratique des adultes, lors de
cérémonies rituelles, comme celles
des Indiens Hopi. L'homme déguisé
devient alors, le temps de la
cérémonie, le personnage surnaturel
ou le dieu que son masque
représente ; il en détient les pouvoirs.
Les enfants du passé n'ignoraient
pas pour autant les déguisements.
À Athènes, un jour dans l'année,
les enfants allaient de maison
en maison, déguisés en animaux,
en chantant et en demandant
de petits cadeaux.

Mascarades d'enfants dans le sud du Bénin

Aujourd'hui

Afrique de l'Ouest

Kaleta d'enfants
à Porto-Novo,
2009, Bénin.
Photographie
de Joseph Adandé.

Bientôt Noël. C'est la morte saison pour bon nombre d'adultes dans les villages. Ils sont souvent à la maison, au repos. Mais, pour les enfants, c'est le moment d'une grande activité ; ils s'affairent à l'abri des regards indiscrets parce que c'est le moment pour eux de préparer leur performance de *Kaleta* (le terme vient sans doute du portugais *caleta*, qui signifie « mascarade ») : un enfant masqué danse, encouragé par les chants des autres enfants, qui s'accompagnent d'instruments improvisés.

Rigolade pour une petite pièce

À l'instar des adultes, ils vont pouvoir se masquer et danser en échange d'une petite pièce de monnaie, et offrir une partie de rigolade aux aînés. La distribution des rôles se fait vite au sein de ce groupe, où le plus âgé n'a souvent guère plus de douze ans ; mais chacun dans cette « association » connaît les talents réels de ses coéquipiers. Le meilleur danseur portera le masque de plastique, peu coûteux et fragile, que l'on jettera après la période de Noël, seul moment où on le trouve au marché en même temps que les pétards, les ballons et les sifflets multicolores.

On dénichera vite de vieux vêtements pour l'habiller de la tête aux pieds. Si cela se révèle trop difficile, des feuilles sèches de bananier seront mises à contribution. Elles serviront à fabriquer une jupette au moins.

Au son des boîtes de conserve

La musique ? Elle est de la partie grâce à des instruments de récupération : boîtes de conserve de différentes tailles pour que les sonorités soient variées et aillent du grave à l'aigu, bouteilles vides, morceaux de bâton recourbés que l'on a vite fait de trouver sur une décharge ou de couper sur une branche d'arbre. Les chants de *Kaleta* sont souvent très rythmiques mais intraduisibles : *Koutoro kou yoyo, gba yoyo kou yoyo,* entendra-t-on pour signaler l'approche du groupe.

Le chef partage le butin

Le plus âgé des enfants est souvent le conducteur. Il trace l'itinéraire du groupe entre les pâtés de maisons du village ou du quartier de la ville. Il recueillera aussi les sommes offertes par les adultes et en assurera une répartition équitable à la fin de la tournée. Celle-ci sera plus ou moins lucrative selon le talent du danseur et sa capacité à faire rire. Il faut aussi que le groupe ne s'essouffle pas en chantant.

Masques de nuit et masques de jour

Voilà déjà bien longtemps que, chaque année, à la même période, les enfants s'amusent à parodier les adultes, qui ne sont plus les seuls à pouvoir porter le masque. La différence est pourtant bien grande. Les adultes portent le masque pour contrôler la société et y ramener la paix et l'harmonie par la critique sociale et la conjuration des mauvais esprits. Les masques d'adultes n'entrent en scène que la nuit, tandis que les enfants œuvrent en plein jour, insouciants des risques qu'ils prennent avec les mauvais esprits mais avec la ferme intention d'amuser et de faire rire petits et grands.

Jan Steen,
Fête de Saint-Nicolas,
vers 1665-1668,
huile sur toile,
82 cm x 70 cm.
Rijksmuseum, Amsterdam.

Le Père Noël au bûcher !

20e siècle

France

« Le Père Noël a été pendu hier après-midi aux grilles de la cathédrale de Dijon et brûlé publiquement sur le parvis. Cette exécution spectaculaire s'est déroulée en présence de plusieurs centaines d'enfants. Elle avait été décidée avec l'accord du clergé, qui avait condamné le Père Noël comme usurpateur et hérétique. » Ainsi le journal *France-Soir* rend-il compte d'un événement tout à fait réel survenu le 24 décembre 1951.

Héros de fin d'année

Nous éprouvons quelque difficulté à imaginer pareille scène, car Noël est de nos jours la fête incontestée des enfants, du moins en Europe et en Amérique. Mais c'est justement vers 1950 que le succès du vieil homme au costume rouge devient fulgurant, même s'il existait plus discrètement auparavant. Décembre le fait surgir partout, sur les papiers d'emballage et les publicités, dans les rues et les grands magasins. Au sein de l'Église catholique, certains s'inquiètent alors de cet engouement pour le Père Noël, qui risque de faire oublier Jésus, seul héros à leurs yeux de ce 25 décembre.

Mais d'où vient le Père Noël ?

Son histoire est longue et pleine de détours… Depuis le IVe siècle, les chrétiens fêtent la naissance de Jésus, le 25 décembre. La crèche, inventée au XIIIe siècle par saint François d'Assise, rappelle son humble naissance dans une étable, entre l'âne et le bœuf. Mais on ne l'associe pas encore à des cadeaux ou à des réjouissances spéciales pour les enfants.

Saint Nicolas, au Nord

Saint Nicolas, quant à lui, était le protecteur des enfants, car on racontait qu'il avait ressuscité trois jeunes garçons. Comme le montre ce tableau de Jan Steen, le jour de sa fête (6 décembre), les enfants du nord de l'Europe plaçaient leurs sabots devant la cheminée, pour que saint Nicolas descende les remplir de jouets et de gâteaux. Mais gare à ceux qui n'avaient pas été sages : Pierre le Noir, compagnon de Nicolas, ne leur laissait qu'une branche morte… En somme, le Père Noël est un saint Nicolas,

Le Père Noël au bûcher !

Voir
p.411

Voir
p.44

dont la fête aurait glissé du 6 au 25 décembre. Dans les pays de langue anglaise ou germanique, il s'appelle du reste Santa Claus, une déformation du nom de saint Nicolas (San Niklaus).

Un goût d'Amérique

Le Père Noël, avec son identité propre, commence sa carrière au XIXᵉ siècle. George Sand, née en 1804, se souvient de son impatience lorsqu'elle attendait la venue du vieil homme qui, à minuit, descendait déposer un présent dans ses chaussures : « *Il ne s'agissait jamais de cadeaux magnifiques, car nous n'étions pas riches. C'était un don modeste, une orange, ou simplement une belle pomme rouge. Mais cela me semblait une chose si merveilleuse que j'osais à peine la manger.* » En fait, l'enthousiasme pour le Père Noël ne se généralise pas encore, d'autant que l'Église catholique tente (en vain) d'expliquer que c'est l'Enfant Jésus qui apporte les cadeaux. Comme on l'a dit, le Père Noël triomphe surtout vers 1950. Désormais, on le représente sur un traîneau tiré par des rennes et les enfants lui envoient d'interminables listes de cadeaux : ces traits nouveaux viennent des États-Unis d'Amérique, qui exercent une influence considérable au lendemain de la Seconde Guerre mondiale.

Les morts reviennent

Outre Noël et la Saint-Nicolas, d'autres jours privilégiés pour offrir des cadeaux existent ou ont existé, notamment le 1ᵉʳ janvier, jour des étrennes, comme Jules Vallès nous l'a raconté. Dans certains pays, tels l'Italie ou le Mexique, l'Épiphanie, autrement dit la fête des Rois mages (6 janvier), est, plus que Noël, le jour préféré pour offrir des présents aux enfants.

Ces jours-là, les enfants se déguisent en fantômes ou en squelettes ; ils vont de maison en maison en chantant, afin qu'on leur donne des fruits ou des gâteaux. Autrefois, ils faisaient cela à Noël, à la Saint-Nicolas ou le jour de Hallow-Even, devenu Halloween, dans les pays anglo-saxons (à la veille de la Toussaint). De tels déguisements montrent que les enfants représentent alors les morts. Leurs chansons menacent les adultes d'une fin prochaine à laquelle ils échapperont par leurs dons. Voilà le sens de ce rituel : par des cadeaux susceptibles de contenter les morts, les vivants s'assurent que ces derniers les laisseront tranquilles...

Réveiller la nature endormie

De plus, novembre et décembre constituaient, dans les sociétés anciennes, une période inquiétante de l'année. La puissance du soleil déclinait, jusqu'au solstice d'hiver, son point le plus bas ; les forces vitales de la nature semblaient s'épuiser. Aussi, bien des fêtes carnavalesques se déroulaient à cette période, dans le but d'appeler les puissances de la nature à renaître. Faire des cadeaux était l'un des moyens d'attirer de tels bienfaits.

Priorité aux cadeaux

Aujourd'hui, le monde a bien changé. Le Père Noël est un vieillard certes associé à l'hiver et au froid, mais on le représente comme un personnage rassurant et généreux. On couvre les enfants de cadeaux pour que leur joie et leur vitalité rayonnent le plus intensément possible. Les hommes étant débarrassés de leurs inquiétudes d'autrefois, les fêtes de fin d'année n'ont plus d'autre but que d'exalter les bons sentiments, l'amour et la générosité... sans oublier le devoir d'acheter le plus possible !

Des cadeaux de Noël pour les enfants sages, des punitions pour les autres. Vers 1860, lithographie, d'après un dessin de Leonhard Diefenbach.

Museum Europäischer Kulturen, Berlin.

L'usage consistant à installer un sapin dans la maison pour Noël vient de Scandinavie. L'Allemagne l'adopte au XVIIe siècle, suivie par l'Angleterre et la France, dans la seconde moitié du XIXe siècle. On avait aussi coutume de décorer les demeures avec du gui et du houx, végétaux qui restent verts, même en plein hiver. On manifestait ainsi sa confiance dans la vitalité de la nature et la renaissance attendue de la végétation.

Pas d'anniversaire pour tous

Pour un enfant européen ou américain, fêter son anniversaire représente un grand événement. C'est même, avec Noël, la plus grande réjouissance de l'année, et, cette fois, la fête n'est que pour lui... Dans beaucoup d'autres cultures, il n'en va pas du tout ainsi. Aussi étonnant que cela puisse paraître, parmi les peuples indiens d'Amérique par exemple, beaucoup de gens ignorent, aujourd'hui encore, leur date de naissance et s'en soucient fort peu. Il en allait de même en Europe, dans les siècles passés : il n'existait rien de comparable à l'état civil, où désormais chaque naissance est enregistrée, avec sa date précise. Pour la grande majorité des populations, vivant des activités rurales, il ne servait à rien de connaître son jour de naissance. Et à ceux qui en gardaient la mémoire, en ville ou parmi la noblesse, il ne venait nullement l'idée de célébrer ce jour. On y aurait vu un excès de vanité : le jour anniversaire n'était qu'un fait individuel ne méritant pas que l'on convoque l'attention de tous. Dans le monde chrétien d'antan, on souhaitait plus volontiers à quelqu'un la fête du saint dont il portait le nom. Par exemple, le jour de la Saint-Martin, les enfants dont le père s'appelait Martin pouvaient lui réciter un poème et lui faire un petit présent.

Écouter de la musique : télécharger et partager

Aujourd'hui
Europe

Pour son douzième anniversaire, Cléo a demandé un baladeur numérique MP3 à son père, qui vit en Angleterre : « *Avant, j'écoutais la musique sur un Walkman CD mais je ne pouvais pas l'emporter à l'école, alors je n'écoutais que chez moi.* »

Premier coup de cœur en clip vidéo

Cette adolescente, élevée par sa mère, commerciale dans la mode à Paris, dit avoir vécu son premier coup de cœur musical à onze ans en regardant un clip vidéo de la chanteuse américaine Beyoncé : « *Dans le clip*, raconte-t-elle, *elle dansait avec une bande de copines et elle parlait de son petit copain. J'étais encore trop petite pour comprendre ce qu'elle disait exactement, mais c'est le rythme de la chanson qui m'a plu.* » Alors, à treize ans, Cléo a choisi son registre musical : le R&B, des rythmiques groove qui racontent des histoires d'amour comme celles de la chanteuse française Zaho.

On trouve tout sur Internet

Aujourd'hui, pour remplir son iPod de 4 gigaoctets (soit quatre cents chansons), Cléo, qui prend des cours de piano une fois par semaine, passe le reste de son temps libre sur l'ordinateur : « *Souvent*, explique-t-elle, *je repère une chanson que j'ai bien aimée dans une série télé, je regarde le nom au générique et puis je vais sur les sites Internet YouTube, iTunes ou LimeWire. Ça m'est arrivé récemment avec la série* Gossip Girl *; à la fin d'un épisode, il y avait* Season of Love, *de Shiny Toy Guns. Quand ce sont des sites payants, je demande à ma mère l'autorisation d'utiliser sa carte bancaire pour les télécharger.* » Grâce à son goût pour les séries télévisées, Cléo s'est constitué une liste de chansons assez personnelle : « *Au collège, on compare nos playlists sur nos lecteurs MP3, on n'a jamais les mêmes choses. J'ai un copain qui n'écoute que des vieux trucs : les Beatles,* The Eagles. »

Musique à fond sur son portable

Bandiougou, treize ans, lui, n'a pas le droit d'emporter son baladeur numérique à l'école, c'est interdit par le règlement de son collège pour éviter les vols. Alors, sa musique, il l'écoute sur son téléphone portable, sans écouteurs : « *J'entends mieux et puis, comme ça, je me la pète.* » Ce garçon, qui grandit dans la cité Curial-Cambrai, dans le XIXe arrondissement de Paris, repère ce qu'il doit chercher sur le site Dailymotion en écoutant parler les « moyens », les jeunes de vingt ans de sa cité : « *Souvent, ce sont les mêmes noms de rappeurs qui reviennent : Rohff, LIM, Kery James. J'aime bien, ils ne disent pas n'importe quoi ; ils nous disent par exemple de ne pas grandir trop vite.* »

Sur la planète foot

Aujourd'hui

Le monde entier aime le foot.
Sur tous les continents,
des millions d'enfants courent
derrière un ballon rond.

Sport universel

De la terre battue d'Afrique aux pelouses d'Europe, où ce sport est né au XIXᵉ siècle, et maintenant dans les stades d'Amérique du Nord et d'Asie, où il gagne du terrain. Parce que c'est un jeu magique qui, à partir d'une simple balle, promet des heures d'amusement. Parce que c'est un sport d'équipe et de partage, où tous parlent la même langue, celle du ballon. Parce que c'est un grand spectacle planétaire. Tous les quatre ans, ce sont des milliards de téléspectateurs qui regardent les meilleures équipes disputer la Coupe du monde...

Les virtuoses font rêver

Tout comme l'Argentin Diego Maradona ou le Brésilien Pelé, Zinédine Zidane a marqué pour longtemps l'histoire de ce sport. Par sa maîtrise absolue de la balle, d'abord, dont il jouait comme un virtuose. Par son histoire aussi, qui fait de lui un modèle pour des générations de jeunes qui rêvent de suivre ses pas. Ses premiers ballons, « Zizou » les a touchés tout petit, en bas de chez lui, dans sa cité de la Castellane, un quartier pauvre de Marseille. À l'époque déjà, le jeune Zidane joue avec les grands. Mais il est beaucoup plus fort... Il devient joueur professionnel à Cannes, puis aux Girondins de Bordeaux, avant de partir chercher fortune à l'étranger. Direction la Juventus Turin en Italie, puis le Real Madrid, en Espagne, un des plus grands clubs du monde.

Beauté du geste et gros billets

Son arrivée se négocie alors pour... 77 millions d'euros ! Un record pour l'époque. Car le foot, aujourd'hui, n'est plus seulement un sport. Il y est, aussi, beaucoup question d'argent. Le salaire de Zinédine Zidane, à l'apogée de sa carrière, s'élevait à quelque 15 millions d'euros par an...

Voilà pourquoi les grands joueurs font tant rêver les enfants d'Afrique et d'Amérique du Sud, pour qui football rime avec richesse ! Mais c'est d'abord par la beauté des gestes, comme ceux de « Zizou », que le foot fascine le monde. En 2006, le grand joueur a pris sa retraite, et est sorti du terrain. Mais il reste un exemple pour tous les enfants de la planète football.

Enfants tziganes, avril 2004, Belgrade, Serbie.
Photographie d'Alexa Brunet.

Moi et « Elle »

Aujourd'hui

*Quand j'ai eu deux ans, « Elle »
a passé un pacte avec moi :
« Hercule, je vais te raconter
des histoires incroyables,
je te bercerai, et tu cesseras
de gigoter dans tous les sens. »*

Ça a commencé par les bonbons

Effectivement, je me sentais bien,
calé contre mes coussins, transporté
de *Tom et Jerry* à *Petit Ours* en
passant par *Babar et la vieille dame*,
bonbons à portée de la main. Quand
j'ai eu quatre ans, « Elle » a proposé
autre chose : « *Demande à tes parents
de t'abonner à Tiji, Canal J, Fox Kids,
Disney Channel, Cartoon Network...* »
Il y en avait tellement !!! Ce fut mon
cadeau d'anniversaire.

Quand j'ai eu six ans, « Elle » a eu
une autre idée : « *Tu devrais prendre
ton petit déjeuner face à moi, je mets
mes plus beaux programmes pour
enfants tôt le matin.* » Je me suis mis
à manger mes corn flakes en faisant
une orgie de dessins animés
entrecoupés de publicités pour des
corn flakes.

Ensuite, il y a eu les cadeaux et les séries

Quand j'ai eu huit ans, « Elle »
m'a convoqué : « *Tu devrais être plus
participatif. Pourquoi, quand on t'y
invite, tu n'appelles pas les numéros
de téléphone inscrits au bas de l'écran
pour jouer et gagner des cadeaux ? Et
puis tu peux aussi sélectionner
les gagnants de "Loft Story"
ou "Star Academy".* » Je l'ai fait,
elle avait raison de me dire qu'elle
me donnait le pouvoir.

Quand j'ai eu dix ans, « Elle » est
devenue plus autoritaire : « *Toutes ces
séries américaines que je programme
pour toi à l'heure du retour de l'école,
tu les regardes à peine ; de quoi
vas-tu parler demain à la récré ?* »
J'étais partagé, d'un côté j'avais
envie de faire partie du club de foot
du quartier, et pour cela il fallait
s'entraîner ; de l'autre, cette année-là,
il y avait « Beverly Hills » et tous mes
copains ne parlaient que de ça.
J'ai choisi TF1, d'autant plus que
je pouvais prendre un long goûter
en suivant le film.

Et un magazine m'a ouvert les yeux

Quand j'ai eu douze ans, je pesais
67 kilos pour 1,59 mètre, et je la
regardais six heures par jour
au moins. « Elle » m'a dit : « *Vois
le mercredi sur la Cinq, il y a des
magazines pour jeunes. Tu apprendras
plein de choses.* » Ce jour-là,
deux savants, un médecin
et un psychologue, discutaient sur
les méfaits de la télévision pour
les enfants. « *La télévision, elle fait
entrer les jeunes dans une bulle,
elle les coupe de la réalité. En plus,
elle les incite souvent à une
suralimentation et est un facteur
d'obésité.* » Ces paroles ! Prononcées
par « Elle ». Ça m'a vraiment troublé.

Quand j'ai eu douze ans et un jour,
j'ai rompu le pacte. Je n'en pouvais
plus de ces promesses. « Elle » parlait
à ma place. « Elle » avait toujours
un nouveau plaisir à me proposer.
J'étouffais dans ses bras.
Mais, franchement, vais-je pouvoir
me passer d'« Elle » ? Bonne question,
Gaston.

TOUS DES CRÉATEURS

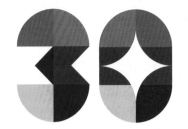

Qu'est-ce qu'un créateur ? Un grand artiste, un grand penseur ? Un surdoué comme Mozart ou comme Jésus qui, à douze ans, discutait à bâtons rompus avec les rabbins du Temple ?

En fait, tous les enfants sont capables de création. Créer, cela consiste à faire quelque chose avec ses mains, avec son corps et sa tête, avec des paroles.

Ce que chaque enfant crée, c'est d'abord son propre corps, qui ne cesse de grandir, de se transformer. Le système nerveux d'un tout jeune enfant fabrique 20 000 neurones par seconde. Voilà l'une des sources de la prodigieuse capacité des enfants à multiplier les expériences nouvelles, à surmonter les épreuves, à découvrir, à apprendre, à créer.

Jouer, c'est déjà créer, inventer un monde à soi ou partagé avec ses amis. Créer prolonge les jeux de l'enfance. Lorsqu'on dessine, on entre dans le cercle de l'imaginaire avec la même concentration que dans le jeu. De même lorsqu'on *joue* de la musique ou lorsqu'on danse. Lorsqu'on écrit une histoire ou lorsqu'on *joue* au théâtre.

Parfois, les adultes se contentent d'accompagner les enfants, pour les aider à faire surgir leur propre créativité. Parfois, ils les encadrent avec exigence, afin d'obtenir d'eux des performances sportives ou scéniques de haut niveau. Parfois encore, les attitudes répressives des adultes ou les conditions de vie très dures dont souffrent les enfants étouffent pour toujours leur élan créateur.

La capacité de créer, sous toutes ses formes, enrichit notre manière de vivre. Elle nous procure le sentiment que la vie est source d'émerveillement et vaut la peine d'être vécue. Or, explique D. W. Winnicott, *« le mode de vie créatif commence dans le jeu »*, cette activité si propre à l'enfance.

Le dur apprentissage des enfants à l'opéra de Pékin

18ᵉ-21ᵉ siècle

Chine

L'opéra de Pékin s'est développé dans la capitale de l'Empire chinois aux xvIIIᵉ et xIXᵉ siècles, à partir de traditions régionales plus anciennes.

En troupes, sous l'autorité d'un maître

Il s'agit d'un art complet, qui demande la maîtrise du chant et du mouvement. L'apprentissage, très exigeant, commençait tôt et prenait de nombreuses années. Il se faisait dans les troupes, auprès d'un maître auquel les enfants obéissaient comme à un père. Les apprentis étaient pour la plupart des enfants d'acteurs ou de très jeunes garçons achetés dans les campagnes à des paysans ruinés. Certaines provinces étaient réputées pour la beauté de leur population, et, à l'époque impériale, les recruteurs parcouraient les villages à la recherche des enfants les plus gracieux. Dans l'opéra de Pékin, tous les rôles étaient tenus par des hommes. Parmi les garçons recrutés, ceux qui étaient petits et avaient des traits fins apprendraient les rôles féminins. Les plus forts deviendraient des guerriers ou des démons. De nos jours, les écoles d'opéra accueillent des filles, qui reçoivent à peu près la même formation.

La voix et le corps

Aujourd'hui comme hier, les enfants apprennent à chanter face à un mur ou à un plan d'eau pour travailler les sons aigus. L'entraînement physique ressemble à celui des arts martiaux, mais il est plus complet. L'apprenti doit beaucoup travailler l'équilibre et la souplesse des jambes : chaque jour, il restera un peu plus longtemps, parfaitement immobile, à faire le grand écart. Les acteurs sont revêtus de costumes chatoyants, souvent très lourds, et ils doivent rester en scène pendant de longues heures. Les guerriers et les guerrières portent des coiffes surmontées de plumes qu'ils font tournoyer ; cela demande beaucoup de force et il faut de solides muscles du dos et de la nuque pour supporter leur poids. L'apprentissage fait aussi appel à la mémorisation de textes et de chants, car le répertoire est très varié et comprend de nombreuses catégories de personnages. Les acteurs doivent aussi apprendre à se maquiller ; en effet, chaque personnage se reconnaît à son maquillage, plus ou moins élaboré.

Les acrobates vont désormais à l'école

Il y a une cinquantaine d'années encore, on pouvait voir dans les rues et sur les marchés de très jeunes acrobates réaliser des tours d'adresse. Il s'agissait souvent d'enfants ayant suivi un entraînement rigoureux mais qui ne parviendraient jamais à devenir des acteurs réputés comme ceux des troupes d'opéra. Désormais, c'est terminé. La formation des jeunes acteurs commence plus tard, vers dix ou douze ans. Elle n'a plus lieu dans les troupes, mais dans des écoles spécialisées, comme celle des artistes du cirque ou des sportifs de haut niveau.

VOIR FICHE P. 78

Wang Hao, six ans, dans la pièce *Ting Den*, Cirque du soleil, Pékin, 2002.

Photographie d'Hervé Bruhat.

478 Premières compositions
à cinq ans

Wolfgang Amadeus Mozart naît
en 1756 à Salzbourg (Autriche),
dans une famille de sept enfants,
mais seuls lui et sa sœur survivent
aux épreuves et aux maladies
de l'enfance. Dès l'âge de cinq ans,
il joue magnifiquement du clavecin
et du violon et compose ses premières
œuvres. Son père, Leopold, musicien
à la cour de l'archevêque de Salzbourg,
a la conviction que le talent de son
fils est un miracle. Entre six et dix
ans, Wolfgang voyage avec son père
à travers l'Europe et joue, ainsi que sa
sœur, devant les plus grands princes :
dans le palais de l'empereur à Vienne,
pour Louis XV à Versailles, pour
le roi d'Angleterre. Tous s'extasient
de sa virtuosité extraordinaire. Il peut
même jouer du clavecin quand les
touches sont cachées ! Mais Mozart
n'était pas seulement un phénomène
exhibé comme un animal de cirque ;
il a composé de nombreux
chefs-d'œuvre, et sa liberté créatrice
a bouleversé la musique et la
manière de vivre des musiciens.

Un père très exigeant

Comment a-t-il pu devenir, dès
l'enfance, un tel « génie » ? Difficile
à savoir... La relation très intense
entre Wolfgang et son père n'y est
sans doute pas pour rien. Musicien
réputé, celui-ci a entièrement pris
en charge l'éducation de son fils,
surveillant tous les aspects de sa vie,
jusqu'à l'âge de... vingt ans.
Wolfgang a baigné dans la musique
dès sa naissance (et sans doute
avant). Il a été guidé par un père qui
exigeait le maximum de lui, désireux
sans doute de réaliser son rêve
d'ascension sociale à travers son fils.
En même temps, dès l'enfance,
Wolfgang a exprimé le sentiment
que personne ne l'aimait. Seuls les
encouragements de son père, chaque
fois qu'il améliorait ses talents
musicaux, lui donnaient la sensation
rassurante d'être aimé. Serait-ce
cette preuve d'amour qu'il a cherché
à retrouver, tout au long de sa vie,
en obtenant les acclamations de son
public ?

Virtuoses en herbe

Wolfgang n'était pas tout à fait
le seul en son temps. On était alors
souvent musicien de père en fils,
comme ce fut le cas dans la famille
Bach. Quant à Louis XIII, il montra,
dès trois ans, des dons exceptionnels
pour la musique et la danse ;

il composa des morceaux qu'il
interprétait avec une parfaite
maîtrise. À la cour des rois et des
nobles, la musique et la danse
étaient les arts les plus appréciés,
car, sans eux, il n'y avait pas de fête
digne de ce nom. Un fils de roi
devait se montrer bon musicien
et bon danseur, mais on aurait
trouvé indigne qu'il veuille peindre
ou faire de la sculpture !

Génie pour l'élite
ou plaisir de tous ?

Au fond, qu'est-ce qui importe
le plus ? Que le désir de surpasser
les autres artistes travaillant pour
l'élite noble produise un génie
comme Mozart, dont les œuvres
continuent de nous réjouir ? Ou bien
que *tous* les enfants sans exception
grandissent en s'imprégnant du
plaisir de la musique et de la danse,
comme à Bali ?

Mozart, le plus célèbre des surdoués

18ᵉ siècle

Autriche

George Sand, toute jeune et déjà l'âme d'une conteuse

19ᵉ siècle

France

Voir p. 411

George Sand fait remonter son talent de romancière aux habitudes de son enfance, vers 1810.

Contes entre quatre chaises

« Il est certain que l'amour du roman s'empara de moi passionnément avant que j'eusse fini d'apprendre à lire.

Voici comment : je ne cherchais dans les livres que les images ; mais tout ce que j'apprenais par les yeux et par les oreilles entrait en ébullition dans ma petite tête, et j'y rêvais au point de perdre souvent la notion de la réalité et du milieu où je me trouvais. Ma mère, qui n'avait pas de servante et que je vois toujours occupée à coudre, ou à soigner le pot-au-feu, ne pouvait se débarrasser de moi qu'en me retenant souvent dans la prison qu'elle m'avait inventée, à savoir, quatre chaises avec une chaufferette sans feu au milieu, pour m'asseoir quand je serais fatiguée, car nous n'avions pas le luxe d'un coussin. C'étaient des chaises garnies en paille, et je m'évertuais à les dégarnir avec mes ongles ; il faut croire qu'on les avait sacrifiées à mon usage. Mais, tout en cédant ainsi au besoin d'occuper mes mains, je composais à haute voix d'interminables contes que ma mère appelait mes romans. »

Le défaut de la digression

« Je n'ai aucun souvenir de ces plaisantes compositions, ma mère m'en a parlé mille fois. Elle les déclarait souverainement ennuyeuses, à cause de leur longueur et du développement que je donnais aux digressions. C'est un défaut que j'ai bien conservé, à ce qu'on dit ; car, pour moi, j'avoue que je me rends peu compte de ce que je fais, et que j'ai aujourd'hui, tout comme à quatre ans, un laisser-aller invincible dans ce genre de création. »

Des contes pour ma mère

« Il paraît que mes histoires étaient une sorte de pastiche de tout ce dont ma petite cervelle était obsédée. Il y avait toujours un canevas dans le goût des contes de fées, et pour personnages principaux, une bonne fée, un bon prince et une belle princesse. Il y avait peu de méchants êtres, et jamais de grands malheurs. Tout s'arrangeait sous l'influence d'une pensée riante et optimiste comme l'enfance. Ce qu'il y avait de curieux, c'était la durée de ces histoires et une sorte de suite, car j'en reprenais le fil là où il avait été interrompu la veille. Peut-être ma mère, écoutant machinalement et comme malgré elle ces longues divagations, m'aidait-elle à son insu à m'y retrouver. "Laisse-la tranquille, disait ma mère à ma tante, je ne peux travailler en repos que quand elle commence ses romans entre quatre chaises." »

Maria Anna, sœur de Mozart, excellente pianiste elle aussi, à l'âge de douze ans.

Attribué à Peter Anton Lorenzoni, 1763, huile sur toile.

Mozart-Museum, Salzbourg.

Dessiner, un art pour vivre

Dans le passé, on a rarement attribué de l'importance aux dessins des enfants. Ceux de Louis XIII, que nous pouvons regarder quatre cents ans plus tard, sont une exception. C'est du reste le seul enfant-roi de son époque dont on ait pris soin de conserver les créations.

Peu d'œuvres conservées

Les matériaux nécessaires au dessin, parchemin, papier ou papyrus, encre ou pigments colorés, coûtaient trop cher pour être mis à la disposition des enfants. Certes, ceux-ci pouvaient s'exercer sur des tablettes de cire ou d'autres supports effaçables. Ils devaient s'amuser à graver des figures sur le sol, sur des pierres ou des morceaux de bois, mais ces traces ne duraient guère.

Enfants inspirateurs des artistes

En Europe, il faut attendre le XIXᵉ siècle pour que les adultes commencent à découvrir la richesse des dessins d'enfants. En 1898, à Hambourg, une grande exposition leur est consacrée pour la première fois, avec pour titre « L'enfant comme artiste ». Certains des plus grands peintres du XXᵉ siècle, comme Mirò, Klee ou Dubuffet, se sont inspirés, dans leurs propres œuvres, du dessin enfantin. Alors, le monde s'est renversé : ce n'étaient plus les enfants qui imitaient les adultes, mais les adultes qui cherchaient à retrouver la force vive de l'enfance !

Un monde passé aux crayons de couleur

Aujourd'hui, à travers le monde, tous les enfants n'ont pas encore accès à une feuille de papier et à des crayons de couleur... loin de là. Pour ceux qui peuvent dessiner, il s'agit d'une formidable manière d'exprimer leurs joies et leurs inquiétudes, de représenter la réalité extérieure et de donner forme aux pensées qui s'agitent au fond d'eux-mêmes. Par le dessin, les uns enrichissent leur monde intime et nourrissent leur joie de vivre. Et les autres trouvent un peu de force pour apaiser de brûlantes douleurs.

Joan Miró,
Tête, 1937, aquarelle sur carton, 64 cm x 49 cm.
Musée d'Art moderne, Villeneuve-d'Ascq. Dépôt du Centre Pompidou, 1989.

Giotto dessinait ses moutons

Giotto était le fils d'un paysan. Enfant, il faisait paître le troupeau de son père, non loin de Florence. Il avait l'habitude de dessiner des moutons sur les pierres ou sur le sable. Cimabue, un célèbre peintre de l'époque, passant par là, s'arrête émerveillé par les dessins de l'enfant. Il lui propose de le suivre et de lui enseigner son art. D'après cette légende, voilà comment Giotto serait devenu le plus grand artiste italien du XIVe siècle.

Henri-Joseph de Forestier (attribué à), *L'Enfance de Giotto*, XIXe siècle, huile sur toile, 39,3 cm x 32,3 cm. Musée Magnin, Dijon.

482

Juillet 1993, Sarajevo, Bosnie.
Photographie de Laurent Van der Stockt.

Créer au-delà des maux

Des orphelins placés dans des maisons spécialisées où ils sont battus et humiliés. Des enfants qui ont vu leur famille massacrée pendant une guerre. Des enfants frappés et violés dans leur propre foyer. Après avoir subi de telles horreurs, se dira-t-on, ces enfants resteront à jamais enfermés dans leur détresse, incapables de retrouver le goût de vivre.

Une voie pour s'en sortir

Ce serait là manquer de confiance dans la force vitale des enfants. *« Il est possible de s'en sortir »*, explique le docteur Boris Cyrulnik. Pas toujours, certes, mais plus souvent qu'on ne le croit. Rien de facile à cela ; il y faut du temps et un peu d'aide. La rencontre d'une personne qui écoute et redonne confiance est indispensable.

Son histoire devient une œuvre

Lorsque Amadou Bâ, l'enfant des rues de Dakar, a pu raconter son histoire, il s'est rendu compte qu'il pouvait être respecté, accepté, malgré toute la noirceur de sa vie. Cela aide à reprendre confiance, à retrouver un peu d'estime pour soi. Le plus terrible, pour ces enfants blessés par la vie, c'est de se sentir coupable, sale : *« Je suis mauvais, pensent-ils, rien de bon ne peut venir de moi ; rien de bon ne peut m'arriver. »*

Ensuite, Amadou a écrit le récit de sa vie et l'a publié dans un livre. Son histoire et ses poèmes, imprégnés de désespoir, sont devenus une œuvre, une création dont la force bouleverse ses lecteurs. Amadou a transformé la souffrance de sa vie en un don, adressé à d'autres êtres humains.

Voir p.214

Une autre image de soi

Dessiner, peindre, donner forme à des vêtements ou à des objets, prendre des photos, faire du théâtre, écrire : tout cela aide les enfants à apaiser les blessures les plus graves. Parce que créer amène à retrouver un peu le plaisir vital du jeu, à reformer une image positive de soi. En poursuivant dans cette voie, nombre d'enfants ayant traversé des épreuves terribles sont devenus des artistes, des écrivains ou des scientifiques renommés.

Mais la puissance créative ne naît pas toujours ainsi. D'autres enfants, plus chanceux, ont grandi dans l'aire protégée du jeu enfantin. George Sand n'a pas cessé de maintenir, par le flot des mots, le lien qui l'unissait à sa mère. Mozart n'a pas cessé de baigner dans le monde musical que son père avait conçu pour lui, et de rechercher, non sans souffrances, les témoignages d'amour et d'admiration que ses œuvres pouvaient susciter.

La capacité qu'ont les individus à surmonter une épreuve, aussi dramatique soit-elle, s'appelle la **résilience**.

Asja Lacis, pionnière du théâtre d'enfants

Russie

Le théâtre comme principe de vie

Née en Lettonie en 1891, Asja Lacis étudie au lycée à Riga :

« *J'étais la seule enfant d'ouvrier. Les autres se moquaient de moi* », raconte-t-elle. Passionnée de littérature, elle entre à l'université, à Saint-Pétersbourg, et dans des écoles de théâtre. Lors de la révolution russe de 1917, elle pense que le théâtre doit contribuer à changer la société. En 1918, la ville d'Orel, au sud de Moscou, l'invite comme metteur en scène au théâtre municipal. Mais, au lieu de cela, elle se préoccupe des enfants des rues (appelés *besprisorniki*, en russe). Ils sont très nombreux, en raison de la misère provoquée par la Première Guerre mondiale, puis par la guerre civile.

Sortir les enfants des rues

« *À Orel, dans les rues ou les places, les cimetières, les caves et les maisons détruites, je voyais des troupes d'enfants laissés à l'abandon : les* besprisorniki. *Parmi eux, des garçons au visage noir, non lavés depuis des mois, avec des vestes en loques, des pantalons de coton larges et longs tenus par un bout de ficelle, tous armés de bâtons et de barres de fer. Ils allaient toujours en groupes, derrière un chef, volaient, pillaient, frappaient. Bref, c'étaient des bandes de brigands, victimes de la guerre mondiale et de la guerre civile.*

Dans les foyers municipaux étaient hébergés les orphelins de guerre. J'allai les voir. Ces enfants avaient de quoi manger, ils étaient proprement vêtus, disposaient d'un toit, mais vous regardaient comme des petits vieux : leurs yeux étaient las, tristes, rien ne les intéressait. Des enfants privés d'enfance... Pour les tirer de leur léthargie, il fallait leur assigner une tâche qui les prenne entièrement et soit susceptible de libérer leurs facultés en état de choc. »

Faire entrer les enfants dans le jeu

« *Je savais l'immense énergie que peut recéler le jeu théâtral. J'étais convaincue que par le jeu on pouvait éveiller les enfants, les épanouir. Je désirais amener les enfants jusqu'à ce point où leur œil voit mieux, où leur oreille entend plus finement, où leurs mains façonnent des objets utiles avec le matériau brut. Les forces secrètes libérées par le processus de travail, les facultés ainsi développées, c'est par l'improvisation que nous les convoquions. Le jeu naissait ainsi. Les enfants jouaient pour les enfants.*

Les enfants qui venaient des foyers municipaux ne causaient aucune difficulté. Mais pendant longtemps je ne pus approcher les besprisorniki. *La première fois que je leur adressai la parole sur le marché, les invitant à nous rejoindre, ils me couvrirent de sarcasmes, brandirent leurs bâtons menaçants. Mais je revins. Ils s'habituèrent à moi et à nos disputes si bien que, me revoyant un jour après une assez longue absence, ils m'entourèrent de leurs cris comme de vieilles connaissances.* »

« Ces enfants avaient de quoi manger, ils étaient proprement vêtus, disposaient d'un toit, mais vous regardaient comme des petits vieux : leurs yeux étaient las, tristes, rien ne les intéressait. Des enfants privés d'enfance... »

Brigands et acteurs

« À la maison, le travail continuait. Je leur donnai une scène à travailler en improvisation : des brigands sont assis autour d'un feu dans la forêt et se vantent de leurs actes. C'est au milieu d'une telle scène que survint, peu après, la première visite des besprisorniki *dans notre maison. Les enfants se levèrent d'un bond et voulurent fuir devant les intrus. Ceux-ci étaient terrifiants à voir. Je convainquis les enfants de poursuivre l'improvisation sans prêter garde aux importuns. Un moment après, le chef de ces derniers, Vanka, entra dans le cercle des joueurs, fit un signe à ceux de son groupe. Ils poussèrent les enfants de côté et entreprirent de jouer la scène eux-mêmes. Ils se glorifiaient de leurs meurtres, de leurs incendies volontaires, de leurs pillages, rivalisant de cruautés en tout genre. Puis, ils se remirent debout et regardèrent nos enfants avec un mépris sarcastique : "C'est comme ça qu'ils sont, les brigands !" Les* besprisorniki *revinrent et formèrent ensuite le noyau actif de notre théâtre d'enfants. »*

Devant un vrai public

« Le jeu d'improvisation, c'était le bonheur et l'aventure pour les enfants. On travaillait sérieusement : on découpait, on collait, on dansait, on chantait, on apprenait des textes. Ainsi naquit le personnage d'Alinur, qui offensait sa mère et terrorisait les autres enfants. On ne discuta d'une représentation publique de la pièce qu'au moment où s'exprima l'exigence d'une action collective, ainsi que le désir de montrer le jeu à tous les enfants de la ville. La représentation publique devint une véritable fête. Les enfants de notre studio formèrent une sorte de cortège carnavalesque pour se rendre au théâtre en plein air de la ville. Ils parcoururent les rues avec les animaux, les masques, les accessoires et les éléments de décor, cela en chantant. Des spectateurs, petits et grands, se joignirent à eux. Le soir, beaucoup nous suivirent sur le chemin qui nous ramenait à la maison. »

« Le théâtre, art de l'éphémère, est l'art enfantin par excellence », a écrit le philosophe Walter Benjamin. Cet ami proche de Asja Lacis s'est beaucoup inspiré de son expérience théâtrale. Il disait aussi que *« l'éducation de l'enfant exige que sa vie entière soit mise en jeu »*. Pour lui, le cadre par excellence de cette éducation devrait être le théâtre d'enfants.

En 1917, en Russie, les souffrances et la misère provoquées par la Première Guerre mondiale deviennent intolérables. En février, une première révolution met fin au pouvoir du tsar, l'empereur de Russie. Les conseils ouvriers et paysans (les soviets) se multiplient, s'emparent des usines et organisent la vie collective. Avec la révolution d'Octobre, le parti bolchevique de Lénine prend le contrôle du gouvernement. Il distribue les terres aux paysans et en appelle à la fraternité des travailleurs de tous les pays. Mais, en 1918, les « Russes blancs », partisans du tsar, déclenchent une guerre civile, avec l'appui des puissances européennes. Le pays connaît une terrible famine. En 1920, le gouvernement dirigé par Lénine l'emporte, mais il sait que la défaite des mouvements révolutionnaires en Europe rend vain le rêve de construire le socialisme en Russie.

LA RÉVOLUTION RUSSE

Février 2001. Samba rentre sa tête dans son pull à col roulé et demande d'une voix étranglée : « *C'est vraiment lui qui nous écrit ?* »

Les enfants acteurs de Tamèrantong! : rencontre entre les mondes

20ᵉ-21ᵉ siècle

France-Mexique

Lettre inattendue

Lui, c'est Zorro. Pardon, Marcos, le sous-commandant (*alias* le « Sub », pour *subcomandante*), porte-parole des Indiens zapatistes du Mexique. Celui dont les communiqués ont inspiré *Zorro el Zapato*, un spectacle créé avec vingt-quatre enfants de Belleville, un quartier de Paris.

Les enfants de la troupe sont sonnés. Nous venons de leur lire la lettre que le « Sub » a fait parvenir à la compagnie : lui et vingt-trois commandants indiens vont quitter le Chiapas pour faire entendre la voix des sans-voix et des sans-visage. Ils nous donnent rancard à Mexico pour nous remercier d'avoir monté une pièce qui est « *un pont avec la lutte indienne* » et Marcos dit qu'il a un secret à révéler aux enfants.

Le mythe est descendu de son piédestal et s'adresse tendrement à eux, ses « petits frères »... C'est bien leur Zorro qui signe : « *Celui qui n'est pas chef mais sous-chef* », précisent-ils souvent. Samba laisse juste dépasser ses yeux de son col roulé : « *On va jouer devant lui ! Et devant les chefs indiens ! On va aller au Mexique !* »

Ça y est, les enfants exultent, ils dansent. Samba a retiré son pull-over vert comme la jungle et le fait tournoyer par sa manche rapiécée au-dessus de sa tête noire.

Un rêve est en marche

Voilà deux années déjà que nos petits coyotes de toutes les couleurs de la Terre endossent brillamment sur scène le rôle de ces rebelles masqués qui parlent de paix : contre toute violence, une seule arme, la parole vraie. Pas facile de la saisir, cette parole. L'envers du décor est vraiment dur parfois. De quoi avoir « la méchante rage ».

« *Moi, je me suis dit, c'est des commandants, des guerriers, ils luttent, ils pleurent pas. On leur offre un cadeau, ils pleurent.* »

Shirley, 11 ans

« La chaaaaaannnnnnnnnce qu'on a ! »

Ce soir d'hiver, l'étincelle zapatiste s'est nichée dans le quartier : un rêve est en route. La presse assiège les répétitions. Il aura fallu la lettre du « Sub », écrite du fin fond de la forêt, pour qu'ici on s'intéresse à nous. Va-t-on enfin parler des créations et des actes collectifs qui se réalisent dans nos périmètres obscurs ? Va-t-on raconter les rêves des gamins qui ne demandent qu'à bien grandir malgré tout et qui ont soif de savoir, d'échanges et de fêtes ?

Demain, les vingt-quatre petits zorros s'envoleront pour Mexico afin d'y rencontrer les vingt-quatre grands zorros. Qui sera le miroir de qui ?

« On vient d'un peu partout, alors il faut bien apprendre à se parler tous ensemble. C'est ça qu'ils veulent aussi, les Indiens. Si je le dis à un petit enfant, après quand il sera grand, il saura que la guerre, ça ne sert à rien. Même s'il est têtu comme ceux qui font la guerre dans le monde et au Proche-Orient. C'est comme ça et ainsi de suite, il le dira à son enfant qui le dira plus tard à son enfant, tu comprends ? »

Amany, 10 ans

Jouer pour la paix

« Les Indiens nous ont invités parce qu'ils sont très contents de savoir qu'on les représente en faisant un spectacle en France, à l'autre bout du monde et qu'on pense à eux. »
Amal, 9 ans

« C'est un spectacle aussi pour la paix dans les quartiers. On est contre la violence. »
Amany, 10 ans

« Ici à Tamèrantong!, on se parle, les garçons et les filles. Et même entre les différentes races et religions. Et même entre les riches et les pauvres, on se parle. »
Yacine, 12 ans

Une rencontre inoubliable

« La vérité, quand j'ai remis mon cadeau à ma commandante Fidelia, vraiment mon cœur battait. Quand on s'est pris dans les bras avec ma commandante, j'étais trop émue, mon cœur allait exploser, il n'arrêtait pas de battre. C'était coincé dans ma gorge. Je ne savais pas qu'on peut être tellement ému qu'on n'arrive pas à pleurer. La vérité, j'étais trop contente ! »
Nahla, 11 ans

« Marcos, il a trop d'humour, il nous dit qu'il va nous faire "couic !" si on répète le secret de Durito, mais il sait très bien qu'on va le répéter. En plus, lui aussi il nous l'a répété, en plus il nous a dit que c'était un secret pour tout le monde ! »
Amal, 9 ans

« Son histoire, elle est bien, parce qu'elle dit que ta couleur de peau, elle est belle et qu'il faut aimer celle des autres. »
Shirley

« Ouais, et que les plus grands et les plus forts, c'est pas ceux qu'on croit. »
Hachem, 9 ans

Spectacle en France pour révolte au Mexique

Créée en 1988, la compagnie de théâtre Tamèrantong! travaille avec les enfants des quartiers de Mantes-la-Jolie et de Belleville, à Paris. Les enfants sont les acteurs des spectacles que la compagnie conçoit et met en scène. L'un d'eux, *Zorro el Zapato*, s'inspire de la révolte des Indiens zapatistes du Mexique et a fait l'objet d'une tournée pendant plusieurs années. En 2001, la troupe a été invitée à présenter ce spectacle au Mexique, devant les commandants zapatistes, à l'issue de la Marche de la couleur de la terre, qui a conduit ces derniers depuis le Chiapas jusqu'à Mexico, la capitale du pays.

VOIR FICHE P. 317

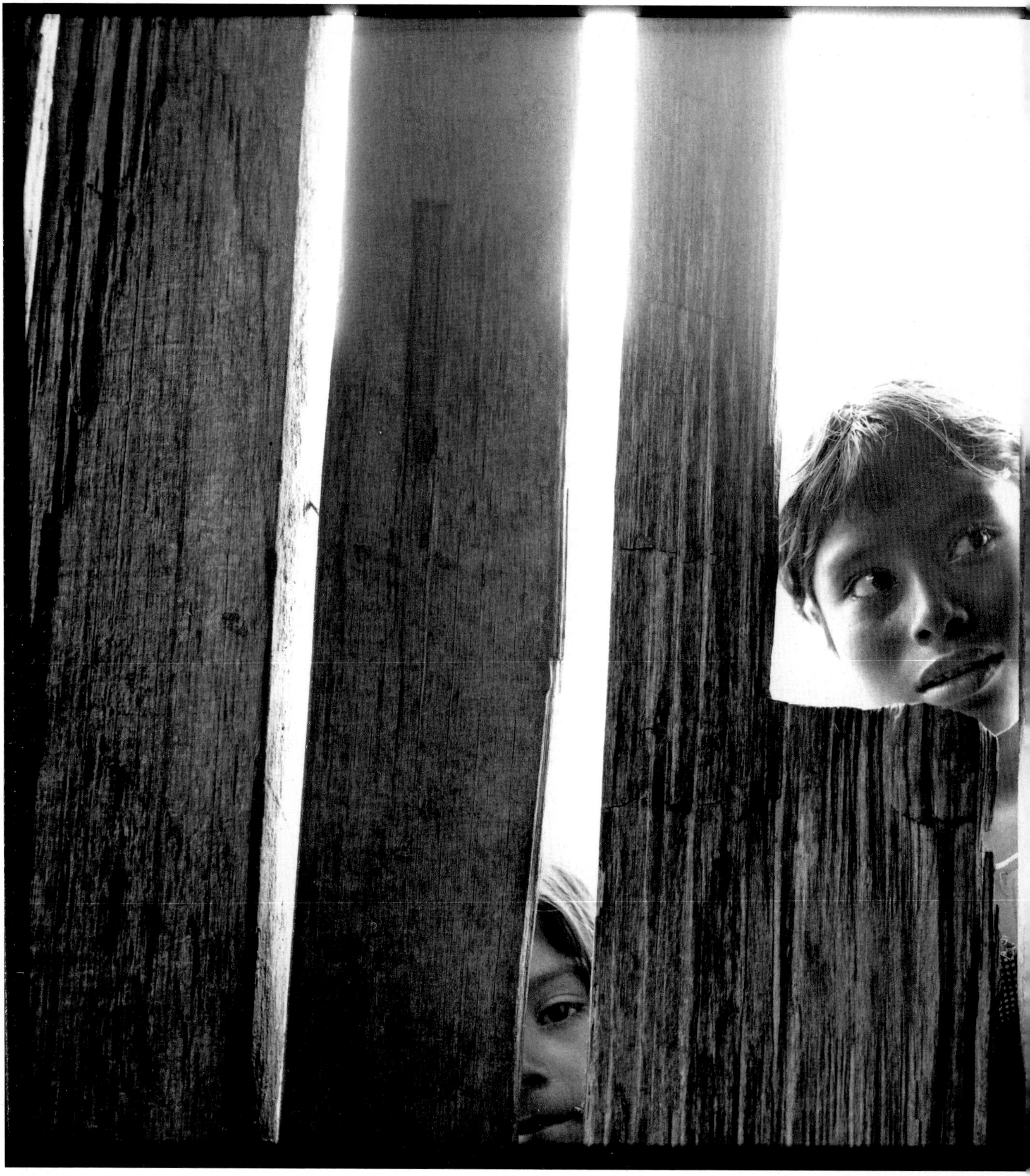

Des enfants observent les cours qui se déroulent à l'intérieur de l'école, juillet 2005.
Village zapatiste de la forêt Lacandone, Guadalupe Trinidad, Chiapas, Mexique.

Photographie de Mat Jacob.

Les mondes des enfants

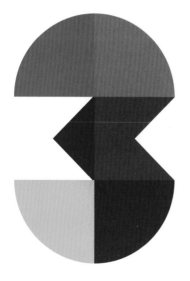

À quels moments de l'histoire les mondes de l'enfance ont-ils été mieux protégés et les capacités enfantines mieux reconnues ? Aujourd'hui ou bien hier ? Difficile de répondre. D'un côté, c'est au XXᵉ siècle, surtout en Europe et en Amérique du Nord, que l'on a pris pleinement conscience de la valeur du jeu des enfants, de l'inventivité de leurs dessins, ou encore de leurs talents d'acteurs.
De l'autre, ce même siècle a connu les guerres les plus inhumaines et des injustices aussi criantes que par le passé.

Et que vaut-il mieux : l'art de jouer sans jouet des enfants de tant de sociétés rurales ? Ou la surabondance de la consommation moderne, avec ses jouets de plus en plus techniques, de plus en plus agressifs, mais pas forcément plus amusants ? Bref, le monde moderne est loin de tenir toutes les promesses faites aux plus jeunes. Au contraire, les frustrations se multiplient, sans doute parce que la société fait naître beaucoup de rêves et de désirs mais fournit de moins en moins de possibilités de les réaliser vraiment.

À tout prendre, bien des sociétés traditionnelles n'ont pas plus mal réussi. Elles ont souvent laissé libre cours à la passion enfantine du jeu, par inattention peut-être plus que par conviction. Elles ont su encourager les talents des enfants : leur art d'organiser des associations d'enfants en Afrique ; le sens de la danse et de la musique à Bali, entre mille exemples.

Les XIXᵉ et XXᵉ siècles marquent pourtant un extraordinaire renversement dans l'histoire de l'enfance. Pour la première fois, les plus grands peintres s'inspirent des dessins d'enfant, comme d'une source vive. Pendant des siècles, on avait affirmé que les enfants devaient se contenter d'apprendre des adultes et leur obéir en tout. Désormais, on découvre que l'adulte a quelque chose à apprendre de l'enfant, dont l'art du jeu et l'énergie créatrice recèlent un secret qui intéresse l'humanité tout entière.

Au XXᵉ siècle, une nouvelle relation s'esquisse. En éduquant leurs enfants, les parents prennent conscience de recevoir beaucoup d'eux. Ils apprennent, grâce à eux, à devenir parents. Goethe l'avait écrit déjà : « *L'enfant faisait vraiment l'éducation du père, bien plus que le père celle de l'enfant.* »

Les adultes admettent qu'ils abritent une part d'enfance. Une part qui n'a pas voulu grandir. C'est ce foyer de sensations et d'imagination toujours vive que sollicitent les artistes et les écrivains. C'est à cette source-là que puisent bien d'autres adultes, soucieux de garder en eux l'enfant qu'ils ont été. Désormais, l'enfance ne finit jamais tout à fait...

Jamais comme aujourd'hui la valeur de l'enfance n'avait été aussi fortement affirmée et en même temps si tragiquement bafouée, par la misère et les maladies, l'exploitation au travail et la prostitution, la violence familiale ou la guerre. Par l'injustice d'un monde où vivre son enfance demeure un privilège, auquel la majorité des enfants n'a pas accès.

Faire en sorte que la valeur de l'enfance soit pleinement reconnue reste un rêve, une espérance. Pour demain.

Une chose est sûre : il n'y aura pas de société vraiment humaine, offrant une vie digne à tous les hommes et à toutes les femmes, qui ne fasse de l'enfance l'une de ses plus hautes valeurs. Une société de la liberté du jeu et de l'explosion créative, pour mieux faire les apprentissages nécessaires à la vie collective. Une société débarrassée des souffrances de la guerre, des frustrations de l'injustice et de l'angoisse de la compétition à outrance. Une société dans laquelle le bonheur des enfants préparerait à une vie adulte fondée sur l'entraide et la coopération entre tous.

Un monde véritablement humain suppose le respect de l'enfance et son plein épanouissement. Seule une « société de l'enfance », consciente de cette exigence, pourra réaliser le rêve de dignité que l'humanité tout entière porte en elle. Comme l'a écrit Walter Benjamin, c'est dans le geste de l'enfant qu'on reconnaît le signal secret de l'avenir.

Société

Le mot « société » vient du latin *socius*, qui signifie associé. Il désigne l'ensemble des hommes et des femmes qui, à une époque et dans un lieu donnés, vivent ensemble selon les mêmes règles. On peut par exemple parler de la société chinoise du XXIe siècle ou de la société des Indiens Cheyennes au XVIIIe siècle. Une société se caractérise par les règles et les lois, les activités et les manières de vivre, les croyances et les rituels, les conceptions de l'éducation et de l'enfance, que chacun de ses membres découvre dès ses premières années et assimile sans même s'en rendre compte, afin de pouvoir vivre dans la société qui l'a vu naître.

Sociétés modernes

Dans les sociétés modernes, transformées par l'essor de la technologie et de l'industrie, la population vit principalement dans des villes souvent gigantesques, à un rythme de vie toujours plus rapide. Ces sociétés sont fières de leurs avancées scientifiques et de leur aisance matérielle, mais elles perdent tout contact avec la nature et provoquent une détérioration de l'environnement qui met en péril le mode de vie des humains.

Sociétés traditionnelles

Dans les sociétés traditionnelles, très peu urbanisées, la population vit surtout à la campagne, se consacrant aux travaux des champs et à l'élevage (ou parfois à la chasse et à la cueillette). L'obligation de se dépêcher y est inconnue et les activités dépendent en grande partie des saisons et des cycles naturels. Les humains y sont amplement démunis face aux maladies et aux effets des intempéries ; mais du moins ne portent-ils guère atteinte aux équilibres de la nature.

Monde occidental

Le monde occidental englobe l'Europe et l'Amérique du Nord. S'y concentrent les pays économiquement les plus développés, les premiers à avoir amorcé l'essor de l'industrie et des villes. C'est un petit îlot à l'échelle de la planète car, ailleurs, s'étendent les régions pauvres du tiers-monde (ou pays en développement). Dans le passé, l'Occident a colonisé tous les autres continents ; aujourd'hui encore, il prétend imposer partout ses intérêts et ses valeurs, les présentant comme supérieurs, par exemple la liberté de conscience, la démocratie, la croissance économique, les droits de l'homme. Mais beaucoup pensent que l'Occident s'est développé seul parce que la colonisation lui a permis d'empêcher l'essor des autres régions du monde, d'en accaparer les richesses naturelles et d'en exploiter la main-d'œuvre.

Culture

Une culture est l'ensemble des manières de se comporter, de penser et de ressentir, qui sont partagées dans une société donnée. Elle s'enracine dans les pratiques quotidiennes. Ce que l'on mange (et comment), la manière de se vêtir (ou pas), les gestes qu'il faut faire ou ne pas faire, les fêtes et les rites, les chants et les danses, les conceptions de la terre et du ciel, les histoires que l'on raconte, tout cela fait partie de la culture et peut donc varier d'une société à une autre. La culture inclut aussi les productions de la littérature et de tous les arts.

Civilisation

Proche de « culture », le terme « civilisation » englobe toutes les caractéristiques d'une société : son organisation, ses croyances, ses rituels, son architecture et ses réalisations artistiques... Jadis, il était fréquent d'opposer « civilisation » et « barbarie ». Mais on peut aujourd'hui utiliser ce terme sans pour autant penser que certaines sociétés sont « civilisées », tandis que d'autres seraient « barbares ». En fait, toutes les sociétés, toutes les cultures comportent des aspects civilisés et d'autres que l'on peut juger barbares, à commencer par l'injustice et l'oppression.

CARTES

Égypte des pharaons
(2900-30 avant J.-C.)
L'Égypte est devenue une province
romaine en 30 avant J.-C.

Grèce des cités
(vers 750-vers 330 avant J.-C.)
La Grèce est passée sous l'autorité
de Rome au cours du IIe siècle avant J.-C.

Empire romain
dans sa plus grande extension
(vers 200 après J.-C.)

3000 avant J.-C.

MONDES
DE L'ANTIQUITÉ
MÉDITERRANÉENNE   5e siècle après J.-C.

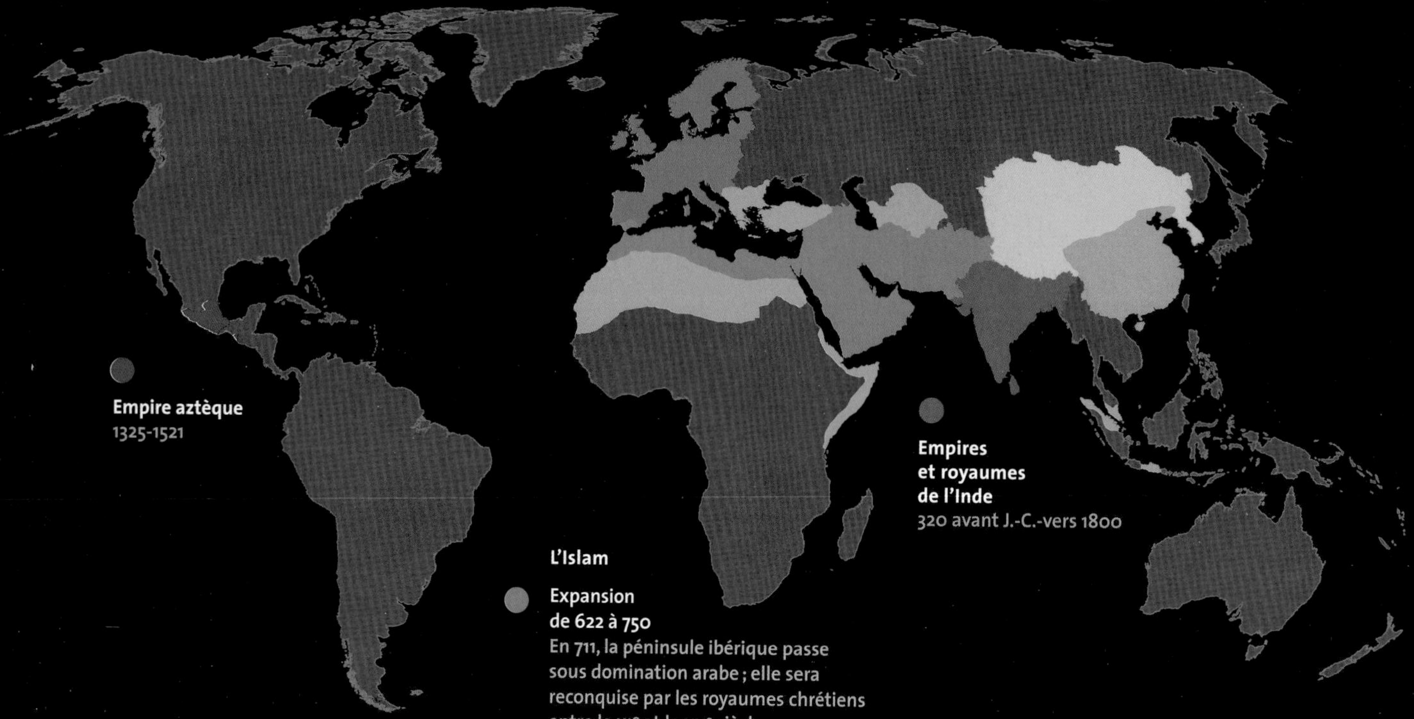

494

Occident médiéval

Royaumes et cités reconnaissant
l'autorité du pape. La chrétienté occidentale
atteint cette extension à partir du XIᵉ siècle
et la conserve jusqu'en 1492.

Empire chinois
220 avant J.-C.-1911

Extension vers 1400

Extension au XVIIIᵉ siècle

Empire aztèque
1325-1521

**Empires
et royaumes
de l'Inde**
320 avant J.-C.-vers 1800

L'Islam

Expansion
de 622 à 750
En 711, la péninsule ibérique passe
sous domination arabe ; elle sera
reconquise par les royaumes chrétiens
entre le XIᵉ et le XVᵉ siècle.

Expansion
au XVᵉ siècle

Ne sont figurées sur cette carte
que les civilisations
dont il est question dans le livre.

5ᵉ-15ᵉ siècle

MOYEN ÂGE OCCIDENTAL ET GRANDES CIVILISATIONS NON-EUROPÉENNES

L'EUROPE OCCIDENTALE COLONISE LE MONDE

16ᵉ-20ᵉ siècle

Principaux pays européens colonisateurs

Principalement l'Espagne, le Portugal et la Hollande, du xvɪᵉ au xvɪɪɪᵉ siècle ; puis la Grande-Bretagne, la France, la Belgique, l'Italie et l'Allemagne, du xɪxᵉ au xxᵉ siècle.

Territoires colonisés par les Européens du xvɪᵉ au xvɪɪɪᵉ siècle

Ceux d'Amérique redeviennent indépendants, pour la plupart, entre 1776 et 1821 ; ceux des autres continents demeurent des colonies jusqu'au xxᵉ siècle.

Territoires indiens conquis par les États-Unis, le Canada et l'Argentine au xɪxᵉ siècle

Territoires colonisés par les Européens du xɪxᵉ jusqu'au milieu du xxᵉ siècle

Ils accèdent à l'Indépendance, pour la plupart, entre 1947 et 1976.

Territoires sous tutelle occidentale

Chine de 1842 à 1911, Égypte de 1882 à 1922, Proche-Orient après la Première Guerre mondiale.

LE MONDE ACTUEL

20ᵉ-21ᵉ siècle

Inuit 441

Inuit 441

Canada 265

Mohaves 126

Hopi 147

Cheyennes 321

États-Unis d'Amérique 456

Tarahumaras 453

Mexique 169

Mayas 453

Chiapas 317

Guatemala 234

Indiens d'Amazonie 329

Pérou 234

Bolivie 234

Brésil 453

Les chiffres
qui figurent sur cette carte
correspondent
aux numéros de pages.

000

fiches « totems »

000

textes

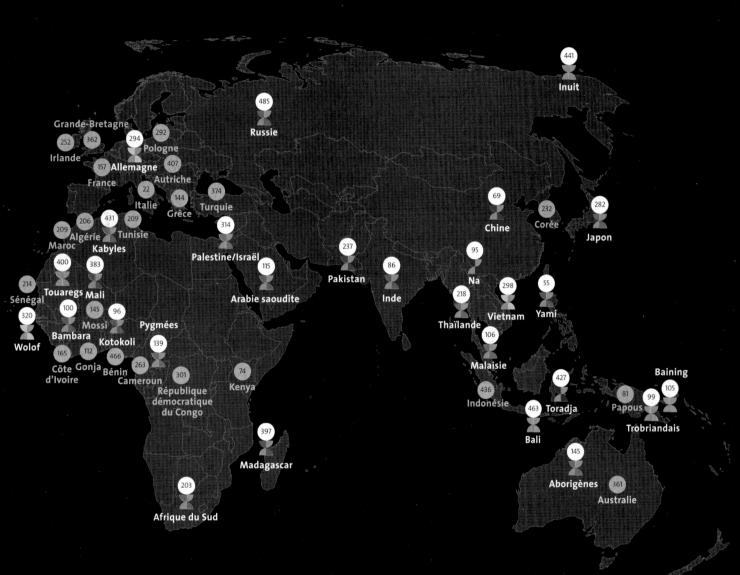

Inuit 441

Russie 485

Grande-Bretagne 252
Irlande 362
157 Allemagne 294 Pologne 292
France 407 Autriche
22 144 Grèce
Italie Turquie 374
209 206 431 209
Maroc Algérie Tunisie
Kabyles
Palestine/Israël 314
Sénégal 214
Touaregs 400 Mali 383
Wolof 320
100 145 96 Pygmées
Bambara Mossi Kotokoli
165 112 466 139
Côte Gonja Bénin 263
d'Ivoire Cameroun
République 301
démocratique
du Congo
Kenya 74

Arabie saoudite 115
Pakistan 237
Inde 86

Chine 69
Corée 232
Japon 282

Na 95
Thaïlande 218 Vietnam 298 Yami 55
Malaisie 106
Indonésie 436
Toradja 427 Baining
Bali 463 81 99 105
Papous Trobriandais

Madagascar 397

Afrique du Sud 203

Aborigènes 145
Australie 361

BIBLIOGRAPHIE

Sources des textes cités

Voici les éditions des ouvrages et témoignages cités. D'autres éditions ont parfois été utilisées ou légèrement adaptées ; on indique ici les plus accessibles en français.

A > Abodehman, Ahmed, *La Ceinture*, Gallimard, 2000. > *Ami et Amile. Une chanson de geste de l'amitié*, éd. Jean Dufournet, Honoré Champion, 1987. > *Les Animaux reconnaissants*, ou *La Fille du roi et les trois ouvrages*, dans *Nannette Lévesque, conteuse et chanteuse du pays des sources de la Loire*, éd. Marie-Louise Tenèze et Georges Delarue, Gallimard, 2000. **B** > Bâ, Amadou, « Chroniques de fuite », dans *L'Envers du jour*, dir. Jean-Michel Bruyère, Léo Scheer, 2001. > Bâ, Amadou Hampâté, *Amkoullel, l'enfant peul*, Actes Sud, 1991. > Buten, Howard, *Ces Enfants qui ne viennent pas d'une autre planète : les autistes*, Gallimard Jeunesse, 2001. **C** > Coetzee, J. M., *Scènes de la vie d'un jeune garçon*, Seuil, 1999. > Culmann, Olivier, *Les Mondes de l'école*, Marval, 2001. > Darwin, Charles, *L'Autobiographie*, Seuil, 2008. **D** > De Amicis, Edmondo, *Le Livre Cœur*, éd. Gilles Pécout, Rue d'Ulm, 2005. > Dickens, Charles, *David Copperfield*, Gallimard, 2010. **E** > *L'Enfant rusé et autres contes bambara. Mali et Sénégal oriental*, éd. Gérard Meyer et Veronika Görög-Karady, Conseil international de la langue française-Edicef, 1984. > *L'Enfant terrible*, conte africain, dans *Histoires d'enfants terribles*, de Veronika Görög-Karady, Maisonneuve et Larose, 1980. > Equiano, Olaudah, *Ma Véridique Histoire. Africain, esclave en Amérique, homme libre*, Mercure de France, 2008. **F** > Fourier, Charles, *L'opéra et la cuisine*, Gallimard-Le Promeneur, 2006. **G** > Gandhi, Mahatma, *Autobiographie, ou Mes expériences de vérité*, PUF, 2007. > Grimm, Jacob et Wilhelm, *Contes*, éd. Jean-Marie Sapet, trad. Jean Amsler et Marthe Robert, Gallimard, 2006. > Grinspan, Ida, témoignage disponible sur Internet : http://www.sceren.fr/memoire/liberation_camps/college/projetImp.htm > Guibert de Nogent, *Autobiographie*, éd. Edmond-René Labande, Les Belles Lettres, 1981. **H** > Hatano, Isoko et Ichirô, *L'Enfant d'Hiroshima*, Gallimard Jeunesse, 1999. > Héroard, Jean, *Journal de Jean Héroard, médecin de Louis XIII*, dir. Pierre Chaunu, éd. Madeleine Foisil, 2 vol., Fayard, 1989. > Hong, Hyegyonggung, *Mémoires d'une reine de Corée*, Philippe Picquier, 2002. **I** > Itard, Jean, *Victor de l'Aveyron*, Allia, 2009. **J** > Jacob, Mat, *Les Mondes de l'école*, Marval, 2001. > *Jean de l'Ours*, dans *Récits et Contes populaires du Dauphiné : dans la vallée du Queyras*, recueillis par Charles Joisten, Gallimard Jeunesse, 1978. > Joyce, James, *Portrait de l'artiste en jeune homme*, Gallimard, 2007. **K** > Konaté, Ibrahima, « Poèmes à l'infect », dans *L'Envers du jour*, dir. Jean-Michel Bruyère, Léo Scheer, 2001. **L** > Lacis, Asja, *Profession révolutionnaire. Sur le théâtre prolétarien, Meyerhold, Brecht, Benjamin, Piscator*, Presses universitaires de Grenoble, 1989. > Las Casas, Bartolomé de, *Très Brève Relation de la destruction des Indes*, trad. Fanchita Gonzalez Batlle, La Découverte, 1983. **M** > Ma Yan, *Le Journal de Ma Yan. La vie quotidienne d'une écolière chinoise*, éd. Pierre Haski, J'ai Lu, 2004. > *Marcos, sous le passe-montagne. Discours du sous-commandant Marcos*, Syros, 2006. > Ménétra, Jacques-Louis, *Journal de ma vie*, éd. Daniel Roche, Albin Michel, 1998. **N** > Nin, Anaïs, *Journal d'enfance, 1914-1919*, Stock, 1979. **P** > *Pequeletou*, conte de France et d'Italie, dans *Contes de la Riviera*, n° 29 (conté par Madeleine Delicamp), de James Bruyn Andrews, Aubéron, 2008. > *Le Petit Poucet*, dans *Contes*, de Charles Perrault, éd. Jean-Pierre Collinet, Gallimard, 1999. > Pozzi, Catherine, *Journal de jeunesse, 1893-1906*, Claire Paulhan, 1997. **R** > Rabelais, François, *Gargantua*, Gallimard Jeunesse, 2008. **S** > Sand George, *Histoire de ma vie*, éd. Martine Reid, Gallimard, 2004. > *Sangbidang, la fille à la dent unique*, conte toradja, dans *Histoires d'enfants exposés. Pays toradja, Sulawesi, Indonésie*, de Jeannine Koubi, Presses de l'Université Paris-Sorbonne, 2003. **T** > Truquin, Norbert, *Mémoires d'un prolétaire*, Le mot et le reste, 2006. **V** > *La Vache des orphelins*, dans *Contes kabyles*, recueillis par Leo Frobenius, vol. 3, Edisud, 1995-1998. > Vallès, Jules, *L'Enfant*, éd. Denis Labouret, Gallimard, 2000.

Ouvrages utilisés

Chapitre 1 > Maria Bacchi, « Oltre la linea d'ombra », dans Egle Becchi (dir.), *Scritture bambine. Testi infanti tra passato e presente*, Laterza, Rome-Bari, 1995 (témoignages de Federica, Emiliano et Marco) > Bernard Saladin d'Anglure, *Être et renaître inuit, homme, femme ou chamane*, Gallimard, 2006 (souvenirs de Qisaruatsiaq et Iqallijuq) > Véronique Dasen (dir.), *Naissance et Petite Enfance dans l'Antiquité*, Fribourg, Academic Press, 2004. **Chapitre 2** > Comisión para el año internacional del niño, *El niño en la historia de México*, Mexico, 1978 ; > Véronique Arnaud, « "L'Enfant-Esprit". La naissance chez les Yami de Botel Tobago », dans Jeannine Koubi et Jacqueline Massard-Vincent (dir.), *Enfants et Sociétés d'Asie du Sud-Est*, L'Harmattan, 1994. **Chapitre 3** > Paul Veyne, « L'Empire romain », dans Philippe Ariès et Georges Duby (dir.), *Histoire de la vie privée*, vol. 1, Seuil, 1985 ; > Christiane Klapisch-Zuber, « L'enfant, la mémoire et la mort dans l'Italie des XIVe et XVe siècles », dans Egle Becchi et Dominique Julia (dir.), *Histoire de l'enfance en Occident*, vol. 1, Seuil, 1992. **Chapitre 4** > Jacqueline Rabain, *L'Enfant du lignage. Du sevrage à la classe d'âge chez les Wolof du Sénégal*, Payot, 1979. > Hélène Stork, *Enfances indiennes. Étude de psychologie transculturelle et comparée du jeune enfant*, Le Centurion, 1986. > Luc Boltanski, *Prime Éducation et Morale de classe*, Paris-La Haye, Mouton, 1969 (témoignages de parents parisiens). > Jean-Claude Jugon, *Petite Enfance et Maternité au Japon*, L'Harmattan, 2002. > Georges Vigarello, *Le Corps redressé. Histoire d'un pouvoir pédagogique*, A. Colin, 2001. > Véronique Dasen (dir.), *Naissance et Petite Enfance dans l'Antiquité*, ouvrage déjà cité. **Chapitre 5** > Suzanne Lallemand, « L'enfant dédoublé », *Nouvelle Revue de Psychanalyse*, n° 19, « L'Enfant », printemps 1979. > Maurice Godelier, *Métamorphoses de la parenté*, Fayard, 2004. > Marie Rose Moro, *Enfants d'ici venus d'ailleurs. Naître et grandir en France*, Hachette, 2002 (histoire d'Afouceta). > Josiane Massard-Vincent, « Naître chinoise, grandir malaise », dans Mireille Corbier (dir.), *Adoption et fosterage*, De Boccard, 2000. > Agnès Fine (dir.), *Adoptions : ethnologie des parentés choisies*, MSH, 1998 (notamment Agnès Fine, « Le don d'enfants dans l'Ancienne France » et Monique Jeudy-Ballini, « Naître par le sang, renaître par la nourriture : un aspect de l'adoption en Océanie »). **Chapitre 6** > Georges Duby, *Guillaume le Maréchal*, Fayard, 1984. **Chapitre 7** > Louis Dumont, *Une sous-caste de l'Inde du Sud. Organisation sociale et religion des Pramalai Kallar*, Paris-La Haye, Mouton & Cie, 1957. > Georges Devereux, *Ethnopsychiatrie des Indiens Mohaves*, trad. Françoise Bouillot, préf. Tobie Nathan, Les empêcheurs de penser en rond, 1996. > Maffeo Vegio, *De educatione liberorum*, éd. M. Walburg Fanning et A. Stanislaus Sullivan, Washington, Catholic University of America, 1933-1936.

Chapitre 8 > **Barry S. Hewlett,** *Intimate Fathers. The Nature and Context of Aka Pigmy Paternal Infant Care,* Ann Arbor, University of Michigan Press, 1997. > **Bernard Vernier,** « Prénom et ressemblance », dans *Adoptions,* ouvrage déjà cité. > **Dorothy Eggan,** « Le rêve chez les Indiens Hopi », dans Roger Caillois et Gustave Von Grunebaum (dir.), *Le Rêve et les Sociétés humaines,* Gallimard, 1967 (rêve d'une Indienne Hopi). **Chapitre 9** > **Maurice Godelier,** *Métamorphoses de la parenté,* ouvrage déjà cité . > **Bernard Saladin d'Anglure,** *Être et renaître inuit,* ouvrage déjà cité. > **Wu Pei-yi,** « *Childhood Remembered : Parents and Children in China, 800 to 1700* », dans Anne Behnke Kinney (dir.), *Chinese Views of Childhood,* Honolulu, University of Hawaï Press, 1995. **Chapitre 10** > **Emmanuelle Valette-Cagnac,** « Être enfant à Rome. Le dur apprentissage de la vie civique », dans *Terrain,* n° 40, mars 2003 ; *Passages à l'âge d'homme,* numéro spécial de *L'Homme,* n° 167-168, 2003. **Chapitre 11** > **Nicolaus Sombart,** *Chronique d'une jeunesse berlinoise (1933-1943),* Quai Voltaire, 1992 ; **Josiane Racine et Jean-Luc Racine,** *Une vie paria. Le rire des asservis. Pays tamoul, Inde du Sud,* Plon/Unesco, 1995. **Chapitre 12** > **Pierre Bourdieu** (dir.), *La Misère du monde,* Seuil, 1993 (témoignage de monsieur Abbas). > **Marie Rose Moro,** *Enfants d'ici venus d'ailleurs,* ouvrage déjà cité (histoire de Mamadou). > **Honoré Vinck,** « Théories et paradigmes raciaux dans les livrets scolaires du Congo belge », *Revue africaine de théologie,* 43, 1998. **Chapitre 13** > Enquête de Siriat Pusurinkham sur la prostitution en Thaïlande disponible sur Internet : http://www.thewitness.org/agw/pusurinkham.121901.html > **Michel Kokoreff,** *La drogue est-elle un problème ? Usages, trafics et politiques publiques,* Payot, 2010. **Chapitre 14** > **Hetty Nooy-Palm,** « "Mes jours en or". Souvenirs

d'enfance toradja », dans *Enfants et Sociétés d'Asie du Sud-Est,* ouvrage déjà cité (témoignages d'enfants toradja). **Chapitre 15** > **Françoise Dolto,** *Correspondance I, 1913-1938,* Gallimard, 2003. > **Phillipe Lejeune,** *Le Moi des demoiselles. Enquête sur le journal de jeune fille,* Seuil, 1993 (extrait du *Journal* de Fortuné R***). **Chapitre 16** > **Kenneth J. Dewoskin,** « *Famous Chinese Childhoods* », dans *Chinese Views of Childhood,* ouvrage déjà cité. **Chapitre 17** > **David Esnault,** « Au Japon, une jeunesse ultraviolente », *Le Monde diplomatique,* août 1999. > **Marie Rose Moro,** *Enfants d'ici venus d'ailleurs,* ouvrage déjà cité. (histoire de M.). > **Thierry Baranger, Martine de Maximy et Hubert de Maximy,** *L'enfant-sorcier africain entre ses deux juges. Approche ethnopsychologique de la justice,* Odin, 2000 (histoire de Téo). > **Claudine Fabre-Vassas,** *La Bête singulière. Les juifs, les chrétiens et le cochon,* Gallimard, 1994. **Chapitre 18** > **Stéphane Audouin-Rouzeau,** *La Guerre des enfants, 1914-1918,* Armand Colin, 1993. > **Dorena Caroli,** « *Il bambino collettivo* », dans Ottavia Niccoli (dir.), *Infanzie. Funzioni di un gruppo liminale dal mondo classico all'età moderna,* Florence, Ponte alle Grazie, 1993 (témoignage de Andrej). **Chapitre 19** > **Charles Fourier,** *Vers une enfance majeure. Textes sur l'éducation,* éd. René Schérer, La Fabrique, 2006 ; *EZLN. Documentos y comunicados,* 5 vol., Mexico, Era, 1994-2003 (textes du sous-commandant Marcos). **Chapitre 20** > *Biblioteca de pequeños creadores,* Mexico, Consejo Nacional para la Cultura y las Artes, Mexico, 2004 (fable écrite par Gustavo Adolfo Chavez Valdovinos). **Chapitre 21** > **Suzanne Lallemand,** « Symbolisme des poupées et acceptation de la maternité chez les Mossi », dans *Griffon,* n° 79, 1987. > **Michel Manson,** « Diverses approches sur l'histoire de la poupée du XVe au XVIIe siècle » et **Jean-Pierre Vanden Branden,**

« Les jeux d'enfants de Pierre Bruegel », dans Philippe Ariès et Jean-Claude Margolin (dir.), *Les Jeux à la Renaissance,* Vrin, 1982. > **D. W. Winnicott,** *Jeu et Réalité. L'espace potentiel,* Gallimard, 1975. **Chapitre 22** > **Lucien Malson,** *Les Enfants sauvages. Mythe et réalité,* 10/18, 1964 ; **Éric Mension-Rigau,** *L'Enfance au château. L'éducation familiale des élites françaises au XXe siècle,* Rivages, 1990. **Chapitre 23** > **Jean Froissart,** *L'Espinette amoureuse,* éd. A. Fourrier, Klincksieck, 1972. > **Danièle Alexandre-Bidon et Pierre Riché,** *L'Enfance au Moyen Âge,* Seuil, 2002 (lettre de l'évêque Robert Brayeroke). > **Tùng Nguyen et Nelly Krowolski,** « Histoire de rire ou de sourire... L'enfant des contes à rire vietnamiens », dans *Enfants et Sociétés d'Asie du Sud-Est,* ouvrage déjà cité. > **Philippe Lejeune,** *Le Moi des demoiselles,* ouvrage déjà cité (*Journal* de Renée Berruel). **Chapitre 24** > **Valérie d'Anglejan-Châtillon,** *Deux Éducations aristocratiques à la fin du XVIIIe siècle : les princes Louis et Joseph de Saxe,* mémoire de maîtrise, Université de Paris-I, 1981. > **Clément Sambo,** « "Pose la devinette ?" Les contes brefs des enfants malgaches », dans *Enfants et Sociétés d'Asie du Sud-Est,* ouvrage déjà cité. **Chapitre 25** > **Marie Bonaparte,** *Cinq Cahiers écrits par une petite fille entre sept ans et demi et dix ans et leurs commentaires,* Paris-Londres, Imago, 1939-1951. > **Jacqueline Rabain,** *L'Enfant du lignage,* ouvrage déjà cité. > **Sigmund Freud,** *L'Interprétation des rêves,* PUF, 1971. **Chapitre 27** > **Christiane Klapisch-Zuber** « Tombeau pour le croquemitaine. Trois manières d'en prendre congé au XVe siècle », dans Danièle Alexandre-Bidon et Jacques Berlioz (dir.), *Les Croquemitaines. Faire peur et éduquer,* numéro spécial de *Le monde alpin et rhodanien,* 1998 (textes de G. Pontano et M. Vegio). > **Hetty Nooy-Palm,** « Mes jours

en or », article déjà cité. > **Bernard Saladin d'Anglure,** *Être et renaître inuit,* ouvrage déjà cité. **Chapitre 28** > **Éric Mension-Rigau,** *L'Enfance au château,* ouvrage déjà cité. **Chapitre 29** > **Margaret Mead,** *People and Places,* New York, Bantam Book, 1959 (théâtre et danse à Bali). > **Aby Warburg,** *Le rituel du serpent. Art et anthropologie,* Macula, 1998. > **Claude Lévi-Strauss,** « Le Père Noël supplicié », dans *Les Temps modernes,* n° 77, 1952. **Chapitre 30** > **Norbert Elias,** *Mozart, sociologie d'un génie,* éd. Michaël Schröter, trad. Jeanne Etoré et Bernard Lortholary, Seuil, 1991 > **Boris Cyrulnik,** *Les Vilains Petits Canards,* Odile Jacob, 2001.

Pour en savoir plus sur l'enfance et son histoire

> **Philippe Ariès et Georges Duby** (dir.), *Histoire de la vie privée,* Paris, Seuil, 5 vol., 1985-1987. > **Egle Becchi et Dominique Julia** (dir.), *Histoire de l'enfance en Occident,* Paris, Seuil, 1998, 2 vol. > **André Burguière, Christiane Klapisch-Zuber, Martine Ségalen, Françoise Zonabend** (dir.), *Histoire de la famille,* Paris, A. Colin, 1986, 2 vol. > **Jean Delumeau et Daniel Roche** (dir.), *Histoire des pères et de la paternité,* Paris, Larousse, 1990. > **Michèle Guidetti, Suzanne Lallemand, Marie-France Morel,** *Enfances d'ailleurs, d'hier et d'aujourd'hui,* Paris, A. Colin, 2002. > **Jeannine Koubi et Jacqueline Massard-Vincent** (dir.), *Enfants et sociétés d'Asie du Sud-Est,* Paris, L'Harmattan, 1994 > **Giovanni Levi et Jean-Claude Schmitt** (dir.), *Histoire des jeunes en Occident,* Paris, Seuil, 1996, 2 vol. > *La situation des enfants dans le monde,* rapports annuels de l'UNICEF.

Index des notions

503

Crédits photographiques

Couverture

508

1 Histoires de familles

Les textes sont accompagnés du nom de leur auteur. Ceux qui ne comportent pas de nom ont été écrits par Jérôme Baschet. François Trassard a rédigé les fiches « totems ».

3
**Les
mondes
des
enfants**

Directrice éditoriale
Colline Faure-Poirée

Directrice de création
Hélène Quinquin

Édition
Annie Trassaert,
assistée de Marie-Laure Nolet
et de Marguerite Tocanne

Correction
Lorène Bücher

Iconographie
Pierrette Destanque,
Perrine Dragic

Index
Benoît Farcy

Fabrication
Nadège Grézil
sous la direction
de Jacqueline Faverger

**Conception visuelle
et mise en pages**
Objet graphique 2010
Cyril Cohen
assisté de Roman Seban

© Éditions Gallimard Jeunesse, 2010
ISBN : 978-2-07-052252-1
Numéro d'édition : 133683
Dépôt légal : novembre 2010
Loi n° 49956 du 16 juillet 1949
sur les publications destinées à la jeunesse
Gallimard Jeunesse / Giboulées

Photogravure : IGS
Imprimé en Espagne par Egedsa

Le papier de cet ouvrage est composé
de fibres naturelles, renouvelables,
recyclables et fabriquées à partir
de bois provenant de forêts plantées
et cultivées expressément pour
la fabrication de la pâte à papier.